ビジュアル版
コンピューター＆
テクノロジー解体新書

ロン・ホワイト●著　ティモシー・エドワード・ダウンズ●イラスト　トップスタジオ●訳

How Computers Work, Tenth Edition by Ron White
Illustrated by Timothy Edward Downs

Authorized translation from the English language edition, entitled HOW COMPUTERS WORK, 10th Edition, ISBN: 078974984X by WHITE, RON; DOWNS, TIMOTHY EDWARD, published by Pearson Education, Inc., publishing as Que Publishing, Copyright © 2015 by Ron White

All rights reserved. No part of this book may be reproduced or transmitted in any form or by any means, electronic or mechanical, including photocopying, recording or by any information storage retrieval system, without permission from Pearson Education, Inc.

JAPANESE language edition published by SB Creative Corp., Copyright © 2015

JAPANESE translation rights arranged with PEARSON EDUCATION, INC. through ENGLISH AGENCY(Japan) LTD., THE, TOKYO JAPAN

■本書内に記載されている会社名、商品名、製品名などは一般に各社の登録商標または商標です。本書中では®、™マークは明記しておりません。
■本書の出版にあたっては正確な記述に努めましたが、本書の内容に基づく運用結果について、著者およびSBクリエイティブ株式会社は一切の責任を負いかねますのでご了承ください。

©2015
本書の内容は著作権法上の保護を受けています。著作権者・出版権者の文書による許諾を得ずに、本書の一部または全部を無断で複写・複製・転載することは禁じられております。

目次

はじめに 1

Part 1：コンピューターを支えるサイエンスとハードウェア技術　2

Chapter 1：目に見えない組み立てブロックの世界 6
あらゆるものを作り上げる波の仕組み 8
波が情報を伝える仕組み 10
ハードウェアに潜む電磁気の働き 12
電気を制御する仕組み 14
コンピューターが数で世界を表現する仕組み 16

Chapter 2：コンピューターが記憶する仕組み 18
小さなトランジスタが大きな仕事をする仕組み 20
データをRAMに書き込む仕組み 22
データをRAMから読み出す仕組み 24
電源を切ってもフラッシュメモリの記憶が失われない仕組み 26

Chapter 3：小さなプロセッサが大きな仕事をする仕組み 28
プロセッサが計算のためにメモする仕組み 32
プロセッサが計算する仕組み 34
プロセッサがデータを移動する仕組み 36
マルチコアプロセッサの仕組み 38
複雑化の方向へ進むデスクトップCPU 40
単純化の方向へ進むモバイルCPU 41

Chapter 4：マザーボードが指揮するデータ交響曲 42
マザーボードが全体を1つにまとめる仕組み 46
チップセットによるトラフィック制御の仕組み 48
PCI-Expressがバスの限界を打ち破る仕組み 50

Part 2：ソフトウェア―コンピューターが紡ぐ詩　　52

Chapter 5：言葉がプログラムになる仕組み 64
　プログラムとは道路地図のようなもの 68
　インタープリターがプログラムを通訳する仕組み 70
　ソフトウェアを生み出すコンパイラの仕組み 72

Chapter 6：代表的なアプリケーションソフトの仕組み 74
　テキストに多彩な表現を与える仕組み 76
　データベースにデータが記録される仕組み 78
　データベースにデータが詰め込まれる仕組み 80
　データベース内で関係が作られる仕組み 82
　表計算ソフトの数式が解かれる仕組み 84
　数が画像になる仕組み 86
　画像を圧縮して容量を節約する仕組み 88
　画像編集ソフトで数値によって色が塗られる仕組み 90
　写真編集ソフトによる古い写真の復元 92
　モバイル端末のアプリの仕組み 94

Chapter 7：ゲームが世界を創造する仕組み 96
　コンピューターが3D世界を描く仕組み 98
　3D世界が衣服をまとう仕組み 100
　シェーダーが世界を制御する仕組み 102
　ゲームの世界にキャラクターたちを住まわせる仕組み 104

Chapter 8：セキュリティソフトウェアが侵入者を撃退する仕組み 106
　ハッカーがシステムに侵入する方法 108
　スパイウェアがあらゆる活動を報告する仕組み 110
　ウイルスがコンピューターに侵入する仕組み 112
　電子メールでウイルスが運ばれる仕組み 114
　ウイルス対策ソフトウェアが応戦する仕組み 116
　ファイアウォールがハッカーの侵入を防ぐ仕組み 118
　スパム発信者が標的を見つける方法 120
　スパム対策ソフトウェアがスパムを見つけ出す仕組み 122
　素数によって秘密が守られる仕組み 124

Part 3：コンピューターの進化　　　　　　　　　　126

Chapter 9：コンピューターの DNA の起源 130
　モバイル化以前の時代の化石 132
　しぶとく生き残る遺物：マウス 134
　しぶとく生き残る遺物：キーボード 136
　時代を制したフロッピードライブ 138
　ディスプレイの貴婦人だった CRT 140
　大活躍したインパクトプリンター 142
　思いも寄らないインターネットの祖先：ダイヤルアップモデム 144
　厄介だったケーブル接続：シリアル 146
　厄介だったケーブル接続：パラレル 148
　変化していない電源ユニット 150
　魅力あふれる iPhone 152

Chapter 10：小さな変化が大きな成果を生み出す仕組み 154
　USB はいかに万能か 156
　小さな歩みの積み重ねがもたらす大きな変化 158
　ファイル圧縮によってファイルが小さくなる仕組み 160
　SSD が高速に動く仕組み 162
　SSD がガベージを取り除く仕組み 163
　パソコンが光を使って情報を読み取る仕組み 164
　光学式ディスクドライブが光を使って書き込む仕組み 166

Chapter 11：小型になったパソコン 168
　小型化し、高機能になったコンピューター 170
　iPod がメディアを供給する仕組み 172
　電子インクが電子書籍リーダーに文字を表示する仕組み 174
　スマートフォンに詰め込まれた数々の賢い機能 176
　Google Glass がボーグへと至る仕組み 178

Chapter 12：スーパーコンピューターの進化 180
    ゲームを美しく滑らかに動かすビデオカードの仕組み 182
    何倍もオーバークロックする仕組み 184
    パソコンを冷却する仕組み 186
    パソコンの高度な冷却方法 188
    Jailbreak によるデバイスの解放 190

Chapter 13：カメラが思い出を記録する仕組み 192
    デジタルカメラが一瞬を捕らえる仕組み 194
    オートフォーカスで写真が鮮明になる仕組み 196
    カメラが露出を判断する仕組み 198

Part 4：私たちの感覚を広げるコンピューター　　　200

Chapter 14：さまざまなコンピューター技術 204
    スマートフォンが位置情報を取得する仕組み 206
    デバイスがタッチを認識する仕組み 208
    ガラスが強くしなやかになった仕組み 209
    ゲームコントローラーでプレイできる仕組み 210
    ゲームコントローラーで力を感じる仕組み 212
    スマートフォンが振動する仕組み 214
    デバイスが光を捕らえる仕組み 216
    フラットベッドでスキャンが簡潔になる仕組み 218
    コードが何もかも追跡する仕組み 220
    OCR の仕組み 222

Chapter 15：コンピューターが映像を作り出す仕組み 224
    液晶ディスプレイが色彩を作り出す仕組み 226
    プラズマディスプレイが輝く仕組み 228
    DLP が色を生成する仕組み 230
    有機 EL ディスプレイの仕組み 232
    3D 映像が立体感を演出する仕組み 234

Chapter 16：コンピューターが耳を刺激する仕組み 238
マイクが音を聞き取る仕組み 240
スピーカーが音を出す仕組み 242
デジタルサウンドが耳を錯覚させる仕組み 244
3D オーディオが臨場感を出す仕組み 246

Part 5：インターネットの誕生と発展　　　　　　　248

Chapter 17：ネットワークがコンピューターを結び付ける仕組み 254
コンピューターが相互に接続する仕組み 256
コンピューター間でデータが伝わる仕組み 258
好きな場所からネットワークが使える Wi-Fi の仕組み 260
Bluetooth による接続の仕組み 262
NFC によるスマートデバイスの近接通信 264

Chapter 18：インターネットで世界とつながる仕組み 266
大容量のデータを伝送する仕組み 268
DSL が電話回線を使ってデータを伝送する仕組み 270
CATV でインターネットトラフィックを伝送する仕組み 272
未来を照らす光ファイバーの仕組み 274
コンピューターから電話をかける仕組み 276
携帯電話の進化の歴史 277
ネットワークどうしが通信する仕組み 278
情報がインターネットを伝わる仕組み 280
オンラインサービスが提供される仕組み 282
映画が家庭に配信される仕組み 284

Chapter 19：すべてを便利にするウェブの仕組み 286
ブラウザーがページを開く仕組み 288
ブラウザーにウェブページが表示される仕組み 290
Cookie で細かいデータをやり取りする仕組み 292
Google があらゆる情報を手に入れる仕組み 294
何でも売る eBay の仕組み 296

Chapter 20：インターネットがコミュニケーションを可能にする仕組み ... 298
E メールが従来の郵便をしのぐ仕組み 300
Facebook があなたの猫を大人気にする仕組み 302
Twitter がコミュニケーションを変える仕組み 304
インターネットによるファイル共有の仕組み 306
BitTorrent がコンテンツを拡散する仕組み 308
クラウドが世界を取り囲む仕組み 310

Part 6：プリンターがデータを形にする仕組み 312

Chapter 21：モノクロ印刷の仕組み 316
プリンターがビットマップフォントを利用する仕組み 318
プリンターがアウトラインフォントを利用する仕組み 320
光で印刷する仕組み 322

Chapter 22：グーテンベルクの想像を超える印刷技術 324
プリンターが色を表現する仕組み 326
インクジェットプリンターが画像を表現する仕組み 328
プリンターが写真を印刷する仕組み 330
レーザープリンターが色を作る仕組み 332
固体インクカラープリンターの仕組み 334
3D プリンターの仕組み 336

Part 7：今後の展望　　　338

索引 346

著者紹介

ロン・ホワイトは 20 年にわたって『How Computers Work』を 10 版まで執筆する一方、『PC Computing』、BYTE.com、groovyPost.com の編集長を務めてきました。また、『Windows Sources』と『80 Micro』のコラムニストとしても活動しています。『How Computers Work』はノンフィクション部門のベストコンピューター書籍に選ばれており、彼の著書は Maggie 賞、Robert F. Kennedy Journalism 賞を受賞し、The National Endowment for the Humanities（全米人文科学基金）によって表彰されています。彼と妻の Sue はボストンとサンフランシスコを行き来していましたが、現在はサンアントニオに暮らしています。

イラストレーター紹介

ティモシー・エドワード・ダウンズは受賞歴のある国民的イラストレーターで、『How Computers Work』と『How Digital Photography Works』のイラストを担当しました。彼はイラストレーターとしての活動において、グラフィックデザインのあらゆる要素にかかわってきました。イラストレーター兼クリエイティブディレクターとして、広告会社、マーケティングコミュニケーション企業、また一般雑誌のアーティストやデザイナーのチームを先導し、イラスト、写真、タイポグラフィ、デザインを通してメッセージを的確に表現する役割を果たしています。彼は「我々の仕事はライターが保存ボタンを押してからが始まりではありません。効果的に作品の雰囲気や構想を伝えるには、最初のブレインストーミングから制作の最終段階までのプロセスを把握している必要があります」と語っています。

ダウンズのデザイン、イラスト、写真の一部は、http://timothyedwarddowns.com でご覧いただけます。

謝辞

20 年にわたって『How Computers Work』を 10 版まで書くことができたのは、多くの方々の助けがあったからです。Tim Downs 氏の存在を抜きにしては、この本を完成させることは到底できなかったことでしょう。彼のイラストは、テクニカルアートの新基準を確立しました。まさに「芸術」という言葉が当てはまります。イラストが技術的に正確であるだけではなく、彼の才能が注ぎ込まれたイラストは、本書の技術的説明のために描かれた図版という枠を超え、それだけでアート作品になりえるものです。一緒に働いて 20 年間になりますが、他のパートナーとは違って、単なるイラストレーターという存在ではなく、私の良き友人にもなりました。

本書の完成を実現してくださった皆さまに感謝をささげます。妻の Sue は編集者、批評家、コーチ、パーソナルトレーナーの役割を果たしてくれました。私がキーボードを前に過ごした時間は、私たち 2 人にとって必ずしも心地良いものではありませんでしたが、すべて放り出してしまいたいと感じたときには、彼女がそばにいて、一番必要なやりかたで支えてくれました。息子の Michael White も、彼自身の会社経営や学業にもかかわらず、退屈な調査やエラーチェックに多くの時間を割いてくれました。2 人ともありがとう。

多くの作家にとって編集者や出版社に賛辞を浴びせるのは野暮ったいことのようですが、編集の Todd Brakke 氏と Que Publishing 社の Greg Wiegand 氏にはいくら感謝を述べても足りないほどです。本版でも旧版でも、Todd はすべての作家が理想とする編集者でした。いつでも的確な提案や励ましを与えてくれ、時間の余裕がないときには執筆を手伝ってくれました。Greg は、単に執筆を進める作家の雇用主というより、常に友人のような存在でいてくれました。執筆中に体調を崩したときは、守れなかった納期ではなく私の健康を心配してくれました。ありがとうございました。

執筆の基礎を築いてくれた編集者にも感謝を申し上げます。Roddy Stinson 氏には、自分自身の声に耳を傾ける大切さを教わりました。Jim Dolan 氏は、どんなささいなことでも重要であるということを教えてくれました。『PC Computing』が 1988 年に発行されたときの編集長で、今は亡き Jim Seymour 氏と、彼の妻で編集者だった Nora は、新聞から雑誌へと移る機会を与えてくれましたし、特別な親友でいてくれました。Preston Gralla 氏は、私が『PC Computing』に加わったときに「How It Works」の部門を作ってくれました。彼がいなくては、この本は存在しなかったことでしょう。彼の友情と語り尽くせないほどの親切には感謝し切れません。

『PC Computing』の編集長で発行人の Mike Edelhart 氏は、かつてなかった類のコンピューター書籍にチャンスを与えるよう、当時は半信半疑だった出版社を説得してくださいました。厚く御礼申し上げます。旧版では、Randy Ross 氏、Margaret Ficklen 氏、Herb Brody 氏、Brett L. Glass 氏、Marty Jerome 氏、Raymond Jones 氏、Matthew Lake 氏、Jack Nimersheim 氏、Stephen Sagman 氏、Jan Smith 氏、Dylan Tweney 氏、Doug van Kirk 氏、Mark L. Van Name 氏、Bill Catchings 氏、Christine Grech Wendin 氏、Kenan Woods 氏に大変お世話になりました。

本版と 9 冊の旧版でかかわった編集者にも感謝いたします。Rick Kughen 氏、Stephanie McComb 氏、Tonya Simpson 氏、Nick Goetz 氏、Angelina Ward 氏、Sarah Robbins 氏、Cindy Hudson 氏、Melinda Levine 氏、Lysa Lewallen 氏、Renee Wilmeth 氏、Leah Kirkpatrick 氏のおかげで、すべてをまとめ上げることができました。Juliet Langley 氏は初版を書店に熱心に薦めてくれました。彼女なしでは成功はありえなかったでしょう。

パソコン業界のたくさんの方々にも感謝を申し上げます。皆さんが知識、図表、ホワイトペーパーを共有してくださったおかげで、本書に詳細さと正確さを加えることができました。その中でも、Sonera Technologies 社の『DisplayMate』のライターであり、業界のだれよりもディスプレイテクノロジーの知識を持つ Ray Soneira 氏、Creative Electron 社の Griffin Lemaster 氏、ClipMate 社の Chris Thornton 氏、Olympus 社の Karen Thomas 氏、Intel 社の Joe Vanderwater 氏、Bryan Langerdoff 氏、Dan Francisco 氏、Tami Casey 氏、John Hyde 氏、Bill Kircos 氏、Susan Shaw 氏、Seth Walker 氏、Microsoft 社の Russell Sanchez 氏と Adam Kahn 氏、IBM 社の Jim Bartlett 氏、Ellen Reid Smith 氏、Tim Kearns 氏、

Desire Russell 氏、id Software 社の Barrett Anderson 氏と Todd Hollinshead 氏、Adaptec 社の Marcie Pedrazzi 氏、Rockwell 社の Eileen Algaze 氏、Tektronix 社の A.J.Rodgers 氏、Jennifer Jones 氏、Susan Bierma 氏、Epson 社の Ben Yoder 氏 と Lisa Santa Anna 氏、TechSmith 社の Dewey Hou 氏、Thrustmaster 社の Kathryn Brandberry 氏 と Doyle Nicholas 氏、Microtek Lab 社の Dani Johnston 氏、The Benjamin Group 社の Lisa Tillman 氏、Iomega 社の Dvorah Samansky 氏、SanDisk 社の Brandon Talaich 氏、Pioneer USA 社の Chris Walker 氏、Cirque Corporation 社の Carrie Royce 氏、Marken Communications 社の Andy Marken 氏、BeyondWords 社の Tracy Laidlaw 氏には本当に感謝しています。本書に誤りがあれば、それはすべて私の責任です。

　本書は、もしかしたら私がかかわる最後の版になるかもしれないので、読者の皆さまには、思いやりのあるご感想、誤りのご指摘、そしてもちろん購入してくださったことに感謝を申し上げます。皆さまのお力添えのおかげで、この長旅を終えることができました。

はじめに

> 高度に発達したテクノロジーは魔法と見分けがつかない。
>
> —アーサー・C・クラーク

魔法使いには魔法の杖があります。その杖は強力で、生命を持ち、危険を秘めています。魔女には使い魔がいます。それはありふれた動物に扮し、その気になれば魔力を使って大混乱をもたらすこともできます。呪術師にはゴーレムがいます。木とブリキでできたからだを持ち、命を吹き込まれて主人の命令を遂行します。

私たちにはパーソナルコンピューターがあります。

コンピューターも、生命を持っているかのように見える強力な創造物です。それはたいてい、マウスの動きや呪文のような言葉に反応して、ある種の超自然的な力がなければ人間には不可能に思える仕事をこなします。しかし、コンピューターが私たちの命令を忠実に遂行したとしても、そこに何かしら魔法の力が働いているような気がしてなりません。

一方、コンピューターがまるで悪霊のように逆らい、整然と並べられた数字、念入りに書き上げられた文章、美しく描かれたグラフィックスの上に混沌の扉を開いてしまうことがあります。こんなとき、私たちは完全には制御しえない力が確かに働いていることを確信します。魔法使いの見習いとなった私たちは、何かを正しく行おうとすればするほど混沌の深みへと足を踏み入れることになります。

パーソナルコンピューターが忠実な使いでも小悪魔であったとしても、間もなく私たちは、この無口な箱の中では自分の理解を超える多くのことが起こっていることに気づきます。コンピューターにはたくさんの謎があります。しっかりと閉じられた容器を開けても、ポーカーフェイスを決め込んだ部品が顔を出すだけで、手掛かりはほとんどありません。その多くはマイクロチップで構成されていて、まるでスフィンクスのように、無機質な表面にある判読できないコードを除いては、何の情報も与えてくれません。基板を這う迷路のような配線には興味をそそられるものの、不可解な象形文字のようです。ハードディスクや電源といった重要なパーツは、内部をのぞき見る者に危険を告げる—それもファラオの墓も顔負けの—警告文と共にしっかり封をされています。

本書は2つのアイデアに基づいて書かれています。1つ目は、理解して使う魔法は理解せずに使う魔法よりも安全で強力ということです。実践的ハウツー本ではないので、ドライバーの使い方は出てきません。とはいえ、この無口な箱の中で何が起こっているのかを知っていれば、何かに失敗しても、それほど困り果てることはなくなるでしょう。本書の基礎をなす2つ目のアイデアは、知識それ自体に価値があり、それが楽しい目標になるということです。本書の目的は、毎日数時間も向かい合うあの箱の中で起きている出来事について、ぼんやりと浮かんでくる皆さんの疑問に答えることです。本書がその疑問を解決するなら、あるいは新たな疑問を生じさせるなら、本書の役目は果たされたといえるでしょう。

同時に私が心配するのは、手品のタネが明かされればショーの魅力は失われてしまうということです。時として、謎は知識と同じくらい魅力的だからです。本書を読むことで、コンピューターが何か新しい芸当をこなすときに私たちが覚える驚きが消えてしまうなら、それは私の望むところではありません。代わりに、皆さんがいっそう自信あふれる魔法使いになってくれることを願っています。

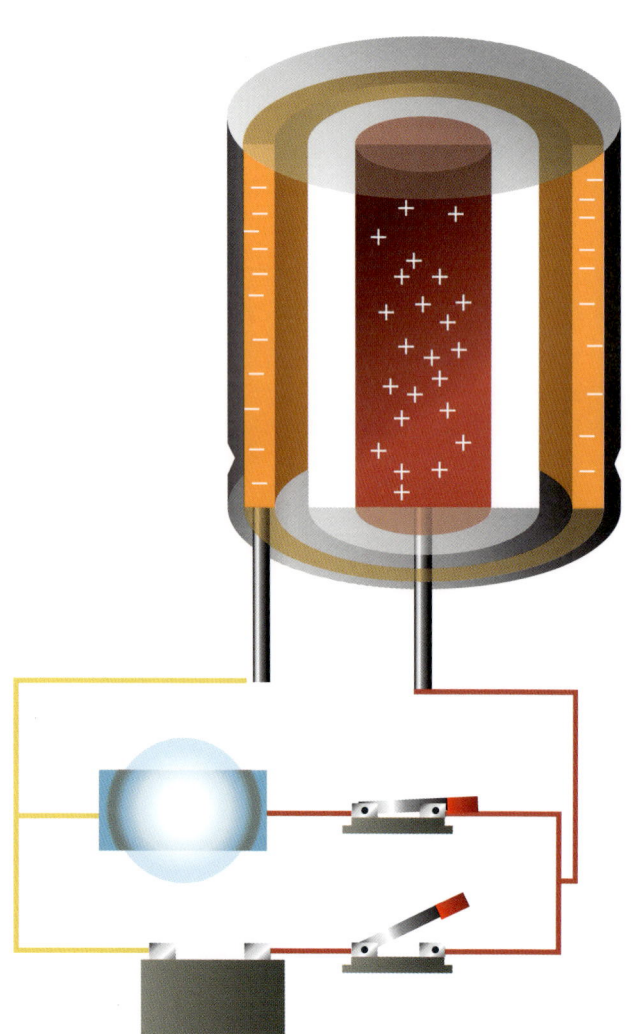

PART 1

コンピューターを支える サイエンスとハードウェア技術

CHAPTERS

- CHAPTER 1　目に見えない組み立てブロックの世界　6
- CHAPTER 2　コンピューターが記憶する仕組み　18
- CHAPTER 3　小さなプロセッサが大きな仕事をする仕組み　28
- CHAPTER 4　マザーボードが指揮するデータ交響曲　42

> もし宇宙の秘密を知りたければ、世界をエネルギーと振動数と振幅で考えてみることだ。
>
> ―ニコラ・テスラ

半世紀前、学校で物理学を勉強する学生は6種の**単純機械**を学ばなければなりませんでした。単純機械とは輪軸、梃子（てこ）、滑車、斜面、くさび、ねじの6種の道具を指します。これらの道具は、力仕事を楽にするため遥か昔から使われてきました。単純機械で仕事がどれだけ楽になるか。その説明イラストには、きつい労働に汗を流す人々が決まって登場します。

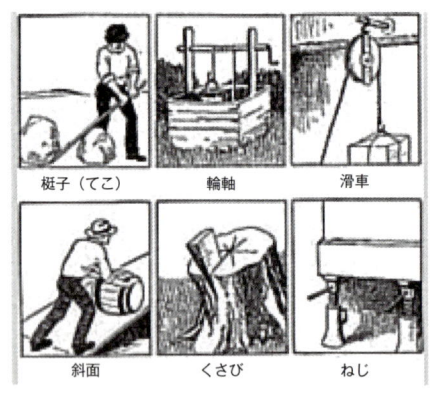

同様に、アルキメデスの「十分長い梃子（てこ）と足場を与えてくれたら地球を動かしてみせるよ」も、よく引き合いに出される有名な言葉ですね。ただし、そのためには地球から木星に届くほど長い梃子（てこ）が必要になるのですが。

それでも、人や馬の筋力を利用する以外にこれといって力を生み出す方法がなかった時代は、単純機械は素晴らしい思いつきでした。6種の単純機械をさまざまに組み合わせ、荷馬車、投石機、灌漑システム、道路、橋などが作られました。もちろん、ピラミッドも忘れてはなりません。回転板に歯を刻めば歯車ができます。歯車を梃子（てこ）や滑車と組み合わせれば時計ができます。

才人たちが単純機械を組み合わせて複雑で強力な機械を作り上げてきました。そこで発揮される創意工夫は、世紀を重ねるごとに巧みなものになりました。水力、蒸気、圧縮空気、あるいは化学燃料で駆動されるエンジンの力によって、単純機械の能力をアルキメデスが想像もできなかったほど複雑なものへと変質・増大させました。

そして電気の登場です。それは金属線を通り抜ける不思議な力でした。電気が流れる金属線を曲げて、他の金属線や金属片に巻き付けると、ある種のエンジンになりました。それは、水車と違って持ち運ぶことができ、蒸気機関や化学燃料エンジンと違って爆発する心配もありませんでした。電気が生み出すものが、単純なものから複雑なものまで一切の機械を動かす、より安全で効率的なエンジン（モーター）だけだったとしても、それが文明に一定の恩恵を与えたことは間違いありません。しかし、科学者やエンジニアたちは、それが何かわからず見ることすらできませんでしたが、この新しい力に内在する新たな特性を見出していました。

その成果は、ご存じのとおりです。電球に始まり、コンピューターやスマートフォン、タブレットに至るあらゆるものが生み出されました。今、この本をそういった機械でお読みになっているかもしれませんね。フィラメントを白熱させたりモーターを回転させたりする能力にとどまらず、その先へと向かう電気の能力をエンジニアたちが思い描いたとき、その真価に迫りつつありました。彼らは電気と磁気の相互の関係、つまり電気が作り出す電磁場に、もっと多くの可能性があることを見出し始めていました。それは遠く離れていても他の物質に作用することができました。そして電気と光が、実は同じもの（**電磁スペクトル**）の2つの相であること、そこにはさまざまな周波数で振動する波が作る（ふつうは）目に見えない場があること、それらの場はごく微小なものから地球を包み込むほど大きなものまであること、こうした事実に気づいたのです。

中世の単純機械と同様に、これらの新たな基本原理を組み合わせて新しい道具を作ることができました。その組み合わせ

には限りがなく、それまで想像もできなかった仕事をこなす道具が作られるようになりました。そしてエンジニアたちは悟りました。電磁気の真の力は、列車を動かすこと、患者の体内を透視すること、夜を昼間のように明るく照らすことにあるのではなく、むしろ情報を記憶し、操作し、伝達することにあるのだと。

　こうした効用を背後で支えるのは、物理学が提示するいくつかの非常に基本的な原理です。その原理に導かれて、私たち人類は万物の本質を知る一歩手前にまで至りました。本書の Part 1 では、新時代の幕を開けるこれらの基本原理を見ていくことにしましょう。おや、「一体、いつになったらコンピューターの中身を見せてくれるのか」ですって？

　実はもう目の前にあります。Part 1 のテーマはコンピューターの中身**そのもの**なのです。しかも、それはコンピューターの種類に関係しません。メインフレーム、デスクトップ、ラップトップ、タブレット、デジタル音楽プレーヤー、カメラ、GPS、スマートフォン、スマートウォッチ、スマートグラスなど、あらゆるコンピューターに有効です。それらを成り立たせている原理や技術をこれから見ていきます。

CHAPTER 1 目に見えない組み立てブロックの世界

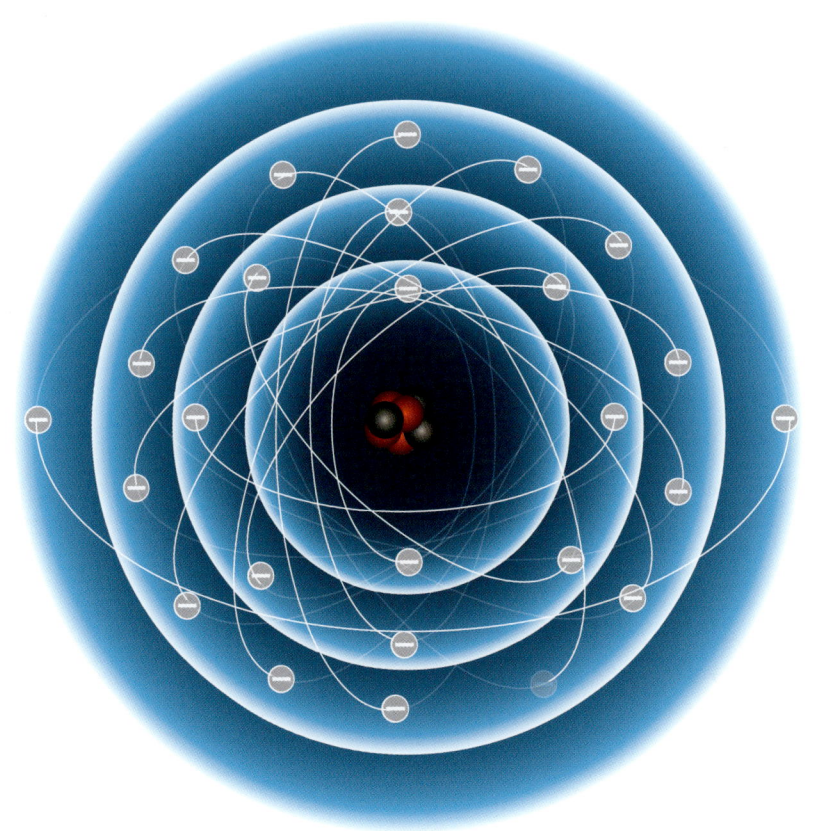

CHAPTER 1　目に見えない組み立てブロックの世界

> 今や全世界を駆り立てているのは情報だ。私たちの世界は、そこら中に張り巡らされたワイヤや空気を伝わる、目に見えぬちっぽけな1と0たちの瞬きに何もかも支配され動かされている。
>
> **―クリス・ドヨン：カナダに潜伏するコンピューター活動家**

ルイスC.K. の日常には、あるお決まりの流れがあります。彼の幼い娘が投げかける素朴な疑問に答えようとしているうちに、人々が長い間熟考してきた哲学的な問題にぶつかってしまう、という流れです。その疑問はこんなふうに始まります。「雨の日、なんで外に出ちゃだめなの？　なんで雨が降ってるの？　なんで雲があるの？」さらに、ルイスの知らない博士論文級の「なんで？」や学校で習ったこともない「なんで？」が続きます。この「なんで、なんで、なんで？…」に導かれ、父と娘はある究極の疑問に辿り着きます。

「なんでって、そういうこともあれば、そうじゃないこともあるから」

「なんで？」

「なんでって、そうじゃないってことは、そうできないってことだから」

「なんで？」

「なんでって、どうにもならないからだよ…」*

コンピューターの仕組みを知るのもこれとよく似ています。ハードドライブがファイルを書き込むのに磁石を使うのはよいとして、その理由までご存じですか？　磁石が、ある種の金属を引き寄せるのはなぜだかわかりますか？　磁石に、そのような目に見えない力の場が、なぜあるのでしょうか？

目の前のコンピューター自体に答えを求めても無駄です。コンピューターは黙ったまま、何も教えてはくれません。目に見える形で何か動きを示したり、せめてチックタックと音を出してくれたらよいのですが、コンピューターはうんともすんとも言いませんし、蓋を開けて中身をのぞいたところで大したことはわかりません。

コンピューター内部ですべてを動かしているのは、実はゴースト（素粒子）たちです。ゴーストそのものは決して目に見えません。ポルターガイストが電気スタンドをぶん投げて床へ落とすように、見えるのはその行為の痕跡だけです。そしてどのコンピューターも、パソコンであれ、Galaxy Sであれ、固く蓋を閉じてゴーストたちの秘密をしまい込んでいます。だから「なんで、なんで、なんで？…」と問い続けるしかないのです。質問を次から次へと続けていくと、やがて目に見えない小さなゴーストで満たされた物理状態に辿り着きます。そこで活躍するゴーストといえば、電磁スペクトルに含まれる膨大な数の要素や、螺旋状に並ぶ量子スピンなど、どれを取っても人の目にはとうてい見えないものばかりなのです。

唯一、その小さなゴーストたちについて、かすかながら手がかりを得る方法があります。それは大型ハドロン衝突型加速器（LHC）のような、数十kmにも及ぶ巨大な磁石の円周に沿ってゴーストたちをぐるぐる振り回し、最後にゴーストどうしがぶつかってもっと小さな、めったに現れない、現れてもたちまち消えてしまうゴーストたちを作り出すという方法です。私たち人間の目に映るのはゴーストたちが残した飛跡だけです。何が起こったのかは、この飛跡から解き明かそう、というわけです。

目に見えない小さなゴーストたちは究極の存在で、クリス・ドヨンが言うところの「目に見えぬちっぽけな1と0たち」です。目に見えない小さなデジタル式の組み立てブロックがさまざまに組み合わされ、コンピューター、タブレット、スマートフォン等々を構成するあらゆる部品が作られます。マイクロプロセッサやディスプレイ、プリンターの仕組みを本当の意味で理解するには、目に見えないゴーストの視点から、電気、波、磁気、バイナリ（2進法）、データパケットといった概念の働きをどうしても知る必要があります。

それでは、これらをよく調べてみることにしましょう。怖がることはありません。優しいゴーストたちです。きっとそのはずです。

---

* YouTube（www.youtube.com/watch?v=Tf17rFDjMZw）で、このコメディを少しだけご覧になれます。

あらゆるものを作り上げる波の仕組み

波の仕事は、サーファーたちにサーフィンを楽しませることだけではありません。波はコンピューターの働きに欠くことができない要素です。波によってデータをある場所から別の場所に運んだり、パソコンの部品を足並みを揃えて動かしたりします。波がなければ、コンピューターが処理した計算結果もテキストも画像も見ることができません。

物理学のある理論によれば、波は森羅万象を作り上げる究極の素材だといいます。宇宙も地球も人間も、波が縦横に交差して作る干渉縞に過ぎません。そして波はとても小さな、極小の振動するストリング（ひも）で作られます。実際、隙間なく中身の詰まった地球が、ただの幻想に過ぎないと思えることが時たまあります。ある条件の下で、波は建物や岩、水、他の波を通り抜けます。もちろん、私たちの肉体も通り抜けます。そこでは、地球そのものが、濡れて丸まったティッシュペーパーのようです。さて、ブンブンうなる宇宙の振動が、どんなふうにコンピューター上で曲を奏でるのか、見ていくことにしましょう。

1 おもちゃで遊んだことがある人なら、ごくありふれた2つの力学的な波である横波と縦波をよくご存じのはずです。友達と二人で縄跳び縄の端と端を持ち、上下にぐいぐい振ったとき、縄を伝わって進むきれいな丘状の盛り上がりは横波です。

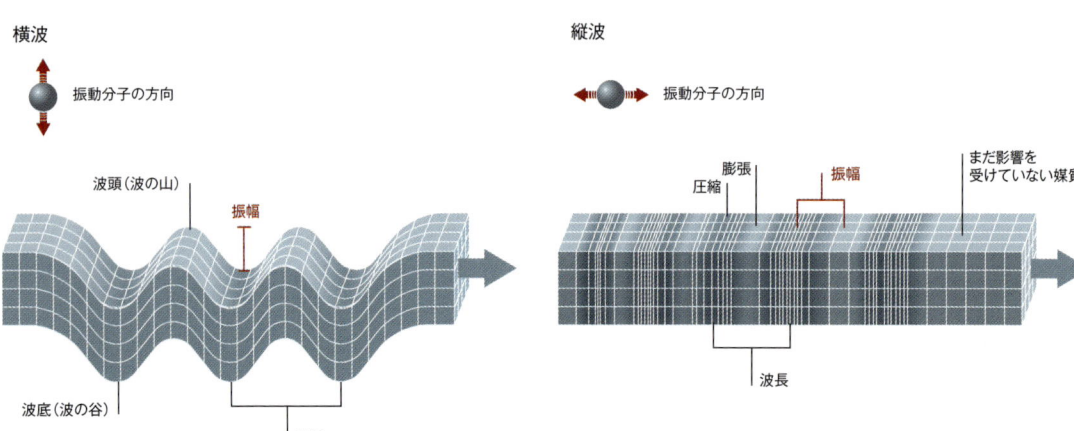

2 横波の例としては、光、地震表面波、水面波、磁気波、フットボールスタジアムの観客らによる応援ウェーブなどがあります。縦波は地中や海中の深部で観測されます。地震と津波は、波を伝える媒質（地層、海水層）を通して途方もなく大きなエネルギーを輸送し、地表または浅瀬に達すると、そこで横波に変換されます。高速道路の渋滞で、混雑した状態と束の間の高速走行状態が交互に繰り返される状況も縦波と考えられます。

3 縦波と横波はエネルギーや情報、ものを壊す力を運びます。これらの波は、時間と距離の尺度になります。どちらの波も（声帯、水面に投げた小石、地球に衝突した隕石などによる）力がそれぞれの媒質に加えられたときに発生します。横波は固体や液体を伝わりますが、ガスの中は伝わりません。空気には横波の振動分子を元の位置に戻すのに必要な弾性がないからです。ガスが振動の媒質となるのは縦波だけです。このような違いはあっても、縦波と横波は異なる種類の媒質が接する面で相互に変換されます。

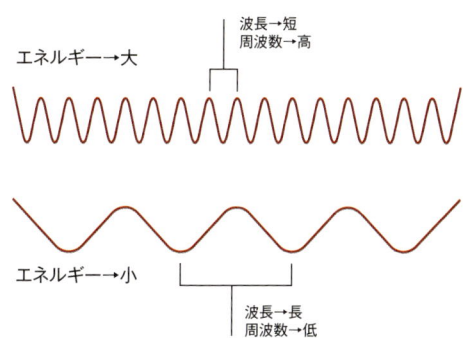

4 横波と縦波のどちらも、波を表す基本的な2つの量として、波長と周波数を持ちます。波長は波頭（または圧縮領域）から次の波頭（または圧縮領域）までの距離です。周波数は、定点で観測したとき、そこを1秒間に通過する波（1波長を1つと数える）の数です。波長が長くなるほど周波数は低くなります。周波数の単位はヘルツ（Hz）です。一般に周波数が高い波ほど大きなエネルギーを持ちます。可聴域の音波を扱うオーディオ分野では、周波数が高いということは音程が高いことを意味します。

5 水面を伝わる横波と空中を伝わる縦波の音波はどちらも、波を伝える媒質の力学的なメカニズムに依存するため、力学的な波と呼ばれます。しかし、そこで媒質が移動して伝わっていくと感じるのは錯覚です。波を作り維持するエネルギーは、分子どうしが次々と衝突することで伝えられていきます。ちょうど、リレー競走で走者が次の走者にバトンを渡すのと似ています。湖や浜へ行く機会があったら、水面に浮かぶボートか水鳥を観察してみるとよいでしょう。波が通過するとき、ボートも水鳥も同じ場所で上下に揺れているだけで、水平方向の位置は変化していないことがわかります。

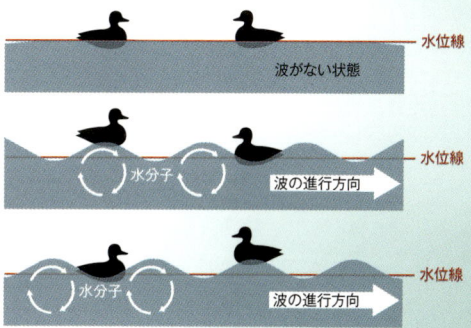

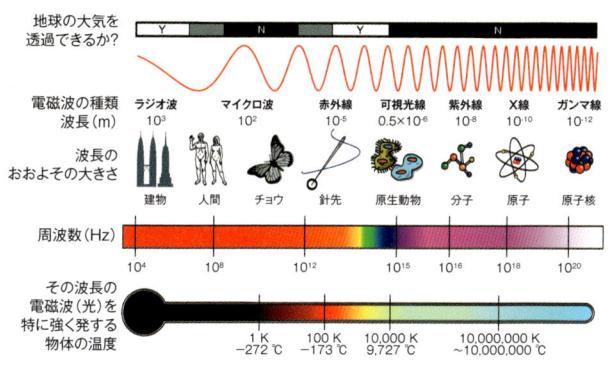

出典：Wikimedia Commons

6 電磁波は、力学的な波とは異なる、別の種類の波です。ラジオ波、マイクロ波、赤外線、可視光線、紫外線、X線、ガンマ線などが電磁波の範囲に含まれます。これらの波はいずれも電磁スペクトル（原子サイズを下回る波長から地球サイズを超える波長にわたる広大な帯域を持つ周波数帯域）の一部です。

7 電磁波は、波を伝えるいかなる種類の媒質も必要としない、真空中を伝わる唯一の波です。力学的な波とは異なりますが、電磁波は横波です。磁場と電場という2つの場がセットになった二重の横波です（電場を電界、磁場を磁界と呼ぶこともあります）。電磁場は、他の横波と同じように、波の進行方向と直角の方向に振動します。ただし、磁場と電場が互いに直交する形で振動し、一方の場の伸張・収縮に呼応するように、直交するもう一方の場が生成されます。つまり、電場の振動によって磁場が生成され、磁場の振動によって電場が生成されます。この電場と磁場の果てしない掛け合いにより、電磁波は真空中を光の速度で進むことになります。

波が情報を伝える仕組み

さて、**サーフィンやレーザー**、コンピューターの回路、テレビ、ロックのコンサート、そしてSFでおなじみの殺人光線に共通することは何でしょう？ すべて、波に乗って進むということです。もし、私たちを取り囲む（透過する）さまざまな波が全く存在しなかったなら、あるいは波が世界中のあらゆる場所に情報をほぼ一瞬で伝えることができなかったなら、私たちが今日享受する文明は、たぶん開花しなかったでしょう。

1 波を使って情報を送信するのにたいした技術は要りません。波をON/OFFするだけです。ジャングルドラムやモールス信号、そして初期のモデムで用いられるこの基本的な手法を**符号化**と呼びます。符号化の形式はいろいろありますが、音波や電波そのものは変化しません。波の発生回数と持続時間の組み合わせで情報を符号化します。モールス符号と初期の300**ボー**のモデムは長短2種類の電気パルスで簡単な2進符号を生成します。これはコンピューターにおけるデータの記憶や転送の先駆けです。短い**トン**と長い**ツー**をさまざまに組み合わせてアルファベットの文字を表現します。
全部で9個の電気パルスがあれば、モールス符号の遭難信号である「SOS」の3文字を表現できます。ここでのポイントは、電気信号の周波数と振幅は変化せず、同じ電気信号の送信間隔だけが変化することです。

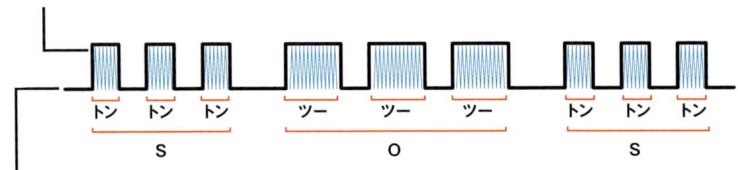

2 ジャングルドラムでは長短2種類の打音を打ち分けることはできません。1つ1つの打音の音量と、打音と打音の間隔の変化が作る、一定の規則的な繰り返しパターンで情報を伝達します。私たちはジャングルドラムに精通しているわけでもないので、1つの例として以下に偉大なドラマー、ジーン・クルーパによる「シング・シング・シング」の冒頭22秒間のドラムソロの波形を示します。この波形の強弱の変化はバスドラムの打音を表します。これを見ると波形の右端のほうでバスドラムの打音間隔が狭くなっていくことがわかります。もし携帯電話などなければ、この種のパターンをコミュニケーションに使うことも可能だったかもしれません。

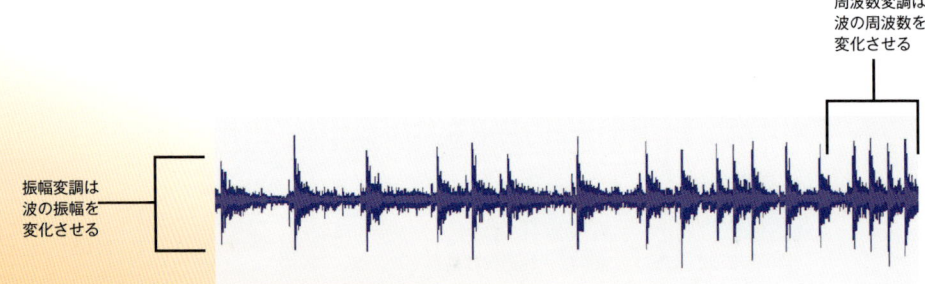

3 ジャングルドラムとモールス符号には明らかに限界があります。どちらも低速で、特殊技能を持つ人の手作業に依存するからです。そこで、波を変化させる全く別の方法が必要になります。これを変調と呼び、**周波数変調（FM）**、**振幅変調（AM）**、**パルス変調**の3種類の変調方式があります。

4 パルス変調は、波に情報を付加する（または波から情報を取り出す）最新の変調方式です。この方式が開発されたのは、モデムが信号を高速かつ正確にON/OFFする性能が限界に達したからです。その解決策として、さまざまな周波数や振幅を用いて文字の組み合わせを表現するという方法が採用されました。この仕組みは初期のモデムに非常に大きな進歩をもたらしました。ただし、適用範囲はテキストとデジタル情報に限られます。アナログ信号をデジタル信号に変換しないでそのまま送信するためには、AMまたはFMの変調方式が必要です。

5 AMもFMも情報を無線または電気回路を通して運ぶことができ、それに使用する周波数帯域は10^5Hz（ラジオ波）からマイクロ波、そして10^{13}Hz（赤外線）にまでわたります。周波数が高くなるほど波長は短くなります。ラジオ波の波長は平均的な超高層ビルの高さくらい、マイクロ波の波長は大人の身長くらい、赤外線の波長はコンピューターのマウスの大きさくらいです。ある波長がデータを運ぶのに便利かどうかは、さまざまな要素で決まります。たとえば、ラジオ波には煉瓦と鉄でできた建物を透過するものと、そこで反射するものがあります。一般に、周波数が高くなるほど多くの情報を運べます。波の山と谷の位置が移動する頻度が増えるほど、波を変調して情報を運ぶチャンスが増えるからです。

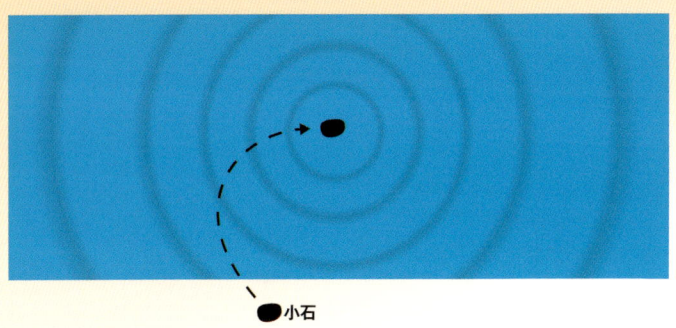
小石

6 変調について理解するには、池や湖で水面に小石を投げてみるとよいでしょう。小石を1つだけ投げ入れた場合、それが作る波は着水した点を中心に均等な同心円の形で静かに広がっていきます。今、この波を**搬送波**と呼ぶことにしましょう。搬送波の波長と広がっていく速度、そして波頭（波の山）と波底（波の谷）の大きさを目測します。

7 搬送波が広がっていく間に、周囲に小石をいくつか投げ入れてみましょう。それぞれの小石によって、また別の波ができます。小石の作る各波は、搬送波に出会うとそれを変化させます。これが変調です。各波の方向、合成された波の動き、速度、岸に到達したときの位置をすべて測定し、ある種の数学（考えてみたくもありませんね）を使って搬送波の影響を差し引くことで、個々の小石が水面に当たった位置と、そこで働いた力についての情報が後に残ります。

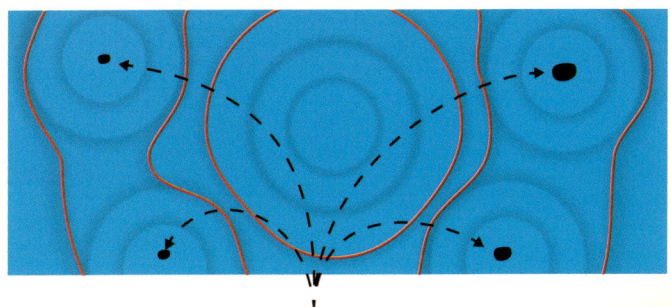

8 無線の搬送波信号は、上記の水の搬送波と同じく、既知の、特定の波長を持つ単純で安定した波です。この搬送波に、別の発信源からの音や映像によって作られた波（**入力信号**と呼ぶ）を重ね合わせます。この2つの波を合成して変調された信号を生成し、無線または有線で送信します。ラジオ、テレビ、その他の機器は、変調された信号を受信すると、最初の搬送波の影響を取り除きます。その結果、変調を行った元の入力信号と同じ内容の信号が後に残ります。

ハードウェアに潜む
電磁気の働き

本書の冒頭で、「高度に発達したテクノロジーは魔法と見分けがつかない」というアーサー・C・クラークの有名な言葉を引用しました。さて、まだ最初の章が終わっていないのに、もうマジックショーの始まりです。電気と磁気が対となってパワーを発揮する**電磁気**は、凄腕の手品師のように、その手の内を明かしてくれません。目に見えるのは結果だけなのです。

磁気の効果は、鉄粉や冷蔵庫のドア、私たちにエネルギーを供給してくれる巨大な発電機などで見ることができますが、磁気そのものを見ることはできません。磁気は電磁スペクトルの中の物言わぬ協力者です。

一方、電気は、壁のコンセントがショートしたときに出る火花として実際に目にすることができます。また、寒い日に指先から静電気（蓄積した余剰電子）がバチッと飛ぶと、確かに電気を感じます。

磁気と電気が一体になって電磁スペクトルができます。電磁スペクトルは宇宙に広がるあらゆる波を含む周波数帯域です。この磁気と電気の協力関係は他のさまざまな領域に引き継がれ、その結び付きを活動の源泉とするゴーストたちが、ほとんどの現代テクノロジーの基礎を形作ります。

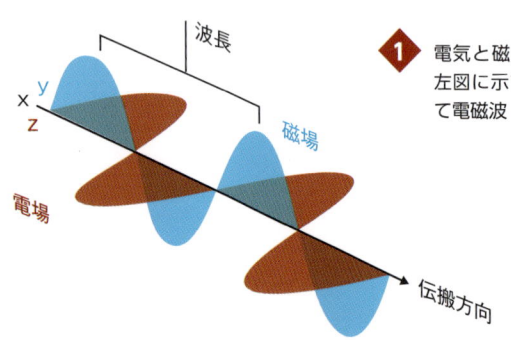

1 電気と磁気は互いに相手が存在しなければ持続できません。左図に示すように、磁場と電場の果てしない掛け合いによって電磁波（光、電波、熱）は真空中を伝搬します。

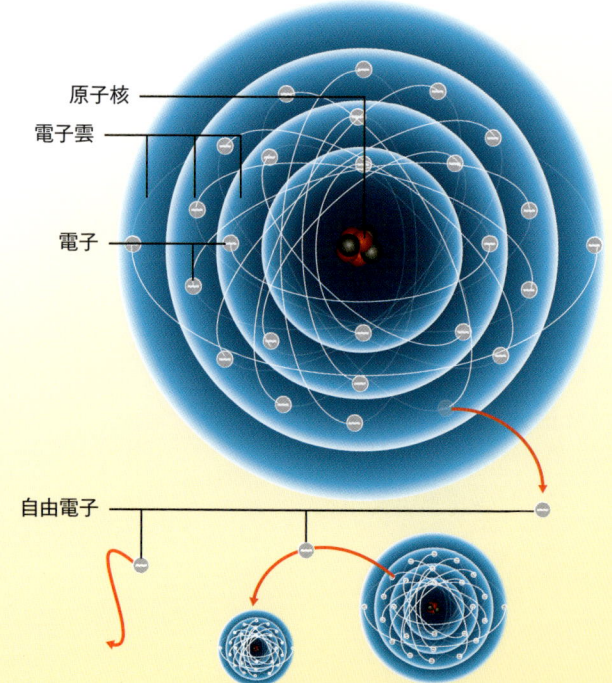

2 最初に電磁気の**電気**の側面から見ていくことにしましょう。銅や銀など、一部の原子は、原子の中心核（正の電荷を持つ陽子から成る**原子核**）と原子の外層に存在する負の電荷を持つ**電子雲**との間に働く引力が強くありません。このような**導電性**の物質では、電子がある原子から別の原子へ自由に飛び移ることができます。一定の条件が成立したときだけ起こる、この自由電子の移動という現象が**電気**です。電子の移動現象がもたらす電気は、電磁気のもう1つの形態である光とほぼ同じ速度（毎秒約30万km）で伝わります。

CHAPTER 1　目に見えない組み立てブロックの世界

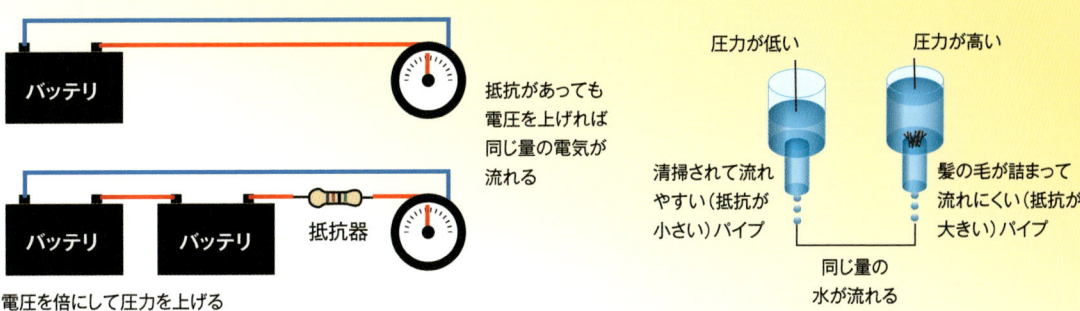

電圧を倍にして圧力を上げる

抵抗があっても電圧を上げれば同じ量の電気が流れる

圧力が低い　圧力が高い

清掃されて流れやすい（抵抗が小さい）パイプ　髪の毛が詰まって流れにくい（抵抗が大きい）パイプ

同じ量の水が流れる

3 電気を扱うときに使用する3つの要素があります。電圧（単位：ボルト）と電流（単位：アンペア）と抵抗です。便宜的に**電圧**（あるいは**電荷**）は、水圧と同じようなものと考えればよいでしょう。これは電気を生じさせる原因となる力の大きさを表します。**電流**（アンペア：**amp**とも書く）は、導線を伝わって流れる電気の量を表します。これはパイプを流れる水が何リットルかというのと似ています。**抵抗**は、電気が流れる材料の状態です。上のイラストの例で、詰まったパイプでも圧力が高いと何とか水が流れるのは、抵抗器があっても電圧を倍にすれば同じ量の電気が流れることに相当します。

4 ゴムやガラスなど、一部の物質は、電子と原子核が強く結び付いていて、電子は他の原子へ簡単に移動できません。これらの**非導電性**の物質を**絶縁体**と呼びます。条件によって導体にも絶縁体にもなる**シリコン**のような物質もあります。これらは**半導体**と呼ばれ、マイクロチップやトランジスタの重要な構成材として用いられます。

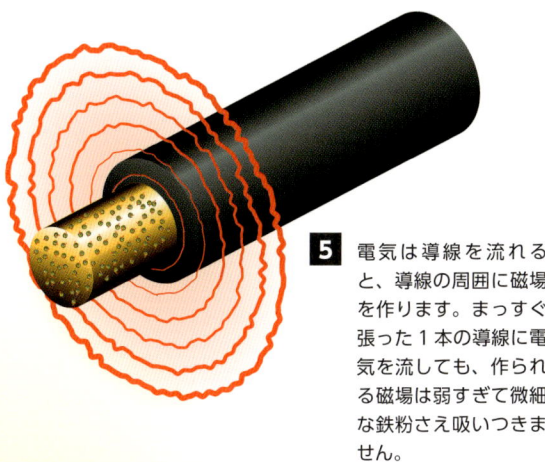

5 電気は導線を流れると、導線の周囲に磁場を作ります。まっすぐ張った1本の導線に電気を流しても、作られる磁場は弱すぎて微細な鉄粉さえ吸いつきません。

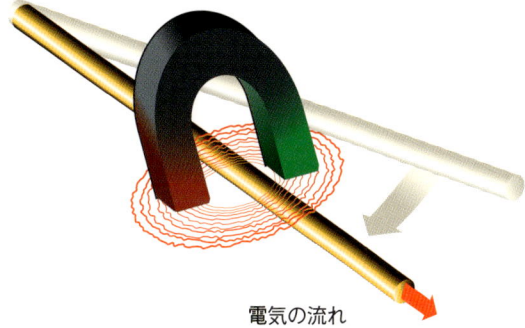

6 逆に、磁場中で導線を動かすと、導線に電流が生じます。この現象を起こすには、磁場中で導線を動かすか、導線の周りの磁場を伸張・収縮させる必要があります。

電気の流れ

7 導線を鉄心に巻き付けると、導線を流れる電気が作る磁場（または磁気が作る電気）をもっと強力にすることができます。私たちが使用するほとんどの電気の供給源である**発電機**では、導線を巻き付けた巨大なコイルを取り囲むように巨大な磁石が配置されています。ダムの水（または原子力発電所や火力発電所で作られる蒸気）が導線コイルを高速で回転させ、高電圧の**交流**を生成します。その電力は、太い低抵抗のケーブルを通して市街地の変電所に送られます。

電気を制御する仕組み

発電機で作られたばかりの電気は、電圧が数千ボルトあり、私たちが普段利用する電気よりもずっと強力です。家庭内で見ても、壁のコンセントから供給される電気の電圧は、多くの電子機器で必要とされる電圧（または許容電圧）よりも数倍高いです。同じ電子機器内でも、部品によって必要な電圧や電流は異なります。メインの電子回路より大きいこともあれば、もっと小さな電圧や電流が必要なこともあります。これらの電圧や電流を制御するには、どうすればよいでしょう？

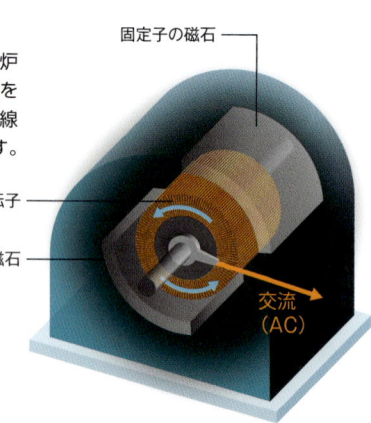

1 発電所では、石炭を燃やした熱または原子炉の熱で蒸気を発生させ、それで**発電機**の軸を回転させます。この軸には、何千本もの導線が巻かれた**回転子**が取り付けられています。回転子が**固定子の磁石**（2つの永久磁石）の内側で回転すると、固定子の磁場によって導線内に高電圧の電気が生じます。その電気が、**交流**として公衆**電力網**を通して一般家庭や事業所へ送られます。

2 電気は、最終目的地に到着する途中で**変圧器**（降圧トランス）によって電圧を下げられます。変圧器には、磁気が流れる共通の回路となるコア（通常は鉄心）があり、それに2本の導線が巻き付けられています。**交流 (AC)**—流れる方向が交互に反転する電気—が二次コイルよりも大きな**巻き数**（鉄心に導線を巻き付けた回数）を持つ**一次コイル**を流れます。変圧器では**直流 (DC)**—一方向にだけ流れる電気—は使用できません。13ページの **6** で説明したように、導線か磁場が動かなければ、磁場によって電気は作られないからです。

3 電流の方向が反転するごとに、それが作る磁場は伸張・収縮を繰り返します。これは磁場が動くのと同じ効果を持ち、コイル内に電気の流れを誘発します。交流電流が**一次コイル**を通り抜けると磁場の変化を引き起こし、その磁場の変化が二次コイル内に電流を誘発します。ただし、二次コイルは巻き数が少ないので、二次コイル内で発生する電流は電圧が低くなります。これが**降圧**トランス（降圧器）の原理です。家の近くの電柱にたいがい設置されている柱上変圧器も降圧トランスです。柱上変圧器は、発電所側から送られてきた数千ボルト（V）の交流電圧を屋内用の低い電圧（100V、200V）に変換します。

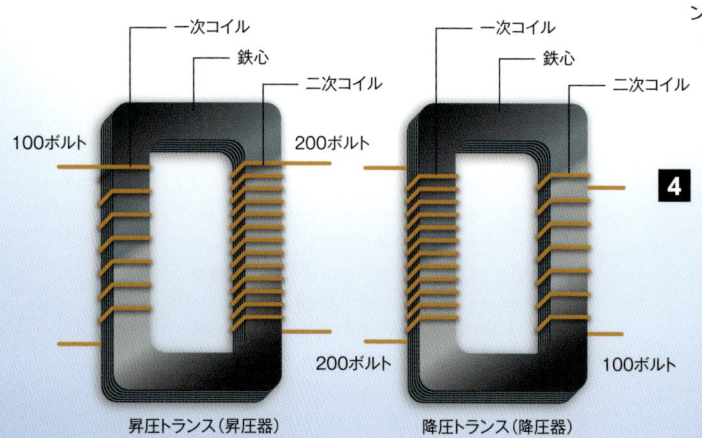

4 コンピューターが家庭用電流を利用できるようにするために、電流は2次降圧トランスを通ります。このトランスはパソコン背部にある、「開けるな」という警告の貼られた**電源ボックス**の内部にあり、100Vの交流を2種類の電圧に降圧して、別々の導線で5ボルト用と3ボルト用の部品に電力を供給します。一方、アンプのような電子機器では、昇圧トランス（昇圧器）を用いて、同じ100Vをスピーカーなどの駆動に必要なもっと高い電圧に変換しています。

CHAPTER 1　目に見えない組み立てブロックの世界

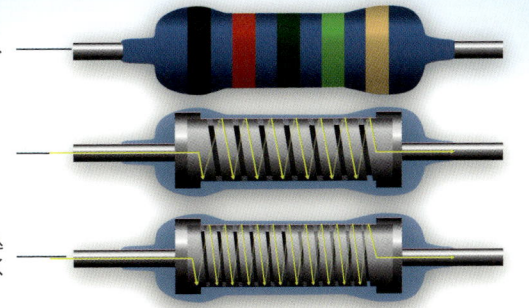

カラーコードを見れば、この素子の抵抗値（**オーム数**）と、値に含まれる誤差（%）がわかる

抵抗体に切り込まれた螺旋状の溝で抵抗値が決まる

螺旋状の溝をより密に切り込むと電気の流れる経路が長くなるので抵抗値（オーム数）が大きくなる

5 電流を小さくするには抵抗器を使います。これはパイプを流れる水を制限するためにバルブを使うのとよく似ています。抵抗器は一般的に、炭素、金属を添加したプラスチック、または電気をあまり通さないニッケルクロムなどの金属で作られています。抵抗器の抵抗（単位：オーム）は、材料の種類やサイズ、形状によって変化します。

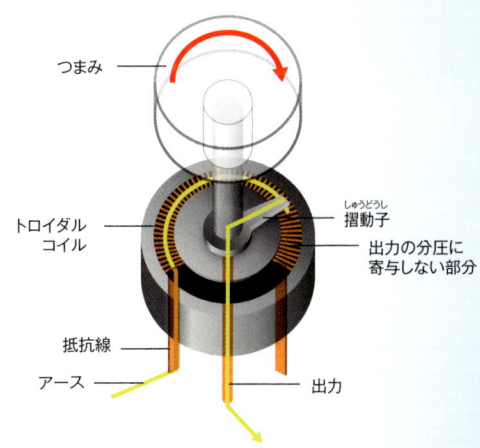

つまみ

トロイダルコイル

摺動子（しゅうどうし）

出力の分圧に寄与しない部分

抵抗線

アース

出力

6 右に示した**レオスタット**のような**可変抵抗器**は、手動でさっと抵抗を変えたいときに使うものです。ラジオなどでよく見かける音量調節つまみがよい例です。外側のリング（**トロイダルコイル**）は、ドーナツ形の絶縁体に抵抗線を螺旋状に巻き付けたものです。電気は、**摺動子**に沿って流れ、コイルの中を通った後に抵抗器から出て行きます。つまみを回して電気が通る導線の長さを変えることで音量が調節できます。

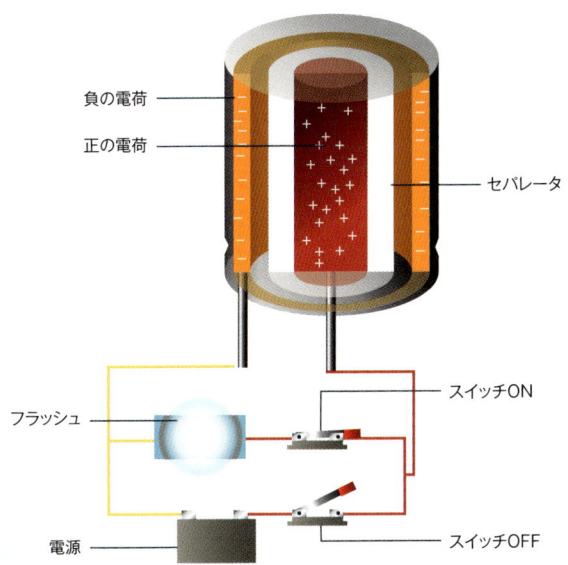

負の電荷

正の電荷

セパレータ

スイッチON

フラッシュ

電源

スイッチOFF

7 **コンデンサー**は、導電性の低い材料（プラスチック、セラミック、紙など）を2つの導電材料で挟んだものです。導体でできた2つの**端子**に電流を流しても電流がコンデンサーを通過することはありません。その代わり、電源からくる電子は、ダムでせき止められた流木のように片方の電極にたまります。それにより、もう一方の電極には電子不足が生じ、そのぶん陽子の影響を受けて正の電荷を持ちます。電荷は、設計による違いはありますが、コンデンサー内に数秒から数分にわたってとどまります。2つの電極を接続した回路が閉じるとコンデンサーが**放電**（電子が絶縁体を飛び越えること）し、カメラのフラッシュで必要になるような、通常よりも大きな電流を送ります。大容量のコンデンサーはブラウン管（CRT）や一部の電源装置で使われています。その取り扱いを誤ると危険で、場合によっては命にかかわります。

コンピューターが数で
世界を表現する仕組み

波、電磁場、粒子、電子、光波、クオーク。これらの要素を使って、コンピューターは計算します。値を測ったり、比較したり、足したり、引いたりします。そうして計算された結果は、どうにかして私たちに伝えられる必要があります。残念なことにコンピューターの母語は数字です。私たちはコンピューターほど計算が得意でないので、私たちにもわかるように世界を再現しようと、コンピューターは数の取り扱いにいろいろ工夫を重ねてきました。コンピューターの表現はとても滑らかなので、それが1と0の数値だけでできていると気づく人はほとんどいません。

1 私たちを取り巻く世界の捉え方にはアナログな方法とデジタルな方法があります。**アナログ**機器の基本的な量の表現は、測ろうとする対象と類似性を持ちます。昔ながらの体温計もアナログ機器の一種で、ガラス管に赤く着色したアルコールが封入されています。体温計が温まると熱で膨張したアルコールがガラス管内を上昇します。ガラス管に目盛りを刻んでおけば、「体温がおよそ37.5℃だ」などと判断できるわけです。

2 一方、**デジタル**体温計には、サーミスターと呼ばれる電子部品が組み込まれています。体温が上がると電流に対するサーミスターの抵抗が下がって、より多くの電流がマイクロプロセッサを通るようになり、そこで電気の量が体温を表す数値に変換されます。数値はスクリーンに表示されます。ただし、アナログ体温計のアルコールと違って、体温の細かな変動に比例して数字が膨らんだり縮んだりすることはありません。現代のほとんどのコンピューターはデジタル式です。データを扱うトランジスタそのものがデジタルで、ONとOFFのどちらかの状態を取り、その間の状態がないからです（アナログコンピューターは、測定する基本的な量が絶えず変化するような状況で用いられます。たとえば、自動変速装置や爆撃手の照準器などです）。しかし、デジタルコンピューターであっても、デジタルに変換するべき数値を最初はアナログで測定するということはしばしばあります。

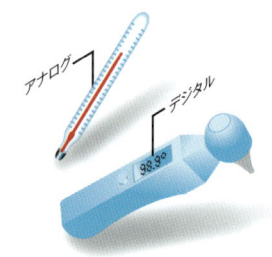

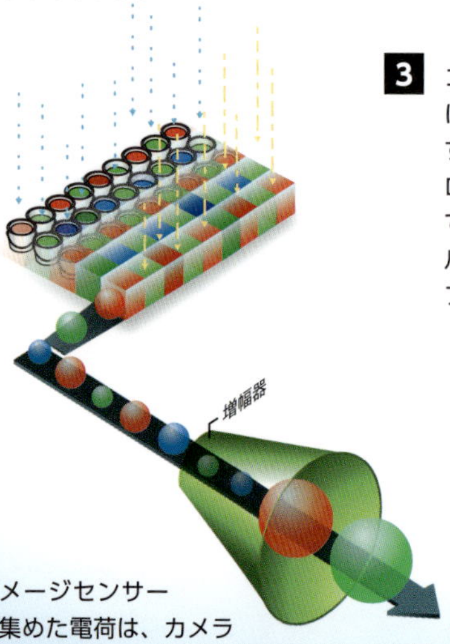

3 コンピューターを利用した現代のデジタルカメラは、フィルムをイメージセンサーに置き換えました。イメージセンサーとは、光エネルギーを電気エネルギーに変換する物質を融着したトランジスタであるフォトダイオードを配列した一種のマイクロチップです。各フォトダイオードは、シャッターが開いている間だけ光子を集めて電荷を蓄えます。撮影した場面の中で明るいところほど、それを記録するピクセル群に多くの光子が集まります。シャッターを閉じたとき、どのピクセルにも各フォトダイオードに入射した光子の数に比例する電荷が蓄えられています。

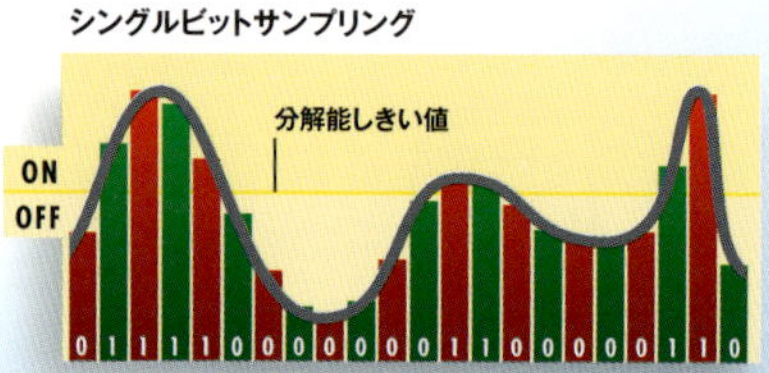

4 イメージセンサーが集めた電荷は、カメラ内の回路によって直列的に増幅器へ送られます。増幅器はほんのわずかな静電気を、一連の変化する電荷に比例するように、さまざまな電圧の電流に変換します。

5 この電流は**アナログデジタル変換器（ADC）**に渡されます。ADCは、送られてくる電流の電圧を数ミリ秒間隔で測定します。その電圧が一定のレベルを超えた場合に「1」のビットを生成し、それを他のコンポーネントへ送られる連続したデジタル値の流れに追加します。また、電圧がそのレベルを下回った場合、ADCは「0」のビットを追加します。

[6] 0と1の2つの値しかないデータには現実世界の画像や音をアナログ形式で表現する多様性がないのに、その分野でコンピューターが最も広く利用されるようになったのは皮肉なことです。
マルチビットサンプリングを使うと、アナログ信号のもっと正確なデジタル表現を得ることができます。この場合、測定される電流は光、音、化学反応など、それを生成するエネルギーの種類に関係なく、一連の抵抗器を通ります。各抵抗器ごとに電流が減っていき、電流が測定できなくなるまでそれが続きます。電流が通り抜けた抵抗器の個数で値が決まります。設計によって違いますが、値は2、4、または8ビット（ビットレート）で表現されます。すぐ右に示したグラフAは、ビットレートが4で、サンプルごとに電圧の取り得る値が16あります。さらに右のグラフBは、ビットレートが8で256の値を記録できるADCです。

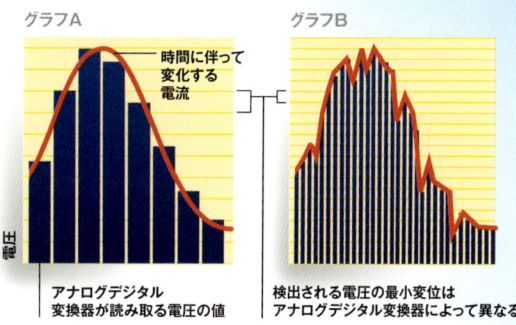

マルチビットサンプリング

グラフA　　　　　グラフB

時間に伴って変化する電流

電圧

アナログデジタル変換器が読み取る電圧の値　　検出される電圧の最小変位はアナログデジタル変換器によって異なる

[7] 上の2つのグラフから、アナログデジタル変換の性能を上げるには**サンプリングレート**（渡される電流のサンプルを測定する頻度）を増やせばよいこともわかります。グラフAでは、図中の期間に8個のサンプルが取られます。グラフBでは32個なので、サンプリングレートはその4倍です。グラフAが音楽のレコーディングの数値化を表しているとするなら、そのサンプリング（つまり、頻度）はトロンボーンのスライドを伸縮させるのと同程度の滑らかさしかありません。グラフBの形状はグラフAの赤いラインとほぼ同じです。ただし、サンプリングレートが高いので、より細かな音の変化（クラリネットの速いトリルなど）を捉えることができます。

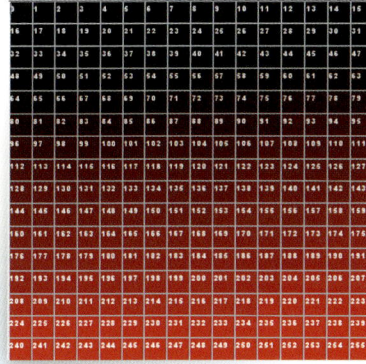

[8] 各サンプルに8ビットを割り当てても特に役立つとは思えないかもしれません。しかし、2進数の8ビットには256個の異なる組み合わせがあります。ビデオの色を生成するとき、それは1つの色に256個の色調を付けられることを意味します（左のイラストは赤の例）。2進の00000000（10進の0）は、完全な黒を表します。2進の11111111（10進の256）は、ディスプレイが生成できる純粋な最も明るい赤を表します。赤の256個の色調をビデオ画像の他の2つの色（緑と青）のそれぞれ256個の色調と組み合わせると、16,777,216通りもの色を表現できます。

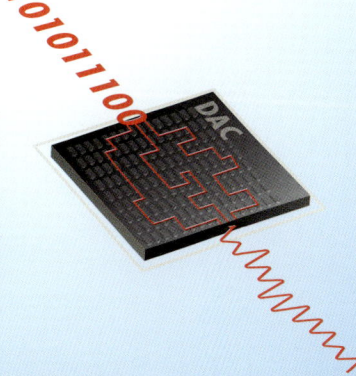

[9] ADCの働きを、ちょうど鏡に映すように反転したものが**DAC**（**デジタルアナログ変換器**）です。一部のディスプレイや多くのスピーカーではアナログ電流が必要です。DACは、電流を部分的にブロックするマトリックス状に配列された**抵抗器**を通して供給電流の経路を決めることにより、一連のデジタル値を電圧が高速に変化する電流に変換します。これらの抵抗に重みをつけることで、異なる大きさの電流値を表現できます。抵抗器を通して電流をさまざまな経路に送り出すことで、デジタルデータに対応する連続した電流が最終的に生成されます。

CHAPTER 2 コンピューターが記憶する仕組み

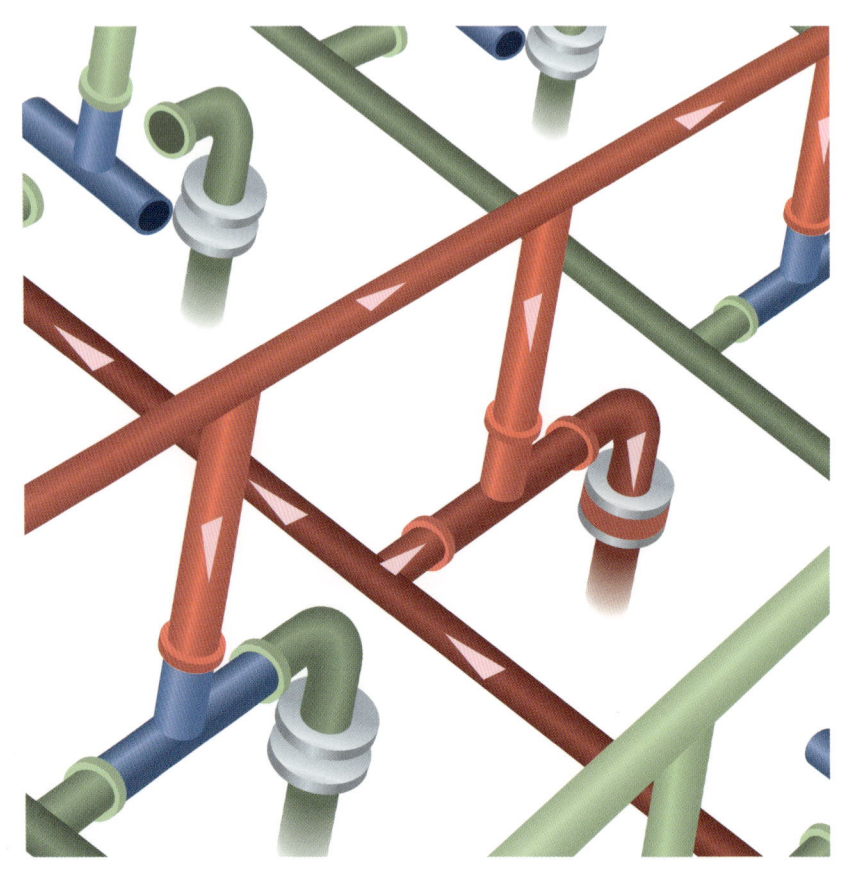

世の中には10種類の人間がいる。2進法を解する人とそうじゃない人だ。

—プログラマのジョーク

デスクトップ、ラップトップ、カメラ、スマートフォン、タブレット、スマートグラス—どの電子機器も記憶の仕組みは同じです。機能が大きく違っても、コンピューティングを支える基盤は同じで、その最も基本となる要素を**トランジスタ**が実現します。

すべてのマイクロチップの基本的な構成単位であるトランジスタが情報を操作するやり方を2進法と呼びます。2進法には、あいまいさの入る余地はありません。選択肢が2つだけで、中間がないからです。トランジスタに電流が流れる状態を「1」、電流が流れない状態を「0」と定義し、「1」と「0」の2つの値を取る基本単位を**ビット**と呼びます。ビットの値を保持する十分な数のトランジスタがあれば、コンピューターはどのような値でも作り出すことができます。

手始めに簡単な2進表記を示します。

10進数	2進数	10進数	2進数
0	0	6	110
1	1	7	111
2	10	8	1000
3	11	9	1001
4	100	10	1010
5	101		

初期のパソコンのプロセッサは16ビットを一度に処理できました。しかし、それは10進数の65,535を上限とし、これを超える数を扱えないという制約をもたらします。これは、それほど大きな数でありません。ちょっとした都市（テネシー州マーフリズバロ）の人口ですら数えられないのですから！　幸い、プロセッサがグレードアップしてパソコンは32ビットを一度に処理できるようになりました。これで扱える数の上限は10進表記で4,294,967,295です。まあまあですね。しかし、2014年現在、またこの先の長い間、一般的なプロセッサは「The Flying Karamazov Brothers」（空飛ぶカラマーゾフの兄弟）が剣を右に左にいとも簡単に放り投げるように、64ビットをほいほい扱えます。281,474,976,710,655本（64ビットの10進表現の上限）の剣をジャグリングできてしまうわけです。

プロセッサが一度に多くのビットを扱えるメリットは、大きな数を数えられることだけではありません。ビット数が増えると、多くのデータや命令をメモリからプロセッサへ1回で移動できます。つまり、計算が速くなります。

しかし、トランジスタを数という側面だけで捉えるのも完全には正しくありません。トランジスタのON/OFFのビットは、true（真）とfalse（偽）も表現できます。つまり、ハードウェアで**ブール論理**を扱えます（AND、OR、NOTの論理操作を行えます）。トランジスタをさまざまな構成で組み合わせたものを**論理ゲート**と呼びます。論理ゲートを組み合わせて**半加算器**を作り、半加算器を組み合わせて**全加算器**を作ります。こうして、プロセッサは数を数えるだけでなく、計算もできるようになります。また、トランジスタは小さな電流で大きな電流を制御できます。それは、壁のスイッチを押すわずかなエネルギーでもっと強力なエネルギーをスポットライトに送れるようなものです。

小さなトランジスタが
大きな仕事をする仕組み

20世紀の最も偉大な発明、そして21世紀になってもテクノロジーと社会の進歩に大きく貢献している発明、それは紛れもなくスイッチです。もちろん、**ただの**スイッチではありません。電気の流れをON/OFFする、壁面スイッチの遠い親類である**トランジスタ**のスイッチです。同類のスイッチとはいえ、トランジスタは非常に小さく作ることができ、数百万分の1秒ほどの間隔でスイッチのON/OFFを高速に繰り返すことができます。そのサイズの微細化が進められたおかげで、私たち人類はトランジスタを組み込んだ、強大な軍隊とも例えられる**マイクロプロセッサ**を実現し、科学、音楽、思想の未開拓な荒野を切り拓く能力を手に入れたのです。

1 小さな正の電荷がアルミのリード線を通してトランジスタに送り込まれます。正の電荷は、非導電性の二酸化シリコンの中央に埋め込まれた導電性の多結晶シリコン層に拡散します。二酸化シリコンは砂の主成分で、シリコンバレーという名前はこの材料に由来します。

2 正の電荷はベース内の負の電荷を持つ電子を引き寄せます。ベースはP型（positive）シリコンでできており、それがN型（negative）シリコンの2つの層を隔てています。

マイクロチップの誕生

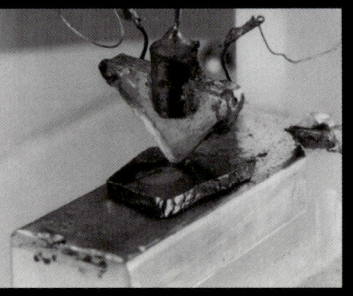

最初のシリコントランジスタ（写真）は、1947年にベル研究所で発明されました。2つの金の電気接点とゲルマニウム結晶から成るそのデバイスは、人の手で扱えるサイズだったので、動作を簡単に確認できました。しかし、実用的には1個では足りず、もっと多くのトランジスタが必要です。ベル研究所のシリコントランジスタをベースに作成したら、装置はかなり巨大なものになってしまいます。

科学者たちは、すぐに、トランジスタのサイズを小さくして、効率を高める方法を開発しました。今日、マイクロチップはコンピューターでデザインされます。エンジニアが論理的に思い描いたことをコンピューターが物理的な設計図に変換し、それに基づいて決められた手順で最高品質のチップが仕上げられます。チップ本体は、ラボで結晶成長させたシリコンを薄くスライスしてよく磨き上げたものがベースとなります。シリコンは地球上で2番目に多い物質ですが、純粋な形態では自然には存在しません。

マイクロプロセッサの製造

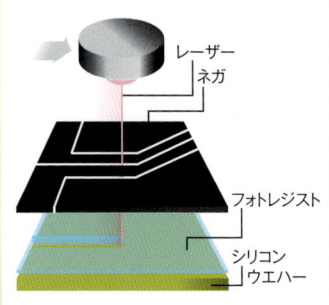

フォトエッチングプロセスで、**フォトレジスト**と呼ばれる化学薬品を使ってシリコンウエハーの表面に保護膜を形成します。エンジニアのCADデザインに基づいて製作したネガを介し、非常に強力な細い光ビームを照射します。コンピューターに制御された電子ビームでチップの構造を直接描画する場合もあります。光または電子ビームを照射した後、フォトレジストの保護膜を洗い流します。酸浴槽でエッチングしてシリコンの表面にチャネルを刻み、それらを導電性の物質で埋め、

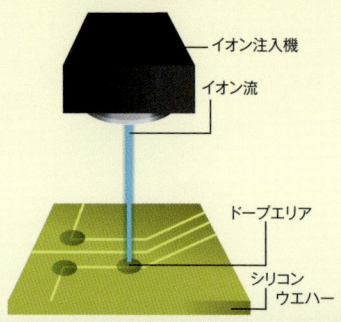

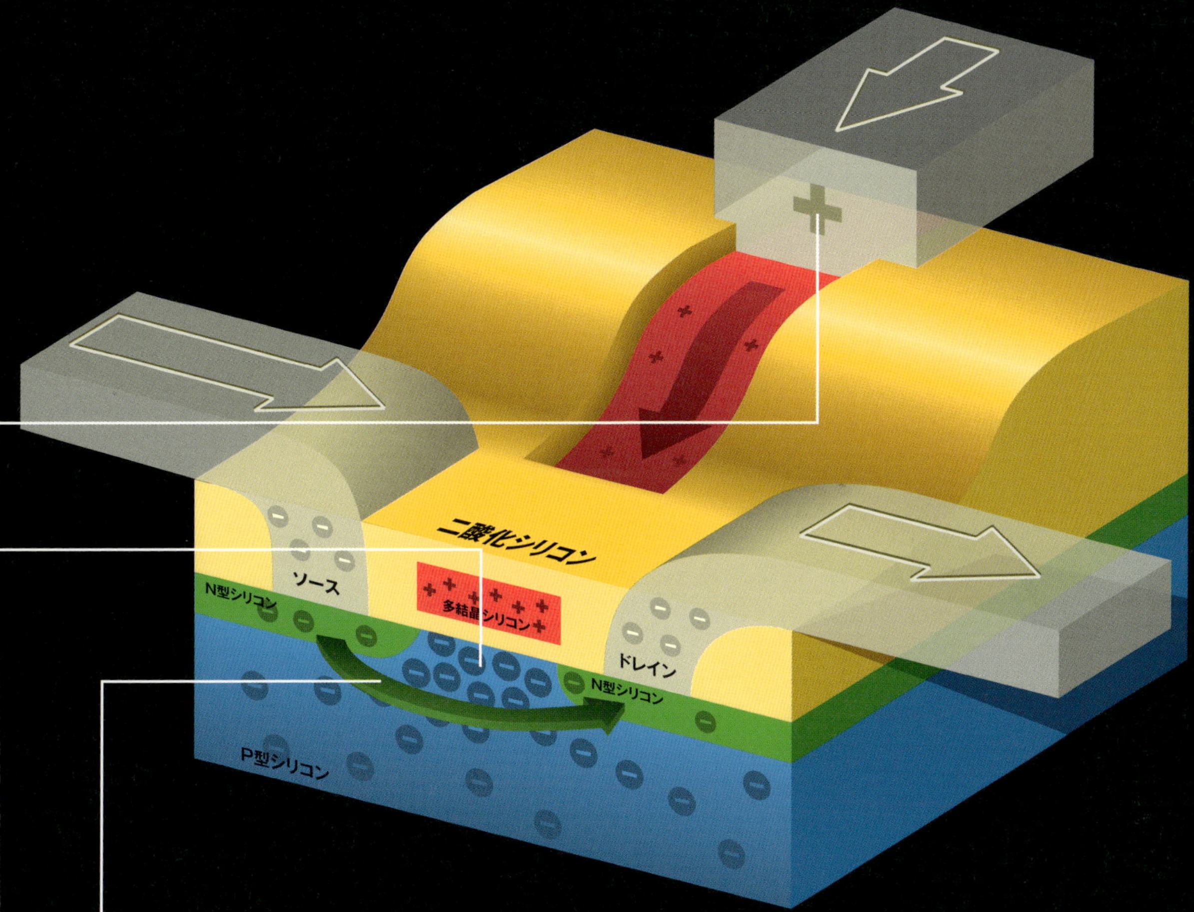

CHAPTER 2 コンピューターが記憶する仕組み

（図中ラベル）
二酸化シリコン
ソース
N型シリコン
多結晶シリコン
ドレイン
N型シリコン
P型シリコン

3 P型シリコンの正孔（ホール）が追いやられて空乏層が生じたところに、さらに電圧を上げて電子が引き寄せられると、そこがN型のような状態になります。これが導電性リード線であるソースからドレインへの回路となり、ソースからの電子が流れてトランジスタはスイッチON状態になり、「1」のビットを表します。多結晶シリコンに負の電荷を加えると、ソースからの電子ははね返され、トランジスタはスイッチOFF状態になります。

コンピューターのデジタル信号の流路に沿って回路を作り込みます。**イオン注入機**で分子をシリコンに**打ち込んで**、シリコンに不純物を添加します。シリコンそのものは電気を通しませんが、不純物を添加することで半導体になります。このプロセスを、マイクロチップのさらに8～12層について繰り返し、途中で適宜、層と層の間をつなぎます。多層化することで、マイクロチップの全体構造を視野に入れて、複数の回路を相互につなぐことができるようになり、同じ層の上で回路が衝突することも実質的になくなります。このプロセスは完了するまでに数週間かかることがあり、メーカーの新機種開発の意向に合わせて必要な数量のマイクロプロセッサを製造するために、いろいろやりくりも必要です。

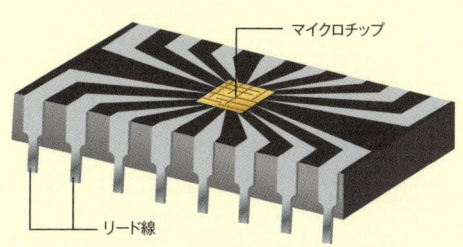
マイクロチップ
リード線

データをRAMに書き込む仕組み

1 ソフトウェアがオペレーティングシステムと連携して、**アドレス線**に一定量の電気を一挙に送出します（以降、このような形の電気の送出を電気パルスと呼びます）。アドレス線は、RAMチップ上にエッチングで刻み込まれた微細な導電路です。各アドレス線は、データを格納できるチップ内の特定のスポットを示します。この電気パルスは、RAMチップ内の多数のアドレス線に作用して、データを記録する場所を特定します。

2 電気パルスによって、スイッチがONになったトランジスタは、RAMチップ内のデータの格納が可能な各メモリ位置を示す特定の**データ線**につながっています。トランジスタの実体は、極微の電子スイッチと考えればよいでしょう。

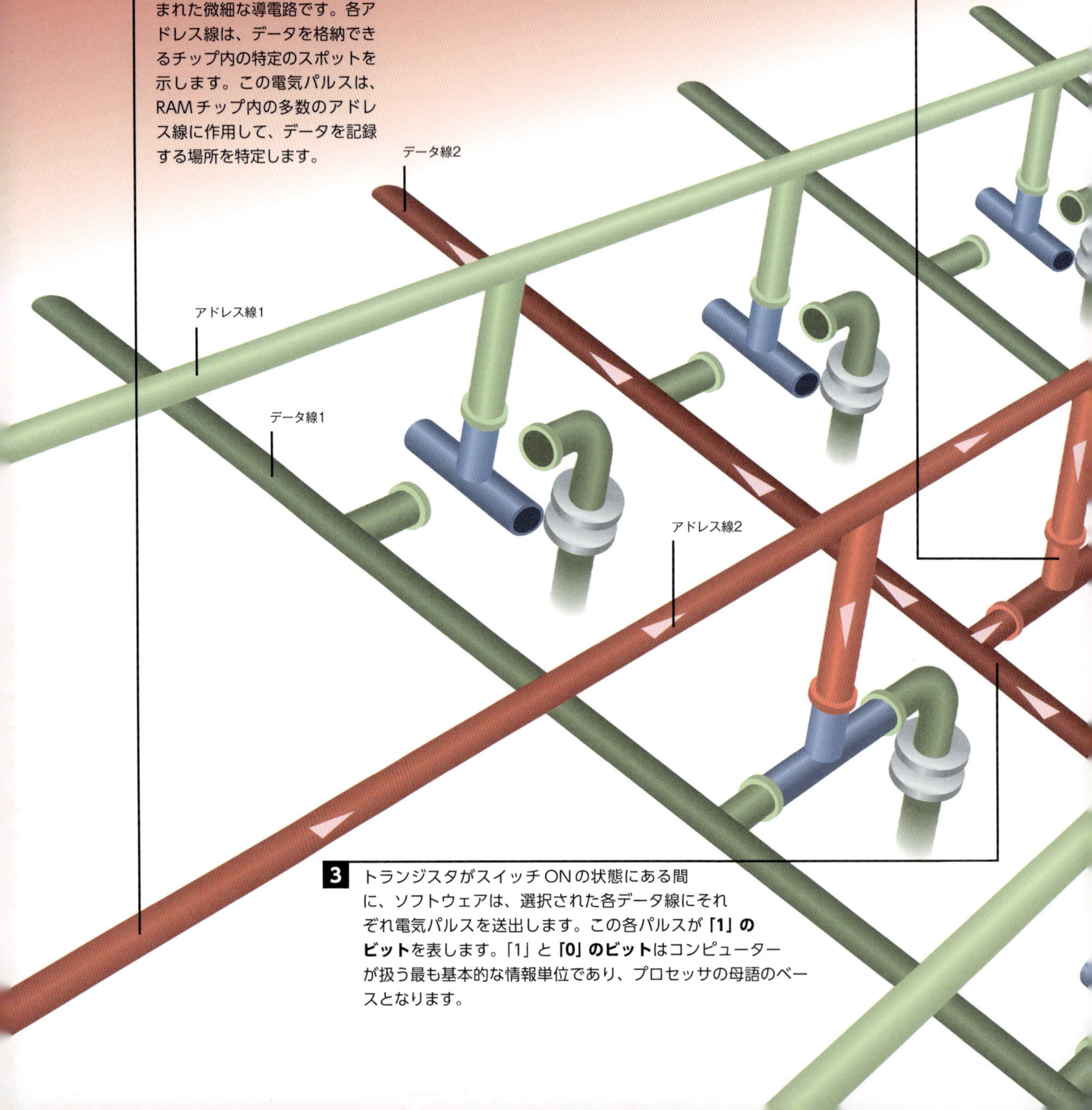

データ線2

アドレス線1

データ線1

アドレス線2

3 トランジスタがスイッチONの状態にある間に、ソフトウェアは、選択された各データ線にそれぞれ電気パルスを送出します。この各パルスが**「1」のビット**を表します。「1」と**「0」のビット**はコンピューターが扱う最も基本的な情報単位であり、プロセッサの母語のベースとなります。

CHAPTER 2 コンピューターが記憶する仕組み　23

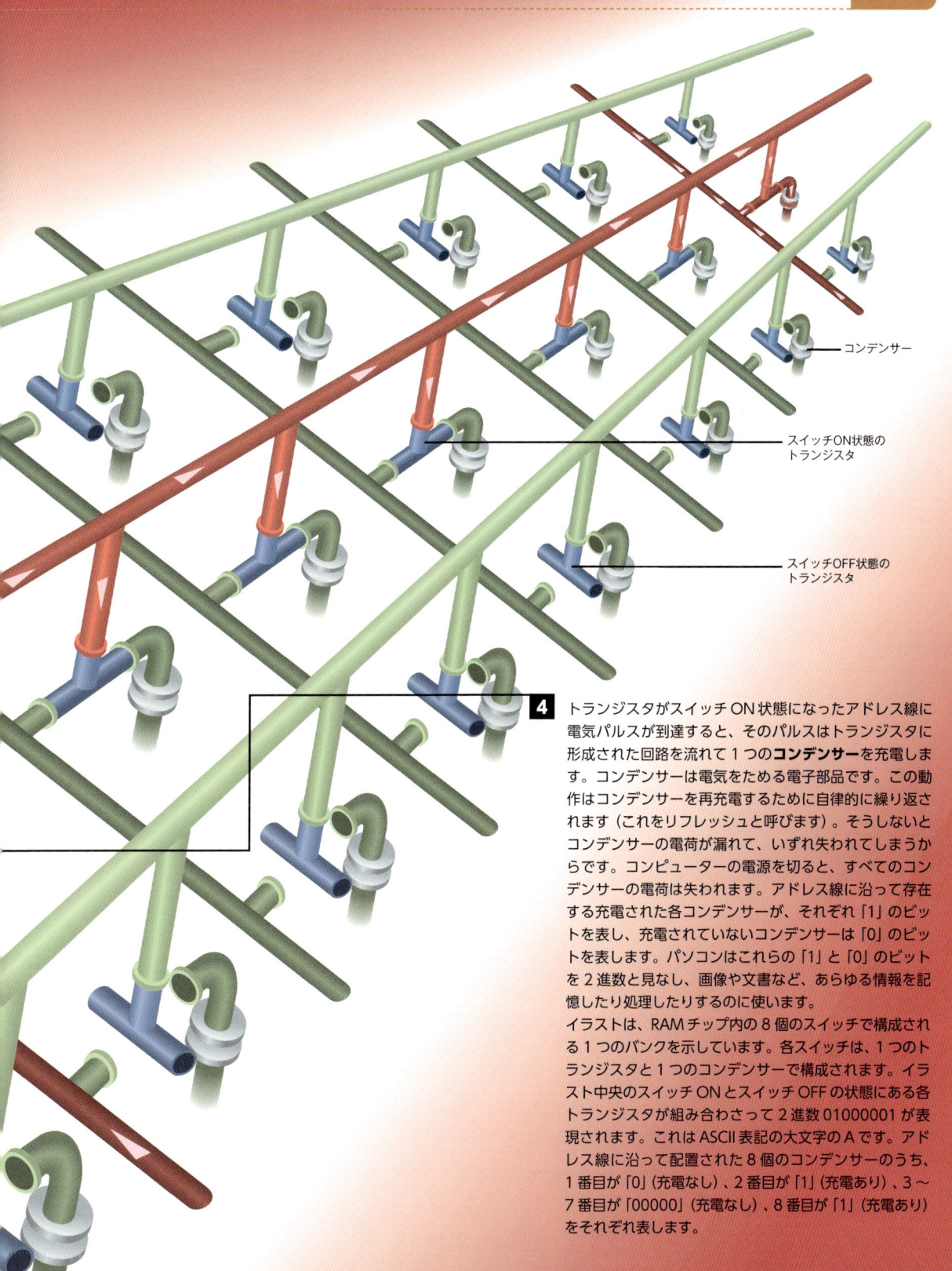

コンデンサー

スイッチON状態の
トランジスタ

スイッチOFF状態の
トランジスタ

4 トランジスタがスイッチON状態になったアドレス線に電気パルスが到達すると、そのパルスはトランジスタに形成された回路を流れて1つの**コンデンサー**を充電します。コンデンサーは電気をためる電子部品です。この動作はコンデンサーを再充電するために自律的に繰り返されます（これをリフレッシュと呼びます）。そうしないとコンデンサーの電荷が漏れて、いずれ失われてしまうからです。コンピューターの電源を切ると、すべてのコンデンサーの電荷は失われます。アドレス線に沿って存在する充電された各コンデンサーが、それぞれ「1」のビットを表し、充電されていないコンデンサーは「0」のビットを表します。パソコンはこれらの「1」と「0」のビットを2進数と見なし、画像や文書など、あらゆる情報を記憶したり処理したりするのに使います。

イラストは、RAMチップ内の8個のスイッチで構成される1つのバンクを示しています。各スイッチは、1つのトランジスタと1つのコンデンサーで構成されます。イラスト中央のスイッチONとスイッチOFFの状態にある各トランジスタが組み合わさって2進数 01000001 が表現されます。これはASCII表記の大文字のAです。アドレス線に沿って配置された8個のコンデンサーのうち、1番目が「0」（充電なし）、2番目が「1」（充電あり）、3〜7番目が「00000」（充電なし）、8番目が「1」（充電あり）をそれぞれ表します。

データをRAMから読み出す仕組み

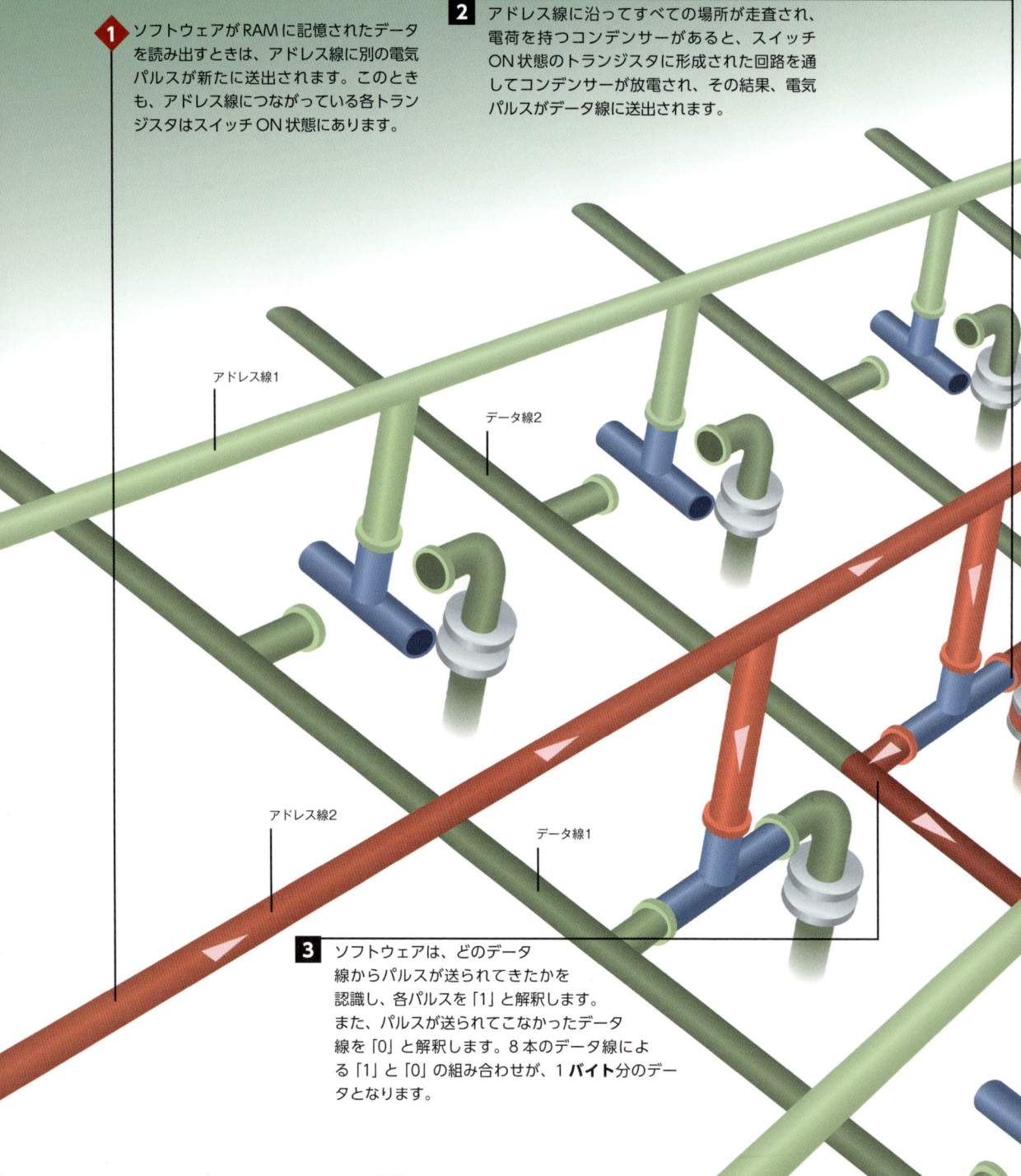

1 ソフトウェアがRAMに記憶されたデータを読み出すときは、アドレス線に別の電気パルスが新たに送出されます。このときも、アドレス線につながっている各トランジスタはスイッチON状態にあります。

2 アドレス線に沿ってすべての場所が走査され、電荷を持つコンデンサーがあると、スイッチON状態のトランジスタに形成された回路を通してコンデンサーが放電され、その結果、電気パルスがデータ線に送出されます。

3 ソフトウェアは、どのデータ線からパルスが送られてきたかを認識し、各パルスを「1」と解釈します。また、パルスが送られてこなかったデータ線を「0」と解釈します。8本のデータ線による「1」と「0」の組み合わせが、1**バイト**分のデータとなります。

CHAPTER 2　コンピューターが記憶する仕組み

チップのデータ転送を高速化する仕組み

プロセッサが高速化しても、メモリとプロセッサの間のデータ転送速度が足かせになるのは困ります。従来、データをどんどん処理するにはクロックスピードを上げればよいと考えられてきました。コンピューター内部ではクロックの1サイクルを単位として、それに同期するようにプロセッサ内のさまざまな動作の調整とメモリデータの移動が起こります。それに合わせてSDRAM（同期型DRAM）―本文イラストを参照―は、値をメモリ内に記憶したり、メモリの外へ出力してデータバス（プロセッサにつながっている）に書き込んだりします。しかし、プロセッサの高速化が進む中、RAM（ランダムアクセスメモリ）は一歩遅れを取っていました。そこで現れたのが次の2つの方式です。

まずは **DDR（ダブルデータレート）** です。以前は、クロックの1サイクルごとにビットの書き込みと読み出しのどちらかを行っていました。これは、シカゴでニューヨーク行きの列車に貨物を積み（データの書き込みに相当）、ニューヨークでその貨物を降ろす（データの読み出しに相当）まではよいとして、ニューヨークからシカゴへ列車を空荷で返すようなものです。復路の列車をそのまま利用しないのはもったいないですよね。DDRでは、あるハンドラーがこの問題に対処します。つまり、ニューヨークに到着した列車から荷物を降ろした後、空荷となった列車に新しい荷物を積んでから、列車をシカゴへ送り返します。それに相当する仕事をメモリに対して行います。このようにすれば、列車は同じ期間内に2倍の輸送量（データ）を扱うようになります。貨物の積み降ろしを担当する人物をメモリコントローラーに置き換え、さらに列車の1回分の往復を各クロックサイクルに置き換えたものがDDRです。

次の改良版であるDDR2は、また別の方法でデータレートを倍にします。これはデータバスのスピードの半分になるようにメモリの内部クロックのスピードを下げ、内部処理を並列化したものです。DDR2はすぐにDDR3、DDR4へと発展し、そのたびにクロックレートは半分に下がりました。メモリスピードを落とすと、副次的な効果としてRAMが消費する電気が減ります。毎月の電気代には大きな影響はないかもしれませんが、多少の節約とメモリチップの信頼性向上を期待できます。

電源を切ってもフラッシュメモリの記憶が失われない仕組み

デスクトップであれラップトップであれ、通常のRAM内のデータは、ディスクに保存しなければコンピューターの電源を切ったときに消えてしまいます。しかし、スマートフォン、タブレット、カメラといった携帯機器へと進化したコンピューターは、データ記憶用のディスクドライブを装備していません。それらの機器ではメモリチップが用いられます。それなのに、スマートフォンの電源を切っても、連絡先、音楽、写真、アプリなどは、再び電源を入れたときにそのまま残っています。モバイル機器では通常のRAMではなく、データをすぐ使えるように固定して記憶する**フラッシュメモリ**が記憶装置に使われているからです。

1 フラッシュメモリは、互いに直交するプリント回路を格子状に並べた構造を持ちます。格子の一方向に展開される各サーキットトレースが**ワードアドレス**を表し、それに直交する各回路が**ビットアドレス**を表します。この 2 つのアドレスを結合して一意の番号を持つアドレス (**セル**と呼ぶ) が作られます。

2 セルを構成する 2 つのトランジスタによって、交差が「1」と「0」のどちらを表すかが決まります。一方のトランジスタ (**コントロールゲート**) は、**ワード線**と呼ばれる通過回路の 1 つにリンクされ、それによってワードアドレスが決まります。

3 もう一方のトランジスタ (**フローティングゲート**) は、薄い**金属酸化膜層**でコントロールゲートと仕切られます。**ソース**を出て**ドレイン**へ移動する電荷は、フローティングゲート、金属酸化膜層、そしてコントロールゲートを経て、ワード線に到達します。

4 ワード線上の**ビットセンサー**で、コントロールゲートの電荷強度とフローティングゲートの電荷強度が比較されます。コントロール電圧がフローティングゲートの電荷量に相当する電圧の少なくとも半分あれば、ゲートは**開いている**と見なされ、そのセルは「1」を表します。フラッシュメモリは、販売時点では、すべてのセルが開いています。関係するセルの値を「0」に変更することで書き込みが達成されます。

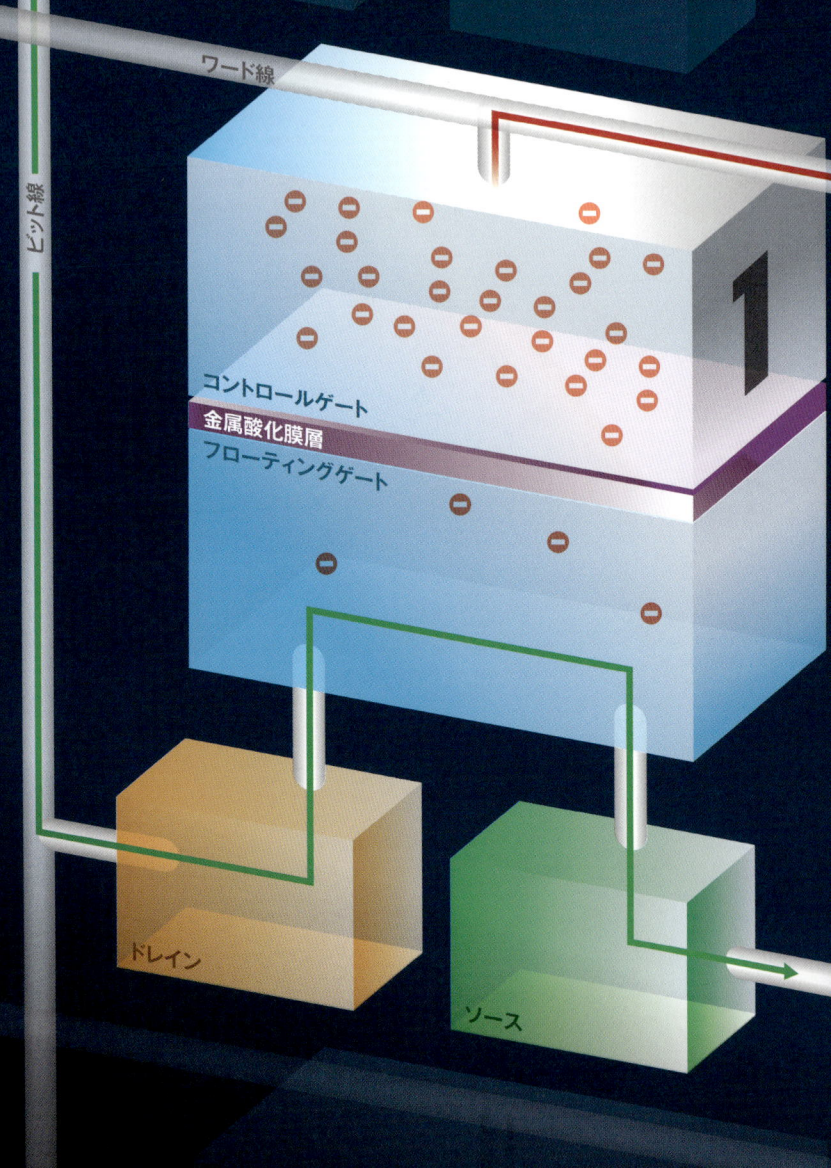

CHAPTER 2 　コンピューターが記憶する仕組み　　27

5 フラッシュメモリは、**ファウラー‑ノルドハイムトンネル現象**を利用してセルの値を「0」に変更します。**トンネル現象**が起きている間は、ビット線からの電流がフローティングゲートトランジスタを通して移動し、ソースを経て**グラウンド**へ抜けます。

6 フローティングゲートの電流からエネルギーを得て活性化した電子は、フローティングゲートを出て金属酸化膜層に入り、そこで大半のエネルギーを失って金属酸化膜層を逆方向へ戻ります。その電子は、電流を切ってもコントロールゲートに捕らえられて動けません。

7 捕らえられた電子が壁となり、フローティングゲートからやってくる電荷を追い返します。ビットセンサーは、2つのトランジスタの電荷の差分を検出します。コントロールゲートの電荷はフローティングゲートの電荷の50％より小さいので、「0」を表すと見なされます。

8 **回路内の配線**を通して電流を送ってチップ全体またはチップの事前に決められた部分（**ブロック**と呼ぶ）に強い電場をかけると、この電場で電子が活性化され再び均等に散開するので、フラッシュメモリを再利用できるようになります。

フラッシュの形態

フラッシュメモリは、さまざまな形態で販売されています。たとえば、**スマートメディア**、**コンパクトフラッシュ**、**メモリスティック**などがあり、主にカメラやMP3プレーヤーで使われています。USBベースの**フラッシュドライブ**もあります。ガムのパッケージのような形状で、パソコンに挿して使います。以前、パソコン間のファイルのやり取りに使われていたフロッピーの代替として便利です。さまざまな大きさや形状、記憶容量、読み出し/書き込み速度のものがあり、読み書きを高速化するために専用のコントローラーを搭載したものもあります。

CHAPTER 3 小さなプロセッサが大きな仕事をする仕組み

CHAPTER 3　小さなプロセッサが大きな仕事をする仕組み

マイクロプロセッサのことをざっくり知りたかったら、おもちゃ屋で次のおもちゃを手に入れましょう。真ん中に穴があいた大きさの異なる何枚かの円盤を順に棒に挿していき、丸いピラミッドのような形に積み上げる、あの幼児向けのおもちゃです。そんな子供のおもちゃにお金を使いたくない人は、ポケットの小銭でも代用できます。10セント、1セント、5セント、25セント、50セント、1ドルの各硬貨と、このおもちゃに共通するのは、どれも大きさが違うことと、積み重ねられることです。さて、ネタが揃ったところでマイクロプロセッサの退屈な世界に皆さんをお連れします。

　これは、「ハノイの塔」と呼ばれるシンプルで退屈なパズルです。課題は、ピラミッド状に積み重ねられた一山の円盤（または、硬貨、皿など）を、最初の場所（A）から別の2つの場所（BとC）のどちらかへ移動して同じピラミッドの形に積むことです。次の2つのルールがあります。

1) 移動できる円盤（硬貨、皿）は一度に1つだけ。

2) 移動中、小さな円盤（硬貨、皿）の上に大きな円盤（硬貨、皿）を置いてはならない。

　このゲームの原型は、64枚の円盤を上記のルールに従って移動せよというものでした。それほど難しそうではありませんね。実際、難しくありません。数学者らによって、ハノイの塔は2進演算や幾何学との間に—また、Binary Carry Sequenceと呼ばれるある関数を正確に複製する操作との間に—類似性があることが指摘されています。

　しかし、そんなことは気にしなくてかまいません。円盤を3枚だけ使って、このゲームをしてみましょう。操作の順序は次のようになります。

1. 一番上の紫色の円盤を取り、何も置かれていないBに置きます。

2. 緑色の円盤をCに置きます。

3. Bにある紫色の円盤を緑色の円盤の上に置きます。

4. Aにある黄色の円盤をBに移動します。

5. 紫色の円盤を、新たに空いたAに置きます。

6. 緑色の円盤をBの黄色の円盤の上に移動します。

7. 紫色の円盤を緑色の円盤の上に移動します。

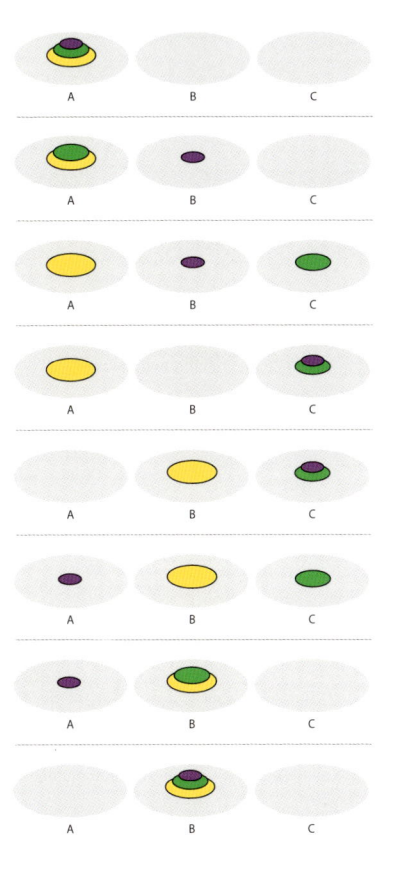

振り返ってみましょう。7回の移動で、3枚の円盤を別の場所へ移動しました。お察しのとおり、下のほうの円盤に進むほど、操作がややこしくなります。難しくなるというよりは、同じ操作を何回も繰り返さなければなりません。円盤をもう1枚追加すると、15回の移動が必要になります。10枚の円盤なら1,023回です。

　「ハノイの塔」は、1883年にフランスの数学者エドゥアール・リュカが思い付いたパズルです。このパズルには、リュカの作り話と思われる伝説が添えられています。ある寺院に3本の柱と64枚の真ん中に穴があいた純金の円盤が置かれている、というのです。その寺院の聖職者たちは、神から、1本の柱に積み上げられたすべての円盤を別の柱へ「ハノイの塔」の方法で移動せよとの使命を与えられています。聖職者たちに課せられたこの仕事が完了すると、世界は終末を迎えます。でも、心配することはありません。このパズルを終えるのに必要な円盤の移動回数は、円盤の枚数が増えると指数関数的に増加します。聖職者たちが1枚の円盤を移動するのに1秒かかるとするなら、この使命を成し遂げるのに必要な18,446,744,073,709,551,615回の円盤の移動に要する時間は$2^{64}-1$秒（およそ5,850億年）で、太陽の寿命の127倍に相当する期間だからです。

　人間にとって退屈でつまらない、この類の仕事はコンピューティングのために特別に考案されたものです。コンピューターや時計、スマートフォン、補聴器、スマートテレビ、あるいはトースターにまで搭載された**CPU**（**中央処理装置**：Central Processing Unit）が、それぞれ「ハノイの塔」に相当する固有の仕事をこなします。パズルの中で円盤を移動するように、プロセッサの仕事は、同じことを何回も繰り返すことで遂行されます。100に3,000を掛ける仕事は、3,000を100回足すことで達成されます。割り算は、割られる数から割る数を繰り返し引くことで達成されます（引いた結果がゼロになるか、小さくなって割る数をもう引けなくなるまで繰り返されます）。

　現代のパソコンの最も強力なプロセッサでは、CPUが64ビットを一度に操作できます。しかし、それは64ビットコンピューターが聖職者が扱う64枚の円盤すべてを一気に移動できるという意味ではありません。今も、塔に積み上げられた円盤は、内部クロックの1サイクルごとに1枚ずつ移動するしかありません。ただし、ハノイの塔の仮定に反しますが、残りの各円盤がそれぞれ別の63本の塔に置かれていたとするなら円盤を同時に移動することも可能です（プロセッサとしてIntel Core i7-965 Extreme Editionを使用した場合、クロックスピード3.20GHz—毎秒3,200,000,000サイクル—で、聖職者たちの「ハノイの塔」の仕事は13日と4時間で完了します）。

　プロセッサにとっては、ソフトウェアの命令をまだ実行している間に、そのビットを表現する2進数を置いておく場所がいくつあるかが1つの制約となります。たとえば、2つの数を足したとき、CPUは結果をチップの別の場所に置いておく必要があるでしょう。それは次の処理を待つための一時貯蔵庫のようなものです。さらに別の2つの数を足した後、CPUは保管しておいた数を取り出して、その結果と合計します。これは人が計算の途中結果を紙にメモしておき、少し後に関係する問題を解くとき使うのと似ています。

　コンピューティングによって本当に驚くようなことがいろいろ実現されているわけですが、コンピューティングでできないことに関しては、今のところ直観（一見無関係に思える着想を結び付ける能力）が必要です。1997年、IBM社のDeep Blueは、チェス界に君臨するチャンピオン—ガルリ・カスパロフ—との試合を勝ち抜いた最初のコンピューターとなりました。このときDeep Blueが勝つために取った手法が「what-if」（起こりうる事態を想定する手法）です。この駒を動かしたら、カスパロフはあの駒を動かすというふうに、その後に続いて起こりうる20以上の可能性の中から6～8手先の駒の動きを想定してゲームを進めたのです。Deep Blueは1秒間に2億とおりの駒の動きを読むことができました。それは「ハノイの塔」のやり方とよく似て、非常に高速です。一方、人間のチェスチャンピオンは、もっぱらパターンに重きを置き、what-if手法は避けるといわれます。彼らはチェス盤を眺め、自らの脳に刻み込まれた長年の経験から駒のパターンを読み取って勝利への戦略を導き出します。カスパロフは、それがうまくいかなくて負けたのです。

人間は洞察に優れ、直観が働きます。コンピューターは、同じことを何回も繰り返すのが得意です。コンピューターが何かをするのに、時間がかかりすぎてイライラすることがありますよね。しかし、コンピューターなりのやり方で、こつこつ働いているのです。何しろ、コンピューターには人間のような能力がないのですから。

プロセッサが計算のためにメモする仕組み

複雑な問題を暗算で解ける人など、めったにいませんよね。いくつか数を足すだけでも、紙と鉛筆がなければ、どの数がどうなったか、わけがわからなくなってしまいます。この点は、マイクロプロセッサもそれほど違いません。大量の数がかかわる複雑な計算を遂行する能力のあるマイクロプロセッサにも、計算結果を記録に残すメモ帳のようなものが必要です。そのメモ帳のようなものを**レジスタ**と呼びます。また、このとき鉛筆に相当するのが電気パルスです。

1 マイクロプロセッサの各レジスタは、プロセッサ内蔵の高速メモリ上に特別に確保された一群のトランジスタで構成されます。そこでは、プロセッサの**算術論理演算ユニット**（ALU：Arithmetic Logic Unit）と制御ユニットがレジスタに高速でアクセスします。ALUは計算命令を実行し、**制御ユニット**はプロセッサ全体を流れる命令やデータの動きを見張ります。レジスタのサイズによって、プロセッサが一度に処理できるデータの量が決まります。ほとんどのパソコンは32ビットまたは64ビットのレジスタを用いてデータを処理します。

2 プロセッサの**制御ユニット**の指示に従ってプログラムの命令が取り出され実行されます（36-37ページの「プロセッサがデータを移動する仕組み」を参照）。制御ユニットは、ある電気信号によって個々の命令を取り出して解読し、ALUに別の制御信号を送って実行すべき処理内容を伝えます。注：命令を取り出すことをフェッチ（fetch）、解読することをデコード（decode）とも呼びます。

3 1クロックサイクル—コンピューターを構成する各種の要素が1つのことを実行できる最小の時間単位—の間に、プロセッサは、各レジスタに対して1つの電気パルスを送出するか送出を止めることで、レジスタのビットの値を読み書きします。それらの2進数は一連のビットの塊に過ぎず、特にラベルなど付いていないので、それが命令なのか、データなのか、特定の計算に供される値なのか、あるいは何か命令を実行して得られた結果なのか、それだけでは区別がつきません。値が何を表すかは、制御ユニットによってどのレジスタに格納されたかで変化します。

CHAPTER 3 小さなプロセッサが大きな仕事をする仕組み 33

4 **アドレスレジスタ**は、RAMまたはプロセッサのオンボード**キャッシュ**に含まれるさまざまなアドレスを収集します。オンボードキャッシュには、必要性を予測して先取りしたデータが入っています。注：このように予測して先取りすることを**プリフェッチ** (prefetch) とも呼びます。

5 プロセッサによるメモリの読み書きは、**メモリデータレジスタ** (MDR：Memory Data Register) を介して行われます。読み出し時はプロセッサの指示でデータバスが特定のメモリ位置の内容をMDRに設定し、書き込み時はプロセッサが設定した値をデータバスがMDRから取り出してRAMへ転送します。

6 **プログラムカウンターレジスタ**には、プロセッサが次に取り出す値のメモリアドレスが常に保持されます。値を取り出すと、プロセッサはすぐにプログラムカウンターの値を1だけ増やし、プログラム内の次の位置を指すようにします（コンピューターはプログラムの先頭アドレスをカウンターレジスタにセットすることでプログラムを起動します）。

7 プロセッサは、何か操作を実行して得られた結果を、複数ある**累算レジスタ**（アキュムレータ）にセットします。アキュムレータは、計算に必要なその他の操作の結果が得られるのを待ちます。これは次のセクション「プロセッサの計算の仕組み」のイラストに示す操作状況と似ています。2つのアキュムレータにセットされた値を加算または減算し、その結果をさらに別のアキュムレータにセットするというように、3つのアキュムレータを必要とする命令もあります。

プロセッサが計算する仕組み

1 パソコンは、数値だけでなく文書や画像など、あらゆる情報を2進数の形で格納し、操作します。2進の記数法では0と1という2つの数字だけをさまざまに組み合わせて数値、文書、画像など、あらゆるものが作られます。

10進	2進
0	0
1	1
2	10
3	11
4	100
5	101
6	110
7	111
8	1000
9	1001
10	1010

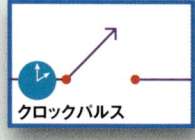

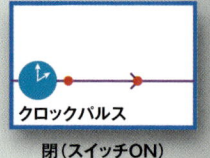

開（スイッチOFF） クロックパルス
閉（スイッチON） クロックパルス

2 2進数の操作にはトランジスタのスイッチが用いられます。トランジスタはON（閉）とOFF（開）の2つの状態を取り、2進数を表現する2つの数字とうまく対応させることができます。電流が流れていないスイッチOFF状態のトランジスタが「0」を表し、パソコンのクロックに同調して生成された電気パルスを通すスイッチON状態のトランジスタが「1」を表します（コンピューターの動作速度はコンピューターのクロックによって調節されます。電気パルスを生じさせるクロックの刻みが速いほど、コンピューターは高速で動作します。クロックスピードを測る単位は**MHz**で、1MHzはクロックの刻みが1秒間に100万回であることを意味します）。トランジスタのON/OFF（電流を流すか流さないか）で別のトランジスタの動作を制御し、2番目のトランジスタが表す内容を変化させることもできます。このようなスイッチの配列を**ゲート**と呼びます。門（ゲート）を開閉するようにスイッチをON/OFFして電流を通したり止めたりできるからです。

3 1つのトランジスタで実行される最も単純な操作に、**NOT（否定）論理ゲート**というものがあります。NOTゲートは、2つの入力を受け取ります。1つはクロックから、もう1つは別のトランジスタからの入力です。NOTゲートは1つの出力を生成し、それはトランジスタから受け取った入力と必ず反対の値になります。「1」を表す別のトランジスタからの電流がNOTゲートに送られると、ゲート自体のトランジスタが開（OFF）になり、クロックからのパルス（電流）がそこを通り抜けられず、出力は「0」になります。入力が「0」のとき、NOTゲートのトランジスタは閉（ON）になり、そこを通り抜けるクロックパルスによって出力「1」が生成されます。

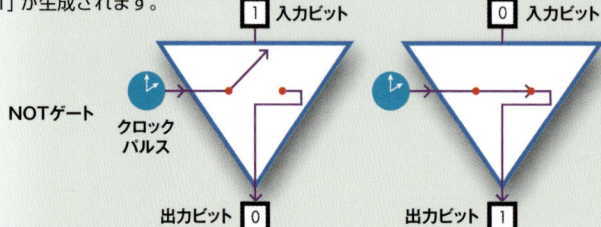

NOTゲート クロックパルス 入力ビット 1 出力ビット 0
入力ビット 0 出力ビット 1

NOTゲートの操作

クロックからの入力	他のトランジスタによる入力	出力
1	1	0
1	0	1

4 論理回路を構成するゲートは他にもあります。いずれの論理ゲートも、クロックからのパルスと、他の論理ゲートからのパルスを受け取る2つの入力信号線を持ちます。**OR（論理和）ゲート**は、第1入力と第2入力のどちらかが「1」なら「1」を出力し、両方の入力が共に「0」のときにのみ「0」を出力します。

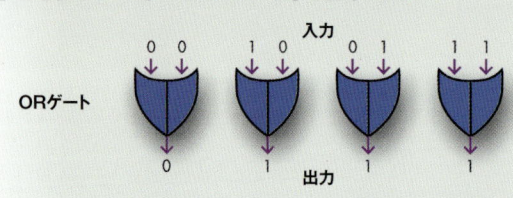

ORゲート 入力 0 0 出力 0 ／ 入力 1 0 出力 1 ／ 入力 0 1 出力 1 ／ 入力 1 1 出力 1

ORゲートの操作

第1入力	第2入力	出力
0	0	0
1	0	1
0	1	1
1	1	1

5 AND（論理積）ゲートは、第 1 入力と第 2 入力が共に「1」のときにのみ「1」を出力します。

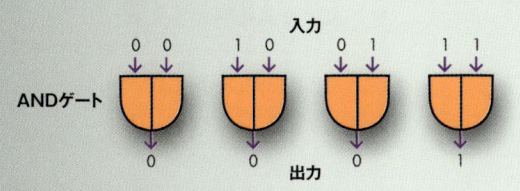

ANDゲートの操作		
第1入力	第2入力	出力
0	0	0
1	0	0
0	1	0
1	1	1

6 XOR（排他的論理和）ゲートは、両方の入力が共に「0」か共に「1」のときにのみ「0」を出力します。入力の一方が「1」で、もう一方が「0」のときには「1」を出力します。

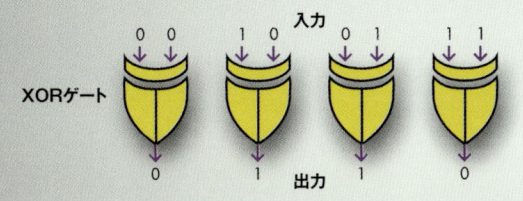

XORゲートの操作		
第1入力	第2入力	出力
0	0	0
1	0	1
0	1	1
1	1	0

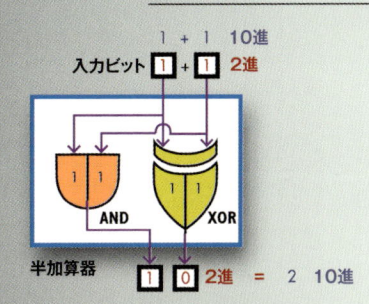

7 コンピューターは、論理ゲートをさまざまに組み合わせて、すべての操作の基礎となる演算を行います。これを実現するために用いられるゲート構造が**半加算器**と**全加算器**です。半加算器は、XOR と AND の 2 つのゲートを組み合わせたもので、この両ゲートが受け取る同じ入力が、1 桁の 2 進数における加算を表します。全加算器は、半加算器とその他のスイッチで構成されます。

8 扱う 2 進数の桁を増やすには、半加算器と全加算器を組み合わせ、桁の繰り上げを含む結果を生成できるようにします。10 進数の 2 と 3（2 進表記で、それぞれ 10 と 11）を足すには、まず各値の右側の桁（各 2 進数の下 1 桁）を半加算器の XOR ゲートと AND ゲートに通します。

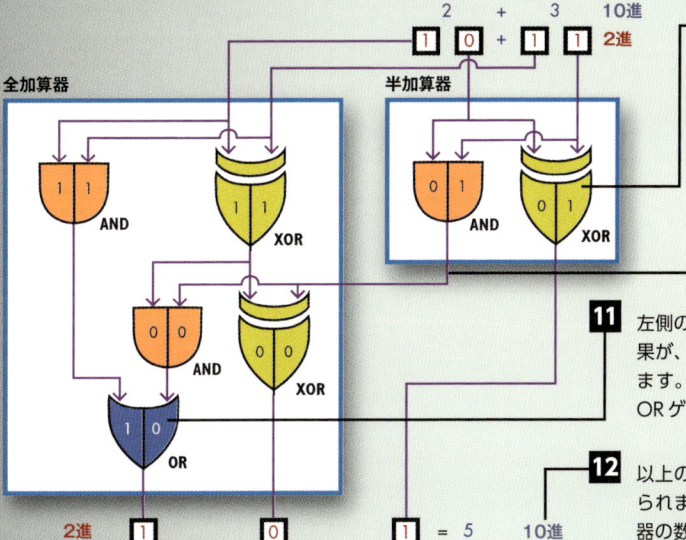

9 XOR 操作の結果 (1) が、加算結果の 2 進数の一番右の桁（最小桁）になります。

10 半加算器の AND 操作の結果 (0) は全加算器の XOR ゲートと AND ゲートに送られます。全加算器は各 2 進数 (10 と 11) の左側の桁も受け取り、その両入力を別の XOR ゲートと別の AND ゲートへ送ります。

11 左側の桁についての XOR 操作の結果と AND 操作の結果が、半加算器から送られてきた結果と共に処理されます。こうして得られた新しい結果のうちの 1 つは OR ゲートに送られます。

12 以上の操作の結果、2 進数 101 (10 進数では 5) が得られます。2 進数の桁数が増えると、使われる全加算器の数も増えます。各桁に 1 つの全加算器が対応します。現在の Pentium クラスのプロセッサも含め、Intel 80386 以降のプロセッサでは 32 個の全加算器が使われています。

プロセッサがデータを移動する仕組み

現代のマイクロプロセッサは、1,000 億を超えるトランジスタでできています。そこに一歩足を踏み入れたら、たいていの人は途方に暮れるに違いありません。しかし、新旧どのプロセッサも最も基本となる機能は変化していません。確かに 8 個もの実行コアと複数のキャッシュを備えた複雑なプロセッサが登場していますが（38-39 ページのマルチコアプロセッサのイラストを参照）、最新のプロセッサも、ここに示すシングルコアの Pentium III プロセッサと同じ課題を抱えています。つまり、滞りなく、高速にデータを移動しなければなりません。

11 その間、循環バッファーはリタイアメントユニットによっても精査されています。リタイアメントユニットは、まず循環バッファーの先頭のマイクロコードが実行されたかチェックし、まだ実行されていなければ、それが処理されるまでチェックを続けます。次に、2 番目と 3 番目のマイクロコードをチェックします。それらが既に実行されていれば、その 3 個（最大）の結果をストアバッファーへ送ります。それらの結果は、そこで最後に、もう一度予測ユニットのチェックを受けてからシステム RAM の適切な場所へ送られます。

10 実行待ちだったマイクロコードがついに処理されると、実行ユニットは一連の結果を BTB の予測した結果と照合します。予測が間違っていた場合は、**ジャンプ実行ユニット（JEU：Jump Execution Unit）** と呼ばれるコンポーネントにより、列の最後のマイクロコードの終端マーカーが、間違って予測されたマイクロコードへ移動されます。これは終端マーカー以降のすべてのマイクロコードを無視し、新しいマイクロコードで上書きしてよいことを示します。予測が間違っていたことが BTB に伝えられ、その情報は BTB の今後の予測の一部として使われます。

9 浮動小数点数（3.14、.33333 など）に関係する操作については、ALU から浮動小数点演算ユニットへ処理が引き継がれます。そこには浮動小数点数を高速で操作するように設計された処理ツールが用意されています。

7 メモリからの情報を必要とするマイクロコードは実行ユニットでスキップされ、プロセッサは最初に近くの L1 キャッシュ内にその情報がないか調べます。そこにデータがなければ、次のキャッシュレベルである L2 がチェックされます。キャッシュのサイズと構成は、プロセッサの設計によって異なりますが、キャッシュレベルが高くなるほどキャッシュ容量が増え、データの取り出しにかかる時間も長くなります。

8 情報が取り出されている間も実行ユニットはじっとしているわけではなく、循環バッファー内の各マイクロコードが実行できるか引き続きチェックします。循環バッファー内のマイクロコードの順序が BTB の分岐予測に基づくことから、これを**投機的実行**と呼びます。実行ユニットは最大 5 つのマイクロコードを同時に実行します。循環バッファーの最後に達すると、実行ユニットは先頭に戻り、すべてのマイクロコードを再びチェックします。こうして最終的には、必要なデータを受け取ったマイクロコードがすべて実行されます。

CHAPTER 3　小さなプロセッサが大きな仕事をする仕組み　37

1 プロセッサとその内蔵キャッシュは同じインターフェイスを介してコンピューターの情報にアクセスします。プログラムコードおよび、そのコードによって操作されるデータは、パソコンの最大バススピードでチップを出入りします。コンピューターの基本的な設計概念の大部分は、バスのボトルネックを少しでも軽減することを目指しており、そのためにはクロックサイクル—コンピューターが何かを処理するときの最小の時間単位—が無駄に刻まれないようにすること、つまりプロセッサが何もしていない時間を最小化することが重要です。

2 情報が**バスインターフェイスユニット（BIU：Bus Interface Unit）** を介してプロセッサに入ってくると、BIU はその情報を複製し、一方のコピーを CPU に最も近いキャッシュ（プロセッサコア内に直接作り込まれている）へ送出します。このときプログラムコードはレベル 1（L1）命令キャッシュ（I-Cache）に送られ、そのコードが使うデータは別の L1 キャッシュ—データキャッシュ（D-Cache）—に送られます。

3 フェッチ／デコード（fetch/decode）ユニットが I-Cache から命令を取り込んでいく過程で、同時に**分岐先バッファー（BTB：Branch Target Buffer）** が各命令を別の一時貯蔵バッファー内の記録と照合し、以前使われた命令がないか確認します。BTB が特に注目して探すのは、プログラムの実行が 2 つの経路のどちらか一方へ進む**分岐**に関係する命令です。BTB は、分岐命令を見つけると、過去の経験に基づいて、プログラムがどちらの経路を取るかを、90％以上の精度で予測します。

4 フェッチ／デコードユニットが BTB の予測した順序に従って命令を取り込んでいくとき、並列的に動作する 3 つのデコーダーが高レベルの複雑な命令を低レベルの、より単純な**マイクロコード（μOPs）** に分解します。ディスパッチ／実行ユニットは、複数の低レベルのマイクロコードを、高レベルの 1 つの命令よりも高速に処理します。

5 すべてのマイクロコードがデコードユニットから命令プールへ送られます。命令プールは**リオーダバッファー（ROB：Reorder Buffer）** とも呼ばれ、整数演算を処理する 2 つの**算術論理演算ユニット（ALU）** で構成されます。ALU は、先頭（Header）と末尾（Tail）を持つ循環バッファーというものを使い、このバッファーに BTB の予測した順序で一連のマイクロコードが格納されています。

6 ディスパッチ／実行ユニットは、循環バッファー内の各マイクロコードをチェックし、その処理に必要な情報が揃っているか確認します。処理する準備ができたマイクロコードを見つけたらそれを実行し、結果をマイクロコードそのものに格納して、完了（DONE）フラグを立てます。

マルチコアプロセッサの仕組み

マイクロプロセッサは10億個ものトランジスタに支えられてブンブン動いているのだから、あなたがインストールする強力なソフトウェアも楽勝で動かせると思うかもしれません。しかし、コンピューティングの世界に「もう十分」はありません。プロセッサにこれ以上トランジスタを詰め込むのは無理でも、まだ別の解決策があります。コンピューターのプロセッサ数を増やせばよいのです。マルチコアプロセッサは、複数のコンピューターを1つにまとめ、同じメモリ、電源、入出力を共有させたようなものです。2〜10個のプロセッサコアを持つものは今や当たり前で、これからもコア数はどんどん増えていくでしょう。

1 細かい設計の違いはあっても、典型的な**クアッドコア**プロセッサでは4つの**実行コア**が1つの**ダイ**(**シリコンチップ**)に集積されています。2つのダイにコアを分散したものもあります。そうした違いはあっても、同一のコアを複数集積したものがマイクロプロセッサの中核であることに変わりはなく、その部分がソフトウェアの命令を実行するという力仕事をするわけです。イラストの写真で少し明るく区分けされている部分が、その回路に対応します。

```
  1480
  0379
  4077
  8294
+ 5589
```

2 マルチプロセッサコンピューターのスピードやその他のメリットを活かすには、そこで動作する**オペレーティングシステム**(**OS**)が、パソコンに搭載されたマルチコアプロセッサを認識し、各コアを区別でき、**ハイパースレッディング**といった技法に対応するように設計されていなければなりません。同様に、アプリケーション、ゲーム、ユーティリティといったソフトウェアも、複数のコアを利用するように書き換える必要があります。これを**スレッド化**(または**マルチスレッド化**)されたソフトウェアと呼びます。たとえば、4桁の数を合計するソフトウェアの仕事(タスク)を4つのスレッドに分割し、各スレッドで1の位、10の位、100の位、1,000の位の数のそれぞれの合計を計算し、その各サブタスクをそれぞれ別のコアに振り分けるようなことが可能です。

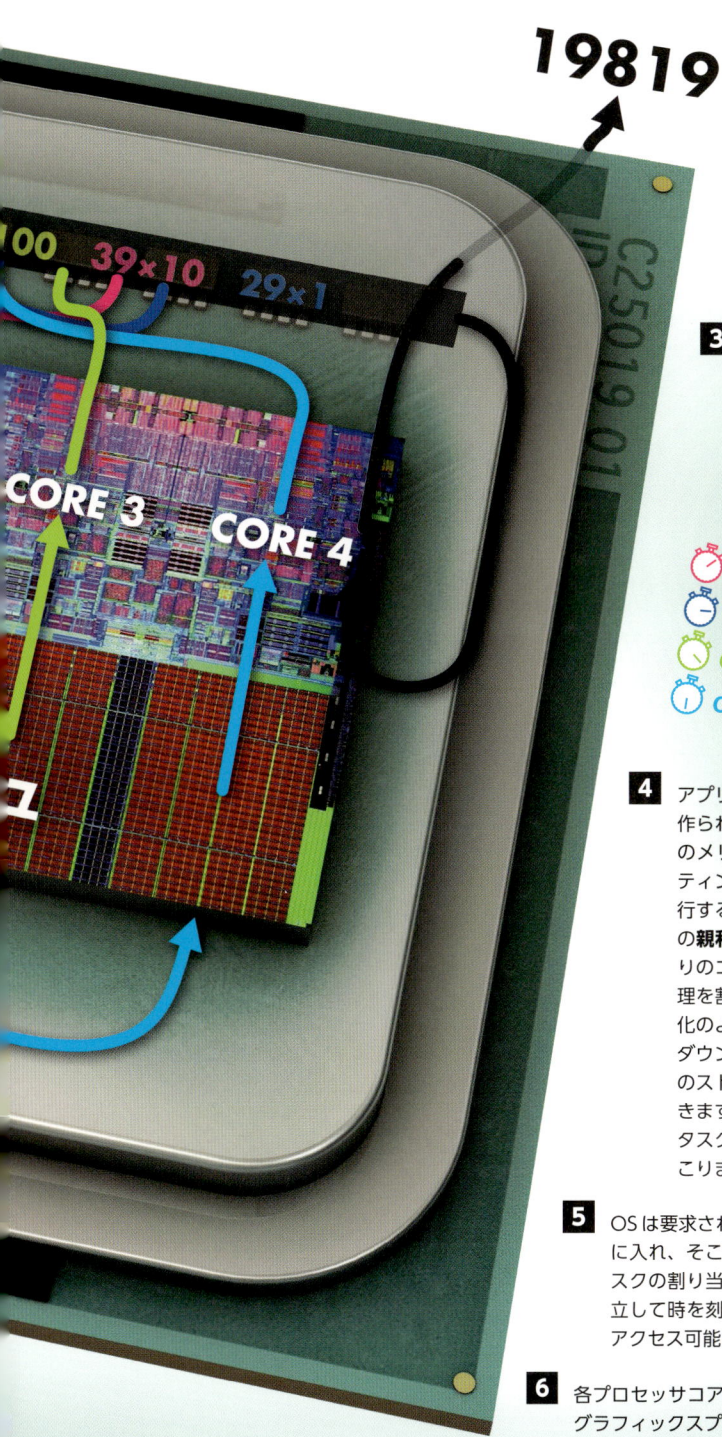

3 各サブタスクが処理を終えてコアを抜けると、オペレーティングシステムは関係するすべてのスレッドをまとめて1つの数字を生成し、その操作をコアの1つへ送って実行します。

- CORE 1でワープロ処理
- CORE 2でディスク最適化
- CORE 3でファイルダウンロード
- CORE 4でビデオレンダリング

4 アプリケーションソフトウェアが複数のコアを利用するように作られていなくても、オペレーティングシステムはマルチコアのメリットを活かすことができます。具体的には、オペレーティングシステムがコアの1つを選びそこでソフトウェアを実行すると同時に、そのコアと当該ソフトウェアの間に、ある種の**親和性**（アフィニティとも呼ぶ）を設定します。その後、残りのコアとさまざまなタスクの間にも同様の親和性を設定し処理を割り振ります。たとえば、2番目のコアでディスクの最適化のようなバックグラウンドタスクを処理し、3番目のコアでダウンロードを監視し、さらに4番目のコアでインターネットのストリーミング動画をレンダリングする、といったことができます。このとき、これらのタスクが他のコアで進行しているタスクに影響されたり、終了時刻が遅れたりといったことは起こりません。

5 OSは要求されたタスクをそのリクエストと共に**時差調整用の待ち行列**に入れ、そこから各リクエストがそれぞれのコアへ送られます。各タスクの割り当て先のコアではコンピューターのクロックがそれぞれ独立して時を刻むので、タスクどうしが互いに混ざり合ったり、相互にアクセス可能な領域で渋滞が生じるようなことはまずありません。

6 各プロセッサコアは完全に独立しているわけではありません。チップ内のグラフィックスプロセッサやメモリキャッシュ（イラストを参照）といった資源を共有する場合があります。OSは、これらの資源に各コアからアクセスするときの資源の共有方法を決めることができます。たとえば、コアが1つしか動作していなければ、そのコアにより多くの共有キャッシュを動的に割り当てることができます。

複雑化の方向へ進むデスクトップCPU

デスクトップコンピューターの仕事は、会社の給料支払い名簿を出力する、新工場の設計図をレンダリングする、といった複雑な計算を大量に処理することです。デスクトップコンピューターは、**CISC (Complex Instruction Set Computing)** 方式を採用したインテルの **x86** 系プロセッサを古くより利用してきました。この方式では、複雑で相互に作用する命令を使用して、問題を扱いやすい形に分割し、煩雑な処理を繰り返します。

1 CISC マイクロプロセッサに組み込まれている ROM は大量のコマンドで構成されており、それらのコマンドは複数のサブコマンド（テキストの移動や 2 数の掛け算などの単一操作を実行する）で構成されています。ソフトウェアが要求を出すと、プログラムはコマンドの名前と必要なその他の情報をプロセッサへ送ります。たとえば、掛け合わせる 2 つの数が RAM 内のどこにあるか、といった情報です。

2 CISC 方式のコマンドは、すべてが同じサイズではないので、プロセッサはコマンドの処理に必要なバイト数を確認してから、その分の内部メモリを確保します。また、コマンドをメモリに読み込む方法も何通りかあるため、プロセッサは各コマンドを読み込むとき、どの方法が適切か判断しなければなりません。このどちらの準備作業も実行時間を増やします。

3 プロセッサはソフトウェアから要求されたコマンドを**デコードユニット**へ送ります。そこで、この複合的なコマンドは**マイクロコード**に翻訳されます。マイクロコードは**ナノプロセッサ**（プロセッサ内のプロセッサのようなもの）によって実行される一連の小さな命令です。

マイクロコード

コマンド

デコードユニット

ナノプロセッサ

5 ナノプロセッサが個々のマイクロコード命令を実行するために使用する回路は単純ではありません。それらの命令は、さまざまなステップを経ないと、完全な形で実行されない場合があるからです。典型的な CISC 処理の発熱や電力消費の問題を回避するために、一部の x86 プロセッサでは暫定的な CISC レイヤーの裏に RISC 方式を実装しています。

4 **マルチコア**プロセッサでは複数の命令を同時に実行できます。それらの結果は、各プロセッサコアにおける命令がすべて完了した段階で 1 つに統合されます。

単純化の方向へ進むモバイルCPU

モバイル機器の仕事は、電話を掛ける、ウェブページを表示する、「Angry Birds」のようなゲームをプレイするといったもので、計算の側面から見る限り、比較的単純です。そのため、CISC方式と比べて、より単純な方式である **RISC (Reduced Instruction Set Computing)** が採用されました。RISC方式の命令は、簡単に扱えるように最初から小さく分解されています。それは、あっという間に結果を出力し、電力消費も発熱もCISCほど大きくありません。RISC方式は **ARMアーキテクチャ**のさまざまな変種のベースとなっており、タブレットからスマートフォンやデジタルカメラなど、あらゆるモバイル製品の75％を占めています。

2 RISC方式のコマンドは、すべて同じサイズです。また、コマンドをメモリに読み込む方法も1つしかありません。各コマンドが既にマイクロコードの形式になっているので、RISCプロセッサは余計なステップを経ずに命令をデコードユニットに渡して、より単純なマイクロコードに翻訳することができます。このため、CISCプロセッサよりも高速にコマンドを読み込んで実行できます。

1 RISCプロセッサに組み込まれたコマンド機能は、単一のタスクを実行する複数の小さな独立した命令で構成されます。アプリの指示を受けると、プロセッサは小さなコマンドを所定の組み合わせで実行して大きなタスクを処理します。

3 RISCアプリのコンパイル中、コンパイラはどのコマンドが他のコマンドの結果に依存しないかを判断します。それらのコマンドは他のコマンドの終了を待つ必要がないので、プロセッサは複数並行して同時に実行できます。

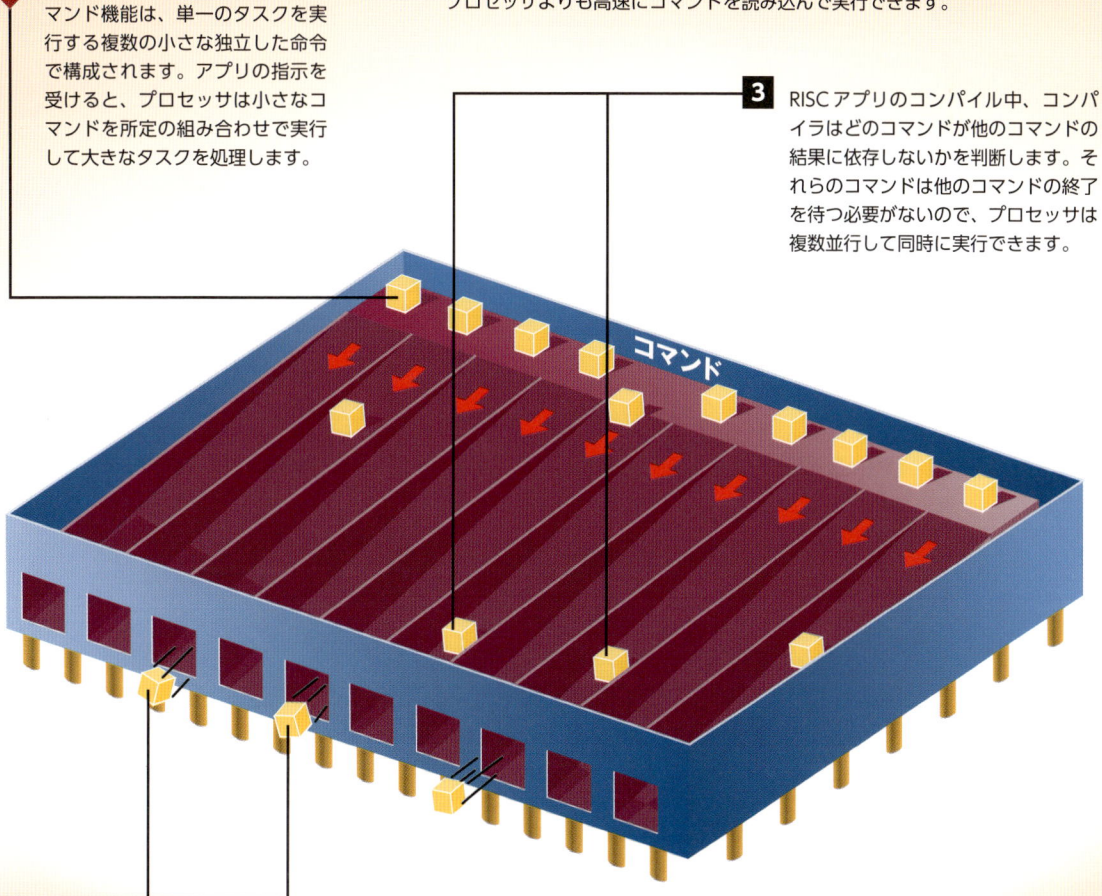

4 RISCプロセッサが扱うコマンドは単純なので、その回路が複雑になることはありません。RISCコマンドは、通過するトランジスタの数が少なく、その回路も短いので、高速に実行されます。その結果、多くの場合、各命令はCPUの **1クロックサイクル**の間に実行されます。タスク全体を処理するために必要なクロックサイクル数は、タスクを構成する小さなコマンドの数に依存しますが、一般的にはCISCプロセッサよりも短時間で処理されます。

CHAPTER 4 マザーボードが指揮するデータ交響曲

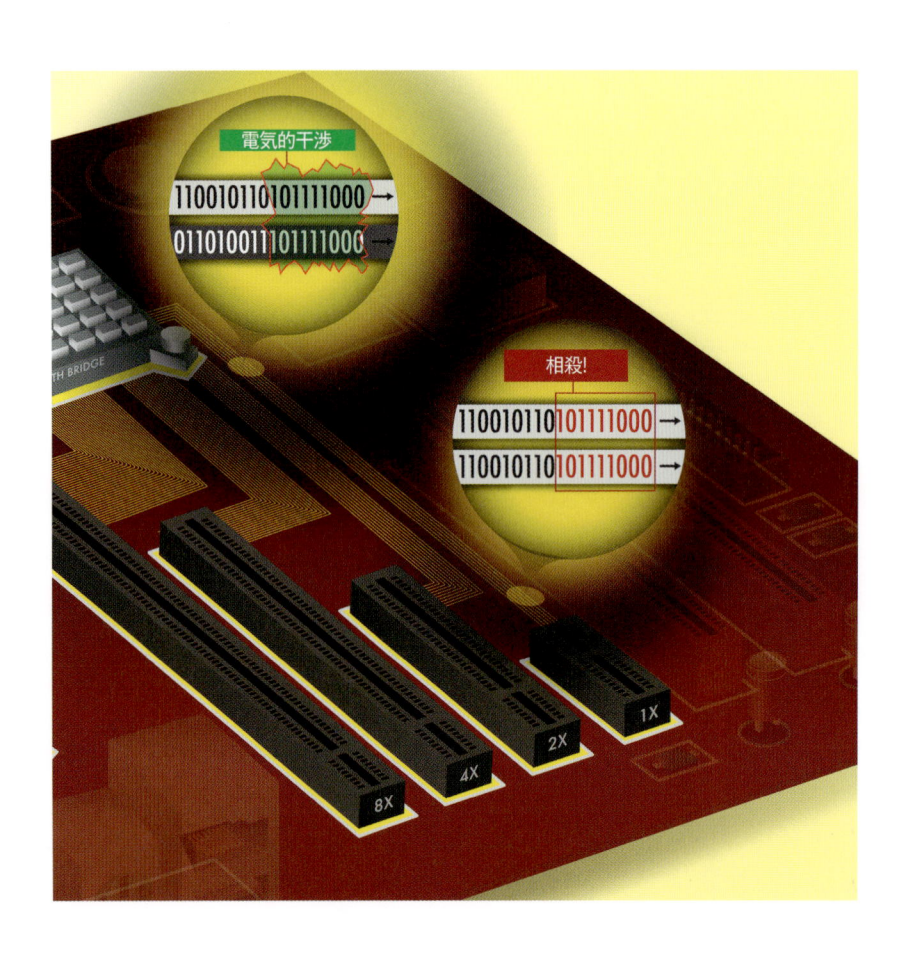

CHAPTER 4　マザーボードが指揮するデータ交響曲

さて、 パソコンで催される大規模な演奏会（またはスマートフォンやタブレットでの小規模な演奏会）において、主役はいつもマイクロプロセッサ（CPU：中央処理装置）です。最新パソコンで「革新的な100オームの抵抗器を搭載！」などという広告やレビューを目にすることは、まずありません。フラッシュドライブや途方もなくリアルな映像を表示するディスプレイも名脇役として控えていますが、ここではCPUの影から舞台を支えるマザーボード上のコンポーネントたちに目を向けることにしましょう。

　CPUに注目が集まるのには、それなりの理由があります。あらゆる名指揮者と同じように、CPUも楽団員ならぬ小さな部品に多くを支えられています。部品たちが演奏する舞台となる回路基板がなければ、中央に構えて指揮をするCPUといえども冷たいシリコンプレートに過ぎません。逆に、すべての部品が常にハーモニーを奏でるのはCPUや専用プロセッサのおかげです。CPUが存在しないマザーボードは、指揮者のいないオーケストラのようなものです。舞台の上の部品たちは、CPUの指揮がなければ他のメンバーが何を演奏しているのか聞こえません。CPUに向けて送られるはずの電子メッセージはチップ内で衝突し合い、どこから送られてきたのか確認する一瞬の間すらないでしょう。他のメッセージもERに収容された瀕死の被害者のように事件の重大な手がかりを力なくささやくだけで、マイクロプロセッサはそのかすかなささやきを理解できないでしょう。コンピューティングが不協和音となってしまいます。

　初期のパソコンでは、マザーボードにはあまり多くの部品を詰め込むことができませんでした。マザーボードはマイクロプロセッサの単なる足場（プラットフォーム）としての意味合いが強く、CPUとCPUが制御する部品（ディスクコントローラーカード、ビデオカード、サウンドカード、入出力カード）との間で信号をやり取りする輸送網のようなものでした。当時のパソコンの特徴的な役割は、ほぼすべて拡張カードが担っていました。技術革新があっても、予算の許す範囲で特定の拡張カードだけをアップデートすればよくて便利でした。今日では、マザーボードに多くの部品を詰め込めるようになり、また、以前の拡張ボードの機能が1チップで実現されるようになっています。そのため、ほとんどのコンピューターは、サウンド、ビデオ、ディスクコントローラーと入出力用のオプション部品一式を、最初からマザーボードに搭載しています。さらに進んで、それらの機能の一部を組み込んだCPUまで登場しています。しかし、それでもコンピューターの特徴は主にマザーボードの能力で決まり、具体的な機能性はマザーボードに取り付けられた部品でおおむね決まります。

　再びデジタル式の組み立てブロックの世界に戻りましょう。マザーボードをサポートするコンポーネントは、いくつもの似たような小さな部品でできており、その部品は機能や特性の違いでさまざまに区分されます。それでは、これらの小さな部品があらゆることを実現する舞台へ皆さんをご招待しましょう。

- ちっぽけな円筒に、回路基板の実力者である**抵抗器**が収められています！　金属やセラミックの被覆を持ち、カラーコードの細い帯がプリントされたこの抵抗器は、暴れ馬のような電気をしっかり静めてから、電気をエネルギーとして利用する他のコンポーネントへ送ります。それらは文字どおり、マザーボードの興奮を冷ますようなものです。

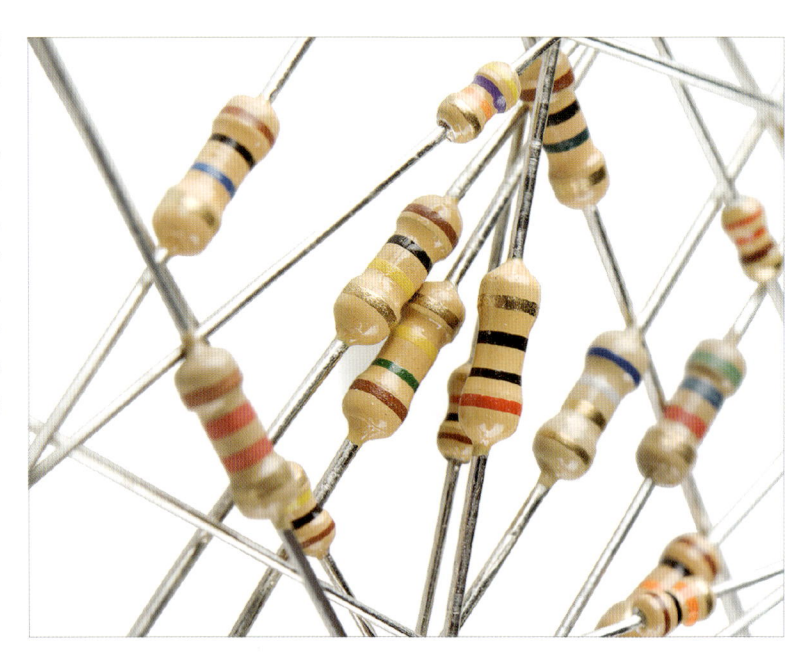

- **コンデンサー**はセラミックをプラスチックのコートで覆った食欲旺盛な歌手です！　ブンブンうなりながら大量の電荷を取り込んで蓄えることにより、他のコンポーネントに送る電気を安定させたり、必要なとき一挙に放電したりします。

CHAPTER 4 マザーボードが指揮するデータ交響曲

■ マザーボードのあちこちにあって、ミステリアスなミニチュア版モノリスのように見えるのは**マイクロチップ**です！ その内部にある何百万個ものトランジスタがすることを知る人はほんの少数です。

■ そして、これらすべてをつなぐ銅やアルミでできた細い帯が**サーキットトレース**です。これにより個々のプレイヤーは結び付けられ、一体となって働きます。

マザーボードが全体を1つにまとめる仕組み

メモリスロット：メモリスロットは、通常、ボードに2基または4基あり、同じ規格のメモリカード（デュアルチャネルと呼ぶ）をどこに挿せばよいかわかるように、たいてい色分けされています。最近のマザーボードは、DDR（ダブルデータレート）方式に対応したメモリを使います。現在の標準はDDR3で、今後はDDR4の普及が期待されます。

電源コネクタ：このコネクタを介してコンピューターの電源からマザーボードへ電力が供給されます。その後、マザーボードは必要に応じてシステムの各部に電力を振り分けます。この基本となるATX規格の電源コネクタが現在のマザーボードデザインの主流ですが、これは時を経て20ピンコネクタから24ピンコネクタへと進化してきました。

CPUソケット：これにより、マザーボードが使う**マイクロプロセッサ（CPU）**の種類が決まります。大半のボードは、**Intel**または**AMD**製のプロセッサ向けにデザインされています。同一メーカー製であっても、すべてのCPUに対応するわけではありません。ソケットとボードは、特定のシリーズのマイクロプロセッサを想定してデザインされており、サイズ、形状、ピン数が決まっています。

バス：マイクロプロセッサやコンポーネントは、マザーボード上の他のコンポーネントにデータを送出するとき（**書き込み操作**）、**アドレスバス**を構成する24本のトレースの電圧を上げます。このトレース（**導線**）の組み合わせが一意のアドレスを表し、それで**内部バス**上の何らかの対象（特定のメモリ位置など）、マザーボードに直接接続されたコンポーネント（アドインスロットに装着された拡張カードなど）、あるいは**外部バス**（**拡張バス**）に接続された装置（ディスクドライブなど）が特定されます。プロセッサは書き込みたいデータを一連の導線の1区画（**データバス**）にセットします。具体的には「1」を表す導線の電圧を上げ、「0」を表す導線の電圧はそのままにしておきます。その他の導線は、**制御信号**を渡すために使われます。それはメモリや各入出力デバイスに共通する特定のコマンド（読み出し、書き込みなど）を表します。

マザーボード：コンピューターを構成するすべてのチップや回路を1つにまとめる構成要素です。マザーボードの回路を介して、さまざまなデバイスが互いに情報をやり取りします。デバイスに必要な電力もその回路から供給されます。マザーボードは、コンピューターのサイズや形状などの**フォームファクター**に応じて提供されます。また、各種のソケット、スロット、コネクタを装備しており、その構成によってコンピューターで使用できるデバイスの種類が決まります。

ポート：**入出力パネル**の各種のポート（パソコンの前面と背面にある）は、外部機器との情報のやり取りに用いられます。ここには、USBコネクタ、ビデオコネクタ（DVI、HDMIなど）、eSATAコネクタ、一群のオーディオ入力／出力ポートがあります。

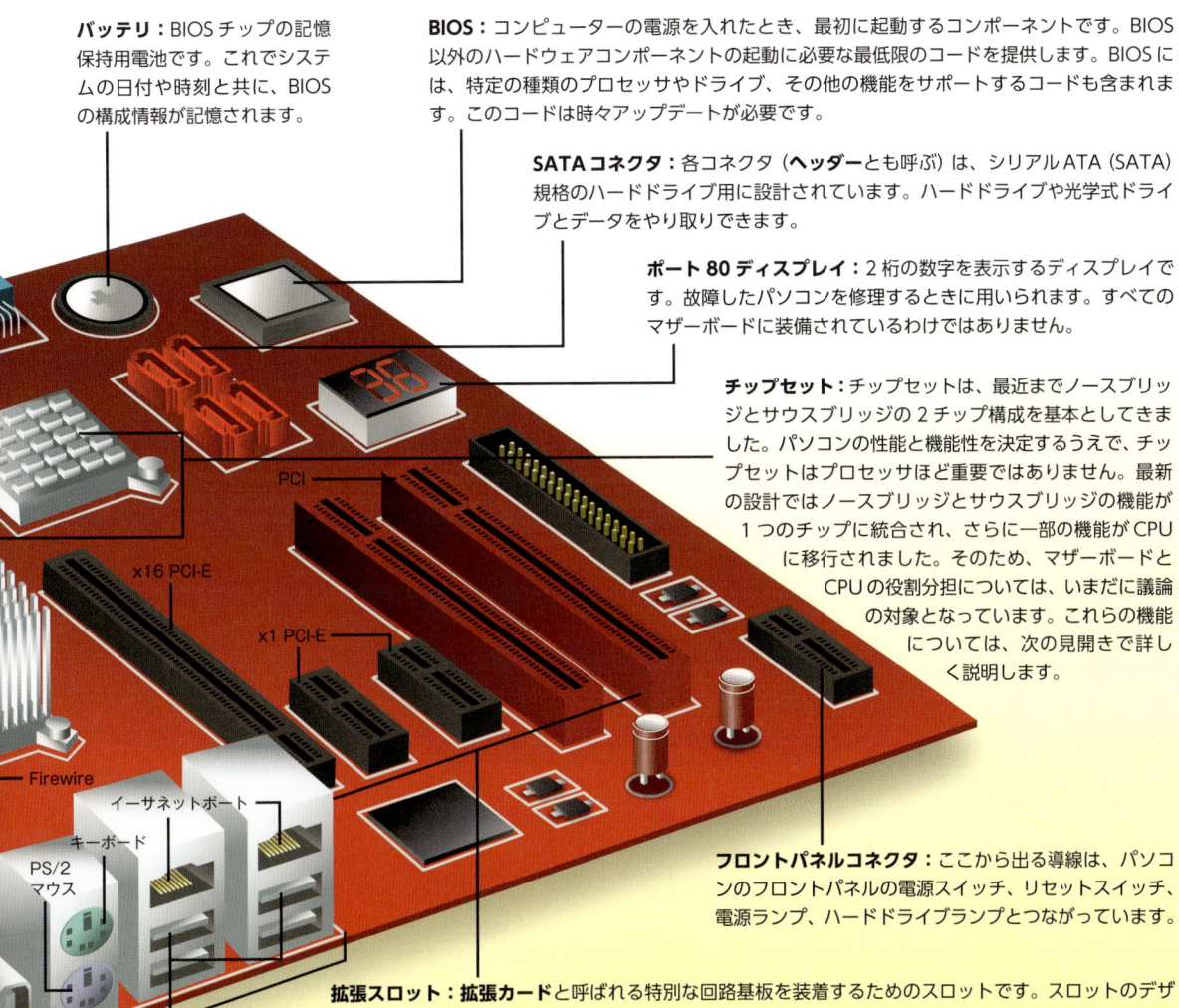

CHAPTER 4　マザーボードが指揮するデータ交響曲

バッテリ：BIOS チップの記憶保持用電池です。これでシステムの日付や時刻と共に、BIOS の構成情報が記憶されます。

BIOS：コンピューターの電源を入れたとき、最初に起動するコンポーネントです。BIOS 以外のハードウェアコンポーネントの起動に必要な最低限のコードを提供します。BIOS には、特定の種類のプロセッサやドライブ、その他の機能をサポートするコードも含まれます。このコードは時々アップデートが必要です。

SATA コネクタ：各コネクタ（**ヘッダー**とも呼ぶ）は、シリアル ATA（SATA）規格のハードドライブ用に設計されています。ハードドライブや光学式ドライブとデータをやり取りできます。

ポート 80 ディスプレイ：2 桁の数字を表示するディスプレイです。故障したパソコンを修理するときに用いられます。すべてのマザーボードに装備されているわけではありません。

チップセット：チップセットは、最近までノースブリッジとサウスブリッジの 2 チップ構成を基本としてきました。パソコンの性能と機能性を決定するうえで、チップセットはプロセッサほど重要ではありません。最新の設計ではノースブリッジとサウスブリッジの機能が 1 つのチップに統合され、さらに一部の機能が CPU に移行されました。そのため、マザーボードと CPU の役割分担については、いまだに議論の対象となっています。これらの機能については、次の見開きで詳しく説明します。

PCI
x16 PCI-E
x1 PCI-E
Firewire
イーサネットポート
キーボード
PS/2 マウス
USB（Universal Serial Bus）

フロントパネルコネクタ：ここから出る導線は、パソコンのフロントパネルの電源スイッチ、リセットスイッチ、電源ランプ、ハードドライブランプとつながっています。

拡張スロット：**拡張カード**と呼ばれる特別な回路基板を装着するためのスロットです。スロットのデザインは、長年にわたっていろいろ変化してきました。**レガシー**PCI スロットは、かつて特に普及したスロットです。現在も一部のマザーボードでは健在です。大量のデータを高速で転送するのには向いていません。

すべてのデバイスは同じバスに接続されているので、いずれもデータバスおよび制御バス上で同じ信号を受け取ります。バス上のメモリコントローラー、拡張カード、その他の入出力デバイスが、コマンド信号線を絶えず監視しています。たとえば、書き込みコマンド信号線に現れた信号は、すべての入出力デバイスによって認識されます。各デバイスは、書き込みコマンドを感知すると、アドレス線に注意を向けます。アドレス線で指定されたアドレスが自分の使うアドレスではない場合、そのデバイス（デバイスのアダプター）はデータ線に送られてきた信号を無視します。

アドレス線の信号がアダプターのアドレスと一致した場合、アダプターはデータ線に送られてきたデータを受け取り、それを用いて書き込みコマンドを実行します。

PCI-Express スロットは、パソコンのディスプレイにビデオやゲームを表示する強力なグラフィックスカードと一緒に使われるものとして、よく知られています。規格上のスロットサイズは複数あり、グラフィックスに限らず、さまざまなタイプの拡張ボードに対応する何でも屋的なスロットです。イラストに示した短いタイプの **x1 PCI-E** は、PCI Express スロットとして最も一般的なものです。グラフィックスやサウンドデータをより高速に処理するために、PCI-E スロットは **x4**、**x8**、**x16**（イラストの例）と拡張されます。数字は x1 PCI-E スロットよりも何倍高速かを表します。つまり、スロット名に記された乗数によって、そのスロットのデータ転送能力がわかります。

チップセットによるトラフィック制御の仕組み

非常に複雑になった現代のパソコンでは、最新の強力なプロセッサであっても、データフローを管理するタスク全体を単体で処理するのは困難です。そこでCPUは、マザーボード上でCPUのすぐ近くに配置した**チップセット**の助けを借りて処理を進めるようになりました。最近まで、このチップセットを**ノースブリッジ**、**サウスブリッジ**と呼ばれる2つのマイクロチップで構成する方法が主流でした。CPUから見ると、この2つのチップセットは管理者や最高責任者のような役割を果たします。CPUとその他のチップとの間の論理レベルと物理レベルのギャップを埋め、そのために特定のコンポーネントの入出力を常時監視して制御します。このチップセットの機能は、厳密な意味では絶えず変化しています。最新のデザインではノースブリッジとサウスブリッジの機能が1つのチップに統合され、さらに一部の機能がCPU側に戻されました。しかし、特定のマザーボードでどのような種類のメモリ、プロセッサ、その他のコンポーネントが動作するかを判断する役割が、この2つのブリッジにあることに変わりはありません。ここでは、従来のノースブリッジとサウスブリッジの2チップ構成で説明を進めます。そのほうがイラストで機能を簡単に表現できるからです。

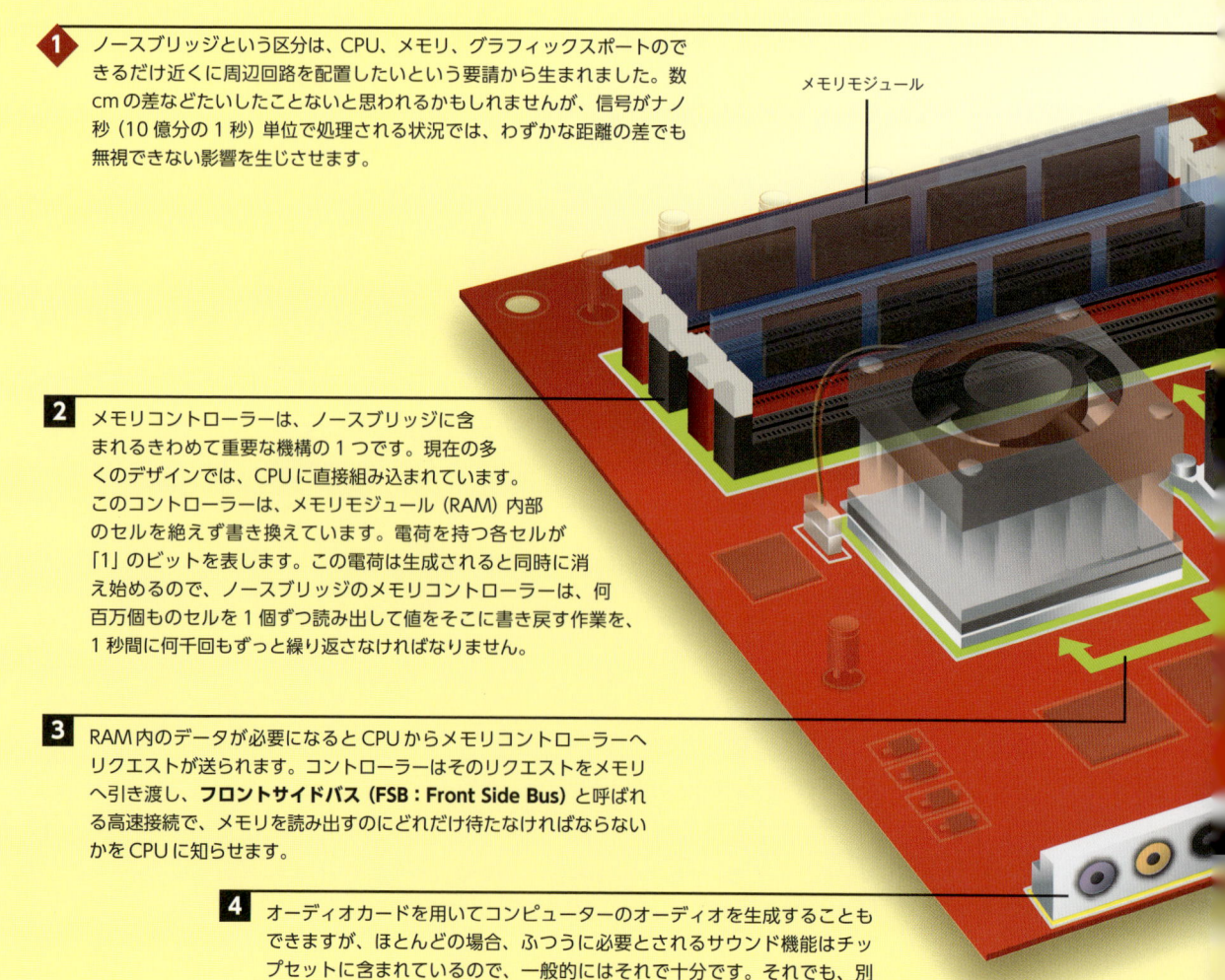

1 ノースブリッジという区分は、CPU、メモリ、グラフィックスポートのできるだけ近くに周辺回路を配置したいという要請から生まれました。数cmの差などたいしたことないと思われるかもしれませんが、信号がナノ秒（10億分の1秒）単位で処理される状況では、わずかな距離の差でも無視できない影響を生じさせます。

メモリモジュール

2 メモリコントローラーは、ノースブリッジに含まれるきわめて重要な機構の1つです。現在の多くのデザインでは、CPUに直接組み込まれています。このコントローラーは、メモリモジュール（RAM）内部のセルを絶えず書き換えています。電荷を持つ各セルが「1」のビットを表します。この電荷は生成されると同時に消え始めるので、ノースブリッジのメモリコントローラーは、何百万個ものセルを1個ずつ読み出して値をそこに書き戻す作業を、1秒間に何千回もずっと繰り返さなければなりません。

3 RAM内のデータが必要になるとCPUからメモリコントローラーへリクエストが送られます。コントローラーはそのリクエストをメモリへ引き渡し、**フロントサイドバス（FSB：Front Side Bus）**と呼ばれる高速接続で、メモリを読み出すのにどれだけ待たなければならないかをCPUに知らせます。

4 オーディオカードを用いてコンピューターのオーディオを生成することもできますが、ほとんどの場合、ふつうに必要とされるサウンド機能はチップセットに含まれているので、一般的にはそれで十分です。それでも、別途オーディオカードを購入して組み込めば、より高品質のオーディオを手に入れることができます。一般に、ミュージシャンやサウンドエンジニア、オーディオマニアにとっては、そうするだけの価値があります。

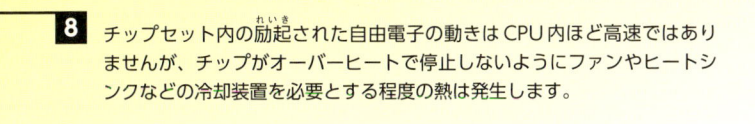

CHAPTER 4 マザーボードが指揮するデータ交響曲

8 チップセット内の励起された自由電子の動きは CPU 内ほど高速ではありませんが、チップがオーバーヒートで停止しないようにファンやヒートシンクなどの冷却装置を必要とする程度の熱は発生します。

7 このイラストに示すような 2 チップ構成では、ノースブリッジの対象範囲から外れる管理がサウスブリッジへ引き継がれます。

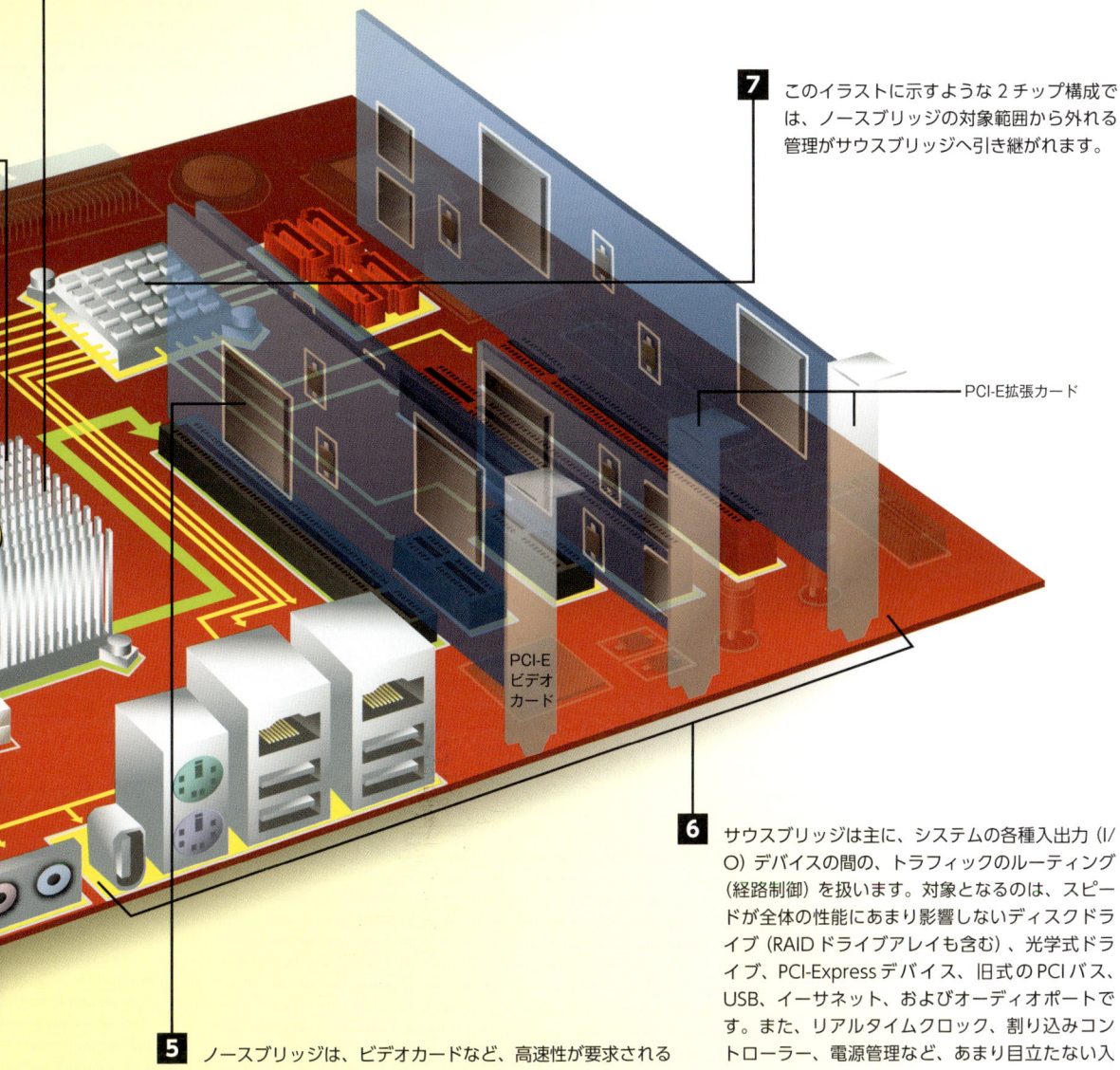

PCI-E 拡張カード

PCI-E ビデオカード

6 サウスブリッジは主に、システムの各種入出力 (I/O) デバイスの間の、トラフィックのルーティング (経路制御) を扱います。対象となるのは、スピードが全体の性能にあまり影響しないディスクドライブ (RAID ドライブアレイも含む)、光学式ドライブ、PCI-Express デバイス、旧式の PCI バス、USB、イーサネット、およびオーディオポートです。また、リアルタイムクロック、割り込みコントローラー、電源管理など、あまり目立たない入出力も扱います。これ以外のキーボード、シリアルポート、マウスといった低速のコンポーネントは、**スーパー I/O** (**SIO：Super Input/Output**) と呼ばれる別のデバイスが扱います。

5 ノースブリッジは、ビデオカードなど、高速性が要求される他のコンポーネントと連絡をとる役割も果たします (チップセットや CPU 自体にビデオ、サウンド、その他の機能が組み込まれている場合もありますが、一般に内蔵ビデオは専用の拡張カードのビデオほど高速ではありません)。

PCI-Expressがバスの限界を打ち破る仕組み

ストリーミング動画や写真編集といったアプリケーションでは、大量のデータを短時間で移動するため、パソコンに大きな負荷がかかります。最近まで、時代遅れの **バス** —**PCI (Peripheral Components Interconnect)** と **AGP (Accelerated Graphics Port)** —のせいで、コンポーネント間をデータが思うように流れず、パソコンのデータ処理は行き詰まっていました。2.134GB/秒の性能が出る最速のAGPを用いても、数百万ピクセルという写真品質のカラーアニメーションを60フレーム/秒以上で動かすような高負荷のリアルタイムアプリケーションでは処理が追いつきませんでした。この問題を解決するために考案されたのが、シリアル転送とパラレル転送の両方を使うバスアーキテクチャです。これを **PCI-Express (PCI-E)** と呼びます。

1 PCI-Expressバスでは、すべてのデータがばらばらに分解され、**パケット**という単位にまとめられます。各パケットにはデータに加えて、情報の送信元と送信先、パケットの順番、そして**巡回冗長検査 (CRC：cyclic redundancy check)** の結果を示す2進コードも含まれています。**CRC** は、データの指紋の役割を果たす数学的手法です。

2 旧式のPCIバスと同様に、周辺を流れるデータはマザーボードの**チップセット**が管理します。従来の（時代遅れな）ノースブリッジとサウスブリッジを利用するデザインでは依然として、低速のハードドライブ、USB接続、古いPCIカードなどへデータを少しずつ送るような、比較的新味に欠けるタスクの管理がサウスブリッジに割り振られています。しかし、PCI-Expressでは、速度が命のビデオカードのようなコンポーネントにもパケットが送り込まれます。これを実現するために、コンポーネントごとに専用のシリアル回路を設け、それらがシリアル信号を双方向で同時に転送したり、複数の経路に並列的に流したりします。

CHAPTER 4　マザーボードが指揮するデータ交響曲　51

3 チップセットは一対（2本）の信号線を使い、パケットを連続して送信します。パケットを逆方向に送信するため、もう一対の信号線が使われます。この一対×2 セットをまとめて**レーン**と呼びます。各対では、一方の信号線にオリジナルの信号を流します。もう一方の信号線には反転した信号、つまり、各「0」を「1」に、「1」を「0」にした信号を流します。このような方式で信号線を構成するのは、一方の信号線に影響するような電気ノイズ（静電気）はもう一方の信号線にも影響するはずだからです。

4 パケットが送信先に届くと、受信側は反転したパケットを再度反転させて復元します。この操作により、電気的干渉の影響で紛れ込んだ無意味な信号の値も反転されます。バスは、この一対のパケットを合成します。オリジナルのパケット内で生じた干渉は、それに対応する反転したパケットと相殺されます。

5 さらにバスは、パケットに対して送信前と同じ CRC 操作を実行します。結果をパケット内にある以前の CRC 操作の結果と照合し、一致しなければパケットの再送を要求します。パケットには各パケットのデータの順番が記録されているので、バスは正しいパケットが送られてくるのを待つ必要がありません。他のパケットの受信をそのまま続け、正しいパケットが届いたら、そのデータを適切な位置に押し込むだけで済みます。

6 パケットの生成に必要なオーバーヘッドを差し引いた後の、基本 PCI-Express スロットのピーク時の帯域幅は、公称 250MB/ 秒です。しかし、PCI-E は**拡張できます**。同じコンポーネントとのデータのやり取りに複数のレーンを割り当てられます。これを**チャネル結合**と呼び、追加したレーンの数に比例してチャネルの帯域幅が増えます。PCI-E のデータ転送速度は 1 レーンにつき、各方向 250MB/ 秒です。最大 32 レーンを使用すると全体の転送速度は各方向 8GB/ 秒になり、1 つのレーンで旧式の PCI のほぼ 2 倍の帯域幅が得られます。スロットの長さを比較すれば、拡張スロットの帯域幅を知ることができます。基本 PCI-E スロット（x1）の長さは約 24.5mm で、スロットの長さが 13.5mm 増えるごとに帯域幅は 250MB 増えます。

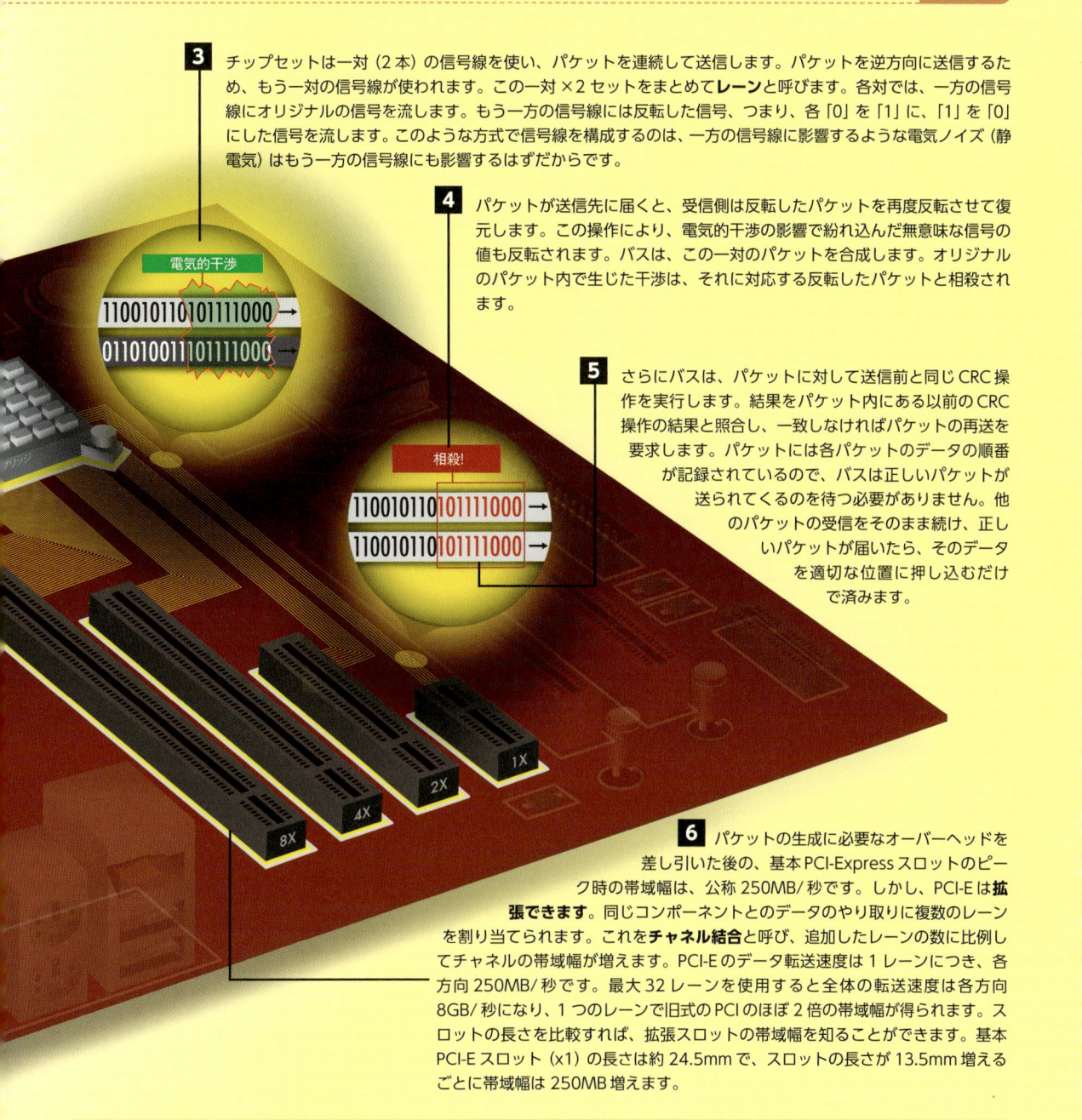

さらば、共同加入線

旧式の PCI バスでは、すべてのデバイスが同じパラレル回路を共有し、同じデータを受け取ります。そのデータの中に信号の送信先のデバイスを示す識別子が含まれ、送信先以外のデバイスは単にデータを無視します。しかし、共同加入線の電話利用者の場合と同じく、接続が占有されている間、他のデバイスはデータを受信できません。一方、PCI-E におけるリンクは**2 点間の一対一接続**です。チップセットは、ある点から送られてきた信号の経路を切り替えるために**クロスバースイッチ**を使用します。その信号は専用の信号線で特定のコンポーネントへ送り出されます。データは複数のコンポーネントへ同時に送り出されます。それはプライベートな専用回路で話すようなものです。

29 ピクセル

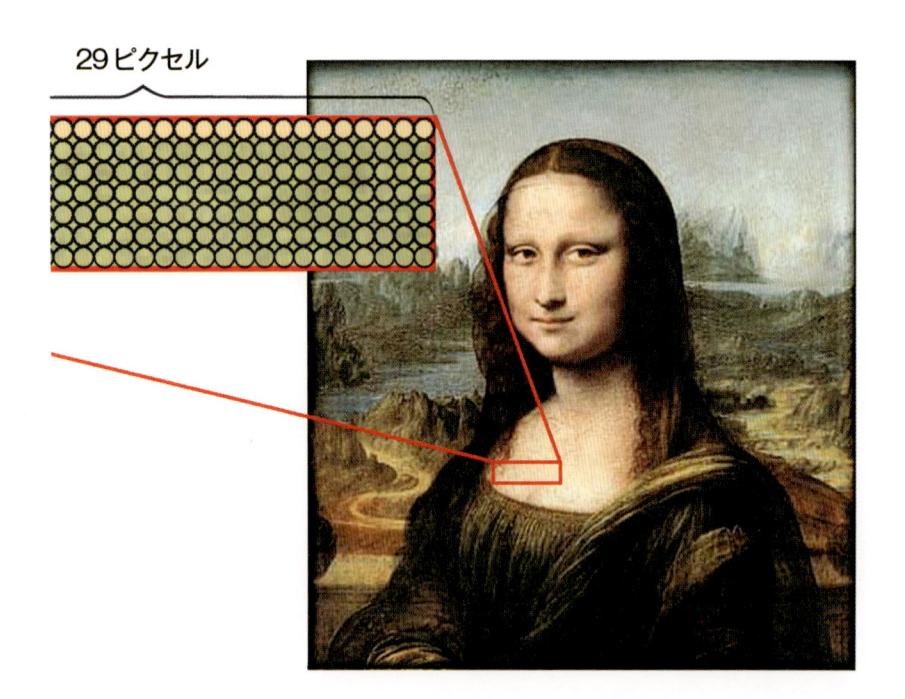

PART 2

ソフトウェア
―コンピューターが紡ぐ詩

CHAPTERS

CHAPTER 5 言葉がプログラムになる仕組み　64

CHAPTER 6 代表的なアプリケーションソフトの仕組み　74

CHAPTER 7 ゲームが世界を創造する仕組み　96

CHAPTER 8 セキュリティソフトウェアが侵入者を撃退する仕組み　106

PART 2　ソフトウェア —コンピューターが紡ぐ詩

　　　　サラガドゥーラ、メチカブーラ、ビビディバビディブー。これをまとめて唱えりゃね、ビビディバビディブー。

—ウォルト・ディズニーの「シンデレラ」より

　　　　コードは詩だ

—あるプログラマの腕に彫られた入れ墨

　grep、mov、endif、cur_x、selField（グレップ、ムーブ、エンドイフ、カールエックス、セルフィールド）... プログラマがソフトウェアをこしらえるために使う「言葉」は、まるで困っている人を助ける親切な妖精が唱えた呪文のように聞こえます。確かにソフトウェアは魔法のようです。何かにタッチしたり、声で指示したり、ウインクしたり、マウスで小さな絵をクリックしたりしてコンピューターを呼び出すと、妖精の仕事としか思えないことがいきなり始まります。目の前のパソコンから、きれいなグラフィックスや豊かなサウンドが現れますよね。ソフトウェアは、いくつかの数字を調べて今後 3 カ月間のバナナの相場を予測するなんて仕事もしてくれます。「あの人はだれ？、そこはどんな所？、その日の予定は？」といった問いに答えてくれるスマートフォンは、魔法の水晶玉のようです。タブレットのアプリに、地球の裏側のだれかの家の上空へ連れて行ってくれと頼むと、すぐそこへジャンプできます。それも秒単位のわずかな時間で！　魔法のじゅうたんだって、これにはかないません。

　VB、Java、C、C++、C#、PHP、他にも奇妙な名前のソフトウェア言語がありますが、そうした呪文のような言葉は、それを操らない一般人にとってまったくの謎というわけではありません。ソフトウェアはある決まった詩のような形式を取ります。その語句の並びには隠れた意味、本筋、わき筋があり、英詩の韻律よりも厳格な規則に従います。ふつうの詩がたいていそうであるように、素人がそれを完全に理解するのは大変なので、ソフトウェアを読むのは専門家（機械）に頼るしかありません。

　しかし、これまでソフトウェアと全く無縁に過ごしてきた人などいないでしょう。パソコンや iPad、Galaxy 5S を手に入れるずっと以前からソフトウェアを使っていたはずです。Word、Photoshop、Angry Birds のようなものだけがソフトウェアではありません。音楽のレコーディングやブルーレイディスクもソフトウェアなのです。犬小屋の設計図、洋裁の型紙、さらに電話番号だって**プログラム**と見なすことができます。プログラムとは、一連の命令を一定の順序に並べて動作を表現したものに過ぎません。コンピューターコードを印刷したものも料理本のレシピもプログラムです。その意味では、コンピューターに一度も触ったことがなくても、もう立派なプログラマなのです。

　好きなロックバンドのベストアルバムをプレイリストにする。毎日放映されるニュース番組を見逃さないよう HDD レコーダーに録画予約する。連絡先の電話番号を携帯電話に入力する。こうした作業はいずれもプログラミングです。プログラムとは単なる指示なのです。それはチョコレートパイの作り方を教えてくれるレシピかもしれませんし、大勢の社員の給料を計算する手順書かもしれません。

　プログラムとソフトウェアの間には、必然的に微妙な違いがあります。電子レンジを使うときのことを考えてみましょう。ボタンを決められた順序で押して、電子レンジをあるパワーで一定の時間だけ動かす。その後、熱々のビーフシチューができあがるまで、途中パワーを変更しながら同じことを繰り返す。この一連の操作はプログラムです。つまり、一連の命令を決まった順序で行うことによってプログラミングしているわけです。しかし、ポップコーン調理用にプリセットされたボタンを押した場合には、電子レンジ内部のマイクロチップに永久に記録されたソフトウェア（事前に設定された一連のプログラミング命令）を使うことになります。

　ハードウェアにさまざまなタスクを実行する能力があっても、それを制御するソフトウェアやプログラミングがなければ、たいしたことはできません。たとえば、釘抜きの付いた金槌は、それだけでは文鎮の代わりにしかなりませんが、大工が使えば、釘を打ったり、古釘を抜いたり、クルミを割ったりすることができます。大工は金槌を打ちながら、その場でプログラミングしているのです。ホームシアターは、さまざまな映像やサウンドを再生する能力を持つ複合的なハードウェアシステムですが、それだけではストリーミングで配信される番組を視聴できません。ディスクで提供されるソフトウェアか、ビデオストリーマーのような特別なハードウェアか、少なくとも CATV 接続が必要です。ディスク、ネットワーク接続、また

はCATVからの信号を受け取ったハードウェアは、それに基づきどの電気パルスを使えばよいかを判断してマーラーの『交響曲第10番』や『アベンジャーズ』を再生するわけです。

今世紀に入るまでの
ソフトウェアの道のり

機械の動作を制御する一連の命令を記録したものがソフトウェアだと考えるなら、ソフトウェアはずっと以前からいろいろな場面で使われていたといえます。記譜法はピアノの演奏をその場でプログラミングする記述命令だといえます。しかし、これが自動演奏機能付きピアノなら、演奏情報が穿孔された巻き紙がソフトウェアに相当します。18世紀、機織りは手作業で行われていました。織機に張り渡した縦糸の上と下に、糸を巻いたボビンを交互に滑り込ませるという方法です。この方法は手間がかかるうえに失敗も少なくありませんでした。しかし、1804年にジョゼフ・マリー・ジャカールが織物に織る模様を一連の**穿孔カード**で制御する機織り機を製作しました。カードを変えれば、異なる模様を織ることができます。ジャカールの発明を現代のコンピュータープログラミングの誕生と考えることもできます。実際、穿孔カードは20世紀になってもコンピューターで利用されました。また、この発明は人々が技術に脅かされるうねりの第一波を引き起こすきっかけにもなりました。1811年、新しい織機に職を奪われることを恐れたノッティンガムの織工、ネッド・ラッド (Ned Ludd) は激高した仕事仲間の先頭に立って工場の機械を打ち壊しました。こうして、Ludd (ラッド) に主義を意味する接尾辞iteを付けた**Luddite** (ラッダイト) が、「技術の進歩に抵抗する人」を意味するようになりました。

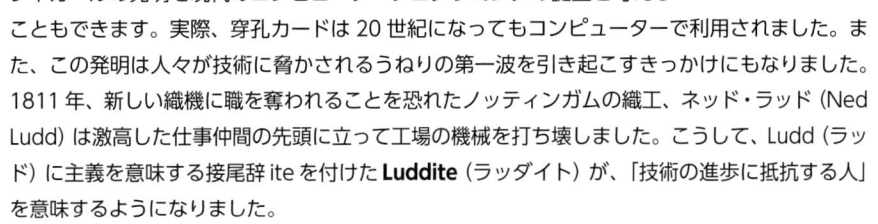

次の世紀を迎えるまで、ソフトウェアはほとんど進歩しませんでした。1889年、トーマス・A・エジソンはキネトスコープを発明しました。フィルム上の映画を観る装置です。私たちはふつう、映画、録音、ラジオ放送をソフトウェアとは考えませんが、実際、これこそが20世紀の前半に最も流行したソフトウェアだったのです。

最初のコンピューターにはキーボードもディスプレイもなく、ソフトウェアもありませんでした。それを考案した人々は、命令をプログラミングするために、整然と並べられた一連のスイッチをぱちぱち入れていく単調な作業を延々と続ける必要がありました。このようにして人が電流のON/OFFのパターンを設定すると、コンピューターは真空管で構成されたもっと多くの電気スイッチを作動させます。そしてようやく結果が求められると、それを反映してパネルにずらっと並んだランプが消灯または点灯するようになっていました。各ランプの消灯と点灯が2進法の0と1をそれぞれ表すわけです。

1945年、ジョン・フォン・ノイマンは、プログラム内蔵方式の汎用**デジタル電子計算機**というアイデアを初めて考案しました。しかし、あの有名なコンピューター、ENIAC(エニアック)が本格的な形で完成したのは1952年のことです。その間、英国の科学者たちが1948年にManchester Mark Iを開発しました。これは電子的にプログラムを格納でき、プログラマが手動でスイッチをセットしなくてよい最初のコンピューターでした。

ジャカード織機
1804年、ジョゼフ・マリー・ジャカールは、一連の穿孔カードを用いて、さまざまな文様を織ることができる機織り機を製作しました (いわば、機織り機をプログラミングしたわけです)。穿孔カード (パンチカードとも呼ぶ) は、コンピューターにデータや命令を入力する目的で20世紀になっても使われました。

その後の20年間で、コンピューターはキーボードやディスプレイといった付帯的な装備を手に入れました。そこで使われるソフトウェアは穿孔カード、穿孔紙テープ、または磁気テープの形態を取っており、現代のソフトウェアに比べると扱いにくく操作が面倒でしたが、当時のプログラマには便利なものとして歓迎されました。

当時、苦労したプログラマも少なくありませんでした。初期のソフトウェア開発者の一部はMIT（マサチューセッツ工科大学）の鉄道模型クラブから芽を出しました。鉄道模型クラブのメンバーたちは、線路、踏切、分岐器で構成される複雑なシステムを制御するために電話交換機を利用していました。鉄道模型を通して、単純ですが非常に特殊な形のコンピューターを作り上げていたのです。そこでは既に交換機（つまり、スイッチ）中心の思考法が取られており、ソフトウェアを書く理想的なトレーニングの場だったのです。

その後、ソフトウェアを書く仕事の多くは大学、軍、産業界へと広がり、**メインフレーム**と呼ばれる、一部屋を占有するような巨大なコンピューターが必要とされるまでに規模を拡大していきました。しかし、さまざまなプログラムが産み出されたにもかかわらず、1960年代に見られた共通点は、特別な目的に合わせて用意された特定のコンピューターでしか、それらのプログラムが動かなかったことです。たとえば、A社の給料支払い名簿を管理するために書かれたプログラムは、A社の会計慣行や記帳法に合わせて作られており、A社のコンピューターと同じような構成のコンピューターでしか動きませんでした。別の会社で給与処理プログラムが必要となった場合は、あらためてプログラムを最初から書く必要がありました。しかもA社の経営者が給料支払い名簿を別の視点で検討しようとすると、プログラム全体に手を入れざるを得ませんでした。

当時のプログラムにもう1つ共通していたのは、非常に高額なプログラムか無料のプログラムしか存在しなかったことです。IBM社のようなコンピューター会社はソフトウェアを、ハードウェアすなわち「**大型コンピューター**」を売る手段と見ていました。個々のプログラムは特注品であり、プログラム開発という分野自体がまだその可能性を探っている段階だったので、会社は何千ドルもの費用を投じることを当たり前と考えていました。それに、何百万ドルもするコンピューターと比べれば、数千ドルのソフトウェアはそれほど高いとは思われなかったのです。

一方、コンピューター会社は**オペレーティングシステム**の費用を請求しませんでした。それは特定のアプリケーションを実行する個々のプログラムを動かすのに必須のソフトウェアだったからです。オペレーティングシステムは、例えるなら映画のプロデューサーのようなものです。プロデューサーはスクリーンに登場しません。舞台裏で働くプロデューサーの仕事は、作家、監督、俳優を雇い、美術スタッフ、照明技師、（俳優を現場に運ぶ）運転手、ケータリング担当者など、何百人もの要員を手配して給料を払うことです。映画を大ヒットさせるために必要なたくさんの細々とした事柄に煩わされることなく、俳優が演技に専念できるようにすること、それがプロデューサーの仕事であり、それができなければ映画は失敗作となります。

当初からプログラマは日常的にプログラムコードの交換をしており、その多くがコンピューターを単なる仕事の手段とは見ていませんでした。ともあれ、コンピューターは強力な武器にな

コンピューターのバグといえば現在ではソフトウェアの障害を意味するようになっていますが、その呼び方は、あるコンピューターの機械式リレーの内部で発見された故障原因の虫（bug：バグ）に由来しています。写真は、グレース・ホッパー博士が業務日誌にテープで貼り付けた虫です。

りつつありました。情報革命という次なる産業革命を前にして、コンピューターは巨大企業の経営陣が利用するのと同じ情報を一般の人々も利用できるような状況を生み出そうとしていました。そうした理想と、すべてのプログラマはまだ学習段階にあるという現実認識が相まって、ソフトウェアはすべて無料で配布されるべきものであるという理念が生まれました。この考え方は、現在もオープンソース運動の中で生き続けています。そこではLinuxなどの強力なオペレーティングシステムが自由（フリー）なソフトウェアとして開発され、ユーザーがソフトウェアの改善に寄与して成果を共有することが奨励されています。

こうしてソフトウェアの性質がだんだん変化していきました。コンピューター会社は、ソフトウェアをハードウェアから分離して単体で販売するようになり、その中で新たな労働者階級が生まれました。仕事を求めて会社を渡り歩き、注文に応じてプログラムを仕上げたら次の会社へ移動する「カウボーイ」のようなプログラマです。1960年代の中ごろになると、これらのカウボーイの一部が、自分で書いたプログラムを複数の会社に販売できる状況が生まれました。新たな産業の誕生です。

キラーアプリケーション

パソコンが登場したときもソフトウェアは同じような道筋を辿りました。最初のパソコン（AltairとCommodore PET）のユーザーは、自分でプログラミングすることが当たり前と考えた先駆的な人々で、自分が習得したコーディング技術や作成したプログラムを共有することにも積極的でした。そのとき、ある革命が進行中だったことに気づく人はほとんどいませんでした。革命の口火を切ったのは「キラーアプリケーション」です。

とても便利で人気があるためにハードウェアの需要を掘り起こす可能性があるアプリケーションのことを**キラーアプリケーション**と呼びます。パソコンの世界で最初のキラーアプリケーションとなったのはVisiCalc（ビジカルク）です。MITの卒業生、ダン・ブリックリンが、社会に変革をもたらすいくつかの道の1つを切り開いたのです。彼は、「会計士、営業部長、幹部社員、銀行員、株式仲買人など何百万人もの人々が、コンピューターならもっと簡単に短時間でできる込み入った大量の計算を処理するのに多くの時間を無駄に使っている。電卓に大量の数字を入力しながら力ずくの計算を延々と繰り返している。それでは計算間違いが起こるのも当たり前で、単調な仕事が増えるばかりだ」と考えました。

ブリックリンのインスピレーションは、**表計算ソフト**（スプレッドシートとも呼ぶ）に結実しました。それは正真正銘のキラーアプリケーションでした。少なくとも数字を扱う人々には簡単に理解でき、時間の節約になり、それを実行するコンピューターと合わせてもすぐに元が取れた

1948年にトム・キルバーンがMark Iのために書いた最初のコンピュータープログラムは、任意の数の真の約数で最大のものを見つけるように設計されていました。そこでは長除法ではなく、減算を反復することによって必要な割り算が実行されました。218という数について、この問題を解くのに52分かかりました。

からです。本当の意味で量販された最初のパソコン Apple II のディスプレイ画面に表示される VisiCalc は、紙に印刷された帳簿のように見えました。それでも哀れな会計士は、コンピューターにばりばり計算させるために自分の手で数字を入力しなければなりませんでしたが、自分で足したり引いたり掛けたり割ったりする必要はなく、検算も不要になりました。VisiCalc が**式**に基づいて計算を実行してくれたからです。式は、ある種のプログラムで、「セル」と呼ばれる小さな四角い升目にコンピューターのユーザーが数値を入力します。帳簿の行と列が作る表の各欄が、それらの升目に対応します。もちろん、式を作るのは人間なので、常に人的ミスが起こる可能性はありましたが、式を正しく作りさえすれば、計算ミスを気にしなくて済むようになりました。もう1つ重要な点は、関連性のある数字を繰り返し入力する必要がなくなったことです。たとえば、5%の消費税を購入額の1つ1つに加算する場合、スプレッドシートのユーザーが値を1回だけ入力すれば、後は VisiCalc が各購入額に正しい消費税を加算してくれました。

しかし、VisiCalc が広く普及したのは、正確で時間がかからず簡単だったからだけではありません。表計算ソフトの機能に漠然としたイメージしか持っていない経営者も、それに何かパワーがあることをよく知っていたからです。VisiCalc の登場以前、経営者は顧客、販売、在庫、予算に関して何か情報が欲しいとき、情報システム (IS) 部門にリクエストを出すしか方法がありませんでした。リクエストが数日間いろいろな所を巡った末に、あるプログラムと膨大な巻数の磁気テープデータがコンピューターに読み込まれ、そこでデータをしばらくこねくり回してから、必要な情報が穿孔カードか緑と白の縞模様の長い紙テープにはき出されるといった具合でした。経営者が予算案を手に入れるまでには大変な時間がかかっていたのです。

この状況をパソコンが一変させました。どんな経営者も、ある程度の数学の知識とやる気があれば、数分のうちに自分の手で数値データをばりばり処理できました。文字どおりすぐ手の届くところに知識（必要な情報）があったのです。現代の商取引では情報にこそ価値があり、それがパワーとなりました。人々が膨大なデータを解析する新たな方法や改良された方法を見つける中で、このパワーは指数関数的に増大してきました。たとえば、Facebook はこのパワーの上に成り立っています。

VisiCalc にはもう1つ教訓があります。ソフトウェア市場は常に変化し、創造的で、しかも重要度の高い市場に発展する運命にあったので、キラーアプリケーションといえどもトップの座をいつまでも守り続けることはありませんでした。1981 年に登場した IBM PC は、Apple 社のコンピューターで動くソフトウェアを実行できませんでした。ブリックリンの会社は、IBM PC 版の VisiCalc の開発に手間取っていました。そして、だれにも気づかれないうちに、ソフトウェアシーンは IBM PC で動く新しいキラーアプリケーションに支配されていたのです。それが Lotus 1-2-3（ロータスワンツースリー）というプログラムです。

1982 年に登場した Lotus 1-2-3 は VisiCalc と同様の表計算ソフトです。しかし、スプレッドシートの定義が拡張され、スプレッドシート内のデータをグラフ化する機能や、情報をデータベース管理プログラムと同じように操作する機能が追加されました。そのグラフィックスは、基本的にテキストを表示するように設計されていた IBM PC の見映えを大いに高めました。多くのオフィスで、1-2-3 は IBM PC とその互換機を購入する理由となりましたが、同時に、それは IBM PC 互換機の購入による多くのトラブルも浮き彫りにしました。

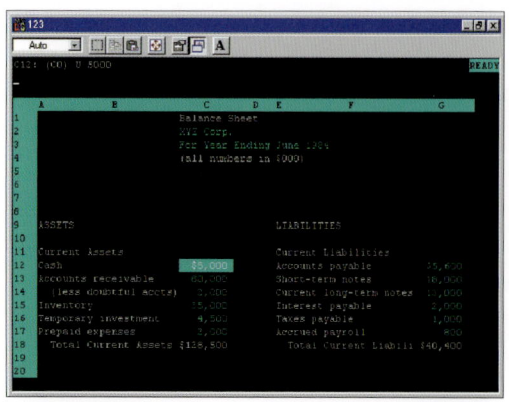

Lotus 1-2-3
Lotus 1-2-3 は IBM PC でヒットした最初のビジネスソフトです。ヒットの理由は、表計算、データベース、グラフ作成の機能が組み合わさったものだったからです。
転載許可：Courtesy of Lotus Corp.

1-2-3 は IBM PC のいくつかの癖を利用して高速化を図っていたのですが、一部の IBM PC 互換機ではその癖が再現されなかったために、1-2-3 が動作しませんでした。コンピューターメーカーは、IBM PC で動作するソフトウェアをすべて実行できるようにするために、IBM PC の欠陥と見なされる部分も再現するしかありませんでした。

　1980 年代は、コンピューターメーカーとソフトウェアメーカーが、爆発的な成長や急速な消滅を幾度となく繰り返した 10 年でした。Electric Pencil、Volkswriter（どちらもワープロソフト）といった風変わりな名前のソフトウェアによって、パソコンの機能は急速に拡大され、データベース管理プログラム dBASE II の初期の成功に続こうと、名前に「base」を含むプログラムが数え切れないほど登場しました。お決まりの展開で、1-2-3 にもっと機能を追加した 4-5-6 を作る人も現れました。多数のプログラムによってパソコンに不足していた機能が埋められていったのです。ピーター・ノートンが世に出した Norton Unerase という名前の一連の製品は、パソコンのオペレーティングシステムが本来備えるべき機能—誤って削除してしまったファイルを回復する手段—が提供されていなかったところに目をつけたものです。

　ニッチ市場も含め、考え得るあらゆる分野で市販（商用）ソフトウェアが急速な広がりを見せる中、大企業のプログラムと並行して別のソフトウェア運動が進行していました。1982 年、アンドリュー・フルーゲルマンは PC-Talk を開発しました。コンピューターユーザーが電話回線を使って通信するためのプログラムです。PC-Talk は、その名前に反し、音声による会話（talk）には使われませんでした。情報のやり取りはテキストをタイプ入力する方法で行われましたが、プログラムを丸ごと他のコンピューターへ転送することもできました。ただし、PC-Talk が他のソフトウェアと決定的に異なっていたのは、無料で入手でき、**フリーウェア**という重要なソフトウェアカテゴリーを確立した点です。

　インターネットが登場するまでの何年間か、フリーウェアは電子掲示板を介して無料で配布されました。電子掲示板は、モデムを用いてアクセスされ、ユーザーグループと呼ばれるコンピューター同好会の会議室に設置されていました。多くの場合、フリーウェアは完全に無料でした。プログラムを無料で試用でき、気に入ってそのまま使い続けたいときは作者にいくらかのお金を送るように期待されている、**シェアウェア**というソフトウェアカテゴリーも生まれました。希望価格は 5〜40 ドル程度で、店頭販売のパッケージソフトウェアよりもかなり安価でした。プログラムの中には謙遜して、プログラムに価値があると思ったら自由に値段を付けて送金するよう希望する人もいました。当然のことながら、多くの人々は何も払わずにプログラムを利用しましたが、支払いをする人もそれなりにいて、優れたシェアウェアもそれなりに存在したので、少なくとも何人かのプログラマはかなり収入を得ていました。

　シェアウェアの伝統は、今日のワールドワイドウェブでも生きています。ただし、インターネットからダウンロードしたプログラムでは、1 カ月ほど経過すると登録料の支払いを催促するために一部の機能を使えなくしたり、プログラムを止めたりするものもあるようです。また、通常、タブレットやスマートフォンのようなモバイルプラットフォームでは、主要な機能は無料で利用できても、拡張機能を利用するには**電子マネー**で少額の支払いが必要なものもあります。

　パソコンが登場した初期のころにきわめて多くのソフトウェアが登場したのは、秩序がなかっ

最初にスターの座を獲得したワープロソフト WordStar は、DOS ベースのテキストプログラムで、ショートカットキー、明示的なコマンド、さまざまな裏技、プログラムの変更が簡単なことなどが、よく知られています。

たからだともいえます。多くのプログラマは、ソフトウェアのあるべき機能やその実現方法について、各自が独特の考え方を持っていました。そして独特な考え方を持ったプログラマたちを支持したのは、同様に独特の考え方を持つユーザーたちでした。たとえば、WordStar は、ワープロ市場を短期間で席巻しました。ピリオド（.）で始まる行で文書の書式を設定する方式は直感的とはとても言えませんでしたが、わずかなプログラミングの知識と少しばかりの決断力、そしてワープロソフトはこうあるべきというアイデアがあれば、だれでも WordStar に変更を加えることができたからでしょう。

ソフトウェアにとっての力とは

ソフトウェアの初期段階をリードした人々にとって重要だったのは、完璧な製品を作ることではありませんでした。その代わり、WordStar、1-2-3、dBASE、WordPerfect のようなプログラムはプログラマではない人々でも操作できました。これは、情報を扱う素晴らしいアイデアは、それを早急に取り入れたいと思うコンピューターのプロによって作られる必要があった大型コンピューターの時代とは全く正反対の事態です。ソフトウェアは、それより以前に発明された数々の便利な道具とは違って、さまざまな用途に使用できます。ソフトウェアは、作者が意図したとおりに使う必要はありません。たとえば、Lotus 1-2-3 のあるユーザーは、数値処理機能をワープロとして利用する方法を編み出しました。WordPerfect のユーザーは、決まってワープロのメールマージ機能にデータベース管理の仕事をやらせていました。

　人気のソフトウェアが支持を集めた本当の理由は、人々にコンピューターを操る力を与えたからです。ユーザーが自分のニューマシンをとことん操れるマクロ機能やスクリプト作成機能が用意されていました。マクロとは、一続きのキー操作を記録したり、一連の簡単なコマンドを書いておき、後でそれに基づいてソフトウェアを動かせるようにしたりする機能です。マクロを使えば自分の思うとおりにソフトウェアを動かせたのです。たとえば、独自のメニューを作る、数回のキー操作で何行もの情報を一気に入力する、寝ている間に電子掲示板（BBS）に接続して最新のゲームをダウンロードする、そんなことが可能でした。マクロやスクリプトを作成して、自分のコンピューターが願いごとを忠実に叶える精霊のように命令どおり動く様を観察するときの気分は、怪物を創造したフランケンシュタインのゾクゾク感と似ているのかもしれません。

　もちろん、ゾクゾクする代わりに落胆することもありました。1980 年代の正気の沙汰とも思えない大きな成果は、人々に力を与えると同時に混乱も生み出したからです。全体計画もなく、ソフトウェアの開発を管理する人もいませんでした。その結果、個人の天才的なひらめきが見事に花開くこともよくありましたが、それは新しいプログラムが登場するたびに最初から学習しなければならないことを意味しました。たとえば、あるプログラムで Alt+H キーを押すとヘルプ画面が表示されるのに、それが別のプログラムだと Ctrl+H、F7、F1 だったりしました。ソフトウェア界が 1 つの産業として必死に標準を求めている状況だったのです（1-2-3 のヘルプキーだった F1 が標準ヘルプキーとして他のプログラムに受け入れられたのは、1-2-3 が市場を支配していて、ソフトウェアにはヘルプが必要だったからです）。

　ずっと「野生の庭」状態だった 20 世紀のソフトウェア界に曲がりなりにも秩序らしきものが現れるのは、Microsoft 社が最初に MS-DOS、次に Windows でオペレーティングシステムの世界を支配するまで待たなければなりませんでした。

オペレーティングシステムと
その他のソフトウェア

ソフトウェアは、基本的に 2 種類に分かれます。**オペレーティングシステム**と**アプリケーション**です。コンピューターがパソコン、Mac、iPad、Android タブレット、スマートフォンのどれであってもそれは変わりません（モバイルコンピューティング市場ではアプリケーションを略して「アプリ」と呼びます）。

　オペレーティングシステムがその他のあらゆる種類のソフトウェアと根本的に異なる点は、そのただ 1 つのプログラムが存在しなければコンピューターで何もできないことです。ワープロや表計算プログラム、「World of Warcraft」といったゲームは存在しなくても問題ありませんが、どのコンピューターにもオペレーティングシステムは必ず存在します。

　コンピューターは素の状態だとほとんど何もできません。電源を入れると目を覚まし、赤ん坊のように食べ物をくれる人を探し求めます。コンピューターの食べ物をソフトウェアと考えるなら、オペレーティングシステムは前菜と見ることができます。起動時のコンピューターはディスクやメモリチップ内を探す最小限のコードのみが組み込まれた状態です。このコードによって、いくつかの重要なオペレーティングシステムファイルが読み込まれます。それらのファイルがメモリに読み込まれると、今度はそれがオペレーティングシステムの残りの部分を読み込みます。読み込まれたオペレーティングシステムが定めるルールに従って、コンピューターはその他のプログラムを読み込み、素の状態のときには対応できなかったハードウェアを操作できるようになります。

　たとえば、Microsoft 社の DOS という製品の名前は、ディスクオペレーティングシステム (Disk Operating System) に由来します。当初、DOS はディスクファイルを作成、コピー、削除、整理するソフトウェアツールとして設計されました。操作はすべて黒い画面の上でテキストコマンドをタイプ入力することにより実行されました。さらに重要なのは、DOS ではプログラムの名前をタイプ入力するだけで他のソフトウェアを実行できたことです。今日の Windows、Mac、タブレット、スマートフォンでは、小さな絵（アイコン）をクリックまたはタップすることで同じことが実行されます。

　オペレーティングシステムをオフィスの中間管理職とするなら、アプリケーションは最高幹部に相当します。多くの幹部社員と同じように、アプリケーションは多くの気の利いたアイデアを持っていますが、その遂行方法については、わずかな糸口すら持ち合わせていません。それより、アプリケーションは、幹部社員と同様、現実の仕事をだれかにやってもらいます。つまり、オペレーティングシステム (OS) に対して、ある一般的で漠然とした命令（たとえば、「このファイルを mybudget という名前で保存せよ」）を出します。命令を受けたオペレーティングシステムは、より詳細な命令をオフィスの事務員（実際に手を下す人々）に出します。この例え話の中で、事務員は BIOS やダイナミックリンクライブラリ、ドライバーなどに含まれる個々のコードに相当します。オフィスを実際にどのように運用するか—ファイルをどう記録するか、2 つの数をどうやって足すか—を知っているのは事務員 / コードです。

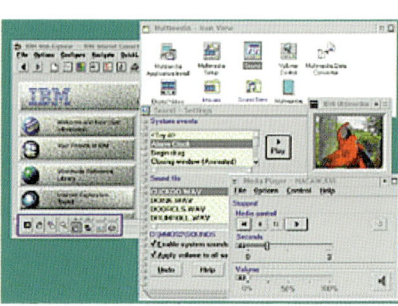

OS/2
OS/2 (Operating System 2) は 1983 年に Microsoft 社と IBM 社のハイエンドコンピューター向け共同事業として開始されました。当初、Windows は初心者向けパソコンを対象とする OS でした。10 年後、両社の共同開発契約は終了を迎えました。Windows と OS/2 は同じ市場で張り合い、OS/2 が戦いの場を去ったのです。そもそも、後の開発者たちの方向を決定づける標準を産み出したのは IBM 社ではなく、別のあるコンピューター会社でした。

OSの進化

パソコンの使用経験が長く、DOSプロンプトの意味を知っている方なら、MS-DOSは簡単に使えるようには設計されていないことをご存じでしょう。実際、DOSはパソコンで動作する2つのオペレーティングシステムのうちの1つに過ぎませんでした。当初、IBM社はMicrosoft社のDOS以外にCP/M-86を搭載したパソコンを販売していました。CP/M-86はCP/M (Control Program for Microcomputers) を8086プロセッサ用にアップグレードしたバージョンです。CP/Mは、当時、何種類かのマイクロコンピューターに移植された泥臭いオペレーティングシステムでした。DOSもCP/M-86も、CP/Mを既によく知っている元祖コンピューターオタクたちに学習パスを提供しようとしていました。

Microsoft社やその他の会社は、このことがより幅広いユーザーに受け入れてもらううえで障害になっていると早くから気づいていました。そのため、コンピューターの機能を拡張してより使いやすくすることを目指し、DOSの改良やDOSを別のオペレーティングシステムに置き換える試みが複数の分野で続けられました。GEOSやDR DOSのように、熱狂的な支持者を獲得したオペレーティングシステムも登場しましたが、結局、Microsoft社のオペレーティングシステムをしのぐほどの支持を市場で得られませんでした。

当時、オペレーティングシステムに求められたのは、人目をひく付加的な機能だけではありません。既にあるもの、つまりDOS用に開発済みの何千ものプログラムを動かせることが重視されました。ソフトウェア開発者たちは大衆の支持があると確信できない限り、時流に乗ることに躊躇していました。その意味で時流に乗っていたのはほぼMicrosoft社だけでした。

一方、独自に開発したオペレーティングシステムで一定の地位を築いたApple社も、強力で忠実な市場を擁していました。それを支えていたのは学生、グラフィックデザイナー、そして人と違ったことをするのが好きな人たちです。Macはとてもかわいらしい外見をしていて、コマンドの名前と**オプション**—コマンドの名前に続けて指定する文字や単語—を覚えていないと使えなかった従来のコンピューターよりも遥かに使いやすそうに見えました。

Macにはそれを支える強力で忠実な市場があったとはいえ、スティーブ・ジョブズのカリスマ性を除けば、**アイコン**と呼ばれる小さな絵をマウスでクリックして選択操作を行う**グラフィカルユーザーインターフェイス (GUI)** こそが、Apple社が成功した大きな要因だったのです。

Microsoft社のグラフィカルユーザーインターフェイスへの取り組みは1985年11月にWindowsとして結実しましたが、スピードが遅くクラッシュしがちで、CPU時間を食い、当時まだ法外に高価だったメモリを大量に消費しました。また、グラフィックスとマウスポインターの役割がDOSのタイプ入力コマンドを隠蔽することに限定され、Macintoshオペレーティングシステムの上っ面をまねただけのものでした。それでもMicrosoft社が競合他社よりまともだったのは、DOS用に既に作られていた膨大なソフトウェア資産やビジネスデータを継続的に利用できることを保証したからです。

技術的に見ると、当初のWindowsは単なる「操作環境」であり、表面的にウィンドウをまとってはいても、その背後でDOSが引き続き汚れ仕事をしていました。そして何よりも厄介だったのは、実際に動いているプログラムコードが、そもそもパソコンの最初のプロセッサ向けに設計されたもので、一度に扱えるデータがたかだか16ビットに過ぎないことでした。一度に32ビットのデータを扱える80386プロセッサをIntel社が発表した後も、DOS用に作られる多くのプログラムはまだ旧プロセッサの16ビット機構に依存していました。そのため、DOSはもちろん、つい最近のWindows (Windows 95、98、Meなど) まで、16ビットの処理を扱う固有のコードを部分的に維持せざるを得ませんでした。そこで、Microsoft社は32ビット命令だけで動作するWindows NTという別バージョンのWindowsを開発し、それが

Windows 1
1985年、Microsoft社はWindowsを世に出しました。グラフィックインターフェイスを備え、マウスでメニューを選択し、同時に複数のプログラムを実行できました。しかし、低速でメモリ食いなため、冷淡にあしらわれました。

Windows 2000 となったのです。NT は Windows をより安定化させたバージョンで、現在広く使われている Windows の各バージョンへと着実に進化していきました。しかし、当時は旧プロセッサ向けに設計された従来のアプリケーションを実行できませんでした。

　当然、Windows に対する当初の評価は高くありませんでしたが、Microsoft 社は Windows の改良を続け、1992 年 4 月に Windows 3.1 を世に出しました。それはオペレーティングシステムとしてはまだ理想的なものにはほど遠く、16 ビットコードの縛りが依然存在しましたが、十分に高速で安定性も増しており、大衆もソフトウェア販売事業者も納得できるものでした。

　2001 年、Windows はようやく大きな一歩を踏み出しました。Microsoft 社は一般消費者向けの OS を完全 32 ビット対応のオペレーティングシステムへアップデートし、Windows 2000 と同等の速度、機能、セキュリティを盛り込んだのです。一部のソフトウェア作成者は、32 ビット処理の能力を生かすためにプログラムを書き直す必要がありましたが、16 ビット方式から離れることができないプログラムのために、Microsoft 社は Windows XP に対して「互換モード」なるものを用意し、それで以前のプログラムを今までどおり実行できるようにしました。その後 10 年がたつまでの間に、多くの人々は Microsoft 社の 64 ビット版 OS である Windows 7 と Windows 8 に移行しました。これらの OS は旧版に対する互換性を維持しながら、今後ずっと続くモバイルコンピューティングの世界との橋渡し役を果たすものと位置付けられています。

　他にも Linux のようなオペレーティングシステムや、Java のような Microsoft 社以外が提供するプログラミング言語が存在しますが、Windows から見るとそれらは重大な挑戦というより、むしろ頭の周りを飛び回る迷惑な羽虫に近いものでした。Linux は、高性能コンピューター向けに開発された、オタク系オペレーティングシステムである UNIX の亜種です。Linux が人気なのは、オープンソースソフトウェアの代表格だからです。Linux は無料であり、基礎となるコードをだれでも利用できます。そのコードを改良し、成果を他の Linux ユーザーと共有することがプログラマに奨励されています。Linux の掲げる理想は、利益を求めてソフトウェアを売るのは「ダークサイド」に堕ちるのに等しいと考えた、往時のプログラマの中に見出されるそれと同じです。プログラマは Sun Microsystems 社の開発した Java を用いて、特定の環境に制約されないソフトウェアを作成します。つまり、Java で書かれたプログラムは IBM PC でも Mac でも Linux デスクトップでも動作します。プログラム内の各コード行を読み取って、その行に含まれるコマンドをコンピューターの OS が理解するものに翻訳する**インタープリター**さえあれば、コンピューターの種類は問いません。

　こうした競争相手がいても、Microsoft 社と Windows は市場を支配し続けると何年も考えられてきました。他のオペレーティングシステムが一部の支持を得ても、Windows の首位の座は揺るぎませんでした。

　その後、インターネットが絶対的な支配者になりました。

　インターネットがもたらしたのは、プログラムが動く新しい空間と、情報が蓄えられる**クラウド**、そしてコンピューターどうしが情報をやり取りして膨大な知識の宝庫を利用できるようにする仕組みでした。ひょっとすると Windows を討ち滅ぼす脅威になるかもしれないと考え、Microsoft 社はこの巨大なシステムを警戒していましたが、実際に一般の人々のコンピューターの使い方を一変させることになったのは小さな存在でした。

　この小さな存在は、**タブレット**コンピューターや**スマートフォン**など、電話にも使えるまさにポータブルなコンピューターから、スマートウォッチ、Fitbit、**Google Glass** などのウェアラブルコンピューターまで多岐にわたります。そして、Apple 社と Microsoft 社によるモバイル OS の覇権争いに突然乱入してきたのが、Google 社の **Android** というわけです。

　Part 2 では、最初に、ソフトウェア開発者がソフトウェアの作成に使うプログラミング言語について説明します。自分でプログラミング言語を使うことがないにしても、プログラム作成の仕組みがわかっていれば、コンピューターの不可解で奇抜な挙動を解釈するのに役立つでしょう。次に、アプリケーションが私たちの生活をほんの少しシンプルにしてくれる仕組みについて考えます。

CHAPTER 5 言葉がプログラムになる仕組み

基本ソフトウェア

```
IF EXISTS FILENAME.EX
GOTO BRANCH
FORMAT F:
ECHO ANOTHER
:BRANCH
ECHO THE...
```

インタープリター

有効なコマンド

APPEND	GRAFTABL
ASSIGN	GRAPHICS
ATTRIB	HELP
BACKUP	IF
BREAK	JOIN
CALL	KEYB
FORMAT	LABEL
GOTO	LH

知的存在である私たち人間の最も基本的な道具は言語です。言語を通じて、人は新しい情報を習得し、知識、感情、経験を他の人々に伝えます。言語は思想を表現し、事実や空想を書き表すことができます。大統領から末端の役人、将軍から兵士、最高経営責任者から事務員まで、どのレベルでも言語を使って命令が発せられ、言語を使って情報が集められます。その意味で世界は言語に支配されているともいえます。

　言語はコンピューターにとっても不可欠な存在です。ソフトウェアは特別な言語を用いて作られ、その言語の命令に基づいてコンピューターは何かを実行します。また、言語はその命令で操作されるデータも定義します。コンピューターの言語は人間の言語と多くの点で似ています。たとえば、英語の名詞、動詞、前置詞、目的語に相当するものがプログラミングコード（ソースコードとも呼ぶ）にも存在し、それらの要素で構成される命令テキストの実際の行が翻訳されて有効に機能するプログラムが作られます。しかし、ソフトウェアの文章には固有の構文があり、言語を構成する語句には固有の厳密な意味が定義されています。

　コンピューターの言語は英語よりも厳密で、多くの制約があります。語り草になっている事例を1つ紹介しましょう。コンピューターを使って英語をロシア語に翻訳する初期の試みで、「The spirit is willing, but the flesh is weak」（心は燃えても、肉体は弱い：マタイ伝第26章41節）が「The vodka is ready, but the meat is rotten」（ウオッカは用意できたが、肉は腐っている）と翻訳されたというのです。これは根拠のない作り話かもしれませんが、現実をよく表しています。つまり、人間の言語に含まれる多義性や微妙なニュアンスの扱いに関して、コンピューターとその言語はあまりよい仕事をしない、せいぜい4歳児程度の理解力しかないということです（ただし音声認識技術が進歩したおかげで、コンピューターは意味を解さずとも、話を聞き取ることはできます）。

　プログラミング言語が人間の言語の機微を欠いているにしても、正確さという点で人間の言語はコンピューターのそれにかないません。たとえば、手を使わずに簡単な渦巻きを表現してみてください。日本語で表現するのは不可能です。しかし、コンピューターの言語の中核には数学があるので、その言語だけで渦巻きを表現できなくても、渦巻きのイメージをディスプレイやプリンターに出力する命令を出すことはできます。

さまざまなプログラミング言語

人間の言語がいくつもあるように、コンピューターの言語も同じコンピューターの中に複数存在できます。一般に、コンピューター用の各種の言語は低水準言語または高水準言語と総称されます。通常の英語に近いコンピューター言語ほど高水準とされます。低水準の言語は扱いにくくても、通常、それによって作られたプログラムは小さくて高速です。

　最も低水準の言語は**機械語**です。そこでは一連のコードが数字（1と0）で表現され、それを用いてパソコンのマイクロプロセッサの内部命令と直接情報のやり取りが行われます。機械語のコードを解読したり書いたりするのは、人がコンピューティングの世界で取り組む複雑な仕事の1つです。幸い、ふつうの人々がそこまでする必要はありません。**インタープリター**や**コンパイラ**と呼ばれるプログラムが、高水準言語で書かれた命令を機械語に翻訳してくれるからです。この章ではインタープリターとコンパイラについて説明します。

　機械語よりやや高水準の言語として**アセンブリ言語**（単に**アセンブリ**とも呼ぶ）があります。プロセッサで実行されるステップバイステップの命令を、簡単なコマンドで表現した言語です。アセンブリ言語は**レジスタ**（マイクロプロセッサのメモリ上のメモ帳のようなもの）内の値を直接操作します。レジスタAXの値を1だけ増やす機械語は16進コードの「40」で表されます。これに相当するアセンブリ言語のコマンドは「INC AX」です。アセンブリ言語は機械語より読みやすいですが、高水準の言語に比べるとまだ扱いにくい面があります。しかしコンパクトで高速なコードを生成するので、一部のプログラマには人気があります。

C++ や Java のような、さらに高水準の言語では、より英語に近い語句や表現を用いてプログラムを書くことができます。また、これらの言語を使うプログラマは、レジスタ（プロセッサ内部の記憶装置）のような細かい点を意識する必要がありません。C 言語は強力で、なおかつ書いたり理解したりするのもそれなりに簡単です。現在、プログラミング言語の中で Java の人気が上昇しているのは、Java で書いたプログラムはオペレーティングシステムの種類に関係なくどのコンピューターでも動くからです。インターネット上で利用されるプログラムを書くときは、パソコン、Mac、Android 端末など、あらゆる種類のコンピューターを対象にする必要があるので、この点は明らかに有利です。一方、C 言語で書かれたソフトウェアは、対象となるコンピューターの種類が異なるとそのままでは使えず、コンピューターに合わせてプログラムに修正を加えなければなりません。

　最も高水準の言語には、BASIC（ベーシック）(Beginners All-purpose Symbolic Instruction Code)、Visual Basic、DOS バッチ言語、マクロ言語（Microsoft Office や Corel WordPerfect Office のようなアプリケーションを自動化するために用いられる）などがあります。

ソフトウェアの構成

　プログラムは、単一のファイル、つまりディスクドライブに保存されるデータやプログラムコードを含む 1 つのレコードの形を取ることができます。しかし、複雑なソフトウェアは一般に、基本プログラム（**カーネル**と呼ぶ）を含む 1 つのファイルと、その周辺の副プログラム（**ルーチン**と呼ぶ）を含む複数のファイルで構成されます。カーネルは、何らかのタスク（ダイアログボックスの表示、ファイルを開くなど）の実行に必要なルーチンを**呼び出し**ます。ルーチンは同じファイル内の別のルーチン、あるいはプログラムの一部である別のファイル内または Windows が共通の機能として提供しているファイル内に含まれる別のルーチンを呼び出すこともできます。カーネルと副プログラムが一体となって動くことで、情報を受け取る仕組み（**入力**）と情報を送り出す仕組み（**出力**）が実現され、プログラムはキーボード、メモリ、ポート、ファイルからデータや入力データを処理するためのルールを受け取り、その処理結果をディスプレイ、メモリ、ポート、ファイルに送り出します。

　ユーザーがタイプ入力した情報は、通常、**変数**に格納されます。その名が示すとおり、変数に格納される情報はそのときどきの状況に応じて変化します。プログラム自体が、計算結果や操作結果に基づいて変数に情報を格納することもあります。たとえば、値 3 を変数 X に設定する BASIC のコマンドは X = 3 で、これに相当するアセンブリ言語のコマンドは MOV AX,3（値 3 を AX レジスタに設定）です。同じ結果の実現に必要なコマンドの数は、言語によって異なることがあります。

　変数を介して情報を受け取ったプログラムは、目的に応じて、数値を数学的に操作するコマンドやテキストをパース（解析）するコマンドで情報を処理します。**パース**とは、プログラムのどこか別の場所で使うためにテキストを結合、削除、抽出することを意味します。テキストを格納した変数は、**文字列**と呼ばれます。数字の並びである数列を扱うこともできますが、特に文字列といった場合は、一連の英数字や句読文字を並べたものを表すことが多いようです。パースの例としては、「Phineas T. Fogg」という名前に含まれるスペースの位置を調べ、それに基づいて名前をファーストネーム、ミドルネーム、ラストネームに分解し、それぞれを別の変数に代入するといったことが挙げられます。数学操作では、たとえば、変数 X の値は X = 2 + 2 で 4 になり、続けて X = X + 1 を実行すれば 5 になります。それが文字列操作のコマンドになると、X = "New" + " " + "York" で変数 X の値は "New York" になります。

　プログラムは BIOS（第 3 章「小さなプロセッサが大きな仕事をする仕組み」を参照）に頼って、さまざまな入出力機能を実行します。たとえば、キー操作を認識する、キー操作を画面に表示する、パラレルポートやシリアルポートからデータを送信する、RAM の内容を読み書きする、ディスクファイルを読み書きするといった機能です。プログラミング言語のほうにも、これらの BIOS サービスを呼び出すコマンドが用意されていなければなりません。たとえば、以下の BASIC コマンドについて考えてみましょう。

```
OPEN "FOO" FOR OUTPUT AS #1
    WRITE #1, "This is some text."
    CLOSE #1
```

これらのコマンドは、FOO という名前のファイルを作成し、そこに引用符内のテキスト「This is some text.」を書き込み、その後、ファイルを閉じるものです。同じ処理を Pascal という言語で行うには、コマンドは次のようになります。

```
Assign (TextVariable, "FOO");
    WriteLn (TextVariable, "This is some text.");
    Close (TextVariable);
```

以上の例は「入力、処理、出力」というかなり単純なパターンでしたが、実際のプログラムはもっと複雑です。プログラムは状況の変化に応じてさまざまなタスクを実行できなければならず、その能力こそがプログラミング言語のパワーと多様性の源泉であるともいえます。プログラムの処理が、先頭から終端に向かって直線的に進むことはまずありません。そのためどの言語にも、プログラムの別の場所に**分岐**して他のコマンドを実行するよう指示するコマンドが用意されています。BASIC では GOTO コマンドがそれに相当し、これでプログラムの別の場所に実行が移ります。アセンブリ言語では同じ機能を JMP（jump の略）コマンドが実現します。

分岐操作は、プログラミング言語の**ブール論理**関数と組み合わせて使用します。たとえば、特定の条件が成立したときプログラムの処理内容を変更する必要がある場合は、「if...then...」という命令文を使います。プログラムは条件が成立する（true：真）かどうかをチェックし、成立する場合は対応する特定のコマンドを実行します。たとえば、変数 State（州）の内容が文字列 "Texas"（テキサス）なら手紙の住所に略称 TX を付ける、といった処理が考えられます。

以上でプログラムの書き方は何となくわかったでしょうから、この章では、ある**フローチャート**を示します。フローチャートとはプログラマがときどき使う地図のようなもので、それによってプログラムコードの各部分の論理的なつながりを知ることができます。ここで紹介するのは、ゾーク（Zork）のような、かつて流行したテキストだけのアドベンチャーゲームです。この種のゲームでは、ユーザーが基本的なコマンドをタイプ入力します。「東へ進め」、「北へ進め」、「ナイフを取れ」、「怪物を襲え」といったコマンドがあります。また、プレイヤーの一連のアクションを説明する文章が表示されます。本書で示す例はゲーム全体のほんの一部分でしかありませんが、そんな簡単なコードでも多くのコマンドや大量のプログラミングロジックが必要なことがわかるでしょう。このアドベンチャーゲームでは、プレイヤーは既に、ある城の小塔から張り出したバルコニーに立っており、火の悪魔（Fire Demon）に囲まれています…。

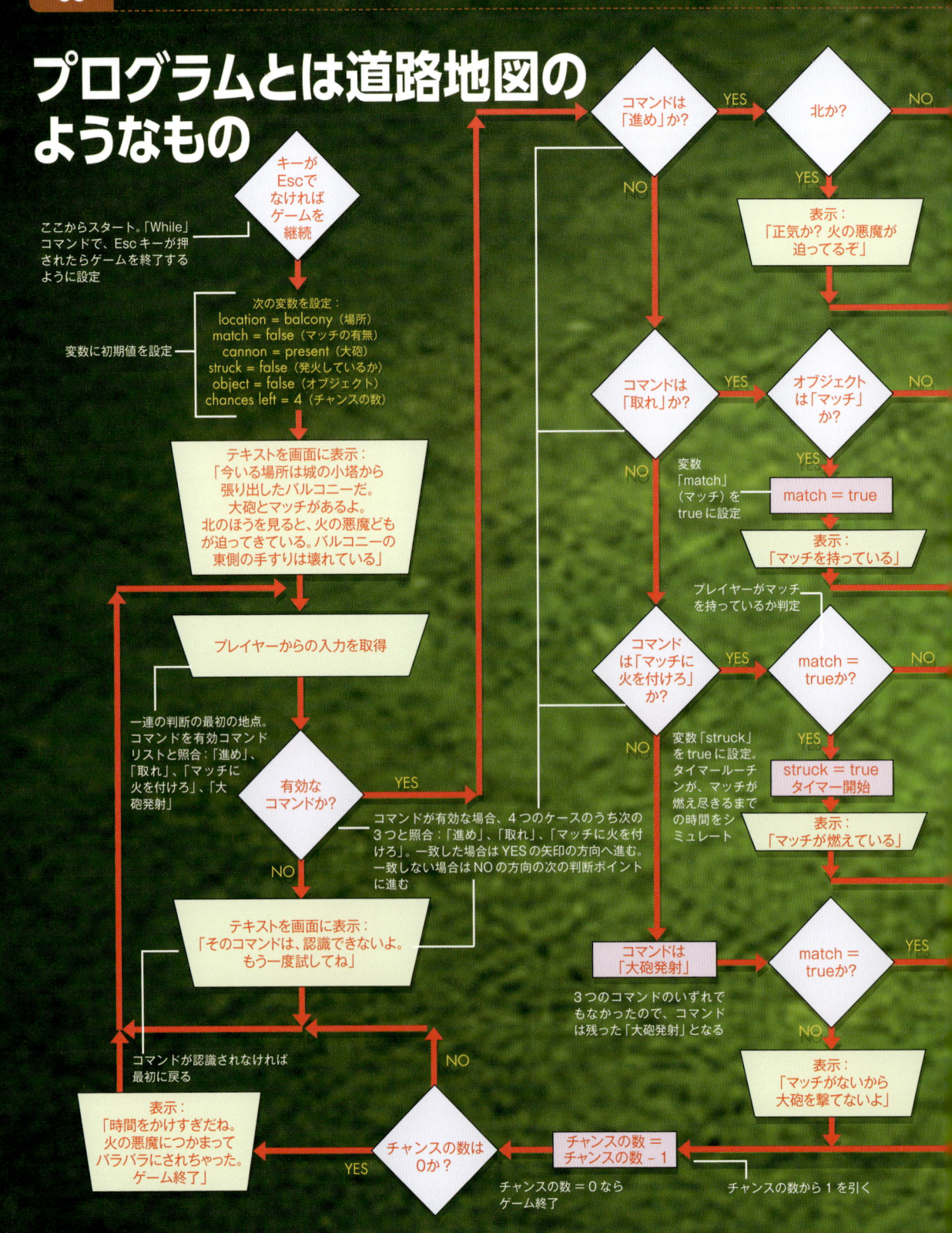

プログラムとは道路地図のようなもの

ここからスタート。「While」コマンドで、Escキーが押されたらゲームを終了するように設定
→ キーがEscでなければゲームを継続

変数に初期値を設定
→ 次の変数を設定：
- location = balcony（場所）
- match = false（マッチの有無）
- cannon = present（大砲）
- struck = false（発火しているか）
- object = false（オブジェクト）
- chances left = 4（チャンスの数）

↓

テキストを画面に表示：
「今いる場所は城の小塔から張り出したバルコニーだ。大砲とマッチがあるよ。北のほうを見ると、火の悪魔どもが迫ってきている。バルコニーの東側の手すりは壊れている」

↓

プレイヤーからの入力を取得

↓

一連の判断の最初の地点。コマンドを有効コマンドリストと照合：「進め」、「取れ」、「マッチに火を付けろ」、「大砲発射」
→ 有効なコマンドか？

- YES → コマンドが有効な場合、4つのケースのうち次の3つと照合：「進め」、「取れ」、「マッチに火を付けろ」。一致した場合はYESの矢印の方向へ進む。一致しない場合はNOの方向の次の判断ポイントに進む

- NO → テキストを画面に表示：「そのコマンドは、認識できないよ。もう一度試してね」
  → **コマンドが認識されなければ最初に戻る**

コマンドは「進め」か？
- YES → 北か？
  - YES → 表示：「正気か? 火の悪魔が迫ってるぞ」
  - NO →（次へ）

コマンドは「取れ」か？
- YES → オブジェクトは「マッチ」か？
  - YES → **変数「match」（マッチ）を true に設定**
    → match = true
    → 表示：「マッチを持っている」
  - NO →（次へ）

プレイヤーがマッチを持っているか判定

コマンドは「マッチに火を付けろ」か？
- YES → match = trueか？
  - YES → **変数「struck」を true に設定。タイマールーチンが、マッチが燃え尽きるまでの時間をシミュレート**
    → struck = true タイマー開始
    → 表示：「マッチが燃えている」
  - NO →（次へ）

コマンドは「大砲発射」
3つのコマンドのいずれでもなかったので、コマンドは残った「大砲発射」となる
→ match = trueか？
- YES →（発射処理へ）
- NO → 表示：「マッチがないから大砲を撃てないよ」

↓

チャンスの数から1を引く
→ チャンスの数 = チャンスの数 − 1

↓

チャンスの数 = 0 ならゲーム終了
→ チャンスの数は 0 か？
- NO → （最初に戻る）
- YES → 表示：「時間をかけすぎだね。火の悪魔につかまってバラバラにされちゃった。ゲーム終了」

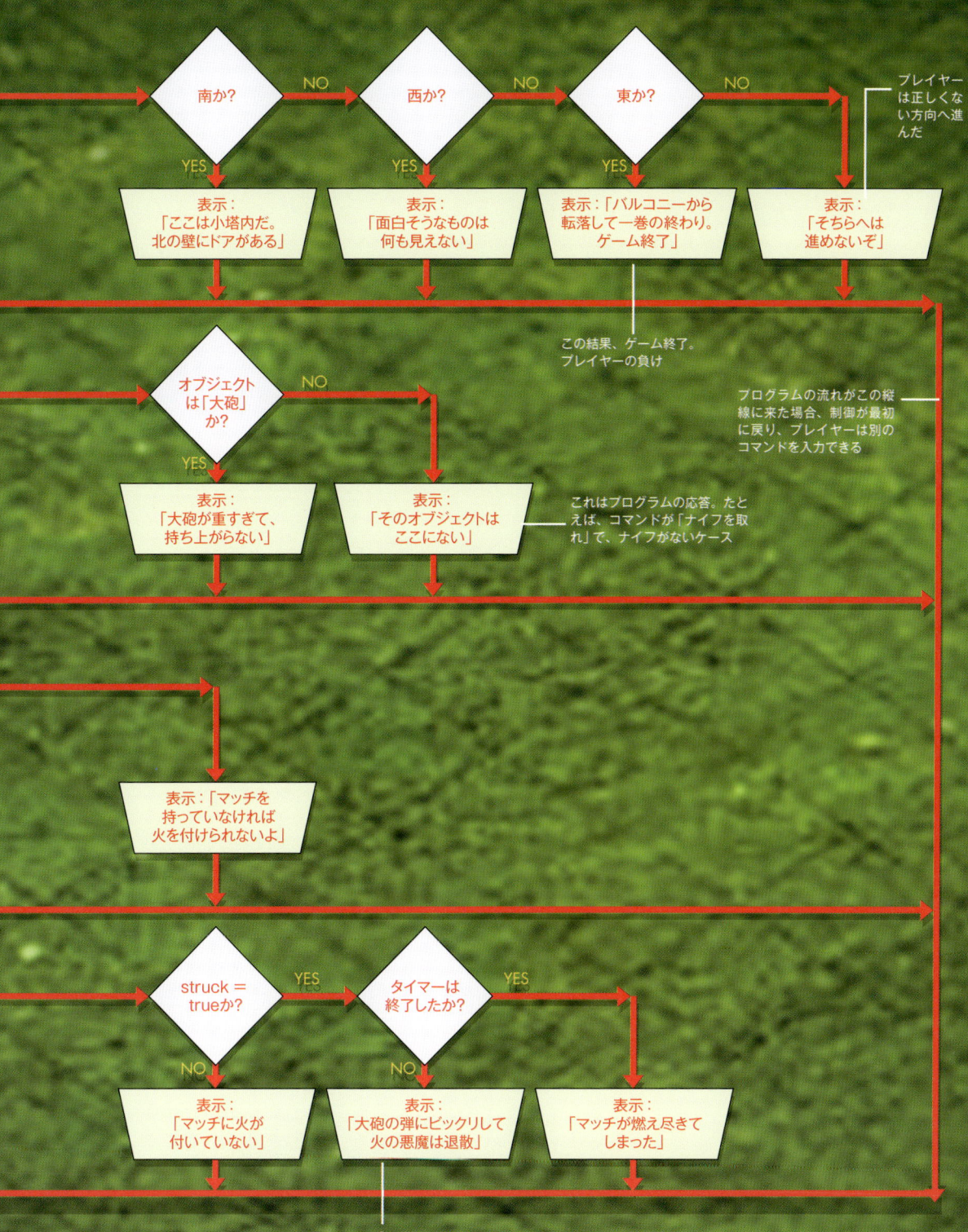

CHAPTER 5　言葉がプログラムになる仕組み

```
         ┌─────┐  NO    ┌─────┐  NO    ┌─────┐  NO
    ────▶│南か?│───────▶│西か?│───────▶│東か?│──────────┐  プレイヤー
         └──┬──┘        └──┬──┘        └──┬──┘          │  は正しくな
            │YES           │YES           │YES          │  い方向へ進
            ▼              ▼              ▼             ▼  んだ
     ┌──────────┐   ┌──────────┐   ┌──────────┐   ┌──────────┐
     │表示：    │   │表示：    │   │表示：「バル│   │表示：    │
     │「ここは小塔│   │「面白そうな│   │コニーから  │   │「そちらへは│
     │内だ。    │   │ものは     │   │転落して一巻│   │進めないぞ」│
     │北の壁に   │   │何も見えない│   │の終わり。  │   └──────────┘
     │ドアがある」│   │」        │   │ゲーム終了」│
     └──────────┘   └──────────┘   └──────────┘
                                         │
                                   この結果、ゲーム終了。
                                   プレイヤーの負け

         ┌─────┐
         │オブジェ│  NO
    ────▶│クトは │───────────┐              プログラムの流れがこの縦
         │「大砲」│             │              線に来た場合、制御が最初
         │か?    │             │              に戻り、プレイヤーは別の
         └──┬──┘              ▼              コマンドを入力できる
            │YES          ┌──────────┐
            ▼             │表示：     │
     ┌──────────┐        │「そのオブジェ│    これはプログラムの応答。たと
     │表示：    │        │クトは      │    えば、コマンドが「ナイフを取
     │「大砲が重すぎて、│  │ここにない」 │    れ」で、ナイフがないケース
     │持ち上がらない」│    └──────────┘
     └──────────┘


     ┌──────────┐
     │表示：「マッチを│
     │持って      │
     │いなければ  │
     │火を付けられないよ」│
     └──────────┘


         ┌─────┐  YES   ┌─────┐  YES
    ────▶│struck=│───────▶│タイマーは│──────────┐
         │trueか?│        │終了したか?│          │
         └──┬──┘        └──┬──┘               │
            │NO            │NO                 │
            ▼              ▼                   ▼
     ┌──────────┐   ┌──────────┐   ┌──────────┐
     │表示：     │   │表示：     │   │表示：     │
     │「マッチに火が│   │「大砲の弾に│   │「マッチが燃え尽きて│
     │付いていない」│   │ビックリして│   │しまった」  │
     └──────────┘   │火の悪魔は │   └──────────┘
                    │退散」    │
                    └──────────┘

                    プレイヤーが期待した結果。変数はリセットされ、
                    プログラムコードの別の部分に進む
```

インタープリターが
プログラムを通訳する仕組み

プログラミング言語の中には、通訳を伴って国際会議に参加する各国指導者のように振る舞う言語があります。彼らが一言二言話すと、他の参加者は通訳が自国語に翻訳してくれるのを待たなければなりません。また他の参加者が発言するときも、通訳を介する必要があります。

このような動作をするプログラミング言語を、通訳（インタープリター）の助けを借りるという意味で、**インタープリター型言語**と呼びます。インタープリター型は、人間にわかる**高水準の言語**で書かれたコマンドを、プロセッサだけが理解できる**低水準の機械語**に翻訳してもらう必要があります。**Java**、**Python**、**Ruby**、**HTML**、昔ながらの**BASIC**、そして**スクリプト**や**バッチ**言語は、いずれもインタープリター型の言語です。インタープリター型のプログラムは次の見開きで紹介する**コンパイラ型**のプログラムほど高速ではありませんが、プログラムが実行される段階になって初めて利用可能になるようなデータを扱うのに向いています。インタープリター型のプログラムを使う主なメリットは、プログラムコードを一度だけ書けば各種のコンピューターで利用できることです。仲介役のインタープリターによって、最終的にコードは特定のハードウェア（デスクトップ、タブレット、スマートフォン）に対応した機械語に翻訳されるからです。

1 純粋なインタープリター型のプログラムを起動すると、そのインタープリター（動作環境のデバイスに合わせて設計されている）によってメモリ内に小さな領域が確保され、そこにプログラムの名前と現在の**オフセット**（インタープリターがコード内の現在位置を記録するために使うしおりのようなもの）を設定します。

2 インタープリターはプログラムを1行ずつ読み込んでいき、行の最初の単語を有効**コマンド**リストと照合します。また、一時的なデータとして利用する語句や値があれば**変数**に格納します。それはプログラム内で後から参照するデータや部品番号だったりします。

CHAPTER 5　言葉がプログラムになる仕組み

インタープリター

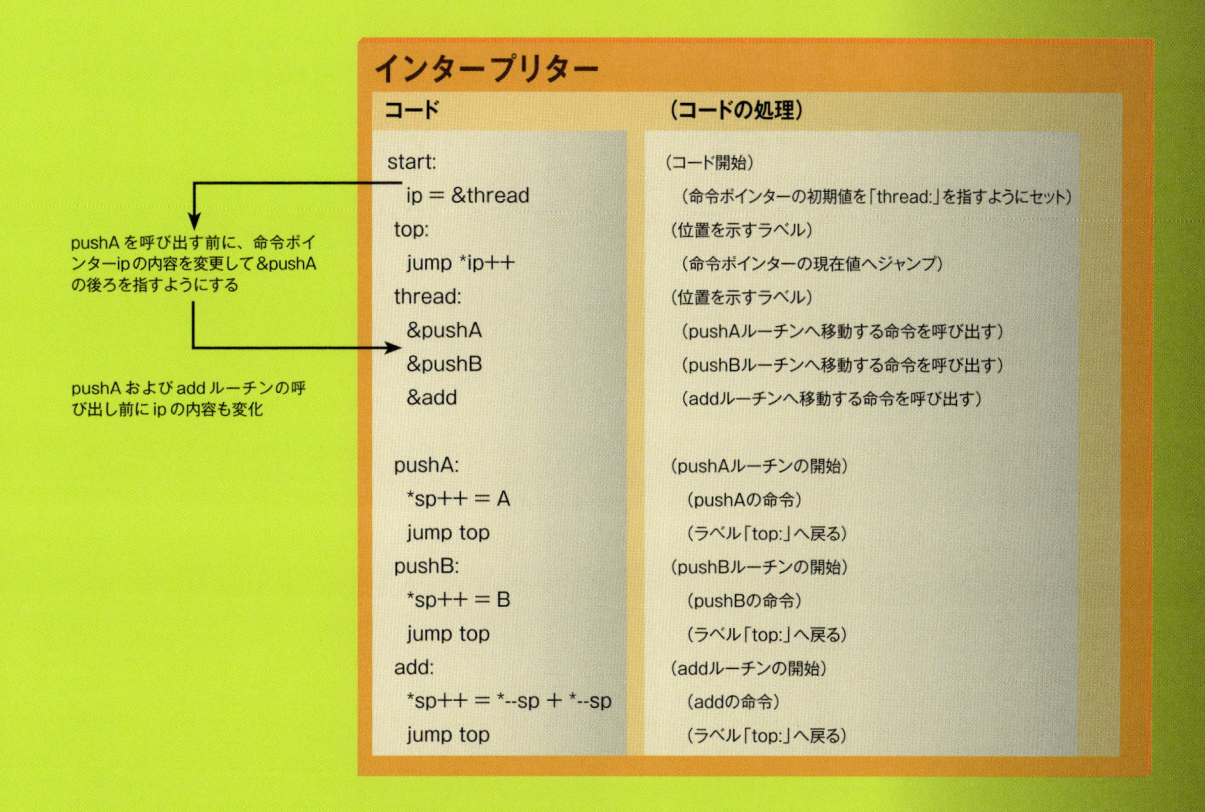

コード	（コードの処理）
start:	（コード開始）
ip = &thread	（命令ポインターの初期値を「thread:」を指すようにセット）
top:	（位置を示すラベル）
jump *ip++	（命令ポインターの現在値へジャンプ）
thread:	（位置を示すラベル）
&pushA	（pushAルーチンへ移動する命令を呼び出す）
&pushB	（pushBルーチンへ移動する命令を呼び出す）
&add	（addルーチンへ移動する命令を呼び出す）
pushA:	（pushAルーチンの開始）
*sp++ = A	（pushAの命令）
jump top	（ラベル「top:」へ戻る）
pushB:	（pushBルーチンの開始）
*sp++ = B	（pushBの命令）
jump top	（ラベル「top:」へ戻る）
add:	（addルーチンの開始）
*sp++ = *--sp + *--sp	（addの命令）
jump top	（ラベル「top:」へ戻る）

pushA を呼び出す前に、命令ポインター ip の内容を変更して &pushA の後ろを指すようにする

pushA および add ルーチンの呼び出し前に ip の内容も変化

3 RAM が不足していた初期のコンピューターでは、プログラムはメモリを節約するためにいろいろ工夫し、よく使う同じ命令を繰り返し記述しないようにしていました。インタープリターは、命令が必要になるたびに**命令ポインター**を保存します。命令は**サブルーチン呼び出し**の形でメモリ内に保存され、ポインターはその位置を指し示します。これでコード内の複数の場所から同じサブルーチンを呼び出すことができ、ルーチン自体は一度だけメモリに読み込めば済みます。

4 インタープリターは**レジスタ**を用いてプログラム内の現在位置を記録し、サブルーチン呼び出しの指し示す先のメモリ位置にある命令を読み込んで実行します。その命令の実行が完了すると、インタープリターは、それまで実行していたコードの続きに戻ります。

5 インタープリターの中には、コードの一部をコンパイルしてからマイクロプロセッサに送って実行する変種が存在します。**事前コンパイラ（AOT：Ahead of Time Compilation）**は、よく使われる操作のオリジナルのコードを**バイトコード**に翻訳します。プログラムが実行されると、**実行時（Just-In-Time）コンパイラ**によってデバイス（パソコン、スマートフォン、タブレット）に対応した機械語に変換されます。

6 インタープリターは、コードをより短くし、より高速に実行するために、さまざまな工夫をしています。よく用いられるのは、長さ1バイトの**トークン**を生成し、それで**ジャンプ先**（メモリ位置がリストされている**インデックステーブル**）を参照してトークンが表すデータやコードを見つける手法です。インデックステーブルをより効率化するために、可変長のトークンを使う**ハフマンスレッディング**という方式を採用したプログラムもあります。この方式では、より頻度が高い呼び出しに短いトークンが与えられ、コードサイズを増やさずに大量のデータをトークンに変換できます。トークンスレッディング方式のコードは、通常、コードの長さがトークンを使わなかった場合の2分の1～4分の3になり、それはコンパイラ型プログラムのサイズの4分の1～8分の1に相当します。

ソフトウェアを生み出すコンパイラの仕組み

1 **インタープリター**（前の見開きのイラスト）と**コンパイラ**はどちらも、人間が理解するソースコード（BASIC、C++ など）をコンピューターが理解する機械語に翻訳するソフトウェアプログラムです。コンパイラとインタープリターの違いは、インタープリターがソースコードを1行ずつ翻訳しながらソースプログラムを実行するのに対し、コンパイラはソースコード全体を特定の種類のコンピューター（パソコン、Macなど）向けの**実行可能ファイル**に翻訳することです。このファイルは、インタープリターの助けを借りずに実行できます。市販のプログラムやダウンロードで入手できるプログラムは、ほとんどがコンパイル型です。

2 コンパイルプロセスは、コンパイラプログラムの**レクサー**と呼ばれる部分から開始します。レクサーはソースコード全体を1文字ずつ読み込み、**字句解析**と呼ばれるプロセスを実行します。レクサーは、文字を読み込みながら一連の文字をまとめてレクサーが理解する**予約語**（コンピューターのコマンド）と句読文字に仕分けていきます。その際、スペース、キャリッジリターン、コメント（処理内容を説明するプログラマが書いたテキスト）は破棄されます。

3 レクサーは、予約語または句読文字に出会うと、**コードトークン**を生成します。トークンは、より多くの情報を簡潔に表現する略号のようなものです。

4 レクサーは予約語ではない文字列を見つけると、それが**変数**を表すものと仮定し、**識別子テーブル**（プログラム内のすべての変数の名前と内容を記録するテーブル）にその変数の場所を確保します。次に、識別子テーブル内の変数の位置を指す**変数トークン**を生成します。また、レクサーは数字のみの文字列を見つけると整数に変換し、それを表す**整数トークン**を生成します。

5 字句解析の結果、一連のトークンが生成されます。これはプログラム内の重要なすべてのもの（コマンド、変数、数値）を表します。

```
IF X>3 THEN Y=2 ELSE Y=Z+3
```

識別子

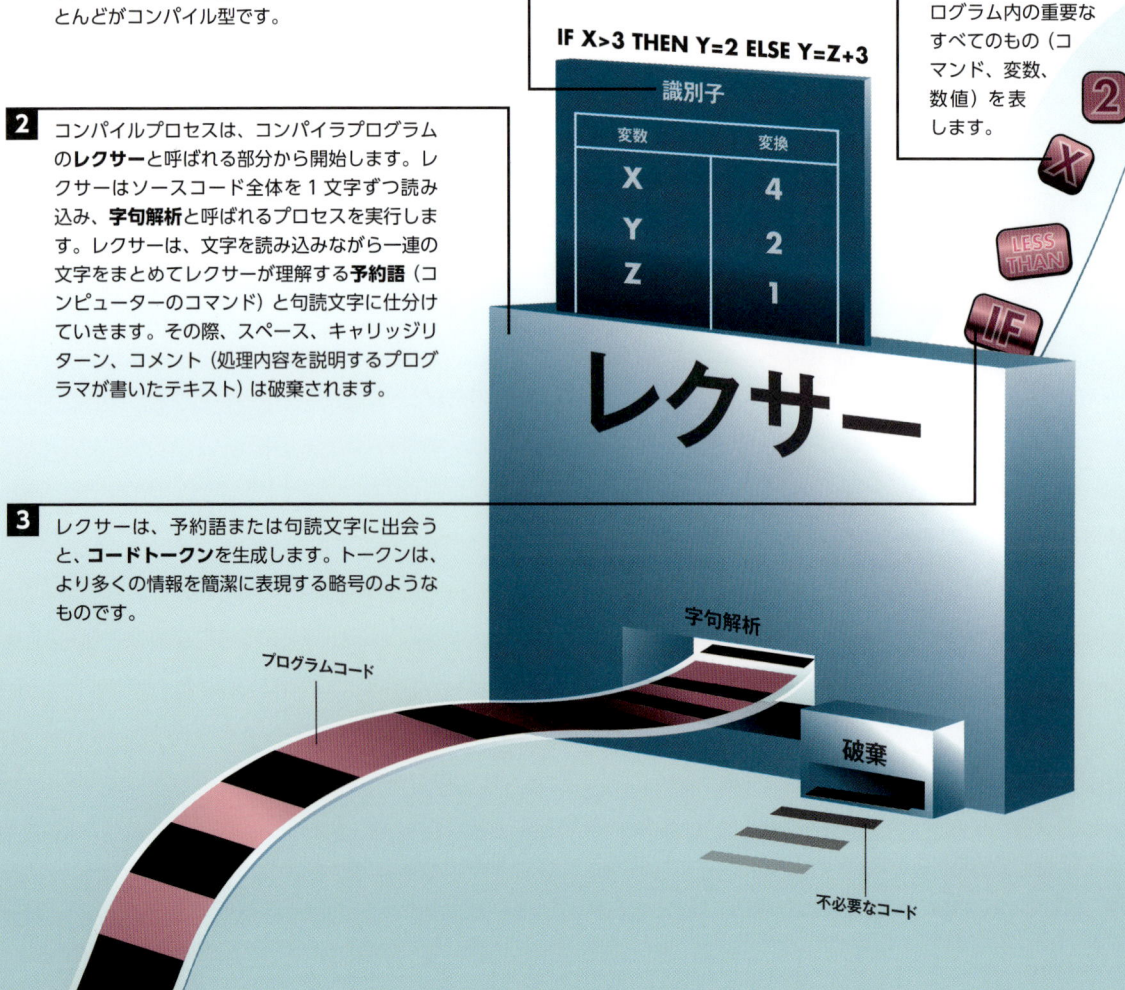

変数	変換
X	4
Y	2
Z	1

CHAPTER 5 言葉がプログラムになる仕組み

6 コンパイラの2番目の部分（**パーサー**と呼ぶ）では**構文解析**が実行され、レクサーの生成した一連のトークンが評価されます。パーサーは各トークンを**構文木**の**ノード（節）**に変換します。構文木はプログラムの論理的な流れを表すものです。

7 構文木の各ノードは、データを生成するプログラム操作か、そのすぐ上のノードに渡される命令を表します。上のノードでは、また別の操作が実行され、その結果がさらに上のノードに渡されます。パーサーがすべての処理を終えると、プログラム全体がプログラムの構造を表す木に変換されます。この木の一番上のノードを**プログラム**と呼びます。それに結果を渡す各ノードが**ルーチン1**、**ルーチン2**、… となり、これは木の一番下の最もこまごまとしたノードまで続きます。

8 コンパイラの3番目の部分（**コードジェネレーター**と呼ぶ）は、構文木全体を走査し、各ノードに対応する機械語コードの断片を生成します。具体的には、ノードに割り振られた操作と機械語コードのテンプレートを照合してコードを生成します。

9 コードジェネレーターは、各テンプレートの空白部分を各ノード内の値や変数で埋めていきます。埋め込みが完了した各テンプレートは、プログラムの機械語と実際の値を構成する2進コード列に追加されます。

10 最終状態になると、**オプティマイザー**がコードジェネレーターの生成したコードを検査し、重複する部分を探します。オプティマイザーは、先行する操作と同じコードを生成する操作をすべて除去します。これによりコンパイラの生成するプログラムは、より小さく、高速になります。

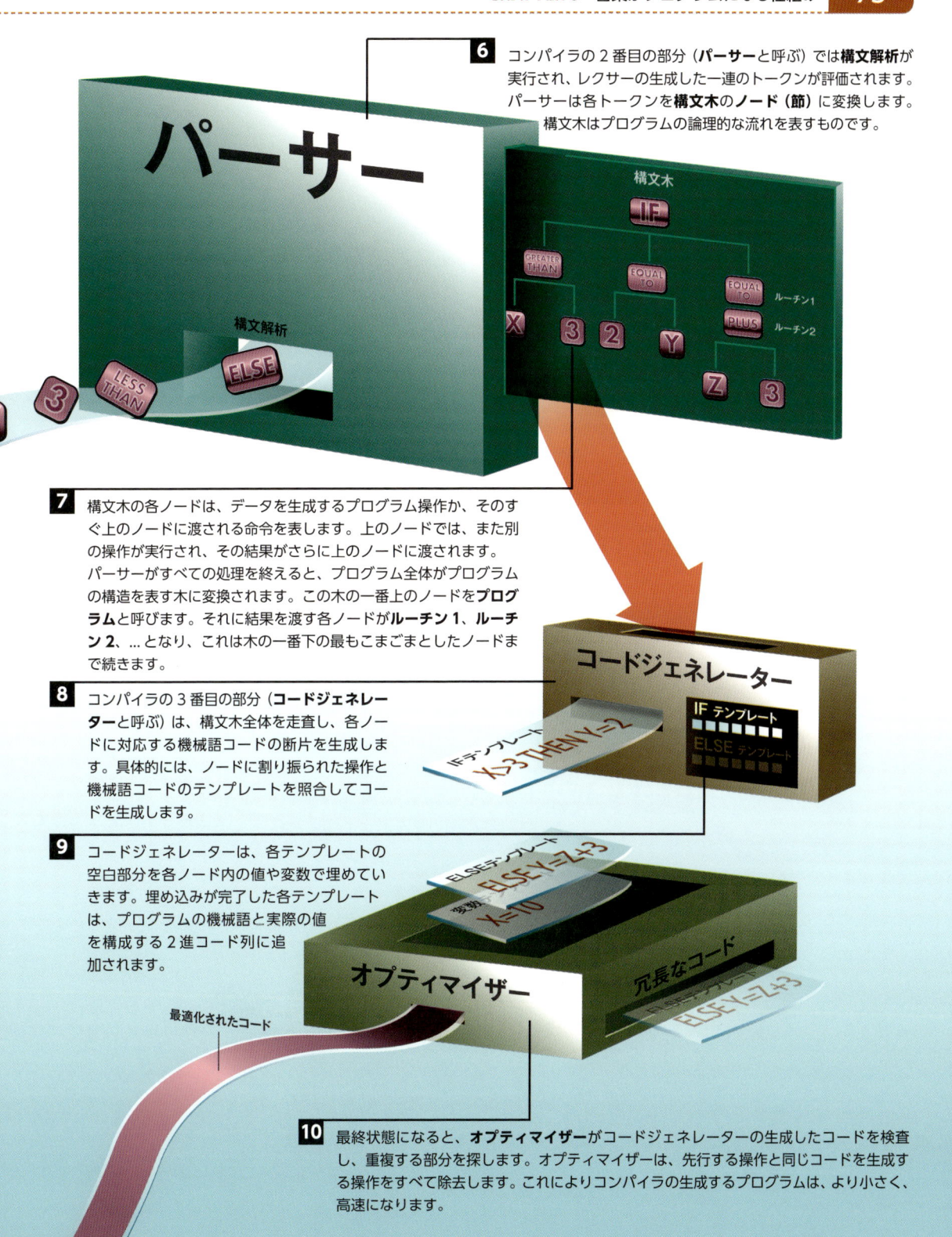

CHAPTER 6 代表的なアプリケーションソフトの仕組み

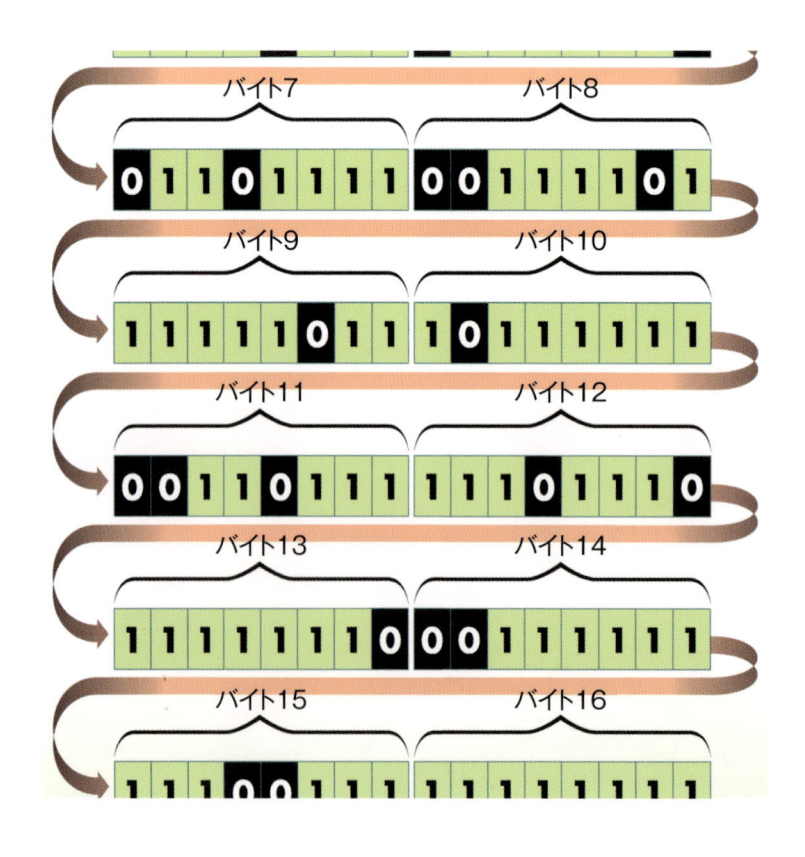

デスクトップ、ラップトップ、タブレット、あるいはスマートウォッチでもかまいませんが、

そこで動くアプリケーション（簡単に**アプリ**とも呼ぶ）とは何かと問われたら、とりあえずの答えは「OS以外のあらゆるもの」です。OS（オペレーティングシステム）は、Windows、Mac OS X、UNIX、iOS、Androidなどいろいろありますが、結局アプリケーションを動かすためだけの存在です。もう少し具体的には、Bioshock（バイオショック）のようなシューティングゲームも、Infinite（インフィニット）のような仕事に使う本格的な会計ソフトも、今日歩いた歩数を教えてくれる携帯アプリも、すべて同じアプリケーションに分類されます。

OSとアプリケーションの境界は、ここ数年ますますあいまいになってきましたが、能力や適用範囲の点でOSにまとめることができないアプリケーションが依然存在します。実際、情報に関係する仕事には、それを扱う特定のプログラムが存在するものです。

すべてのソフトウェアが共通に持つものは**データ**です。データは、さまざまな形を取ります。株価、住所、金額、日付、統計値、電話番号、レシピ、確率、カラードット、テキストページ、音符、ゲームの残りライフポイント、仮想世界の位置座標、現在地の経度と緯度などは、どれもデータです。データは、まだ処理されていないそのままの現実を表します。名前はデータです。「名前」という単語を作る個々の文字もデータです。コンピューターのコードそのものもデータと見なせます（つまり、データがデータを操作している、これはある意味で本質的な危うさをはらむ考え方です）。また、すべてのデータは単語であれ色であれ数字に還元されます。

コンピューター業界は相互の合意のもとに**ANSI (American National Standards Institute)**（アンシ）と呼ばれる規格を制定しました。ANSIでは、アルファベットの各文字、句読文字（句読点など）、数字、さらに空白にも8ビットの2進数が割り当てられています。8ビットあれば、10進数の0から255までのすべての数字を表現できます。大文字「A」は65です。大文字「B」は66です。小文字「b」は98です。記号「@」は64です。「$」は36です。「?」は63です。「1」は49で、「49」は52と57で表されます（これ以上は余計ですね）。

すべての音は、周波数、振幅、およびデシベルで表現できます。パソコン画面に見える色は赤、青、緑の3色（純色）を配合して作られます。ディスプレイ自体は純色のみを発光します。ディスプレイは、わずか256個の値で赤、青、緑の各色の明暗を表現することにより、ふつうの人の目では見分けられないほど多くの色を作り出すことができます。

外部から与えたどのような種類のデータもパソコン内部では結局ただの数字として扱われます。つまり、マザーボードのマイクロチップに作り込まれたトランジスタのON/OFFによる「0」と「1」の並びで表現されるわけです。ANSIの10進数は2進数に変換されます。大文字「A」は01000001になります。小文字「b」は01100010です。この考え方を十分使いこなせば、事実上あらゆるものを数字（特に2進数）の集まりで表現できます。以上がコンピューティングを構成する要素についての基本的な考え方です。

とはいえ、データだけでは現実には何の役にも立ちません。たとえば、「2.439、アーサー王、緑」では何を意味しているかわかりません。まだ情報ではないからです。ソフトウェアがやることは、データを役に立つものにすること、つまりデータを処理して情報にすることです。1つのプログラムであらゆる種類のデータを処理できるわけではありません。原料となるデータが違えば当然、処理の仕方も変わります。一般に、ソフトウェアを大きく分けると、データベース管理、文書処理、数値計算、グラフィックス、マルチメディア、通信、ユーティリティのいずれかのカテゴリーに入ります。

テキストに多彩な表現を与える仕組み

マルチメディアの世界には音楽やビデオが溢れています。iPodで目を覚まし、70インチのHDTV画面を見ながら居眠りをする、そんな生活が当たり前になった現在、クーリエ（Courier）フォントだけで書かれた文書を見てうんざりしない人など、はたしてどれだけいるでしょう？　クーリエフォントしか使えなかった往時のタイプライターでも実用的には事足りるとはいえ、私たちはもうそれだけでは満足できません。現代人は、もっと変化に富んだテキストを求めています。そして、今やコンピューティングのどんな場面でも商業印刷のような多彩なテキストが使えます。以下、多彩な表現を実現するための主要な3つの仕組みを紹介します。

インライン書式設定

最も古くから使われている書式設定の方式で、現在もWordPerfectやウェブページで使われています。非表示の書式設定**トークン**を文や語句の間に設定することにより、フォントの種類、属性（太字、細字など）、フォントサイズ、表示/非表示を変更します。WordPerfectには非表示の書式設定コードを見えるようにする機能があります。右のイラストは、これを表示した状態です。

スタイル

Microsoft Wordのようなインライン方式のプログラムで用いられている、書式設定を簡略化する手法です（次ページのイラストも参照）。**スタイル**とは、いつも一緒に使われる書式設定の属性を1つにまとめたものです。フォントの種類、サイズ、属性、行間、その他の書式情報を設定したスタイルに名前を付け、メニューからスタイルを選択するだけで、必要な書式情報が一度に適用できるようになっています。スタイルには文書全体の体裁を簡単に変更できるメリットもあります。スタイルの内容を編集して適用するだけでよいからです。

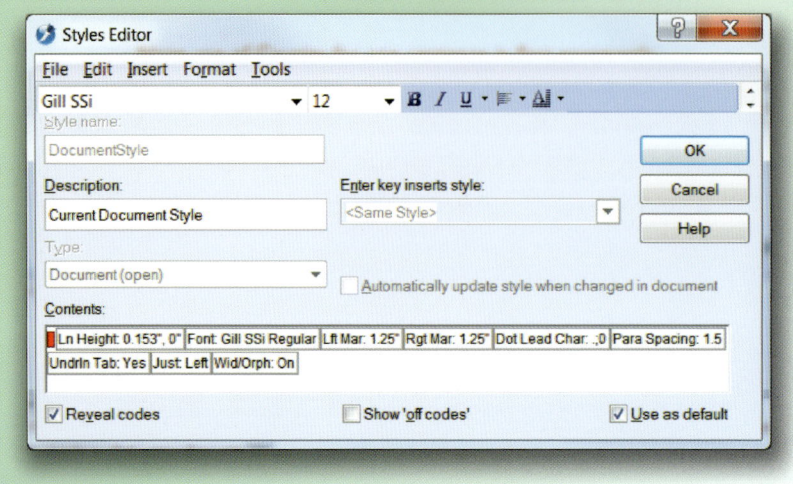

テキストマッピング

コンピューターを用いた文書作成では、締め切りぎりぎりまで語句の削除、挿入、移動、書き直しができます。ところが、たとえば、段落を別のページに移動しても、それは実際には動いていません。コンピューティングの世界でファイルは連続した1つのビット列として構成されます。そのため、ある位置から一部のビット列を取り除いて別の場所に挿入するには、本来ならファイル全体の書き直しが必要です。しかし、テキストエディターは変更の影響を受けるファイル内の位置を記録し、追加、移動、挿入された各テキストを、文書中の位置を示す**マーカー**と共にファイルの末尾に書き込みます。印刷時は、このマップに従ってすべてのテキストが正しい順番で出力されます。

Wordにおける書式設定の仕組み

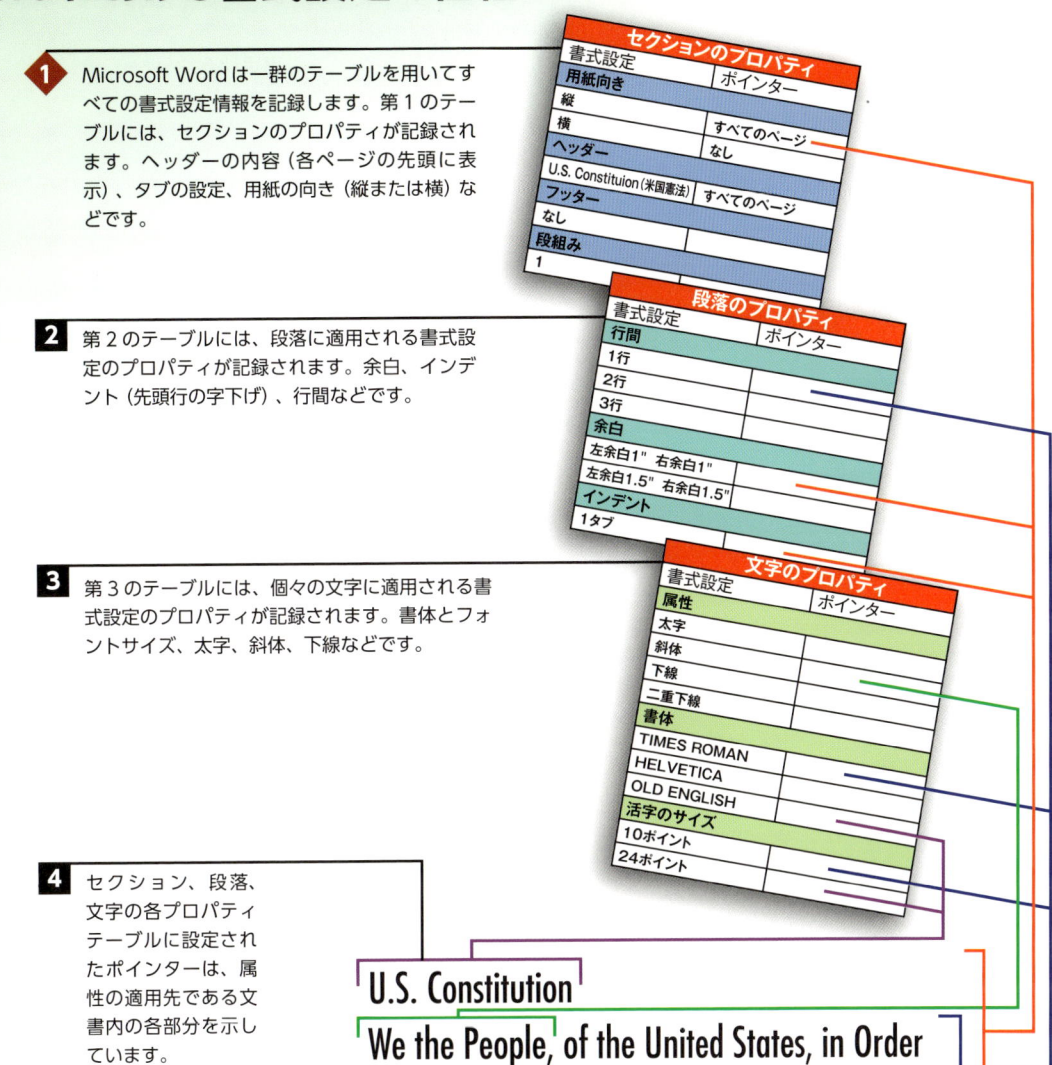

1 Microsoft Wordは一群のテーブルを用いてすべての書式設定情報を記録します。第1のテーブルには、セクションのプロパティが記録されます。ヘッダーの内容（各ページの先頭に表示）、タブの設定、用紙の向き（縦または横）などです。

2 第2のテーブルには、段落に適用される書式設定のプロパティが記録されます。余白、インデント（先頭行の字下げ）、行間などです。

3 第3のテーブルには、個々の文字に適用される書式設定のプロパティが記録されます。書体とフォントサイズ、太字、斜体、下線などです。

4 セクション、段落、文字の各プロパティテーブルに設定されたポインターは、属性の適用先である文書内の各部分を示しています。

セクションのプロパティ

書式設定	ポインター
用紙向き	
縦	
横	すべてのページ
ヘッダー	なし
U.S. Constitution（米国憲法）	
フッター	すべてのページ
なし	
段組み	
1	

段落のプロパティ

書式設定	ポインター
行間	
1行	
2行	
3行	
余白	
左余白1"　右余白1"	
左余白1.5"　右余白1.5"	
インデント	
1タブ	

文字のプロパティ

書式設定	ポインター
属性	
太字	
斜体	
下線	
二重下線	
書体	
TIMES ROMAN	
HELVETICA	
OLD ENGLISH	
活字のサイズ	
10ポイント	
24ポイント	

U.S. Constitution

We the People, of the United States, in Order
to form a more perfect Union, establish Justice,

5 ワープロソフトの文書内でテキストを入力またはスクロールすると、テキストと書式設定コードがRAMから読み込まれ、ソフト固有のコマンドがWindowsに送られ、さらにそこからコマンドが**ディスプレイドライバー**（パソコンの特定のディスプレイアダプターカードを制御するコード群）に渡されます。そして、最終的にアダプターカードからディスプレイに送られた電気信号が、文書内のテキストやグラフィックスの表示に必要なピクセルをON/OFFします。ワープロソフトがテキストを印刷するときは、プリンタードライバーが同様の機能を実行します。テキストと書式設定情報がドットパターンに変換され、プリンター（ドットマトリックス、インクジェット、レーザーなど）で出力されます。

データベースにデータが記録される仕組み

パソコン、タブレット、スマートフォン、スマートグラスといったデバイスが当たり前の存在となった現代人は、データベース管理ソフトを毎日何度も利用しています。たとえば、スペルチェッカーが使う正しいつづりはデータベースに格納されています。お気に入りのシューティングゲームで稼いだ撃墜数はデータベースに記録として残されます。TwitterやFacebookの友達とフォロワーの記録もデータベースです。データベースは舞台裏で黙々と仕事をしてくれます。もしデータベースが存在しなければ、世の中は付箋紙のメモだらけなんてことにもなりかねません。では、データベースが情報を管理する仕組みを見てみましょう。そこでは人が一生かけても覚えられないほど大量の情報が扱われています。

固定長フィールドのレコード

1 データベースのほとんどの情報は**固定長フィールド**に格納されます。各フィールドに格納できる文字数（フィールドサイズ）がデータベースの作成時に決定されることから固定長と呼ばれます。固定長フィールドのファイルは、先頭部分にファイルの**レコード構造**を定義する情報を持ちます。レコード構造の内容は、各フィールドの名前、**データタイプ**（通常、数値か英数字）、フィールドサイズです。また、フィールドに格納されるデータの形式を定義する情報を含むこともあります。たとえば、日付を記録するフィールドのデータ形式をMM-DD-YY（月-日-年）にせよ、というようなデータ要件を含みます。

2 ファイルの残りの部分はデータです。データは連続した1つの流れの中に格納されます。データを構成する個々の要素が記録される位置は、個々のフィールドサイズに基づいて決定されます。

3 特定のレコードを見つけるとき、データベース管理ソフトはレコード番号にレコードサイズを掛け合わせてファイルの先頭からの**オフセット**（レコードの開始位置）を求め、その位置から必要なバイト数のデータを読み込みます。

4 レコード内のフィールドを探すとき、プログラムは同様の方法で先行する各フィールドのバイト数を合計してレコード内の目的のフィールドの開始位置を求め、その位置から必要なバイト数のデータを読み込みます。

5 既存のレコードを**変更**するとき、データベース管理ソフトはコンピューターのRAM内に作成した変数にレコードを読み込み、画面に表示したフォームからそれらの変数に含まれる情報を変更できるようにします。その後、変更後の変数の情報をデータベースファイルに書き込みます。

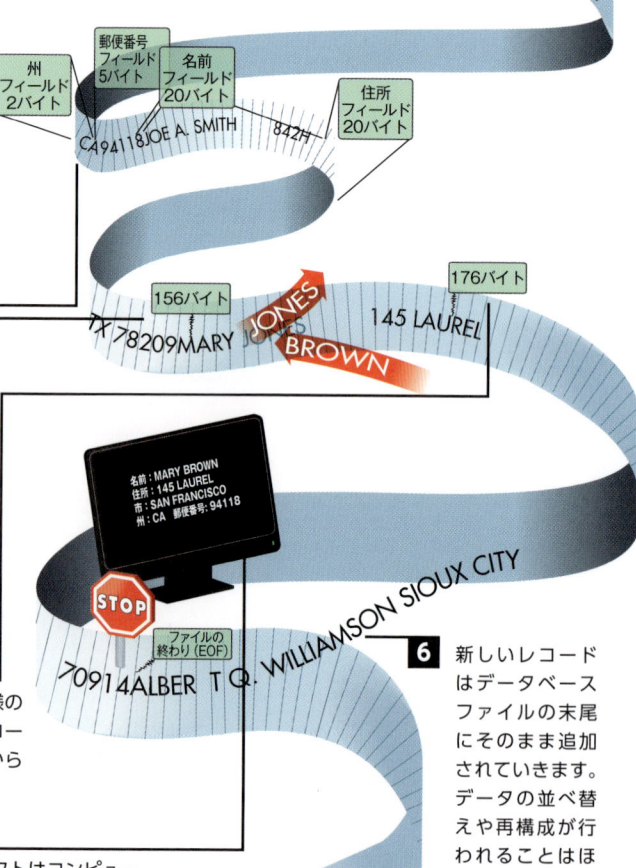

6 新しいレコードはデータベースファイルの末尾にそのまま追加されていきます。データの並べ替えや再構成が行われることはほとんどありません。その代わりに**インデックス**が使われます。

可変長フィールドのレコード

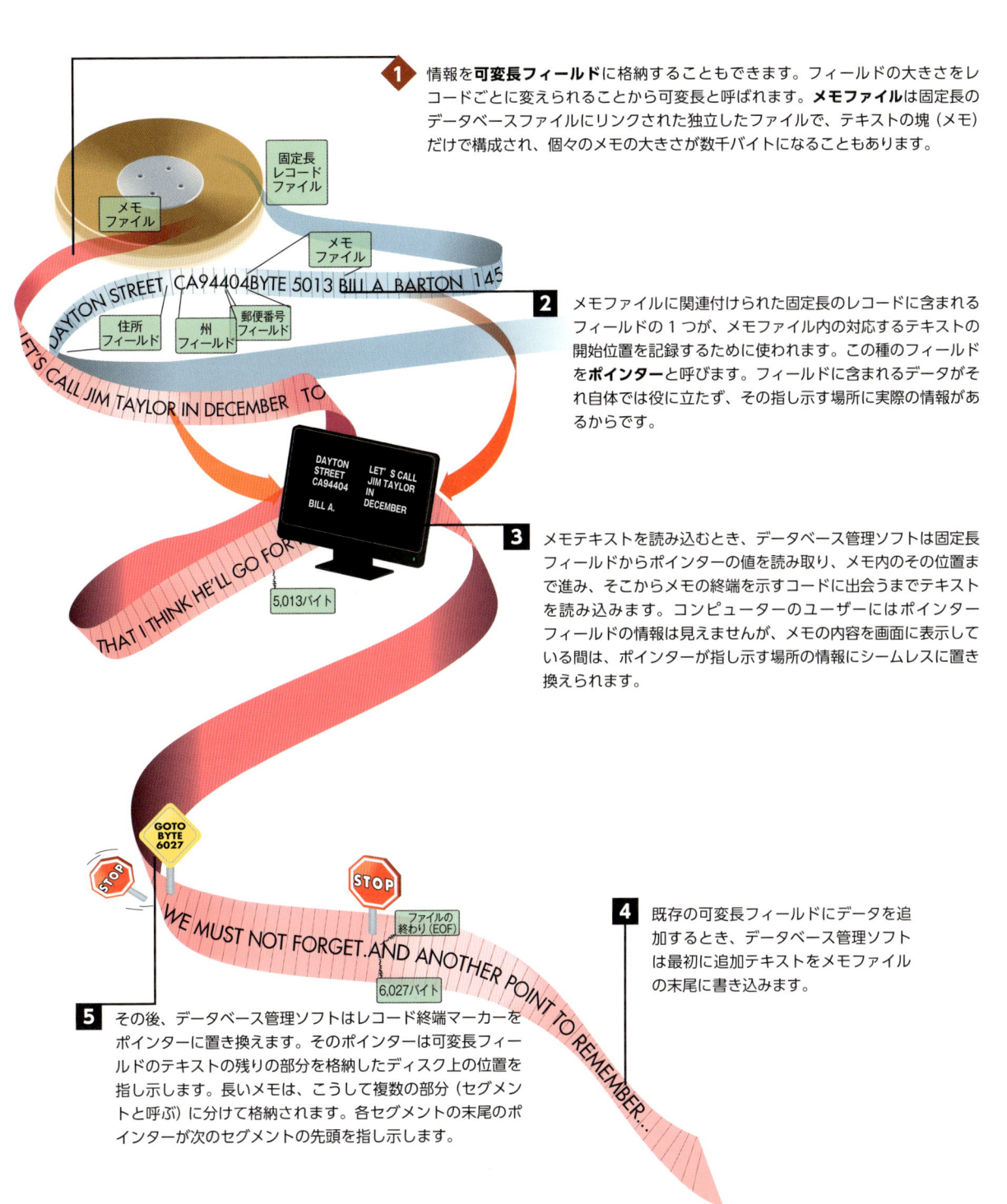

1 情報を**可変長フィールド**に格納することもできます。フィールドの大きさをレコードごとに変えられることから可変長と呼ばれます。**メモファイル**は固定長のデータベースファイルにリンクされた独立したファイルで、テキストの塊（メモ）だけで構成され、個々のメモの大きさが数千バイトになることもあります。

2 メモファイルに関連付けられた固定長のレコードに含まれるフィールドの 1 つが、メモファイル内の対応するテキストの開始位置を記録するために使われます。この種のフィールドを**ポインター**と呼びます。フィールドに含まれるデータがそれ自体では役に立たず、その指し示す場所に実際の情報があるからです。

3 メモテキストを読み込むとき、データベース管理ソフトは固定長フィールドからポインターの値を読み取り、メモ内のその位置まで進み、そこからメモの終端を示すコードに出会うまでテキストを読み込みます。コンピューターのユーザーにはポインターフィールドの情報は見えませんが、メモの内容を画面に表示している間は、ポインターが指し示す場所の情報にシームレスに置き換えられます。

4 既存の可変長フィールドにデータを追加するとき、データベース管理ソフトは最初に追加テキストをメモファイルの末尾に書き込みます。

5 その後、データベース管理ソフトはレコード終端マーカーをポインターに置き換えます。そのポインターは可変長フィールドのテキストの残りの部分を格納したディスク上の位置を指し示します。長いメモは、こうして複数の部分（セグメントと呼ぶ）に分けて格納されます。各セグメントの末尾のポインターが次のセグメントの先頭を指し示します。

データベースにデータが詰め込まれる仕組み

書籍テーブル

NO.	書名	作家キーフィールド	価格
1	A FAREWELL TO ARMS	HEMINGWAY	10.95
2	THE GREAT GATSBY	FITZGERALD	12.88
3	HOW COMPUTERS WORK	WHITE	29.95
4	THE OLD MAN & THE SEA	HEMINGWAY	9.99
5	WORLD ACCORDING TO GARP	IRVING	20.95
6			

1 データベースに記録された1件分のデータをレコードといいます。そして、レコードを構成する個々のデータ項目をフィールドといいます。レコードのインデックス（索引）を作成するときは、最初にどのフィールドに基づいてインデックスを作成するかをデータベース管理ソフトに伝える必要があります。このフィールドを**キーフィールド**と呼びます。データベースの中には複数のインデックスと複数のキーフィールドを持つものもあります。

一時ファイル

作家	レコード番号
HEMINGWAY	1, 4, 8, 12, 15
FITZGERALD	2, 6, 20, 94
WHITE	3
IRVING	5, 10, 33, 61

2 データベース管理ソフトはレコードを1つずつ読み込み、ある一時ファイルを作成します。このファイルには、各レコードのキーフィールドの値とそれに対応するポインター（データベースファイル内の各レコードの位置を示す）が記録されます。キーフィールドで重複する値が見つかった場合、その重複項目もファイルに記録されます。

書籍インデックス

作家	レコード番号
BRADBURY	7, 12, 48
ELIOT	5
FITZGERALD	2, 6, 20, 94
HEMINGWAY	1, 4, 8, 12, 15
IRVING	5, 10, 33, 61

3 データベース管理ソフトは、すべての値とポインター（またはレコード番号）を一時ファイルに読み込むと、それらの値を複製したものを英数字順に並べ替えてインデックスを作成します。

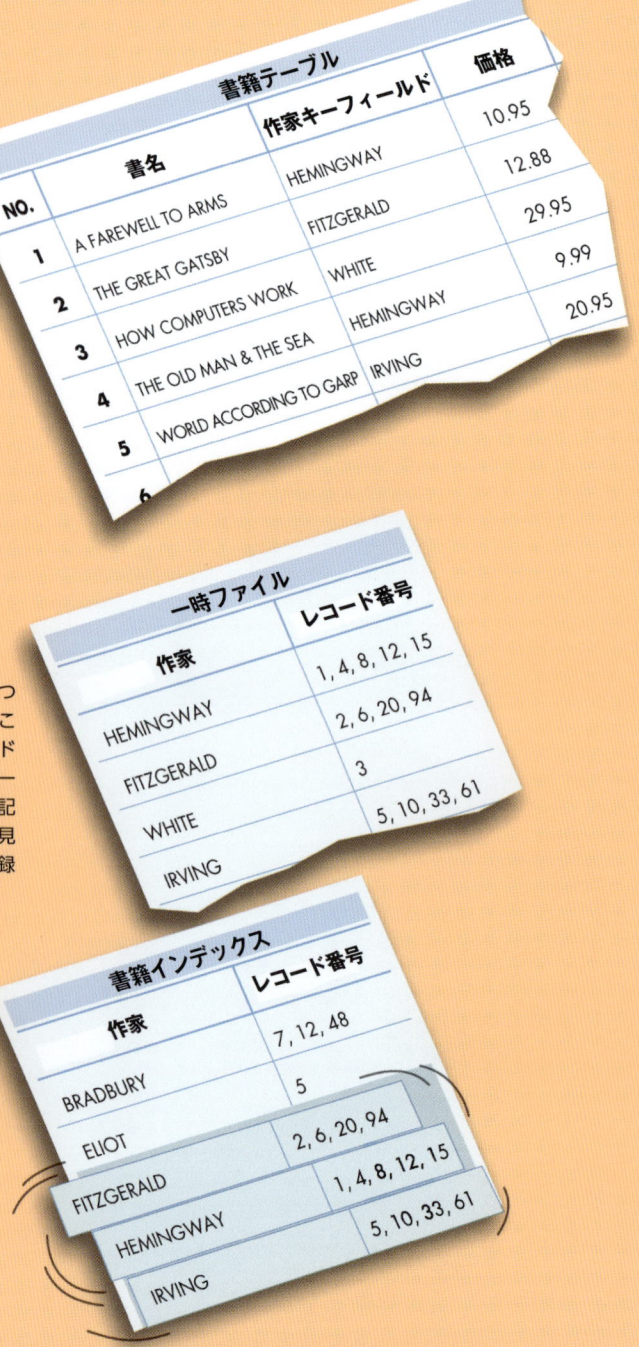

CHAPTER 6 代表的なアプリケーションソフトの仕組み 81

4 こうして並べ替えられた情報はインデックスファイルに書き込まれます。インデックスファイルは、バイナリツリー（B木）という構造で編成されます。これはインデックスファイル内の情報の探索を高速化するように設計されています。B木は天地を逆にした木の形で下方へ広がり、各ノード（節）が 2 つの枝を持ちます。これらの枝によってインデックスファイルの論理的な区画がどんどん細分化されていきます。たとえば、下のイラストのA-MはB木の最初の2つの枝の一方の枝を、N-Zはもう一方の枝を表します。B木による探索では、項目数が100万件に及ぶインデックスを検索するのに20組のノードを確認すれば済み、100万個のノードをいちいち見にいく必要はありません。

5 データベース管理ソフトは、キーフィールドに基づいてレコードを探すとき、B木の連続する枝を順次調べていきます。たとえば、キーフィールドがIで始まるレコードを探すときは、B木の幹から下方へ順に探索します。Iはアルファベット順でMより前にあるので、まずキーフィールドの値がA-Mで始まる枝を調べます。

6 下方を探索すると、A-GとH-Mの枝があります。Iはアルファベット順でGより後ろにあるので、今度はH-Mの枝を調べます。Iで始まる値が見つかるまで、この操作が続けられます。

7 データベース管理ソフトは最終的に終端のノード（葉）に到達します。ここには決まった個数の項目とそのポインターが入っています（項目数はプログラムによって異なり、8個程度）。探していた項目が見つかると、データベース管理ソフトは対応するポインターを用いてデータベーステーブル内の実際のレコードの位置を特定します。

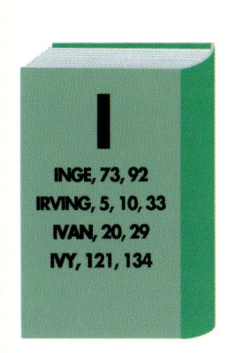

8 データベースに新しいレコードを追加した後にデータベースのインデックスを作り直すとき、データベース管理ソフトは新しいインデックス項目をB木の適切な「葉」にある空き領域に設定します。

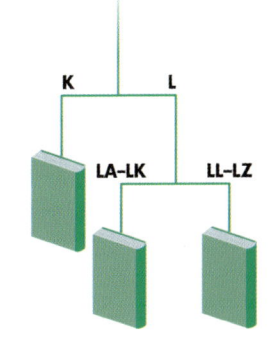

9 葉に空き領域がなかった場合は、探索したその最後のノードを新しい2つのノードに分割します。たとえば、LノードをLA-LKノードとLL-LZノードに分割して元の親ノードの情報を各ノードにだいたい半分ずつ振り分けます。

データベース内で関係が作られる仕組み

1 新しい町に引っ越して1枚の書類を提出すると、免許証、電話帳、すべての会員登録、銀行口座など、それぞれの関係機関で住所や電話番号などの情報が自動的に更新される状況を想像してください。これが**リレーショナルデータベース**を支える基本的な考え方です。そこでは情報が**テーブル**に分解され、テーブルを介してデータが関係者の間で共有されます。いずれかのテーブルの情報が変更されると、その情報はそれを必要とする他のすべてのテーブルに反映されます。リレーショナルデータベースは、ほとんどの情報を一度だけ入力すれば、それを複数のテーブルから利用できるように設計されています。

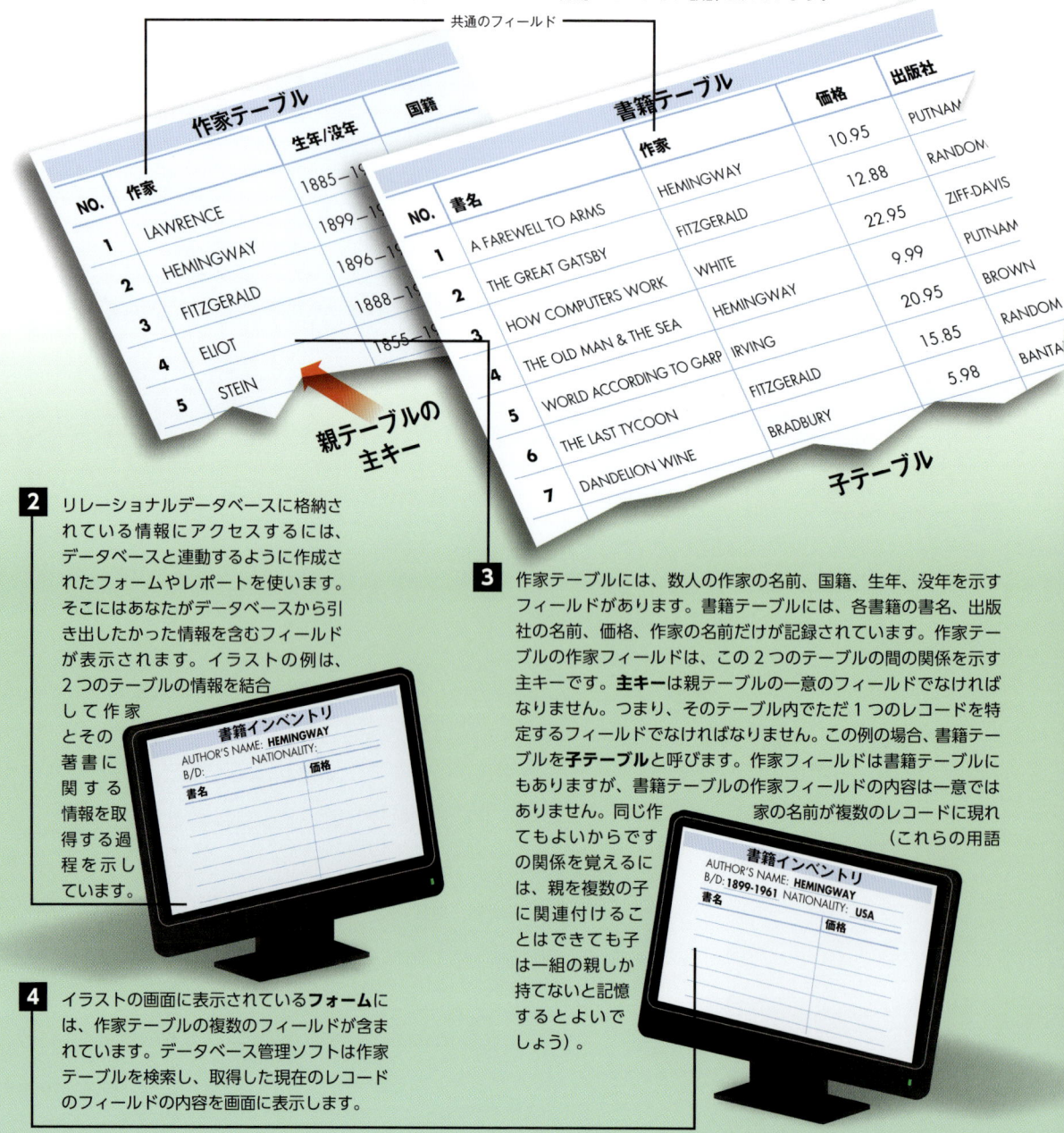

共通のフィールド

作家テーブル

NO.	作家	生年/没年	国籍
		1885-1930	
1	LAWRENCE	1899-1961	
2	HEMINGWAY	1896-1940	
3	FITZGERALD	1888-1965	
4	ELIOT	1855-1932	
5	STEIN		

親テーブルの主キー

書籍テーブル

NO.	書名	作家	価格	出版社
		HEMINGWAY	10.95	PUTNAM
1	A FAREWELL TO ARMS	FITZGERALD	12.88	RANDOM
2	THE GREAT GATSBY	WHITE	22.95	ZIFF-DAVIS
3	HOW COMPUTERS WORK	HEMINGWAY	9.99	PUTNAM
4	THE OLD MAN & THE SEA	IRVING	20.95	BROWN
5	WORLD ACCORDING TO GARP	FITZGERALD	15.85	RANDOM
6	THE LAST TYCOON	BRADBURY	5.98	BANTA
7	DANDELION WINE			

子テーブル

2 リレーショナルデータベースに格納されている情報にアクセスするには、データベースと連動するように作成されたフォームやレポートを使います。そこにはあなたがデータベースから引き出したかった情報を含むフィールドが表示されます。イラストの例は、2つのテーブルの情報を結合して作家とその著書に関する情報を取得する過程を示しています。

書籍インベントリ
AUTHOR'S NAME: **HEMINGWAY**
B/D: NATIONALITY:
書名　価格

3 作家テーブルには、数人の作家の名前、国籍、生年、没年を示すフィールドがあります。書籍テーブルには、各書籍の書名、出版社の名前、価格、作家の名前だけが記録されています。作家テーブルの作家フィールドは、この2つのテーブルの間の関係を示す主キーです。**主キー**は親テーブルの一意のフィールドでなければなりません。つまり、そのテーブル内でただ1つのレコードを特定するフィールドでなければなりません。この例の場合、書籍テーブルを**子テーブル**と呼びます。作家フィールドは書籍テーブルにもありますが、書籍テーブルの作家フィールドの内容は一意ではありません。同じ作家の名前が複数のレコードに現れてもよいからです（これらの用語の関係を覚えるには、親を複数の子に関連付けることはできても子は一組の親しか持てないと記憶するとよいでしょう）。

書籍インベントリ
AUTHOR'S NAME: **HEMINGWAY**
B/D: **1899-1961** NATIONALITY: **USA**
書名　価格

4 イラストの画面に表示されている**フォーム**には、作家テーブルの複数のフィールドが含まれています。データベース管理ソフトは作家テーブルを検索し、取得した現在のレコードのフィールドの内容を画面に表示します。

CHAPTER 6 代表的なアプリケーションソフトの仕組み　83

5 次に、データベース管理ソフトは書籍テーブルのインデックスを参照して、作家フィールドの内容が「ヘミングウェイ」であるすべてのレコードを取得します。具体的にはインデックス項目のポインターを用いて書籍テーブル内の該当するレコードを特定し、レコードから必要なフィールドを取り出して画面に表示します。作家テーブルの別のレコード（たとえば、フィッツジェラルド）に切り替えると、作家テーブル内の該当する情報が表示され、次に書籍テーブルからその作家に一致するすべてのレコードが取得されます。

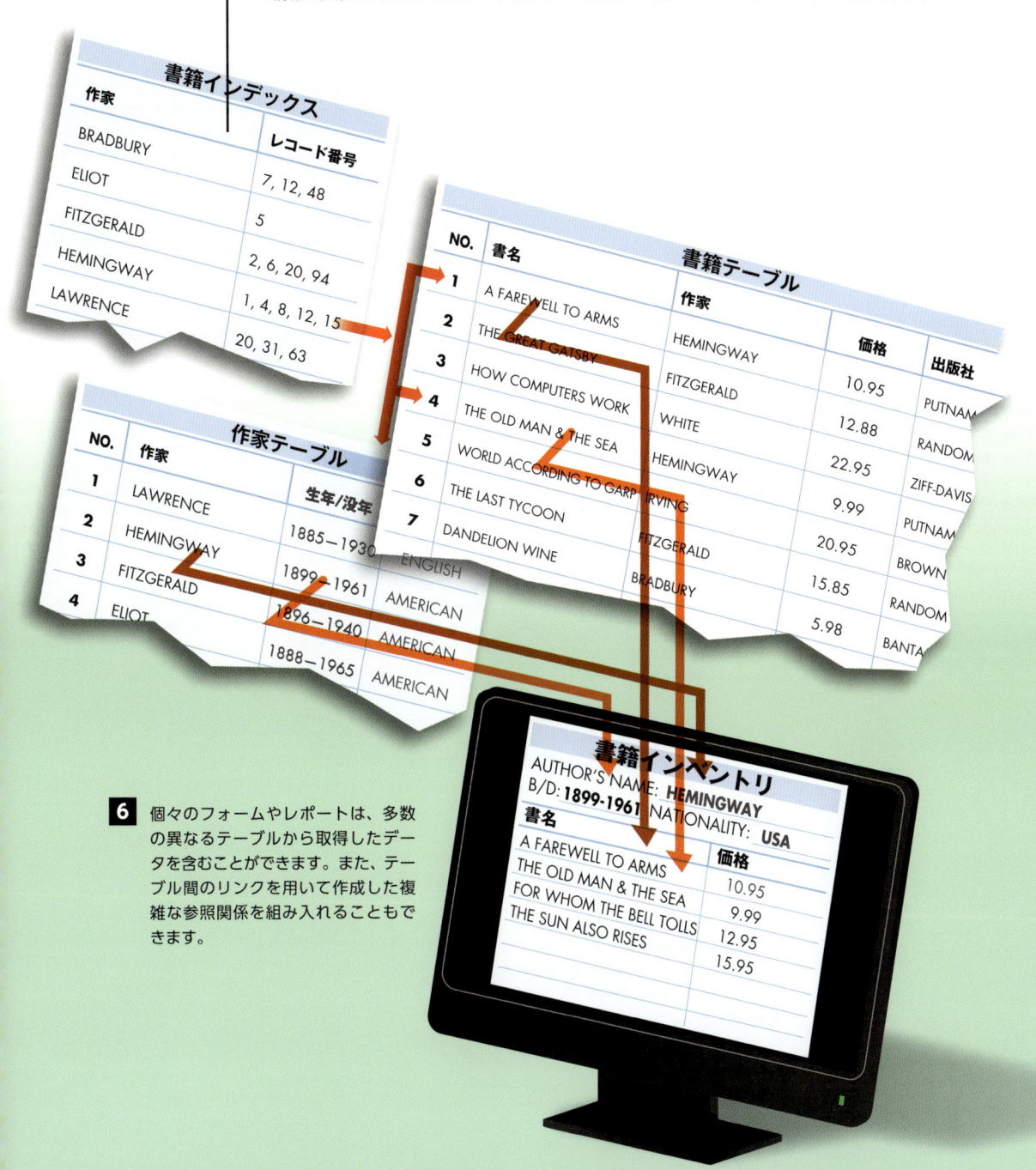

書籍インデックス

作家	レコード番号
BRADBURY	
ELIOT	7, 12, 48
FITZGERALD	5
HEMINGWAY	2, 6, 20, 94
LAWRENCE	1, 4, 8, 12, 15, 20, 31, 63

書籍テーブル

NO.	書名	作家	価格	出版社
1	A FAREWELL TO ARMS	HEMINGWAY		
2	THE GREAT GATSBY	FITZGERALD	10.95	PUTNAM
3	HOW COMPUTERS WORK	WHITE	12.88	RANDOM
4	THE OLD MAN & THE SEA	HEMINGWAY	22.95	
5	WORLD ACCORDING TO GARP	IRVING		ZIFF-DAVIS
6	THE LAST TYCOON	FITZGERALD	9.99	PUTNAM
7	DANDELION WINE	BRADBURY	20.95	BROWN
			15.85	RANDOM
			5.98	BANTA

作家テーブル

NO.	作家	生年/没年	
1	LAWRENCE	1885–1930	ENGLISH
2	HEMINGWAY	1899–1961	AMERICAN
3	FITZGERALD	1896–1940	AMERICAN
4	ELIOT	1888–1965	AMERICAN

書籍インベントリ

AUTHOR'S NAME: **HEMINGWAY**
B/D: **1899-1961** NATIONALITY: **USA**

書名	価格
A FAREWELL TO ARMS	
THE OLD MAN & THE SEA	10.95
FOR WHOM THE BELL TOLLS	9.99
THE SUN ALSO RISES	12.95
	15.95

6 個々のフォームやレポートは、多数の異なるテーブルから取得したデータを含むことができます。また、テーブル間のリンクを用いて作成した複雑な参照関係を組み入れることもできます。

表計算ソフトの数式が解かれる仕組み

1 セルに入力した数式は表計算ソフトの**ミニコンパイラ**によって処理され、関数の名前がより効率的なトークンの形式に変換されます。変換後の関数は決まった数値で表現されます。たとえば、SIN、COSのような関数は表計算ソフトが正弦（SIN）、余弦（COS）と認識する決まったバイト値に変換されます。また、数式は**逆ポーランド記法**でミニコンパイラに格納されます。たとえば、「(3 + 2) * 10」は「3 2 + 10 *」となります。この種の記法はメモリ使用量と処理速度のどちらの点でも効率的です。

2 こうしてミニコンパイラにより変換された数式は、そのセルのために予約されているメモリ位置に書き込まれます。その位置には計算結果、スプレッドシート内の次の数式へのポインター、前の数式へのポインターの場所も確保されます。結果的に、これらのポインターによって数式を含むセルはリストの形で連結され、再計算のとき表計算ソフトが数式セル全体の探索を短時間で行えるようになります。数式を削除したときは、その数式の直前の数式へのポインターを用いて数式の連結リストが再構成されます。

3 スプレッドシートを再計算するとき、表計算ソフトは計算負荷を減らして処理時間を短縮するために、最初に数式セルのポインターを辿って連結リスト全体を1回探索します（第1パス）。第1パスでは、変更されたデータに依存する数式が特定され、再計算の必要な各数式にマークが付けられます。

CHAPTER 6　代表的なアプリケーションソフトの仕組み

4 表計算ソフトは再び連結リスト全体を探索します（第2パス）。第2パスでは、再計算マークが付けられた数式だけに注意が向けられます。数式ごとに、その数式がまだ再計算されていない別の数式に依存するかどうかが判定されます。依存関係がある場合は、そのセルのポインターと連結セルのポインターを調整して、依存する数式を連結リストの最後に移動します（これで、スプレッドシートの次回の再計算でポインターを再び変更しなくて済むようになります）。
別の数式に依存しない数式のセル、および依存関係にある数式が既に再計算されている数式のセルは直ちに再計算されます。

5 数式を計算するために表計算ソフトはデータ、数式、および必要な数式コードを**計算エンジン**へ送り、生成された解答をそのセルの情報保持用に確保されているメモリへ書き込みます。

6 その後、表計算ソフトは次の数式へ進み、それを同様に処理します。他の数式に依存する数式（先に連結リストの最後へ移動された数式）の計算がすべて終了するまで、これが繰り返されます。

計算結果：38

7 Excelなど一部の表計算ソフトでは、各セルの計算結果が得られた時点でセルの画面表示が直ちに更新されます。一方、スプレッドシート全体の再計算が完了するのを待ってから表示を更新するソフトもあります。

自動再計算

わざわざ無効にしない限り、数式に影響する変更を行うたびに、表計算ソフトの自動計算機能が実行されます。この仕組みは次のとおりです。数式の作成時、表計算ソフトはその数式が依存するすべてのセルにマークを付けるために、関係する各レコード内の注釈に変更を加えます。さらに、それらのセルに表計算ソフト自身のためのヒントを残します。このヒントは、そのセルに依存する数式を見つける方法（ポインターを使うよりも効率的な方法）を示します。このようにしてマークが付けられたセルに変更を加えると、その影響を受ける数式が探し出され、再計算されます。

数が画像になる仕組み

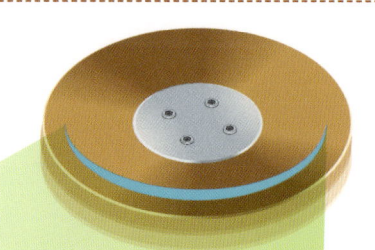

1 パソコン、スマートフォン、タブレットは画像を表示するとき、最初にファイルのヘッダー内の情報を調べます。ファイルの先頭の数バイトの部分に、ファイルの残りの部分のデータを解釈するのに必要な情報が含まれています。ヘッダーの先頭には、ファイルをビットマップ（ピクセルを用いた画像）として識別する**署名**（シグニチャ）があります。この署名は見えませんが、ファイル名に .BMP、.PNG、.TIF、.JPG などの拡張子が付いていればビットマップと判断できます。ヘッダー内には先頭の署名の後ろにさらに、画像の幅と高さを**ピクセル**（1つ1つの光の点）の数で示す情報と、パレット（画像内で使われている色の種類と数）の定義があります。

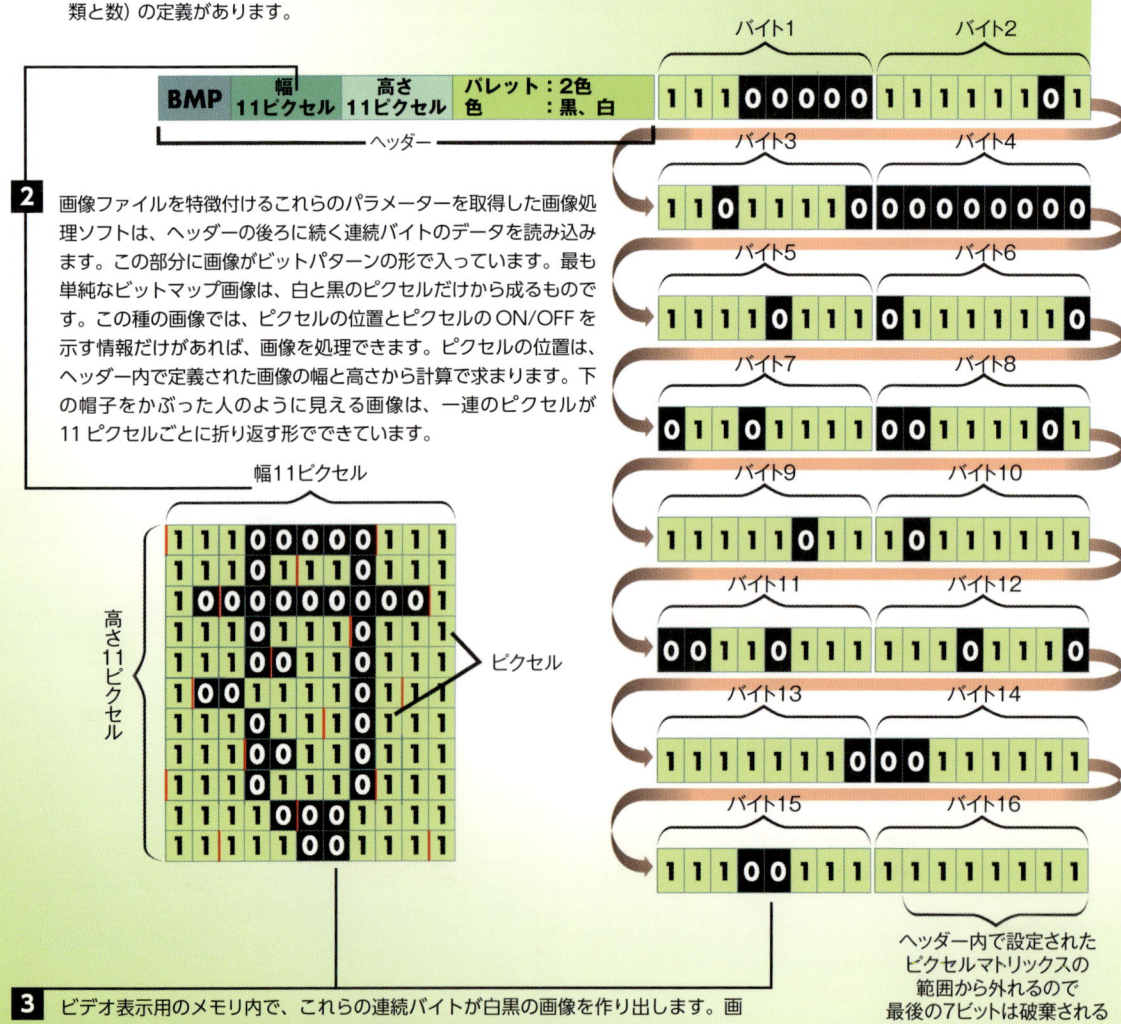

2 画像ファイルを特徴付けるこれらのパラメーターを取得した画像処理ソフトは、ヘッダーの後ろに続く連続バイトのデータを読み込みます。この部分に画像がビットパターンの形で入っています。最も単純なビットマップ画像は、白と黒のピクセルだけから成るものです。この種の画像では、ピクセルの位置とピクセルの ON/OFF を示す情報だけがあれば、画像を処理できます。ピクセルの位置は、ヘッダー内で定義された画像の幅と高さから計算で求まります。下の帽子をかぶった人のように見える画像は、一連のピクセルが 11 ピクセルごとに折り返す形でできています。

3 ビデオ表示用のメモリ内で、これらの連続バイトが白黒の画像を作り出します。画像を構成する一連のビットが、あるものは「1」に、あるものは「0」に設定されています。「1」はそのビットに対応するピクセルを ON にすることを意味し、「0」はピクセルを OFF にすることを意味します。この帽子をかぶった人のように見える 121 ピクセルの白黒の画像は、16 バイトの連続データとして格納できます。

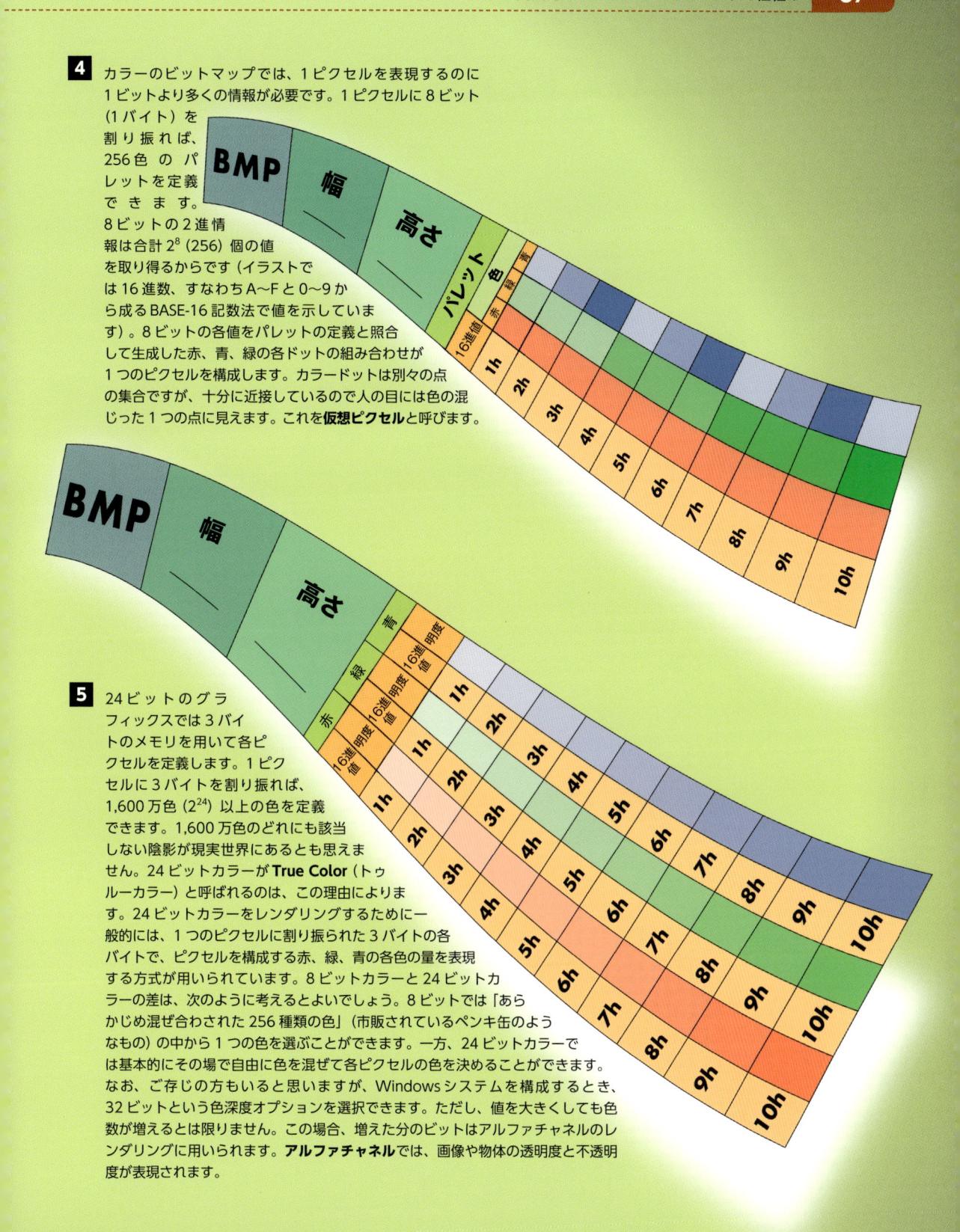

CHAPTER 6　代表的なアプリケーションソフトの仕組み

4 カラーのビットマップでは、1ピクセルを表現するのに1ビットより多くの情報が必要です。1ピクセルに8ビット（1バイト）を割り振れば、256色のパレットを定義できます。8ビットの2進情報は合計 2^8 (256) 個の値を取り得るからです（イラストでは16進数、すなわちA～Fと0～9から成るBASE-16記数法で値を示しています）。8ビットの各値をパレットの定義と照合して生成した赤、青、緑の各ドットの組み合わせが1つのピクセルを構成します。カラードットは別々の点の集合ですが、十分に近接しているので人の目には色の混じった1つの点に見えます。これを**仮想ピクセル**と呼びます。

5 24ビットのグラフィックスでは3バイトのメモリを用いて各ピクセルを定義します。1ピクセルに3バイトを割り振れば、1,600万色 (2^{24}) 以上の色を定義できます。1,600万色のどれにも該当しない陰影が現実世界にあるとも思えません。24ビットカラーが **True Color**（トゥルーカラー）と呼ばれるのは、この理由によります。24ビットカラーをレンダリングするために一般的には、1つのピクセルに割り振られた3バイトの各バイトで、ピクセルを構成する赤、緑、青の各色の量を表現する方式が用いられています。8ビットカラーと24ビットカラーの差は、次のように考えるとよいでしょう。8ビットでは「あらかじめ混ぜ合わされた256種類の色」（市販されているペンキ缶のようなもの）の中から1つの色を選ぶことができます。一方、24ビットカラーでは基本的にその場で自由に色を混ぜて各ピクセルの色を決めることができます。なお、ご存じの方もいると思いますが、Windowsシステムを構成するとき、32ビットという色深度オプションを選択できます。ただし、値を大きくしても色数が増えるとは限りません。この場合、増えた分のビットはアルファチャネルのレンダリングに用いられます。**アルファチャネル**では、画像や物体の透明度と不透明度が表現されます。

画像を圧縮して容量を節約する仕組み

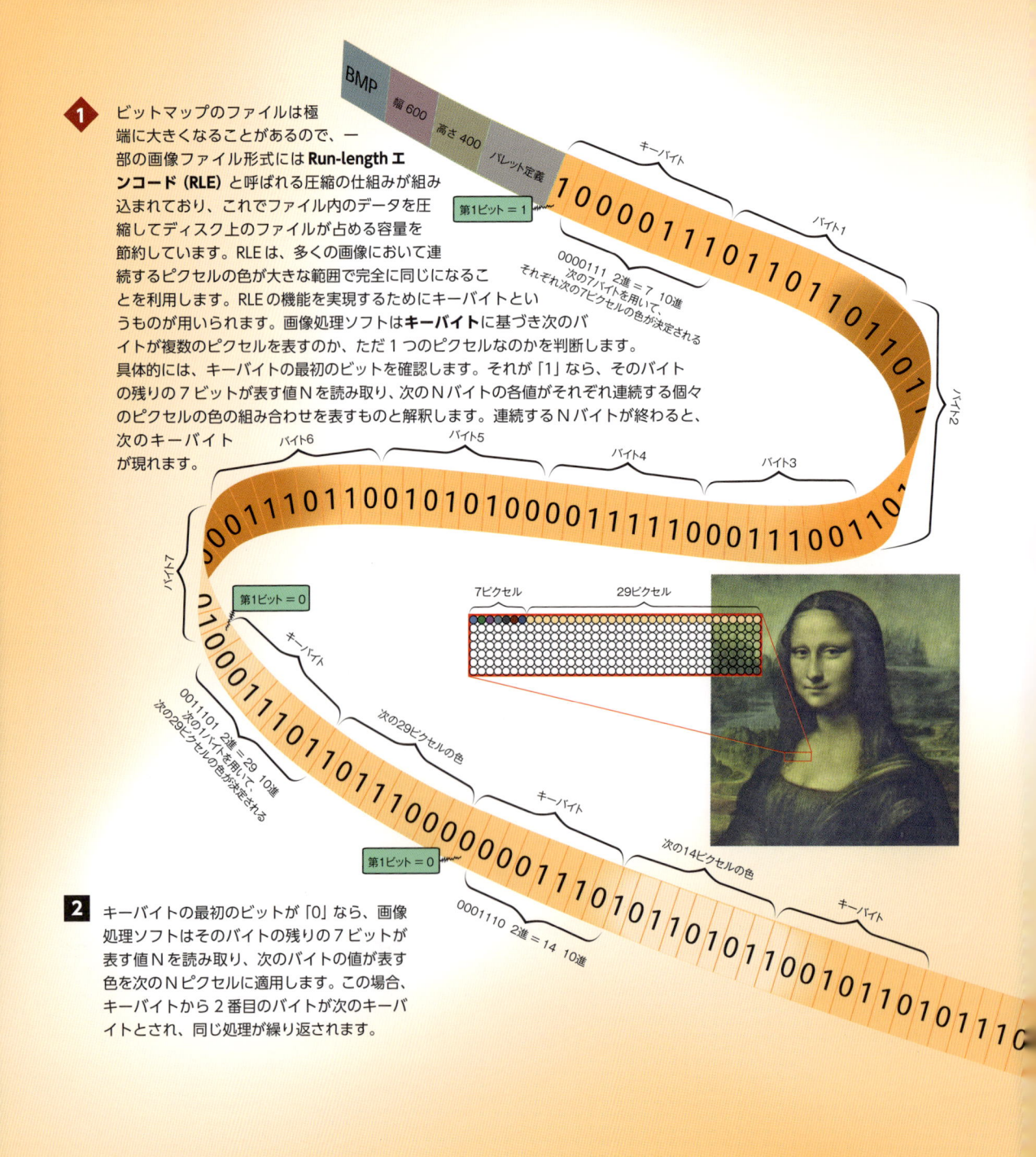

1 ビットマップのファイルは極端に大きくなることがあるので、一部の画像ファイル形式には **Run-length エンコード（RLE）** と呼ばれる圧縮の仕組みが組み込まれており、これでファイル内のデータを圧縮してディスク上のファイルが占める容量を節約しています。RLE は、多くの画像において連続するピクセルの色が大きな範囲で完全に同じになることを利用します。RLE の機能を実現するためにキーバイトというものが用いられます。画像処理ソフトは**キーバイト**に基づき次のバイトが複数のピクセルを表すのか、ただ 1 つのピクセルなのかを判断します。具体的には、キーバイトの最初のビットを確認します。それが「1」なら、そのバイトの残りの 7 ビットが表す値 N を読み取り、次の N バイトの各値がそれぞれ連続する個々のピクセルの色の組み合わせを表すものと解釈します。連続する N バイトが終わると、次のキーバイトが現れます。

2 キーバイトの最初のビットが「0」なら、画像処理ソフトはそのバイトの残りの 7 ビットが表す値 N を読み取り、次のバイトの値が表す色を次の N ピクセルに適用します。この場合、キーバイトから 2 番目のバイトが次のキーバイトとされ、同じ処理が繰り返されます。

CHAPTER 6 代表的なアプリケーションソフトの仕組み

3 ファイルを JPEG 形式で圧縮するデジタルカメラやコンピューターのソフトはファイルを検査して、抜けていてもふつうの人の目では気づかれそうにないようなピクセルを探します。風景写真に写っている景色の半分が雲ひとつない空の場合、空を構成する多数のピクセルが完全に同じ色調の青であったなら、各ピクセルのカラー値をすべて保存するのは途方もなく無駄なことです。

4 圧縮ソフトは、ピクセルごとに必要な 24 ビットをいちいち記録する代わりに、ただ 1 つのピクセル (**基準ピクセル**) のビットを記録し、同じ色のすべてのピクセルの位置を示すリストを作成します。

5 より強力な圧縮効果を得るためにもう 1 つの技法が使われます。画像を 8×8 ピクセルの矩形ブロックに分解し、ブロック内の 64 個のピクセルについて平均的な色を計算する方法です。どのピクセルの色も平均と大きく違わない場合は、すべてのピクセルの色を平均の色に変更します。それでも人の目で見て違いはわかりません。

バンディング

アーティファクト

6 JPEG 圧縮では写真を JPEG 形式で再保存するたびに繰り返し圧縮されてオリジナルのピクセルがどんどん失われていくことが問題視されてきました。何回も保存した場合、不自然な**バンディング** (色が縞模様に見えて滑らかなグラデーションが失われる現象) が起こり、特に空の写真でそれが目立ちます。さらに**アーティファクト**と呼ばれる現象も起こります。これはオリジナルの写真にはなかった形や色が現れる現象で、純粋に数学的な結果として生じます。これを繰り返すと、最終的に写真は**ポスタライズ**したような状態にまでなります。ポスターを簡素化するために数種類の色しか使わない技法にちなんでこう呼ばれます。

7 **JPEG 2000** と呼ばれる最新の JPEG 形式 (ファイル拡張子 **.jp2** または **.j2k**) では、写真の圧縮に**ウェーブレット**方式が用いられます。これは頻繁に繰り返されるピクセルの組み合わせ (たとえば、茶色の木の幹を形成する赤と青のピクセルの組み合わせ) に対してピクセルの値を一連の数値**トークン**列に変換する数学操作として扱う手法です。荒削りな JPEG 圧縮ブロックがトークン列に置き換えられ、より小さなファイルに圧縮しても標準の JPEG 画像に見られるアーティファクトは現れません。

画像編集ソフトで数値によって
色が塗られる仕組み

画像を数値で表現するメリットは計り知れません。明るくする（暗くする）、コントラストを強調する、際立たせる（ぼかす）、上下を反転する、サイケデリックに見えるようにする、このようなことがすべて簡単な計算で実現できます。モナ・リザの肖像画をコンピューターのスクリーンに表示し、各画素のカラー値ごとに値を差し引きして微笑みをしかめ面に変形するのは簡単ではありませんよね。おそらく拷問のような作業になるでしょう。コンピューターはまさにこのような仕事のために作られたといえます。パソコンなら10秒足らずで必要な計算を終え、モナ・リザの表情をしかめ面に変形できます。すべてが数値計算だけで完結するからです。

❶ デジタルカメラはデジタル写真を小さなピクセルの集合として記録します。写真を拡大していくと、写真はギザギザになり、さらに拡大すると矩形が現れてきます。くっきりした線や境界に見えていたものが、実はもっと緩やかな色の変化で表現されていることに気づきます。

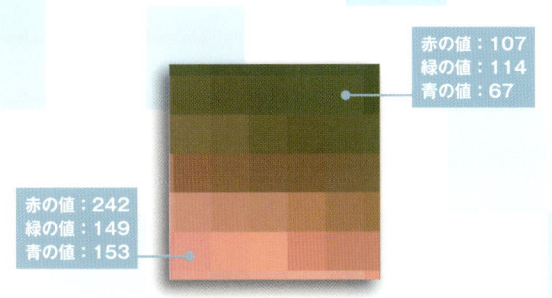

CHAPTER 6　代表的なアプリケーションソフトの仕組み　91

2 画像を十分に拡大すると、各ピクセルが単色の小さな矩形でできていることがわかります。

赤の値：107
緑の値：114
青の値：67

赤の値：242
緑の値：149
青の値：153

3 画像を際立たせる、明るくする、特殊効果を適用するなど何か変更を指示すると、画像編集ソフトはピクセル間の色の差異を調べます。多くの場合、近いピクセルの色の値を比較しますが、ピクセル自体には手をつけません。

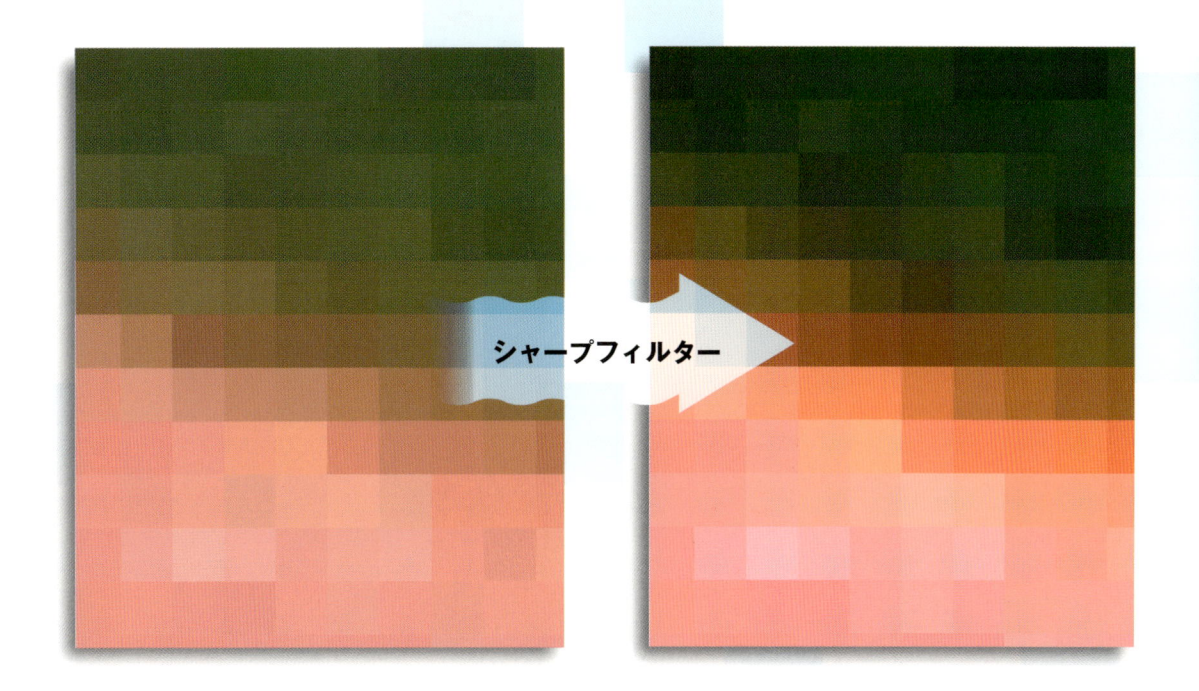

シャープフィルター

4 画像編集ソフトは、ある数式に基づいて各ピクセルの色を再計算します。選択した編集内容や効果の種類に応じて適切な数式が使われます。その際、変化が起きている領域またはその周囲では、特にピクセル間の色の差異も考慮されます。

5 すべてのピクセルが均一に変更されるわけではありません。同じ一般色を保持しながら色調が少しだけ明るく（または暗く）調節されるピクセルもあれば、大きく違った色に変更されるピクセルもあります。境界領域の近くにないピクセルは全く変更されない場合もあります。

写真編集ソフトによる古い写真の復元

カラー写真もモノクロ写真が苦しめられたのと同じ攻撃に晒されています。汚れ、しわ、染み、湿気だけでなく、まだ効力が失われていない他の写真の化学薬品など、あらゆる影響が重なって10年も経つと写真は元の姿をまるでとどめなくなります。それでもカラー写真に含まれる化学薬品は揮発性が高いぶんモノクロ写真よりましで、肖像の色が抜けて半透明の地球外生命体みたいになるだけで済んでいます。幸い、そうした災難続きの写真を崖っぷちから救い出す画像編集ソフトが存在します。その手のソフトには非常に多くのツールがありますが、ここで紹介するのはPhotoshop、Photoshop Elements、Paint Shop Proなどの代表的なソフトで利用できる一般的なツールです。これを使えば、色あせた昔の人々の頬に色を取り戻すことができます。

レベル補正（ヒストグラム）は、いくつかある手法の中で特に用途が多い機能で、写真の変色した部分を見つけて、全体の調子を整えることができます。

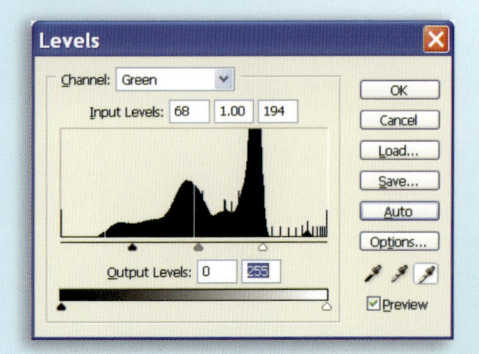

焼き込み/覆い焼きは、フィルム写真時代の暗室技法を再現したもので、写真の特定の部分を明るく（または暗く）できます。

修復ブラシは、多数の細かいしみ、ひっかき傷、その他の雑多な汚れを修復するツールです。周囲のピクセルを欠損部分に複製して傷を目立たなくすることができます。

選択ツールは、母親と子供を背景から分離し、背景に影響を与えずに編集できるようにするツールです。また、編集対象を背景に切り替えて、母親と子供が誤って変更されるのを気にしないで、背景の編集に集中することもできます。

CHAPTER 6　代表的なアプリケーションソフトの仕組み　93

レイヤーは、同じファイル内で写真を複製して操作するためのツールです。変更内容を元の写真と混合する方法を制御できます。たとえば、色あせた画像の色を変更した2つのレイヤーを作成し、それを乗算操作で掛け合わせることにより、写真のコントラストと色深度を高めることができます。

グラデーションツールを使うと、色がすっかり抜けた空を、水平線まで滑らかに変化する青で塗ることができます。

エアブラシを使うと、雲が青い空に徐々に溶け込むような効果を作り出すことができます。また、暗く潰れた母親の瞳にアクセントを付けることもできます。

複製ツールは、より大きくて複雑な傷を修復するためのツールです。写真のどこか適当な部分を、周囲と溶け込み易い自然な虫食い穴のような形状でコピーし、欠損部分に貼り付けることができます。この写真では、右側の暗い木々の一部を左側の明るい木々に置き換えました。

簡易編集モードは、最後に少しだけ手を加えるときに使います。同じ写真の色調や明るさが少しずつ異なるサムネイルの一覧から適当なものを選んで適用します。これを利用すると、どの変更が好ましい効果を生むか、ひと目で判断できます。

シャープツールは、色あせやレタッチ作業でぼやけたエッジを際立たせるためのツールです。

モバイル端末のアプリの仕組み

モバイル機器で動作するアプリでは、デスクトップコンピューターやラップトップで全盛期を迎えた**アプリケーション**の成果が小型版の形で提供されています。ただし、そこには次の違いがあります。

- **アプリは安い**。WindowsやMacのアプリケーションに数百ドル払うことはあっても、モバイルアプリはせいぜい数ドルか、たいてい無料です。広告収入でやりくりするもの、電子マネーによる少額の支払いで差別化するもの、デスクトップ版より機能を制限しているものなど、いろいろあります。
- **おびただしい数のアプリが存在する**。本書の執筆時点では、ある調査によれば、アプリの数はApple社のApp StoreとAndroidのGoogle Playを合わせて150万に及ぶそうです。平均すると、世界中の20億台以上あるスマートフォンで、1台当たり42個のアプリが動いています。当然、これほど多くのアプリが存在するので、アプリの4つに1つは一度使っただけですぐ打ち捨てられ、Apple Storeの60％以上のアプリはダウンロードすらされないという事実を聞かされても驚くに値しません。
- **使っているととても楽しい**。アプリは、大都市の交通信号システムを制御したり、癌を発見したり、宇宙船を操縦したりするために作られるわけではありません。世の中には便利な生産性向上アプリがたくさん出回っていますが、それらはたいてい特定の目的に合わせて作られています。さらに多く（大部分）は、動画鑑賞、音楽再生、SNS、ゲームなど娯楽目的のアプリです。処理能力、記憶容量、搭載RAMのいずれの点でも前世紀の安価なデスクトップパソコンと比べても見劣りすることを考えると、その機能のみならずパフォーマンスには驚くべきものがあります。秘密は背後で糸を引いている巨大なコンピューターにあります。

1 たとえば、モバイル端末でアイコンをタップすると、クラシックカーの販売アプリ画面が表示されるケースを考えてみましょう。

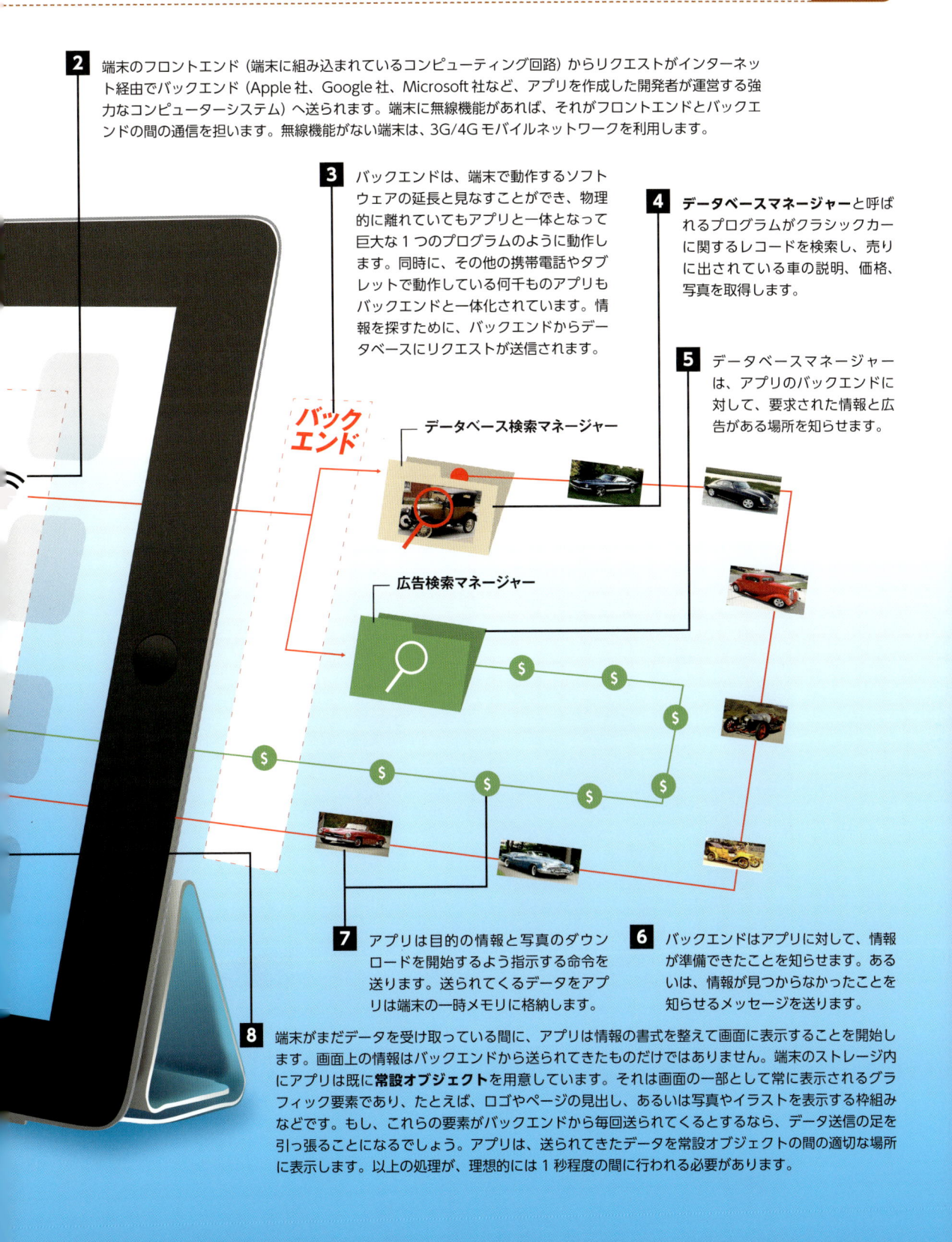

CHAPTER 6 代表的なアプリケーションソフトの仕組み　95

2 端末のフロントエンド（端末に組み込まれているコンピューティング回路）からリクエストがインターネット経由でバックエンド（Apple 社、Google 社、Microsoft 社など、アプリを作成した開発者が運営する強力なコンピューターシステム）へ送られます。端末に無線機能があれば、それがフロントエンドとバックエンドの間の通信を担います。無線機能がない端末は、3G/4G モバイルネットワークを利用します。

3 バックエンドは、端末で動作するソフトウェアの延長と見なすことができ、物理的に離れていてもアプリと一体となって巨大な 1 つのプログラムのように動作します。同時に、その他の携帯電話やタブレットで動作している何千ものアプリもバックエンドと一体化されています。情報を探すために、バックエンドからデータベースにリクエストが送信されます。

4 **データベースマネージャー**と呼ばれるプログラムがクラシックカーに関するレコードを検索し、売りに出されている車の説明、価格、写真を取得します。

5 データベースマネージャーは、アプリのバックエンドに対して、要求された情報と広告がある場所を知らせます。

バックエンド

データベース検索マネージャー

広告検索マネージャー

7 アプリは目的の情報と写真のダウンロードを開始するよう指示する命令を送ります。送られてくるデータをアプリは端末の一時メモリに格納します。

6 バックエンドはアプリに対して、情報が準備できたことを知らせます。あるいは、情報が見つからなかったことを知らせるメッセージを送ります。

8 端末がまだデータを受け取っている間に、アプリは情報の書式を整えて画面に表示することを開始します。画面上の情報はバックエンドから送られてきたものだけではありません。端末のストレージ内にアプリは既に**常設オブジェクト**を用意しています。それは画面の一部として常に表示されるグラフィック要素であり、たとえば、ロゴやページの見出し、あるいは写真やイラストを表示する枠組みなどです。もし、これらの要素がバックエンドから毎回送られてくるとするなら、データ送信の足を引っ張ることになるでしょう。アプリは、送られてきたデータを常設オブジェクトの間の適切な場所に表示します。以上の処理が、理想的には 1 秒程度の間に行われる必要があります。

PART 2　ソフトウェア―コンピューターが紡ぐ詩

CHAPTER 7

ゲームが世界を創造する仕組み

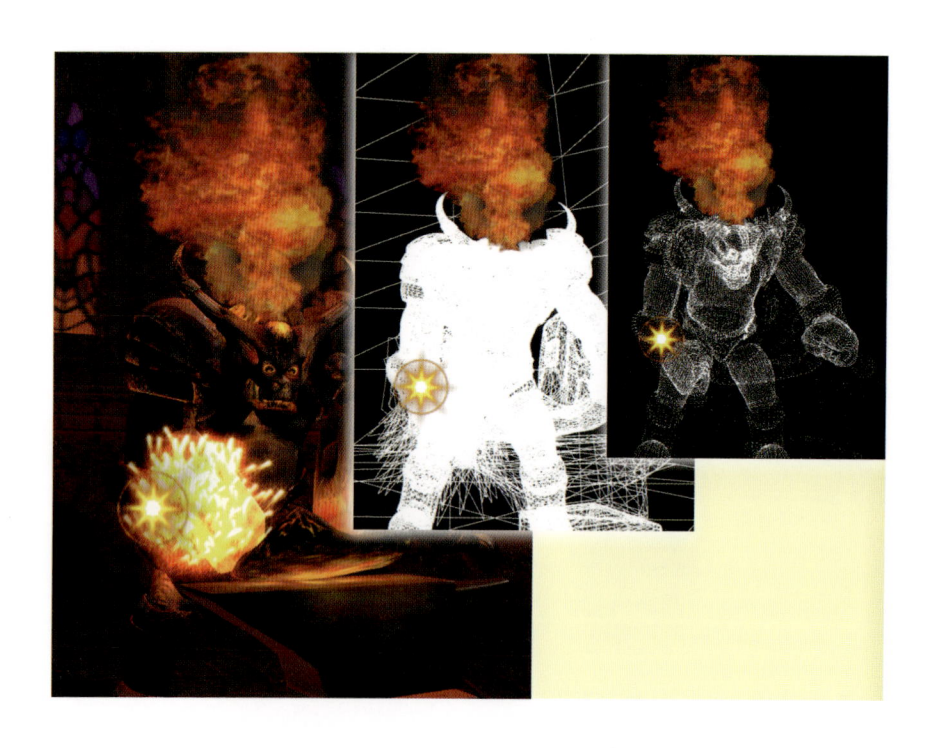

CHAPTER 7 ゲームが世界を創造する仕組み

ずっと昔、 1980年に初めてコンピューターを買ったとき、私は「これを使えばきっと金になる」といって妻を納得させ、ほどなくして、それは現実のことになりました。数カ月もせずにデータベース開発の仕事を見つけ、私のEagle IIの支払い代金3,000ドルを上回る稼ぎになったからです。

しかし心の奥底では、これさえあればゲームができるとわくわくしていました。当時、私は友人のAppleでゲームをいくつか体験済みでしたし、フライトシミュレーターによってリアルタイムに姿を変えながら映し出される世界を、コンピューター販売店であっけにとられて眺めたりしていました。もう文書処理や表計算どころの話ではありません。コンピューターで動くゲームは奇跡でした！　人形相手のままごと遊びや、戦闘機パイロットになったつもりで両腕を大きく広げて走り回った幼少期の想像の世界がありありとよみがえる、まるでそんな気分でした。

ゲームができるコンピューターを買わずにはいられませんでした。

しかし、広告にあったとおり、私のEagle IIは結局、グラフィックスを扱えませんでした。もちろん、何か適当な回路基板を増設し、当時も今もだれも聞いたことがないようなプログラムを使えば話は別だったでしょうが。そこで、**ゾーク(Zork)** のような、すべてテキストの**アドベンチャーゲーム**で我慢していました。「北へ行け」、「剣を取れ」のようなコマンドをタイプ入力しながらプレイしたのです（第5章の「プログラムとは道路地図のようなもの」で紹介したアドベンチャーゲームの擬似コードを参照）。実際のところアドベンチャーゲームもそれほど悪くはありませんでしたが、仕事にかこつけてコンピューターを買ったときに心に描いていたこととは違っていました。

今日のコンピューターゲームは、そんな私の当初の失望を忘れさせてくれるものになりました。現代のグラフィックスは写真のようにリアルで、風にそよめく牧草地の草の葉一枚一枚が、他の何千枚もの葉と別々に動く様子を描写するまでになっています。ゲームは写実的であると同時に、新たな空間次元を追加したり何百万人もの人々がインターネット上でリアルタイムに対戦できる完全な世界を作り上げたりと、現実を超える世界も手に入れました。

そして本当に驚くべきなのは、コンピューターがもはや不要になったことです。少なくともデスクトップの筐体、ディスプレイ、キーボードからなる従来の意味でのコンピューターは不要になりました。X-BoxやPlayStationのような専用のゲーム機すら必要ありません。今や、スマートフォンやタブレットなど、新たに登場したモバイルコンピューターで多くのゲームを楽しむことができます。Angry Birdsは有名ですよね？

コンピューターが3D世界を描く仕組み
3次元空間での位置決め

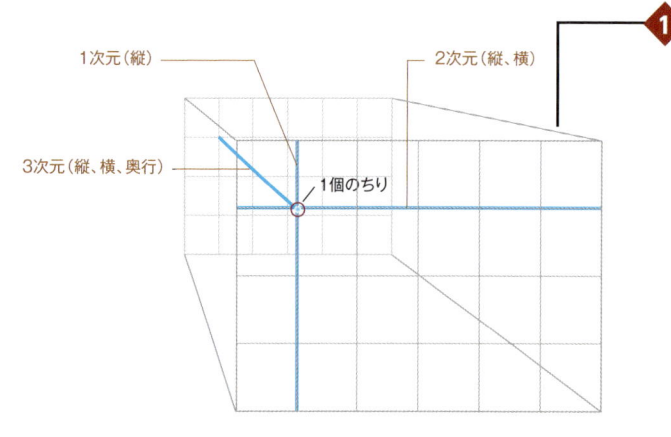

❶ 顔の近くに浮かぶ小さなちりを想像してください。ちりが同じ場所でじっとしていれば、「床から1m98cm、北の壁から74cm、西の壁から30cm」というように、その位置を厳密に伝えることができます。測定基準点（この例では床と2つの壁）さえ決めておけば、3組の数字で宇宙の任意の点の位置を正確に指定できます（アインシュタインが考え出した時空の歪みは、ここでは無視します）。3Dゲームの時代に入って以来、ゲーム世界のグラフィック表現の重要な点の位置決めには3組の数字が用いられてきました。もちろん、現代のパソコンゲームでは1秒間に470億個もの点が位置決めされますが、原理的には1個のちりを位置決めするのと変わりません。

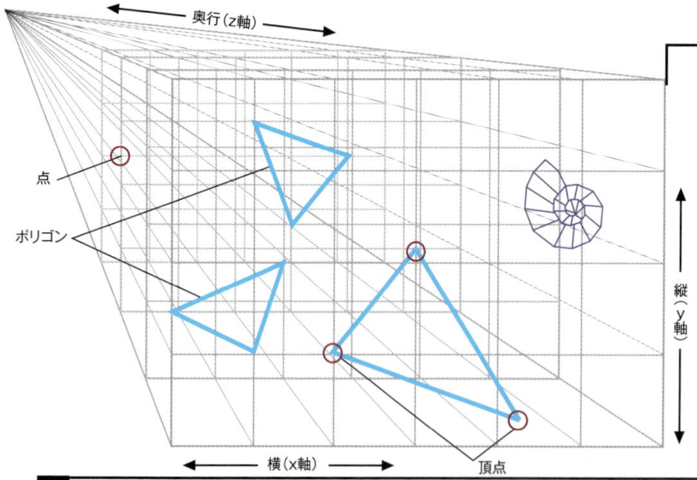

❷ 3Dゲームでも実生活と同じく、横方向、縦方向、奥行き方向の3本の軸（x軸、y軸、z軸）を使って点の位置（座標）を指定します。ゲーム空間も含め一般に3次元空間では、3つの点を決めれば（その3点を含む）1つの2次元平面が定まります。3Dグラフィックスでは、世界全体とそのすべての構成個体が2次元の多角形（通常は三角形）で作られます。三角形を使うのは、角（**頂点**）の数が最小で、計算が特に簡単で高速な多角形（以降、**ポリゴン**と呼ぶ）だからです。ほとんどの場合、正方形や長方形、さらに曲面も平面の三角形の組み合わせで作られます（後ほど説明するように頂点は線分の位置を決めるだけで、それ以上の意味はありません）。

❸ 3次元の物体は2次元のポリゴンを連結して作られます。曲面も平面の集まりで構成され、ポリゴンが小さくなるほど滑らかになります。3次元環境に含まれるすべてのポリゴンの各頂点の座標を計算するのは、ビデオカードに搭載されたグラフィックスプロセッシングユニット（GPU）の**ジオメトリエンジン**です。この処理は**テッセレーション（tessellation）**または**三角形分割**と呼ばれます。ジオメトリエンジンは現在のカメラアングル（被写体を見る位置）も計算し、これによって見える部分が決まります。各フレームでは、視点の変化に応じて各三角形が形や大きさを変えたり回転したりします。また、視野外の線分は消去（**クリップ**）されます。ポリゴンに関係する全**光源**の位置関係も、ジオメトリエンジンが計算します。テッセレーションではきわめて大量の浮動小数点演算が発生するため、初期型のPentiumやAthlonのCPUを搭載したコンピューターでは、3次元画像処理専用のプロセッサを搭載したビデオカードを利用しなければ計算負荷が大き過ぎて悲惨なことになります。場面が変化するときは、1秒間に少なくとも15～20回再描画しなければ、人間の目には滑らかな動きに見えません。

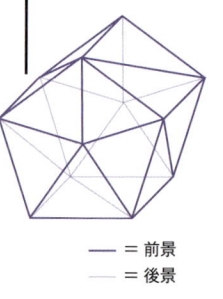

幾何学に基づいて場面が作られる仕組み

1 ジオメトリエンジンの計算結果（カメラの視野範囲にある各頂点の3次元座標）は、**グラフィックスプロセッシングユニット（GPU）**を構成するもう1つの要素である**レンダリングエンジン**に渡されます。レンダリングエンジンは、3次元の場面全体を2次元で表現して各ピクセルの色の値を計算するラスタライズという操作を行います。まず、ポリゴンのすべての頂点を直線（ワイヤー）で結んでワイヤーフレーム表示を作成します。これは、ガラス板の交差する位置にだけ線が現れるガラスの世界のようなものです。

ワイヤーフレーム表示

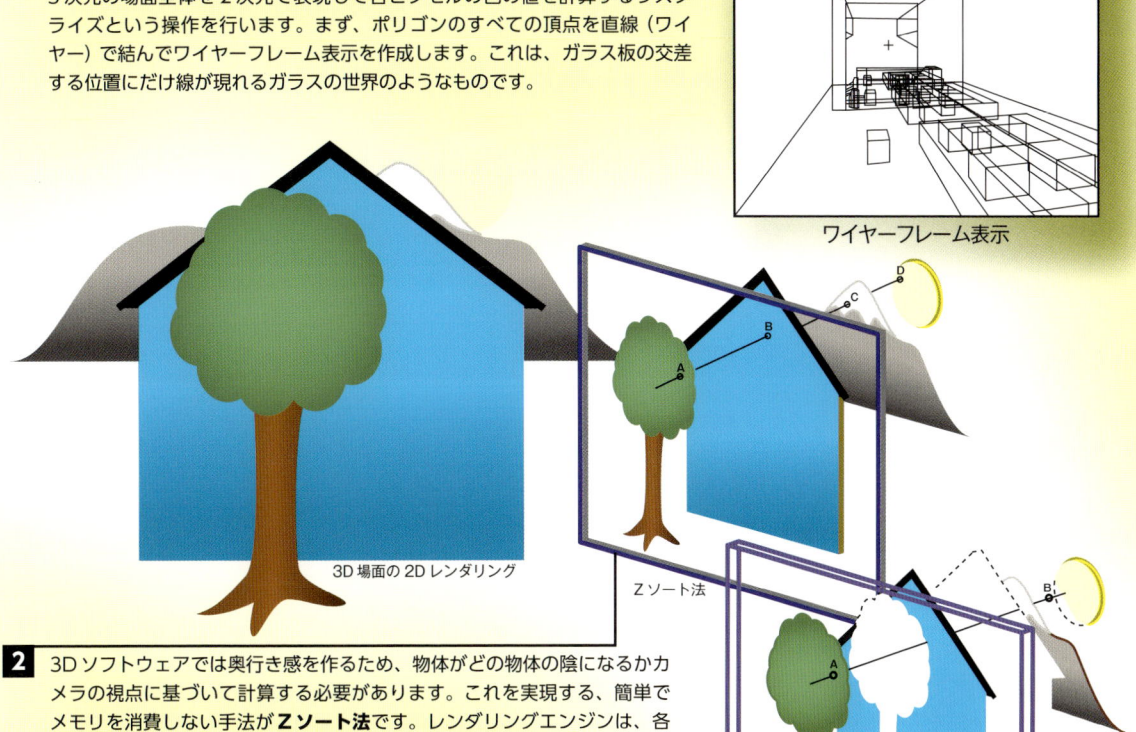

3D 場面の 2D レンダリング

Z ソート法

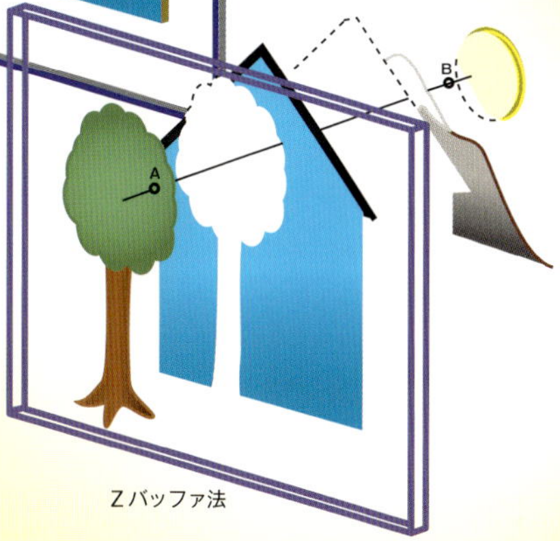

Z バッファ法

2 3Dソフトウェアでは奥行き感を作るため、物体がどの物体の陰になるかカメラの視点に基づいて計算する必要があります。これを実現する、簡単でメモリを消費しない手法が**Zソート法**です。レンダリングエンジンは、各ポリゴンをz軸に沿って一番奥（遠方の消失点に最も近い物体）から手前の順に並べ、その順に描画します。カメラ位置により近い物体を遠方の物体より後に描画することで、背後の物体（の一部）が手前の物体で隠されます。たとえば、このイラスト（Zソート法）では直線AD上の点A、B、C、Dがすべてレンダリングされます。ただし、点DはCで、点CはBで、点BはAでそれぞれ重ね塗りされ、結果的に奥の点は手前の点で隠されます。

隠面消去

3 **Zバッファ法**はZソート法よりも高速ですが、ビデオカードのメモリをより多く消費します。すべてのポリゴンの表面を構成するピクセルごとに奥行きを示す値（深度）を記録しておく必要があるからです。深度は、カメラ位置に近いピクセルほど小さな値が設定されます。ピクセルを新たに描画するとき、その深度を画像の全レイヤーを貫く同じ直線AB上の他のピクセルと比較します。そして、そのピクセルの深度が直線AB上の他のすべてのピクセルよりも小さいときに限って描画されます。たとえば、上のイラスト（Zバッファ法）で、レンダリングエンジンはピクセルAを描画しますが、直線AB上の家、山、太陽に含まれるピクセルはピクセルAで隠されるので描画しません。Zソート法とZバッファ法のどちらの手法でも、背後に隠された物体表面が見えなくなることから、得られた結果を**隠面消去**と呼びます。

3D世界が衣服をまとう仕組み

画面上のすべての頂点を結ぶ直線を描画するとワイヤーフレーム（**編目**）が生成されます。しかし、それは描画対象の基本的な骨格だけを与える裸の網目です。このデジタルな骨格をデジタルな物体に変えるには、網目に衣服をまとわせる必要があります。これを実現する最も簡単な手法は、各ポリゴンの辺で囲まれた領域を均一な色の平らな皮で覆うことです。支柱に被せてぴんと張ったテントを想像するとよいでしょう。いうまでもなく、これで得られるのは仮想の下絵のようなもので、まだ仮想現実の域に達していません。現実世界には、滑らかで均一な色のものなどほとんど存在しないからです。現実世界の物体には斑点、縞、砂粒、木目、段差、凹凸などのテクスチャ（質感）があります。そこで以下の手法が編み出されました。

テクスチャマップ

テクスチャマップは、物体の表面を覆う**ビットマップ**（変化しないグラフィックス）です。繰り返し模様の壁紙のように表面全体にタイル状に貼り付けられます（下の例は石版と溶岩）。簡易な方法で実装された3Dソフトウェアでは、テクスチャマップを貼り付けた物体に視点を近づけると至近距離で**ピクセレーション**と呼ばれる画質の劣化が生じます。ピクセレーションは、ビットマップの細部を拡大すると表面が均一色の大きな四角形の集まりのように見えてくる現象です。

テクスチャマップ

ミップマッピング

ミップマッピング（MIP mapping）は、ピクセレーションを補正するために同じテクスチャマップのバリエーションを利用する手法です。MIPはラテン語の **Multum In Parvo** の略で、「数が少なくても充実」という意味合いがあります。ここでいうバリエーションとは、解像度やサイズを変えることを指します。この手法では、物体が至近距離にあるときに、あるテクスチャマップを使い、同じ物体が遠方にあるときには、同じテクスチャで解像度だけ変えて作成しておいた別のビットマップを適用します。

パースペクティブ補正

パースペクティブ補正は、壁面に貼り付けるタイル状のテクスチャマップの形を補正する手法です。遠方へ行くほどタイルの幅を狭め、さらにタイルの形を長方形からくさび形に変更します。

アルファブレンディング

アルファブレンディングは、煙や水のような媒質によって生じる半透明の効果です。物体の表面を表すテクスチャマップと共に、霧のようなぼんやりした過渡的な変化を表すテクスチャマップを併用する手法です。レンダリングエンジンは、一方のテクスチャマップの各**テクセル**（テクスチャマップのピクセルに相当する要素）の色をもう一方のビットマップ内の同じ位置にあるテクセルと比較します。そして、それぞれの色の混合比率を決め、2つの色の中間のアルファ値を生成します。同様の効果を生む、もっとメモリを消費しない手法に**点描法（Stippling）**があります。これは背景のテクスチャを描画してから、その上に透明テクスチャのテクセルを1つおきに間引いて描画する手法です。

遠方に霧あり　　霧なし

フォギングと奥行き付与

フォギング（空気遠近法）と奥行き付与は、同じ効果の2つの側面を表す概念です。**フォギング**（上の例は「British Open Golf」のキャプチャ画像）は、場面の遠方部分に白い色を混ぜ合わせることでかすんだ地平線の効果を作り出す手法です（**アルファブレンディング**によるたなびく霧の効果と混同しないでください）。**奥行き付与**は、遠方の物体の明度を下げることで色を黒っぽくする手法です。たとえば、長いホールの最奥が暗闇に沈むような効果を作り出します。この効果は雰囲気作りに役立つだけでなく、細部を描画しなくて済むのでレンダリングエンジンの計算負荷を低減します。

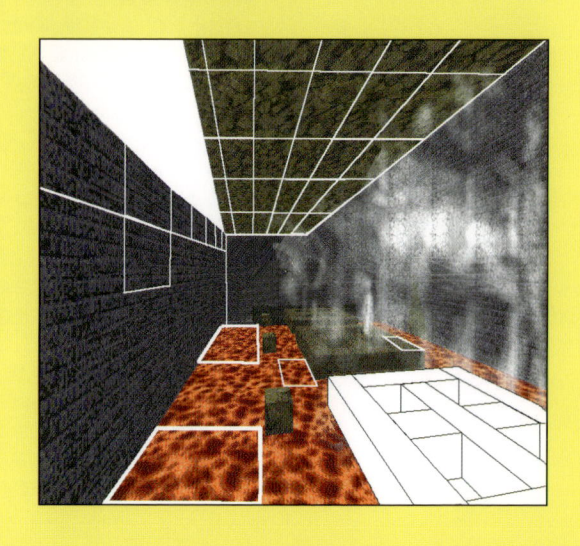

ララ・クロフトの進化

Eidos Interactive 社が 1996 年に「トゥームレイダー」を作成したとき、ヒロインのララ・クロフトは、三角形を雑に貼り合わせてこしらえた 3D キャラクターに過ぎませんでした。しかし、年を追うごとに三角形はより小さくなって数も増え、3D 表現としての説得力が高まってきました。ララ・クロフトと同様、ほとんどのゲームキャラクターは三角形から始まります。以下の画像は、ビデオチップメーカー NVIDIA 社のマスコットキャラクター、妖精ドーンです。これらの画像はポリゴンだけで作られていますが、ポリゴンの数が非常に多いために拡大して至近距離から見てもそのことには気づかないでしょう。ポリゴンの数が多いので、このキャラクターの**ワイヤーフレーム**表示（中央の画像）は、ポリゴンが混ざり合って白い影絵のように見えます。さらに、ポリゴンの頂点を結ぶ線分を消すと、数十万個の点で作られたキャラクターの体の構造が見えます。高性能なビデオカードなら、10 億個以上の三角形があっても 1 秒ほどでレンダリング可能です。

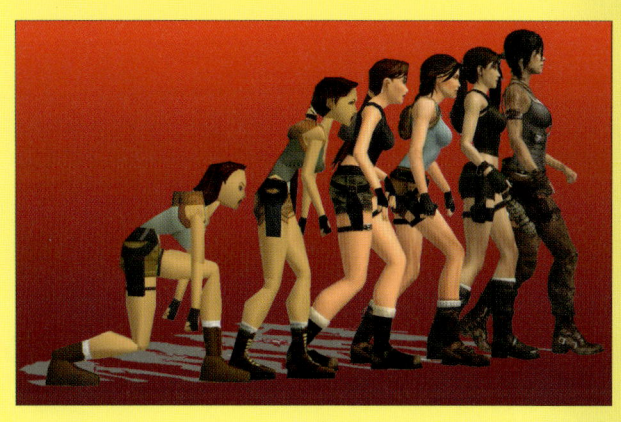

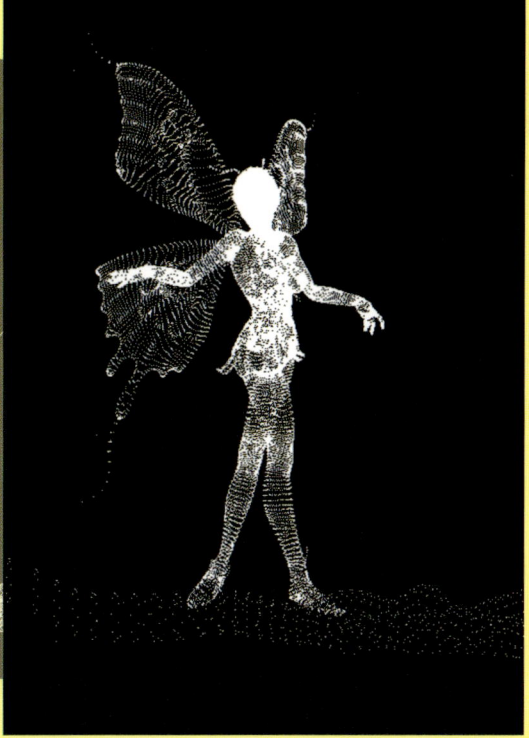

転載許可：Courtesy of xeno55, DeviantArt

シェーダーが世界を制御する仕組み

目に見える映像効果を作り出す要素には、形と色に加えて、もっとずっと重要な値である陰影があります。見えるものを判別するのにこれらの要素がすべて必要であるとは限りませんが、形と陰影はどうしても必要です。右のイラストの左側は、それぞれ同じ物体を描いたものです。これを見ると、色は形を識別するのに役立ちませんが、物体の各部分の色の明度（明るさや暗さ）は形の識別に役立つことがわかります。3Dグラフィックスの世界に**シェーダー**が登場したのは、この理由によります。初期のシェーダーはその名前が示すとおり、物体の決まった側にあるポリゴンに陰影（シェーディング）を付けて奥行き感やふくよかさを表現していました。当初はポリゴンごとに1つの陰影を適用する簡易な方法が用いられました。これは部屋の各壁をそれぞれ違う色で塗るようなものです。しかし、やがて以下に示すような手法が取り入れられていきました。

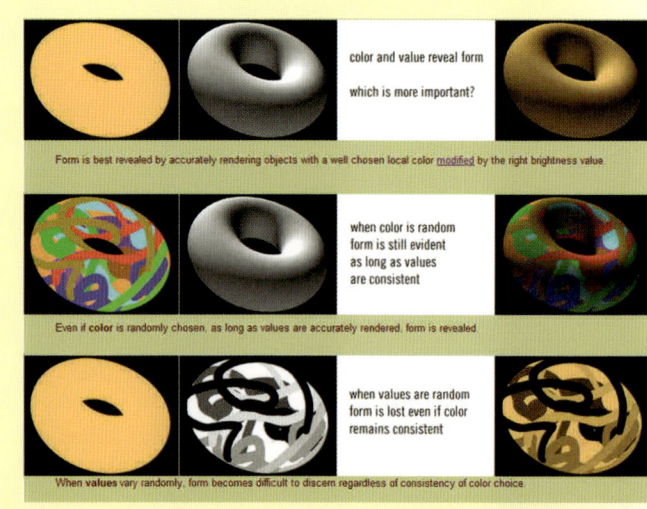

Joseph Francis, digitalartform.com

バイリニアフィルタリング

バイリニアフィルタリングは、中央の**テクセル**（**テクスチャマップのピクセル**）を囲む4つのテクセルについて色の値を測定し、中央のテクセルの色の値を4つの値の平均値に設定することで、テクスチャのエッジを平滑化する手法です。**トリリニアフィルタリング**は、ミップマッピング（100ページを参照）で同じテクスチャのサイズが違うビットマップへ切り換えるとき、その変わり目を平滑化する手法です。

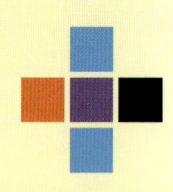

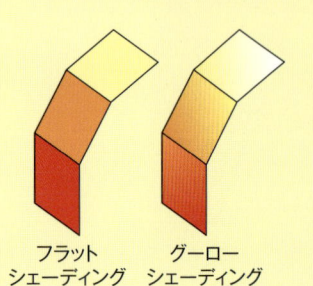

シェーディング

レンダリングエンジンは、ジオメトリエンジンから渡された光源に関する情報に基づいて、ポリゴンの表面に陰影（シェーディング）を付けます。基本となるフラットシェーディングでは、1つの面全体に同じ量の光が当てられ、隣接する面へ切り替わるところでのみ明暗が変化します。もっと手の込んだ写実的な手法に**グーローシェーディング (Gouraud shading)** があります。これはポリゴンの各頂点の色の値に基づき、ポリゴン面上での頂点間の段階的な陰影の変化を補間によって求める手法です。

フラットシェーディング　　グーローシェーディング

レイトレーシング

やがてソフトウェアとハードウェアの開発者は、ポリゴンにさまざまな色を適用するだけでなく、シェーダーにもっと多くの機能を備えられることに気づき、シェーダーの機能と他のレンダリング手法を融合させました。その1つが**レイトレーシング**です。これは光が物質に当たったときの自然な反射、吸収、屈折を考慮して光線の経路を計算する手法です。この融合によって、シェーダーは現実のカメレオンではあり得ないような特性を持ったカメレオンをポリゴンで表現できるまでになりました。

CHAPTER 7 ゲームが世界を創造する仕組み

頂点シェーダー

グーローシェーディング法の発展形として、現在最も強力なレンダリング手法の1つである**頂点シェーディング**が生まれました。グーローシェーディングと同様に、頂点シェーディングは三角形の3つの頂点が作る面上で段階的に変化する陰影を計算します。ただし、頂点シェーディングではアニメ制作者が物体に

転載：Pacific Fighters, Ubisoft　　　　転載：Pacific Fighters, Ubisoft

付与したいと考えるあらゆる性質を付与できます。たとえば、光度や温度以外に、重量や比重といった目に見えない性質までも考慮できます。特に有用な頂点シェーダーに**ディスプレイスメント（変位）**マッピングがあります。上の2つの画像のうち、左側は通常のアニメーションからキャプチャしたものです。条件的に限られた数のポリゴンを使って海面を作り出しています。一方、右側はディスプレイスメントを考慮したシェーダーで、各ポリゴンの高度だけでなく、ポリゴンを構成する個々のピクセルの高度も制御して、より複雑で写実的な海面を作り出しています。

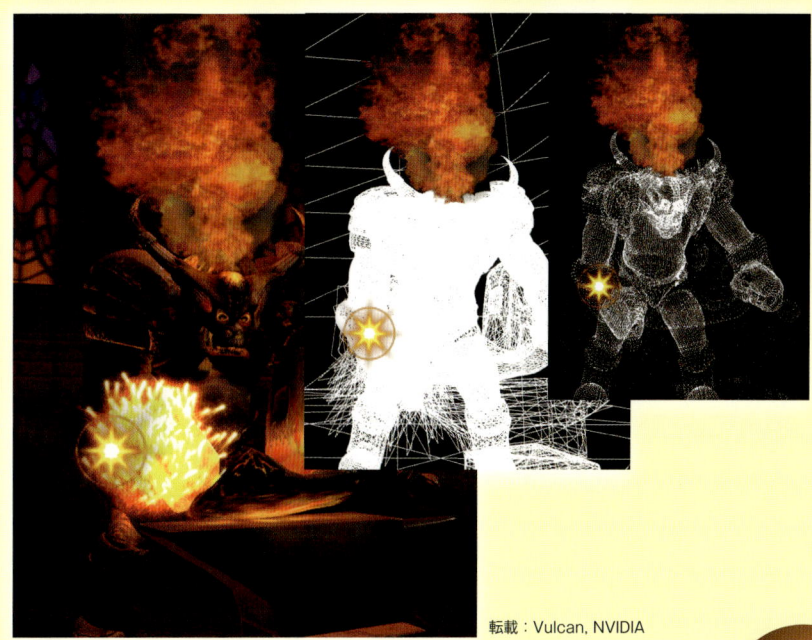

転載：Vulcan, NVIDIA

パーティクルシェーダー

頂点シェーダーは、アニメーションの中で物体が流動的に変化したり分裂したりする場面をリアルに表現するのに有効です。これは従来のポリゴンによる手法が得意としなかった分野です。さて、上に示した場面はNVIDIA社が火の神バルカン（Vulcan）をフィーチャーして作成したショートアニメーションからキャプチャしたものです。ご覧のとおりバルカンの胴体は従来のポリゴンによる手法で作られていますが、胴体からぱっと燃え上がる炎はワイヤーフレーム化されていないことに注意してください。ここでは**パーティクルシェーダー**が、ポリゴンとは独立に各ピクセルに作用して流動的な物体（物体とはいっても、それぞれ独立した微粒子）に統一的な見た目を与えています。

ゲームの世界に
キャラクターたちを
住まわせる仕組み

この惑星では毎日、何十万人もの人々が世界からひっそり姿を消して、私たちが見たこともない別の世界に姿を現します。そこは魔法を使う怪物、宇宙人、ただ生活をする人々で満ちあふれています。彼らはそこで、おそれを知らない冒険者、勇敢な姫君、魔法使いの弟子、あるいは何百人もの住人を率いる大胆なリーダーになります。その住人もまた、コンピューターの前に座って自らをパラレルワールドへ送り込んだ人々でもあるのですが、さて、そこに登場するキャラクターたちは **MMORPG (massively multiplayer online role playing game)** というタイプのゲームで再現されました。単に MMO とも呼びます。ここで鍵となる言葉は「**massively**」（大規模）です。何百万人もの有料登録者を獲得した MMO では、プレイヤーどうしが自分のコンピューターを使い、インターネット上で同時に同じゲームを楽しむことができます。

MMO の舞台

MMO は、コンピューター化される以前のロールプレイングゲーム「ダンジョンズ＆ドラゴンズ」(Dungeons and Dragons：D&D) から直接派生しました。多くの MMO が中世風のセットに神話上の怪物を登場させ、魔法がよく用いられるのは、これで説明が付く面もあります。しかし、MMO は伝統的な D&D ジャンルに限定されません。SF をベースとする MMO もあります。たとえば、「Star Wars：The Old Republic」や「EVE Online」がそれです。時と共に、MMO の種類と範囲はますます広がりを見せています。

1 現世を逃れて最初の一歩を踏み出すのは、**クライアント**ソフトウェアを販売店から購入するかダウンロードして自分のコンピューターまたはモバイル端末にインストールしたときです。クライアントは、インターネットを介して**サーバー**のプログラムに接続します。サーバープログラムは、ネットワークでつながれた多数のコンピューターに対して、MMO に入ったときに見える大規模な仮想世界を生成するために必要なすべての情報を保持するよう要請します。特に規模が大きな世界の1つ「**World of Warcraft**」は、200 仮想 km² 以上、マンハッタンの 4 倍の大きさがあります。サーバーは、そこで展開される世界を 1cm² たりとも漏らさず把握し、その中に存在する動物、天候、季節の変化、そして現実のプレイヤーの制御下にないキャラクターたちをことごとく描かなければなりません。

2 初めて MMO に入ったら、まず自分のアバターを作ります。これは**プレイヤーキャラクター** (player character)、略して **PC** とも呼ばれます。アバターはゲーム空間を動き回る自分の化身であり、他のプレイヤーからその姿が見えます。アバターの髪の色、体格、性別、さらには生物種も変更できます。ゲームに参加するとたいてい、専門的なスキルを備えたキャラクターを選ぶことができます。それらのキャラクターは、他のプレイヤーのキャラクタータイプに合わせて動くようにデザインされています。たとえば、兵士は生来戦いが得意で、魔法使いは遠方から攻撃魔法をかけることができます。また、他のキャラクターの能力を高める、つまりキャラクターに「バフ」をかけて延命させる祈祷師もいます。

3 ゲームに参加するのが初めてでない場合は、クライアントからサーバーに参加の意向が伝えられ、サーバーからクライアントへゲームの実行に必要なすべての情報（現在の自分の健康状態、持ち物、スキル、容姿）がダウンロードされます。サーバーとクライアントは、相互に常時連絡を保っているわけではありません。何千人ものプレイヤーがいるので、わずかな動きまで逐一報告していたら通信チャネルがたちまち詰まってしまいます。通常、サーバーが保持するのはゲームの全体状況で、ローカルに起こる出来事は、パソコンの画面に 3D 世界を展開するために必要な高負荷な計算も含め、クライアントが受け持ちます。ある決まった時間間隔ごとにサーバーとクライアントは状況更新や命令を交換します。この間隔をMMO では**ティック** (tick) と呼びます。

4 ゲームの世界に足を踏み入れると、他のプレイヤーのアバターに出会います。コンピューターサーバーのあるゲームは、他のプレイヤーと自由に会話できるチャットを維持することだけに専念してきました。ゲームによっては相手のキャラクターを餌食にする**プレイヤーキラー(player killer：PK)** が存在します。他のPCの中には見た目が恐ろしそうなものも存在しますが、たいていのゲームは争うよりも協力したほうが得をするようにデザインされています。パズルを解くように求めてくるゲームもあり、パズルが得意でなければパズル好きの人と一緒に行動するとよいでしょう。ドラゴンのような相当危険な生き物を打ち負かすために、大勢が体当たりする以外に手の打ちようがないこともあります。

5 MMOの中に存在する生き物の最後のタイプは、ゲームサーバーの支配下にあるモブです。**モブ(mob)** という呼び名は、**モバイルオブジェクト(mobile object：移動体)** を短縮したものです。森林に棲息する無害な生き物や**ノンプレイヤーキャラクター(NPC)** がモブのカテゴリに入ります。NPCは、商人のようなゲームにかかせない脇役を表します。商人は、コンピューター上では、ひと塊のパンや新しい剣の料金を請求することだけにかかわる存在として意識されます。商人は技術的にはモブに分類されますが、モブという用語は、どちらかというと危険な生き物に使われます。たとえば、邪悪な魔法使い、ドラゴン、海の怪物、下水道に棲息する巨大なクモ、ゾンビなどがモブとして登場します。MMOでは、これらの生き物がプレイヤーとの戦闘によって絶えず失われていくので、モブを再生しなければなりません。多くの場合、世界のいくつかの場所が**生成ポイント(キャンプ)** に指定されており、そこから新たなモブが世界に現れてきます。

6 一部のMMOでは非暴力的な芸術家や職人をキャラクターとして自分で新たに作り出すことができますが、ほとんどのマルチプレイヤーゲームで多くを占めるのは危険なモンスターのモブです。モブに接近するか武器を振り回して戦闘を開始すると、それに続く戦いがクライアントからサーバーに報告されます。サーバーは、戦闘にかかわるモブの種類を記録し、そのモンスターの健康状態とそれが使える攻撃方法を調べます。この情報がサーバーから送られてくると、クライアントはモブの人工知能に基づいてモブの攻撃を実行します。

7 戦闘中、クライアントは成功した打撃数を更新情報としてサーバーに伝え、プレイヤーと敵の双方の健康状態ポイントからそれぞれが被った打撃数を差し引き、点数が一定水準以下になった時点でどちらかが死にます。敵を倒して生き残った場合、プレイヤー本人とモンスター討伐に協力した他のPCに対して戦利品をモブから奪う資格が与えられます。クライアントは、モブから戦利品を手に入れたとわかるようにアバターを描きます。サーバーは、モブのデータベースレコードから戦利品をプレイヤーに移行することでその事実を公認します。モブを打ち倒すことは経験値を稼ぐ唯一の手段であり、経験値は一種の評価システムのようなものと考えられます。経験値が大きければ、それだけ能力やスキルが高まります。残酷に聞こえても、朝から晩まで仕事漬けにされるよりはましでしょう。

CHAPTER 8 セキュリティソフトウェアが侵入者を撃退する仕組み

ありがちなパスワード
- 12345
- funguy
- opensesame
- mypassword
- thisoneworks
- version4
- newpassword
- default
- guestpassword
- password1

パスワード
****

私たちにとってありがたいのは、たいていのコンピュータークラッカーが、ひどくうぬぼれの強い人物であることです。巨大企業のサーバーに侵入してウイルスを置いていくとか、自分で作成したわいせつ画面を会社のホームページと差し替えるといった行為は、人々に注目してもらいたいと考える人物によって行われます。デジタルの足跡としてプログラムやメモを残していく気持ちを抑えられず、怪傑ゾロを気取って「君はコンピューターを自分のものと思っているかもしれないけど、俺に乗っ取られているんだぜ」と伝えたいのです。

　ここでは**ハッカー**ではなく、**クラッカー**という用語を使うことにします。10代の若者が高校のコンピューターに侵入して自分の成績表のAの数を増やしたと聞くと、たいていの人々はそれがクラッカーの仕業だと考えるでしょう。ハッカーと名乗る人物がコンピューターシステムに侵入するのは興味本位か自分のスキルを試すためで、情報を盗んだり侵入したシステムを破壊したりすることは通常ありません。ハッカーはクラッカーを未熟で野暮な子供のような奴と軽蔑します。

　クラッカーとハッカーには共通点が1つあります。両者はどちらも自身の人生の使命に対して、修道僧ばりに献身的でひたすら忍耐します。彼らはその歩みをスクリプトキディから始めます。つまり、他人の書いた怪しいプログラムスクリプトの上面だけをまねて実行し、どうにかコンピューターの防衛線を破って虚勢を張って見せるわけです。ハッキングの世界はとてもクールで、とても閉鎖的です。スクリプトを完全に習得し、独自のスクリプトをいくつか書いて見せたとき、初めてハッカーの仲間入りを果たす（厳密に言えば、ハッカーとして認めざるを得なくなる）のです。自分の腕が一定の水準に達していることを証明するために、大掛かりなクラッキングに挑戦することもあるかもしれません。

　自身の能力を証明する行為はクラッカーの命取りになります。そもそも痕跡を残さずにクラックを仕掛けるのは簡単なことではありませんし、熱心なクラッカーは自らの行為をだれかに知らしめたいと考えるからです。このゲームの見返りは認知されることだけで、それを手に入れるには、ネットワークを運用する人々でさえ知らないセキュリティホールやバックドアなど、ネットワークセキュリティに関する幅広い知識が必要です。

　家庭のパソコンから、インターネットに接続された会社のスーパーコンピューターも含め、どのシステムも真の意味でクラックへの耐性はありません。とはいえ、自分のパソコンをクラッカーの攻撃から守るためのツールもあります。最近は、そうしたツール（ファイアウォールとウイルス対策ソフト）が、オペレーティングシステムにほぼ必ずと言ってよいほど組み込まれています。これらのユーティリティを利用すれば、パソコンを自分の管理下に置いておくことができます。

　それでも、日々のニュースを見ると、新たなウイルスが見つかったとか、サービス妨害（DoS）攻撃のせいで会社の受信回線がパンクしたとか、システムの故障がまるでカリフォルニアの山火事のように広がったというような報道を目にします。しかし、これらは真の意味で恐ろしいサイバー攻撃ではありません。クレジットカードの交換やパスワードの変更などの対策が常に可能だからです。一方、本当に危険なクラッカーは自分の活動を秘密にしておき、自制的に少額の現金のみを転送します。額が大きくないのでだれにも気づかれないのです。熟練のクラッカーに攻撃されたら何が進行しているかだれも気づきません。実際、現在攻撃が既に進行しているかもしれず、クラッカーが攻撃を止めたかどうかすらわからないでしょう。

ハッカーがシステムに侵入する方法

1 映画などではハッカーが簡単なキー操作で数分も経たないうちにコンピューターに侵入していますが、実際にコンピューターの深部でハッキングが進行して乗っ取られてしまうまでには数日から場合によっては数週間かかることもあります。コンピューターのハッカーは一連の手順に従って系統的にハッキングを進め、段階を踏むにつれて亀裂をより広くこじ開けていきます。

2 ハッカーは、会社規模、子会社、標的のコンピューターにアクセスできるベンダーなど、公的に入手可能な情報に基づいて攻撃目標の**事前調査**を実行します。

3 簡単に入手できるハッキングソフトウェアを用いて攻撃目標のコンピューターの**ポート**をスキャンし、侵入ポイントの候補を探します。ポートは、コンピューターが提供する各種のサービス（ネットワーク入出力や電子メール）を識別するための番号です。

4 この解析に基づき、ハッカーはすべてのポートおよびポート間の関係を示すマップを作成します。これを用いて、ポートにランダムなデータを送信し、システムで使われているファイル転送や電子メールのソフトウェアの種類の特定を試みます。多くのポートサービスが応答として返すデータには**バナー**が付いていて、それによってポートを使うソフトウェアが特定されます。ハッカーは、ソフトウェアの脆弱性がリストされたオンラインデータベースにそのソフトウェアが載っていないかを調べます。ポートの中には本当の掘り出し物があって、ユーザーの名前やパスワードが変更される日付をそこから探れる場合もあります。

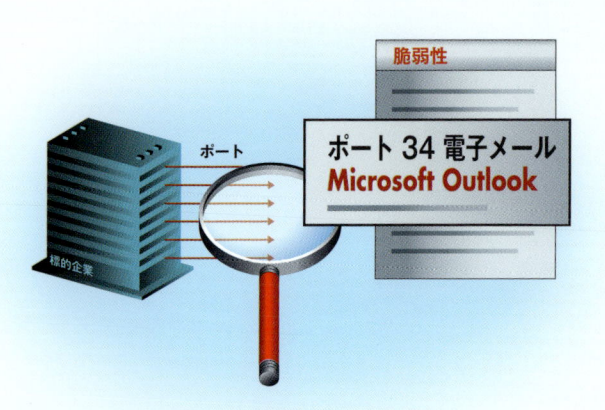

5 標的のシステムにアクセスするためにハッカーは次の 2 つの方法を使います。1 つ目はローテクなやり方で、社員と連絡を取り、だましてパスワードを聞き出す方法です。たとえば、IT 部門のサポート要員になりすまして電話し、「セキュリティ上の問題が発生したのであなたのパスワードを確認する必要があります」などと告げます。大胆なハッカーはオフィスを直接訪れ、社員が画面に向かってタイプ入力している傍らでパスワードを盗み見ることもあります。

6 2 つ目の方法は**ブルートフォース**攻撃です。ハッカーは、取得したユーザー名と共に、なんらかのハッキングプログラムを用いてシステムへのログオンを試みます。システムからパスワードを求められると、ハッキングプログラムは opensesame や 12345 といったパスワードの候補を集めたリストから単語を取り出して応答します。そして、リストを使い尽くすか、たまたま正しいパスワードに出会うか、エラー試行回数が制限値を超えてホストからユーザーがロックアウトされるまで、この操作を繰り返します。

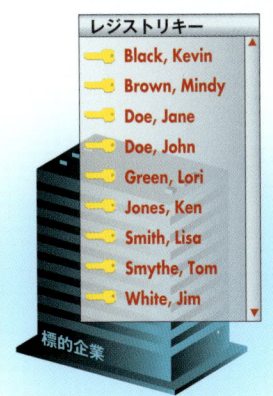

7 ハッカーは、ユーザーレベルの権限でシステムに入った後、システムに対してより強力なアクセス権を持つ高位のユーザーのパスワードを探します。このとき、レジストリキーや電子メールが有力な情報源となります。

8 最終的に、ハッカーはネットワークの最高機密とされる区域にアクセスし、一見無害に見える**トロイの木馬**プログラムをネットワーク上の 1 つ以上のコンピューターにアップロードします。これらのプログラムは、人間の目やウイルス検出プログラムからは通常の無害なファイルに見えます。実際は、これは**バックドア**を開くプログラムであり、そこからハッカーはネットワークに自由に入ることができます。

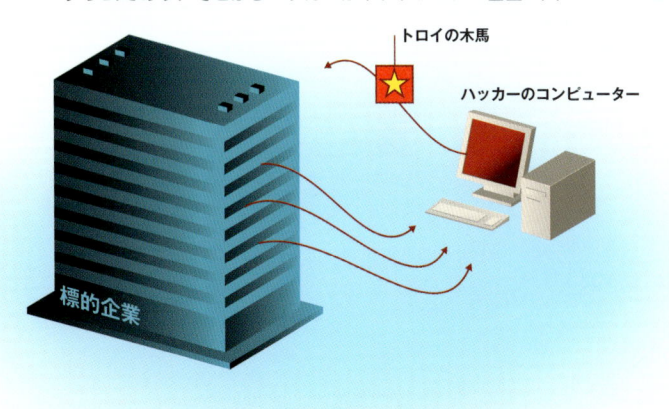

スパイウェアがあらゆる活動を報告する仕組み

1 **スパイウェア**は、パソコンを使うユーザーとその活動に関する情報をマーケティング担当者や広告主に送信するハードドライブ上のプログラムです。通常、この情報送信はユーザーの知らないところで行われます。スパイウェアの近縁である**マルウェア**は、スパイウェアの情報を使って製品の広告を表示します。その際、ユーザーが閲覧するウェブサイトの傾向に基づいて情報を表示します。

2 ウェブページのリンクの中にはクリックしたとき、ハードドライブへスパイプログラムを送り込むものがあります。しかし、ふつう、スパイウェアがシステムに仕込まれるのは、評判があまり良くない情報源からフリーソフトウェアをダウンロードしたときです（残念ながら、評判が良い情報源で起こることもありますが）。プログラムをインストールするとき、スパイウェアも一緒にインストールされます。ウイルス対策ソフトとファイアウォールは、ユーザーが自らダウンロードしてインストールされるスパイウェアについては、何もブロックしてくれません。

3 コンピューターから情報を収集するプログラムをインストールすることになる旨の警告は、通常、ソフトウェアの「**プライバシーポリシー**」の中に書かれています。この情報はダウンロードページにあるか、インストール中に表示されます。そのような細則はほぼ読まれません。

4 Windows の場合、ほとんどのスパイウェアは Program Files フォルダー内の別のプログラムを装ってインストールされます。オペレーティングシステムに直接組み込まれるタイプのスパイウェアもあり、これは見つけるのが困難で、情報を抜かれる危険性も高まります。

CHAPTER 8 セキュリティソフトウェアが侵入者を撃退する仕組み　111

5 インストールされたスパイウェアプログラムは情報の収集を開始します。自制的に全般的な情報のみを収集し、個人を特定するようなデータを収集しないプログラムも存在します。しかし、スパイウェアの中には、すべてのキー操作を記録するもの（当然、タイプ入力したパスワードもこれに含まれる）、ワープロソフトや表計算ソフトで作成したドキュメントをのぞき回るもの、ユーザーが訪れたウェブページをすべて記録するもの、ファイルを探し回ってクレジットカード番号のように見える情報を収集するものなど、有害なものが多く存在します。この情報が Cookie に格納される場合もあります。ただし、Cookie 自体は有害でなく、スパイの存在を示すものではありません。

6 スパイウェアの活動はデータの収集に限られません。スパイウェアは、コンピューターにできることならたいてい何でもすると考えるべきです。たとえば、使用しているブラウザーのブックマークにウェブサイトを登録したり、起動時に開くホームページを変更したりすることができます。

7 スパイウェアは**バックチャネル**を開きます。バックチャネルとは、コンピューターの通常の操作の裏でこっそり設定されたインターネットリンクであり、スパイ活動を行った人物とつながっています。スパイウェアは、コンピューターで見つけた情報をバックチャネルで送信します。アドウェアの形を取るスパイウェアは、取得した情報を使って、ユーザーの興味に沿った広告を表示します。

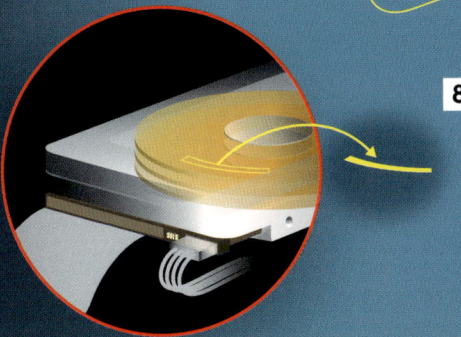

8 スパイウェアを取り除こうとすると、多くの場合、邪魔が入ります。プログラムによっては、**トリックラー (trickler)** と呼ばれるものが仕込まれていて、削除してもそれがすぐにスパイウェアを再インストールします。アンインストールすれば、通常、スパイウェアと共にダウンロードしたプログラムの動作はともかく止まります。

スパイウェア対策

スパイウェアを自力で取り除こうとしないでください。結局、一杯食わされるのが落ちです。システムに固有のスパイウェア管理ツールが用意されていない場合は（たとえば、Windows には専用ツールがありません）、Spybot – Search & Destroy や Ad-Aware SE のようなプログラムを入手してください。どちらも無料です。なお、スパイウェアを追跡して取り除く仕事に終わりはありません。また、どんなに優れたプログラムでも常にすべてを発見できるわけではありません。

ウイルスがコンピューターに侵入する仕組み

1 **ウイルス**が生成されるのはプログラマがプログラムにコンピューターコードを意図的に感染させたときです。そのコードは、自分自身を複製する、身を隠す、特定のイベントの発生を監視する、破壊的な（またはいたずら半分の）ペイロードを発症させる、といった機能を持ちます。**ペイロード**とは、感染後にどんな行為を行うかを指示するコードのことです。

2 感染したプログラムが動作を開始すると、最初にウイルスコードが実行されます。通常、このコードは次の4つのアクションを実行します。

複製：ウイルスが自分自身のコピーを他のプログラムファイルに挿入します。ウイルスの各子孫は、その後、コンピューターがウイルスに感染したプログラムを実行するたびに自分自身を複製します。

ブートセクター感染型ウイルスは、マスターブートレコードを標的とします。コンピューターはこのレコードを最初に読み込んでディスクの構成を調べないと、他のファイルにアクセスできません。ここに潜むことにより、ウイルスはオペレーティングシステムが読み込まれる前に活動を開始できます。

ファイル感染型ウイルスは、実行可能なプログラムファイル（.COM、.EXE）を探します。このウイルスは多くの場合、自身のコピーをプログラムの**ヘッダー**の直後にコピーします。ヘッダーはファイルの先頭にある小さなコードセクションで、ファイルの種類を示す情報が入っています。これで、プログラムの正規の部分が実行される前に必ずウイルスが実行されるようになります。

イベント監視：ウイルスは動作を開始するたびに、特定の条件（通常は特定の日付）を確認します。そして引き金となる条件が成立した場合、破壊的なペイロードを発症させます。引き金となるイベントが存在しなければ、何もせず、ただ自分自身を複製します。

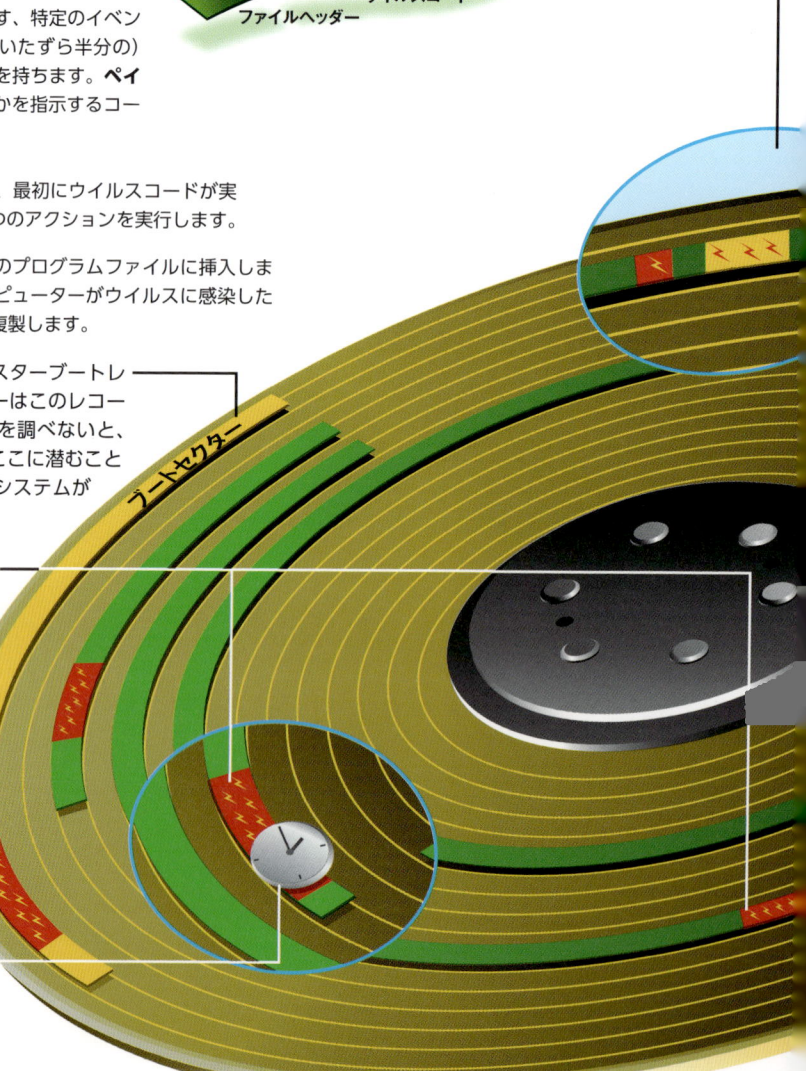

プログラムファイル本体

ウイルスコード

ファイルヘッダー

ブートセクター

偽装：ステルス型ウイルスは、ウイルス対策ソフトから発見されないように自分自身を偽装します。こういったウイルスが利用する偽装では、ウイルスのコードに偽コード（機能を持たず、変化し続けるコード）を織り交ぜます。このウイルスは、複製のたびに、さまざまな偽コードを生成してそのウイルスを検出するためのシグネチャコードを役立たなくします。また、ヘッダー内のファイルサイズに関する情報を改ざんしてプログラムファイルが本来の正しいサイズであるかのよう見せることもあります。

発症：引き金となる条件が成立したとき、ウイルスはそのペイロードを発症させます。このアクションにウイルス本来の存在理由があります。ペイロードが無害な場合もあります。たとえば、ただ「だまされちゃったね」というメッセージを表示するようなケースです。一方、破壊的なペイロードは、ドライブのファイルや情報を消去したりごちゃ混ぜにしたりすることがあります。結果的に、オペレーティングシステムはディスク上のファイルをどうやって見つけたらよいかわからなくなります。特に狡猾なウイルスは、その存在を明かさないまま、気づかれないようなわずかな変更をファイルに加えます。たとえば、会計ソフトの数値をランダムに変更する、パスワードを盗む、遅延時間を挿入してコンピューターの動作速度を落とす、などです。

3 ウイルスの中には自分自身をメモリにコピーするものがあります。そこで、ウイルスは引き金となるアクション（特定のキー入力など）を絶えず確認できます。この**メモリ常駐型ウイルス**は、ウイルス対策ソフトによる感染ファイルの探索を監視し、ウイルスの検出を回避するための偽情報を返すこともできます。

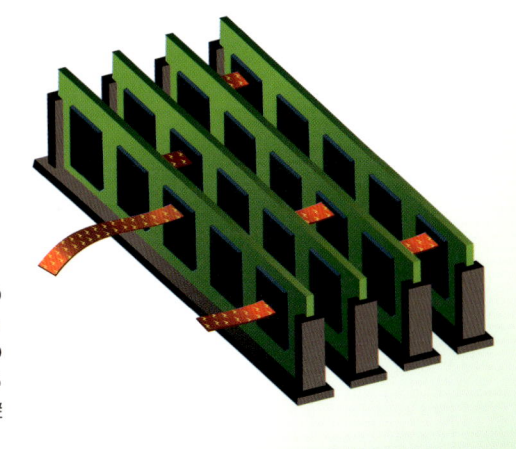

電子メールでウイルスが運ばれる仕組み

1 疑うことを知らない被害者が、知人から（あるいは本人が利用している銀行などの公的な機関から）送られてきたように見える電子メールを受け取ります。タイトルには、うまくそそのかして電子メールを開かせるために「二次会の写真！！！」とか「お客様の口座情報が漏洩しました」というような誘い文句が書かれています。

2 この電子メールには、次の3種類のウイルスのどれかが仕込まれています。

添付ファイルウイルスは、電子メールメッセージに添付されたプログラムです。さまざまな形式を取りますが、特によく使われるのは、写真や動画のように見せかけて被害者に実行させるという方法です。添付ファイルの名前に手を加えてファイルの本来の性質を隠蔽します。たとえば、vacation.jpg.vbs というような名前の添付ファイルを使います。「vbs」に気づけば、それが Visual Basic スクリプト（プログラムの一種）であると判断できますが、多くのユーザーは名前の「jpg」に目が留まり、休暇中に撮影した写真だと思い込みます。添付ファイルはウイルスとして特によく利用されており、実行した時点で、ユーザーは感染します。

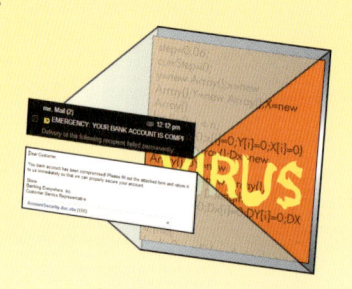

HTMLウイルスは、**アクティブコンテンツ**コードで、その実体は **JavaScript** や **ActiveX** というプログラミング言語で書かれた小さなプログラムです。アクティブコンテンツは、ウェブ上で何かを購入したり、フォームに情報を記入したり、投票を行ったり、対話型ウェブページに参加したりするときに使われます。HTML形式のメッセージを開いてもHTMLウイルスは画面に表示されません。

MIME (Multi-Purpose Internet Mail Extensions) ウイルスは、ブラウザーや電子メールクライアントのセキュリティホールを利用します。犯人は、電子メールのヘッダー内のフォームに、**バッファー**（フォームの項目のために予約されているメモリ）が保持できる以上の情報を書き込みます。項目を保持するバッファー内の空き領域が使い果たされると、**あふれた部分**（ウイルス）がスタックメモリに漏出します。**スタックメモリ**はマイクロプロセッサがプログラムを実行する領域であり、そこで正規のコードの代わりにウイルスが実行されます。

3 何がウイルスの攻撃開始の契機になるかは、ウイルスの種類によって異なります。

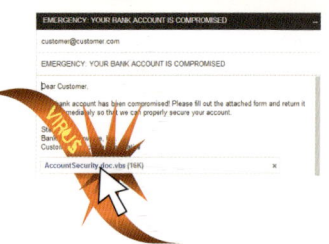

添付ファイルウイルスは、被害者が添付ファイルのファイル名をダブルクリックしたときにのみ実行されます。

HTMLウイルスは、被害者がメッセージを読むために開いたときに活動を開始します。プレビューウィンドウでメッセージを表示しただけでもウイルスは起動します。

MIMEウイルスは、表示しなくても実行される場合があります。電子メールクライアントは、ヘッダーに仕込まれたコードセクションに基づき、このメッセージを受信者（被害者）が何もしなくても実行できるファイルであると判断します。幸い、最近のほとんどの電子メールクライアントは、この種の攻撃を防ぐようになっています。

CHAPTER 8　セキュリティソフトウェアが侵入者を撃退する仕組み

4 電子メールに仕込まれたウイルスはさまざまないたずらをしますが、その中で筆頭に挙げるべきは、自分自身を伝播させることです。ウイルスは、被害者のアドレス帳、以前の電子メール、さらにはWordやExcelで作成された文書を検索し、そこから名前と電子メールアドレスを抽出します。

5 ウイルスは取得したアドレスを用いて被害者の友人や取引先に自分の複製を送信します。その送信にはウイルスをここまで運んできたものと同じ電子メールを使います。ウイルスは、簡単に追跡されないようにするためにアドレス帳からランダムに取り出した名前を差出人フィールドに設定することがあります。数分の間に、ウイルスは何百台ものコンピューターに拡散します。その際、ウイルスが見つけた被害者のファイルの中から手紙やスプレッドシートをでたらめに選んで添付することもあります。

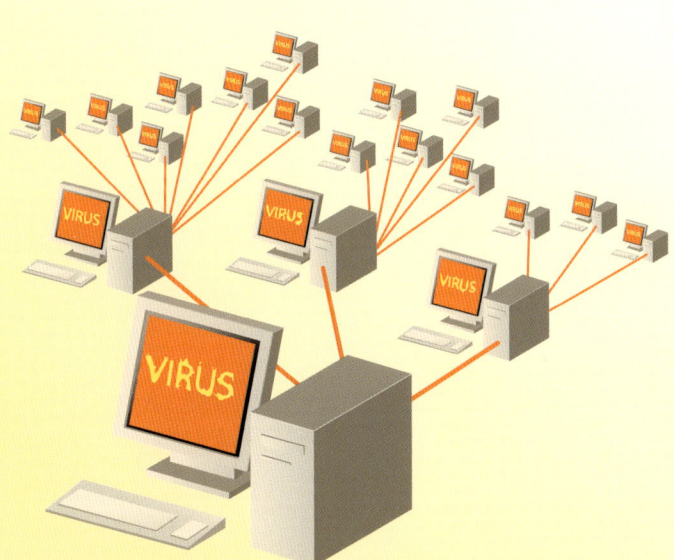

6 最終的に、オリジナルのウイルスから複製された何千ものウイルスがそのペイロード（悪質なコード）を発症させます。ペイロードには、からかいのメッセージを表示するだけのものから、ハードドライブを消去するものまであります。ウイルスによるペイロードの発症は、ウイルスの複製直後に行われることもあれば、だいぶ時間が経ってから行われることもあります。また、毎日同じ時刻に行われることもあります。

巧妙なウイルス

ユーザーをだましてコンピューターにウイルスを感染させる手口は、ますます巧妙になっています。たとえば、VBS.Hard.A@mmウイルスは電子メールメッセージに添付され、VBS.AmericanHistoryX_II@mmという存在しないワーム（不正プログラム）について警告を発します。このメッセージのタイトルは「FW: Symantec Anti-Virus Warning;」で、詳細は添付のメモを参照せよと誘導します。
添付ファイルwww.symantec.com.vbsを開くと、Internet Explorerのホームページが偽のウェブサイトに設定され、そこで架空のワームに関する警告が表示されます。さらに、この偽ウイルスの警告のコピーがアドレス帳の全員に送信されます。また、毎年11月24日になると、感染したすべてのコンピューターは、「驚かないで！　間抜けな君にちょっと警告しただけだよ。お気をつけて！」というメッセージを表示します。

ウイルス対策ソフトが
応戦する仕組み

1 ウイルスに対する最初の防衛線は、マスターブートレコード、プログラムファイル、およびマクロコードを検査してウイルスの有無を確認する**ウイルス対策ソフト**です。**シグネチャスキャナー**がブートレコード、プログラム、およびマクロの内容を調べて怪しいコードセクションを探索し、既知の全ウイルスを登録したテーブル内にそれと一致するウイルスがリストされていないか確認します。新しいウイルスに対抗するために、このテーブルは定期的に更新されます。

2 ステルス型ウイルスはシグネチャスキャナーによる検出を巧みに逃れるので、それに対抗するために**ヒューリスティック方式の検出プログラム**が、時間や日付のイベントで動作を開始するコードセクション、.EXEファイルを検索するルーチン、オペレーティングシステムを迂回して実行されるディスク書き込みなどが存在しないか調査します。

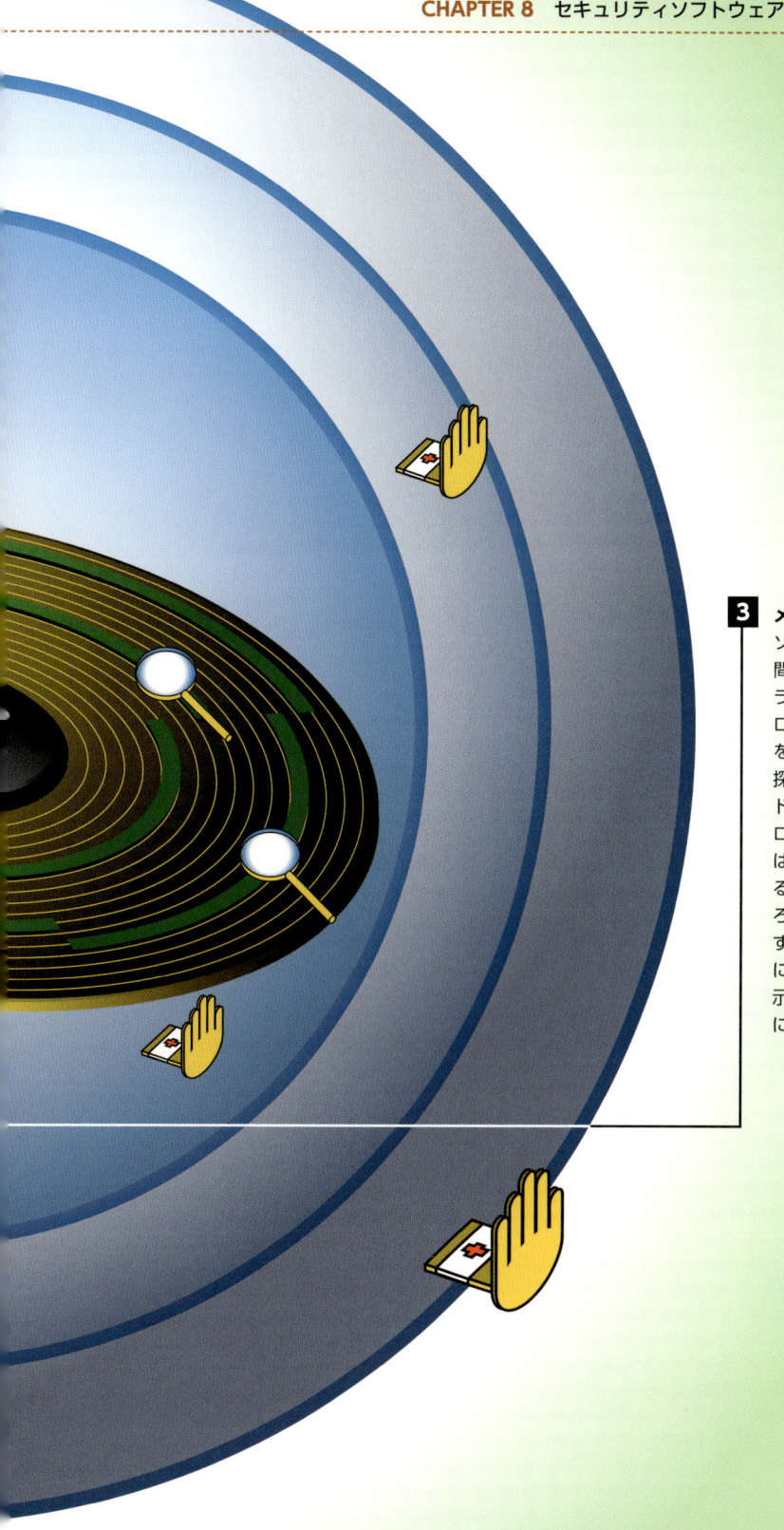

CHAPTER 8　セキュリティソフトウェアが侵入者を撃退する仕組み　117

3 **メモリ常駐型**のウイルス対策ソフトは、他のソフトウェアアプリケーションが動いている間もバックグラウンドで処理を続けるプログラムをRAMにインストールします。このプログラムは、コンピューターのすべての動きを監視してウイルスに関係するアクションを探します。たとえば、ファイルをダウンロードする、インターネットのサイトから直接プログラムを実行する、ファイルをコピーまたは解凍する、プログラムコードに変更を加える、といった操作や、実行後もメモリに留まろうとするプログラムが調査の対象になります。そして怪しい操作を検出すると、それらに停止するよう命令し、警告メッセージを表示し、ユーザーから許可が出るまで処理を先に進めないようにします。

ファイアウォールがハッカーの侵入を防ぐ仕組み

1 コンピューターの所有者やネットワークの管理者は、コンピューターとインターネットの間に防火壁（つまり、**ファイアウォール**）を設けるために専用のソフトウェアまたはハードウェアをインストールします。ハードウェアの場合には通常、ファイアウォール機能がルーターに組み込まれています。ソフトウェアとハードウェアのどちらのファイアウォールも、コンピューターやネットワークに侵入するハッカーの試みを阻止するように設計されています。

2 ファイアウォールの管理者が一連の**ルール**を設定し、それに基づいてファイアウォールがインターネットからの好ましくない侵入を排除します。ファイアウォールは不必要な**ポート**を閉じて、ハッカーに探索されないようにします。電子メールやファイアウォール内部のだれかが要求したデータを除くすべての着信トラフィックをブロックする場合もあります。

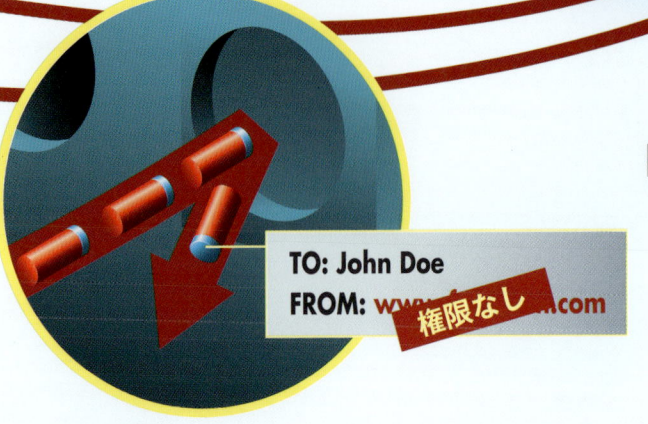

3 そうしたルールの1つに**パケットフィルタリング**があります。インターネットを介してコンピューターに送られてくるデータは、小さなひと塊のデータである**パケット**の形を取っており、発信元と送り先に関する情報を含んでいます。ファイアウォールは、各パケットを検査し、データの発信アドレスがアダルトサイトなどの有害サイトを登録したリストに含まれていれば、パケットをブロックします。

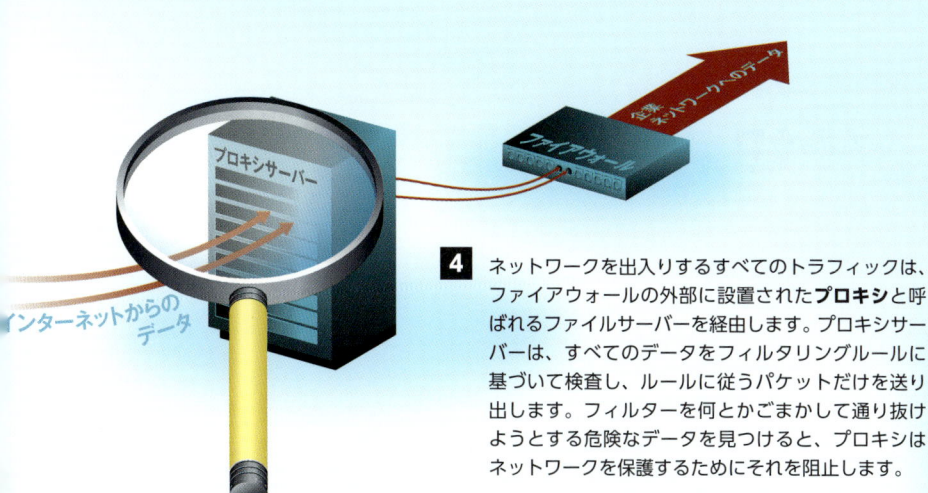

CHAPTER 8　セキュリティソフトウェアが侵入者を撃退する仕組み

4 ネットワークを出入りするすべてのトラフィックは、ファイアウォールの外部に設置された**プロキシ**と呼ばれるファイルサーバーを経由します。プロキシサーバーは、すべてのデータをフィルタリングルールに基づいて検査し、ルールに従うパケットだけを送り出します。フィルターを何とかごまかして通り抜けようとする危険なデータを見つけると、プロキシはネットワークを保護するためにそれを阻止します。

5 ファイアウォールは各パケットの重要な部分を、**ステートフルインスペクション**と呼ばれるプロセスを用いて、既知の安全データに関するデータベースと比較します。パケットのデータは、ファイアウォールが以前に確認したデータと似ていなければなりません。ファイアウォールは、送られてきたデータで検閲を通過したものだけを最終的な行き先へ送り出します。テストに合格しなかったパケットは、後続のデータパケットで上書きされて破棄されます。

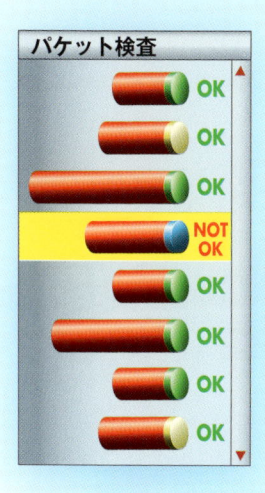

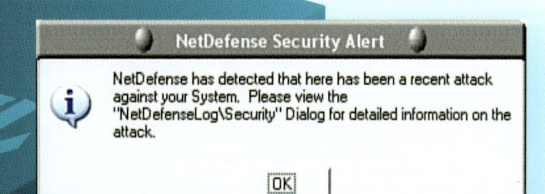

6 ファイアウォールは、疑わしい活動を検出すると、ポップアップウィンドウや電子メールの形で**警告**を出してコンピューターのユーザーまたはネットワークの管理者に、だれかが侵入を試みていることを通知します。

7 また、ファイアウォールは侵入の事実を**セキュリティログ**に記録として残します。ここには攻撃の種類と、侵入コードを送ってきたコンピューターのIPアドレスが記録されます。通常、ファイアウォールは、コンピューターを出入りしたパケットの記録も残します。この情報を、インターネットサービスプロバイダー (ISP) か、コンピューターのヘルプスタッフに報告するとよいでしょう。

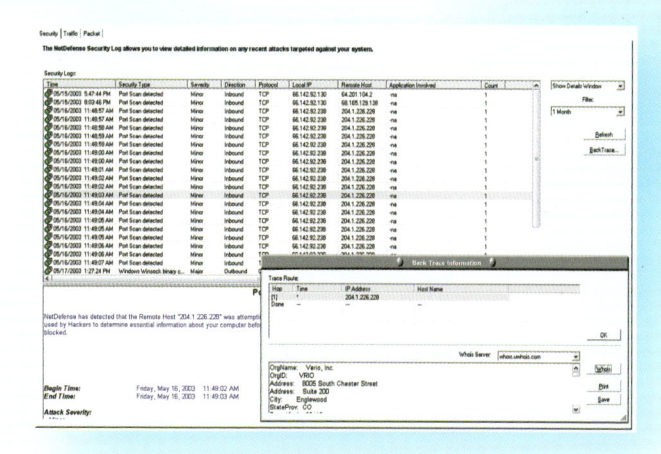

スパム発信者が標的を見つける方法

スパム発信者が利用する公的な情報源

1 スパム発信者は必ずしも自分の手でスパムリストを作るわけではありません。多くの場合、他の業者からリストを購入します。業者は、さまざまな技法を用いて電子メールアドレス（またはその候補）を収集してリストを作成し、高値を付けた人にリストを売ります。

2 スパム発信者は、インターネットにスパイダーと呼ばれる自動化されたプログラムを送出します。スパイダーはウェブページ間を探索してリンクに埋め込まれた電子メールアドレスやページに投稿されたアドレスを収集します。収集したアドレスはスパムリストの作成者に送り返されます。

3 スパイダーは、Usenetニュースグループも探索して電子メールアドレスを収集し、見つけたアドレスをスパムリストの作成者に送り返します。

4 チャットルームを訪れて、参加者の電子メールアドレスを一気に収集するタイプのスパイダーもあります。

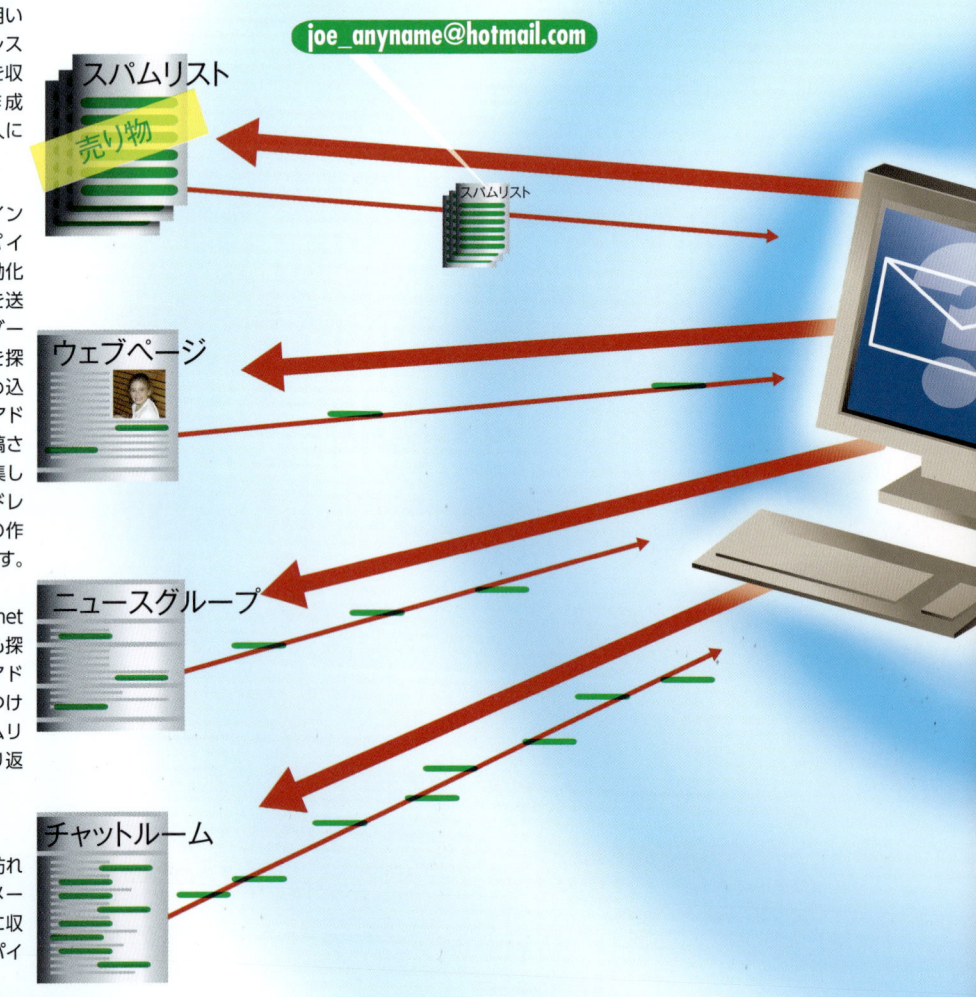

電子メールディレクトリからの収集

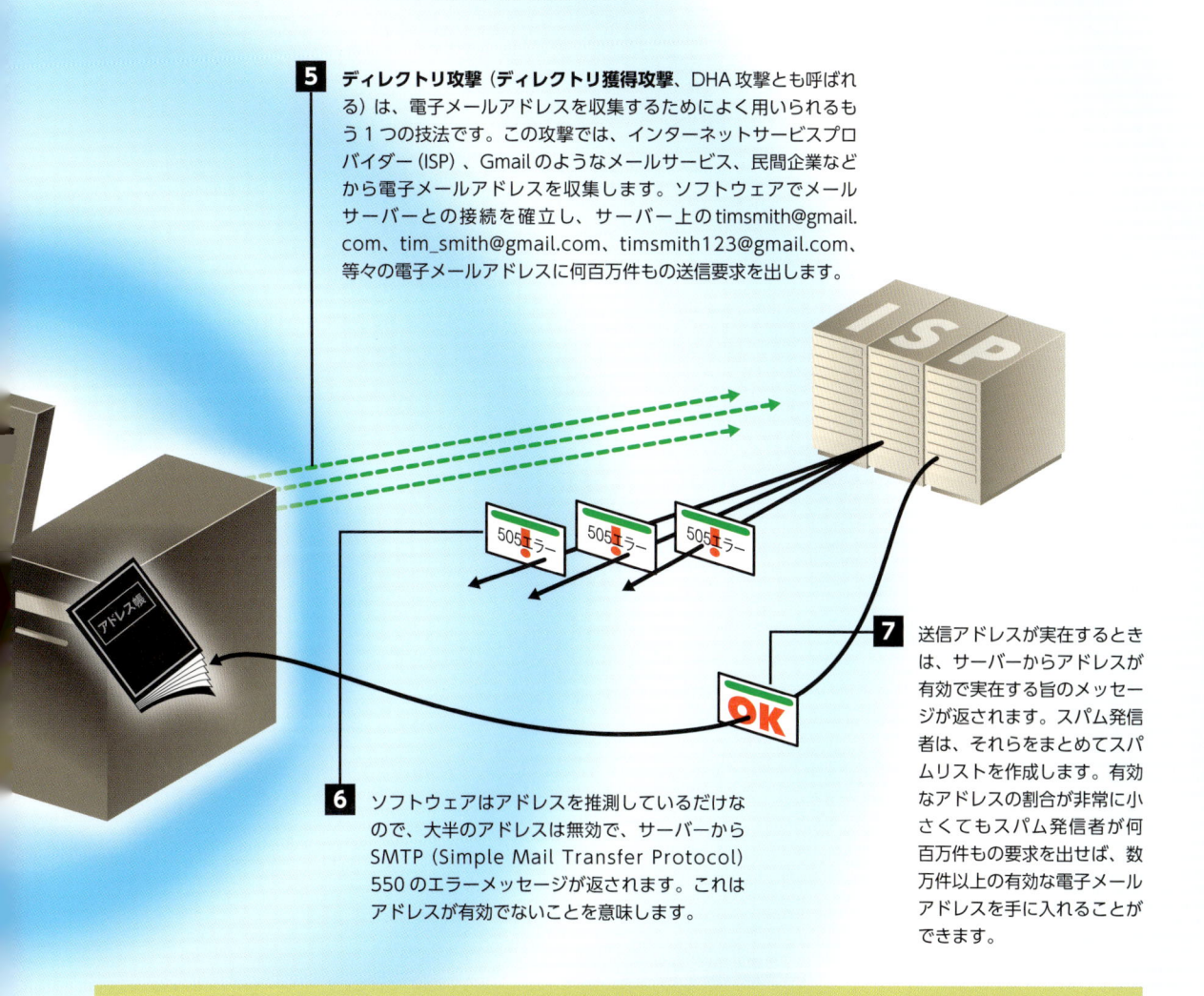

5 **ディレクトリ攻撃**（ディレクトリ獲得攻撃、DHA 攻撃とも呼ばれる）は、電子メールアドレスを収集するためによく用いられるもう 1 つの技法です。この攻撃では、インターネットサービスプロバイダー（ISP）、Gmail のようなメールサービス、民間企業などから電子メールアドレスを収集します。ソフトウェアでメールサーバーとの接続を確立し、サーバー上の timsmith@gmail.com、tim_smith@gmail.com、timsmith123@gmail.com、等々の電子メールアドレスに何百万件もの送信要求を出します。

6 ソフトウェアはアドレスを推測しているだけなので、大半のアドレスは無効で、サーバーから SMTP（Simple Mail Transfer Protocol）550 のエラーメッセージが返されます。これはアドレスが有効でないことを意味します。

7 送信アドレスが実在するときは、サーバーからアドレスが有効で実在する旨のメッセージが返されます。スパム発信者は、それらをまとめてスパムリストを作成します。有効なアドレスの割合が非常に小さくてもスパム発信者が何百万件もの要求を出せば、数万件以上の有効な電子メールアドレスを手に入れることができます。

アドレスがスパムの標的になるまでの時間

スパム発信者は公的な情報源から電子メールアドレスをどれだけ効率的に収集するのでしょうか？　米国連邦取引委員会と司法当局によるある調査によれば、それは「非常に効率的」とのことです。この調査では、新規作成した 250 の電子メールアドレスをインターネット上の 175 の場所で公開して、各アドレスにどれだけスパムが送られてくるかを調べました。アドレスを公開した場所は、ウェブページ、出会い系サイト、チャットルーム、伝言板、Usenet ニュースグループなどです。公開して 6 週間の間に、それらのアドレスが受信したスパムは 3,349 件で、ウェブページに公開したアドレスの 86％がスパムを引き寄せました。また、ニュースグループに公開したアドレスも同じ比率でスパムを引き寄せました。チャットルームはスパムを引き寄せる力が最も強かったかもしれません。チャットルームで使用したあるアドレスは、公開してからたった 9 分後にスパムを受信しました。

スパム対策ソフトウェアが
スパムを見つけ出す仕組み

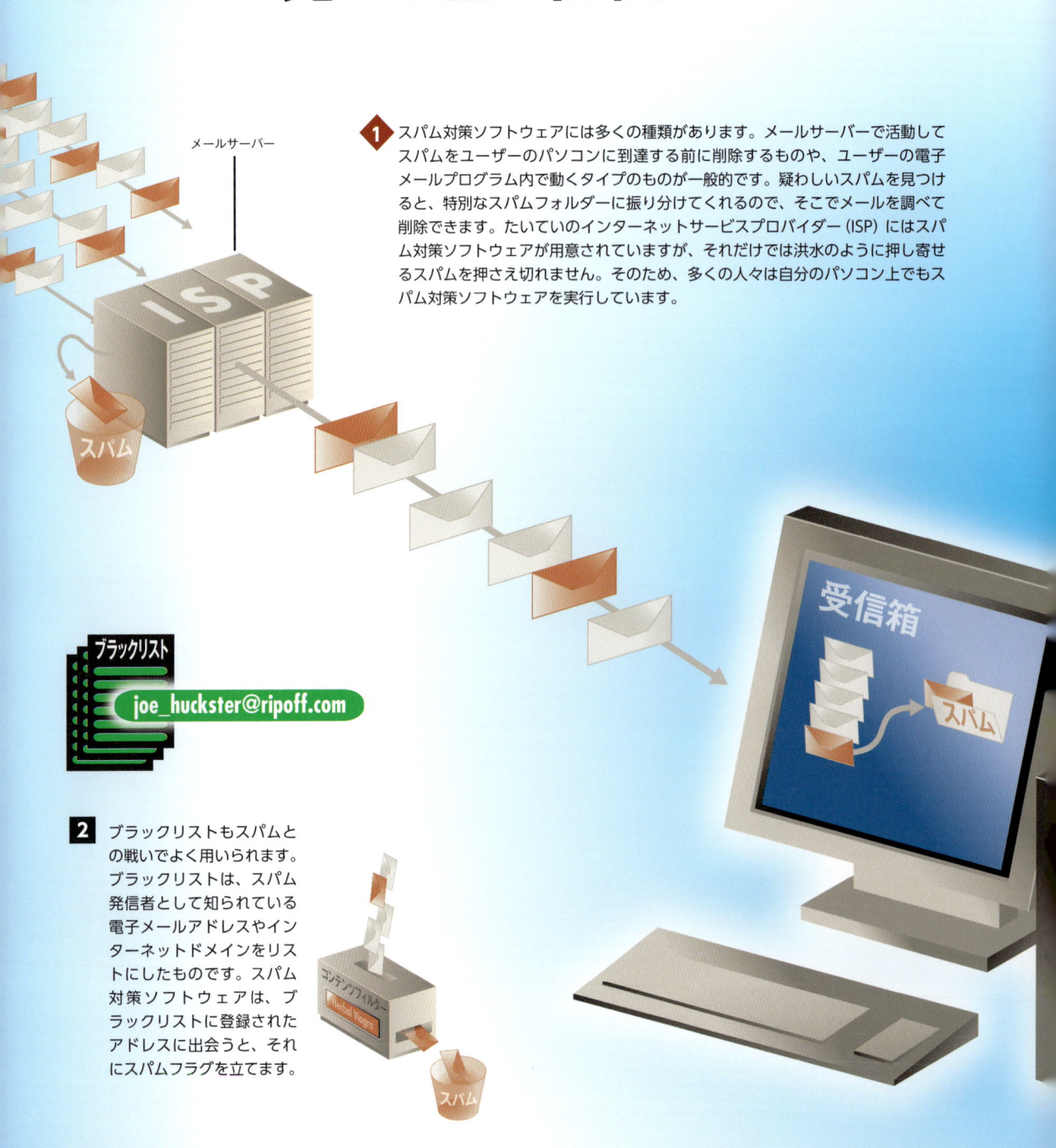

1 スパム対策ソフトウェアには多くの種類があります。メールサーバーで活動してスパムをユーザーのパソコンに到達する前に削除するものや、ユーザーの電子メールプログラム内で動くタイプのものが一般的です。疑わしいスパムを見つけると、特別なスパムフォルダーに振り分けてくれるので、そこでメールを調べて削除できます。たいていのインターネットサービスプロバイダー（ISP）にはスパム対策ソフトウェアが用意されていますが、それだけでは洪水のように押し寄せるスパムを押さえ切れません。そのため、多くの人々は自分のパソコン上でもスパム対策ソフトウェアを実行しています。

2 ブラックリストもスパムとの戦いでよく用いられます。ブラックリストは、スパム発信者として知られている電子メールアドレスやインターネットドメインをリストにしたものです。スパム対策ソフトウェアは、ブラックリストに登録されたアドレスに出会うと、それにスパムフラグを立てます。

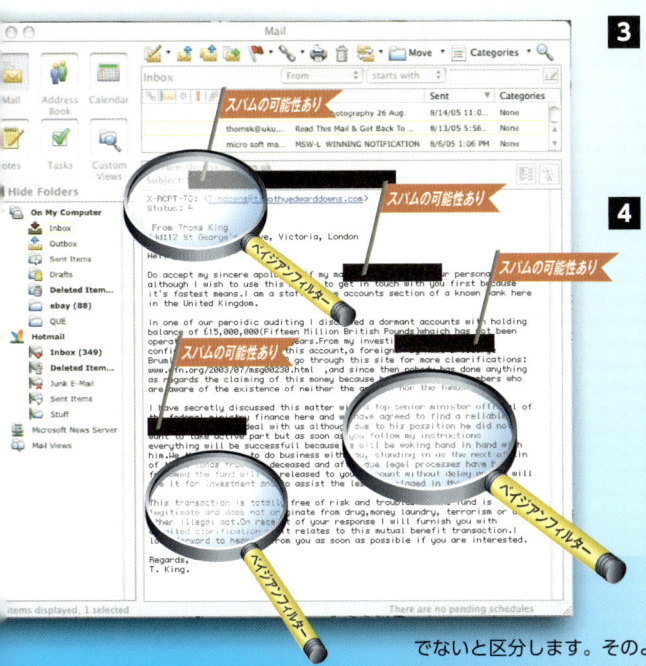

CHAPTER 8 セキュリティソフトウェアが侵入者を撃退する仕組み

3 スパム対策ソフトウェアは、コンテンツフィルタリングも利用し、電子メールメッセージの本文とタイトル行を調べてスパムの徴候を示す語句を探します。スパム対策ソフトウェアは、スパム発信者がよく使う「高収益」などの語句を集めたデータベースを保持しており、「自宅で高収益を上げよう！」といったタイトル行に出会うと、そのメッセージをスパムと見なします。

4 ベイジアンフィルターは、おそらく最も強力なスパム対策手法です。ベイジアンフィルターでは、メッセージの実際の内容が分析されます。その内容がスパムの特徴を集めたデータベースと比較され、メッセージがスパムである確率が計算されます。ある決まったしきい値を超えるメッセージはすべてスパムと見なされ、しきい値以下のメッセージはスパムでないとされます。このフィルターを調節してしきい値を変更することにより、積極的にスパムと見なすか、あるいは逆にその判断を控え目にすることができます。積極的にスパムと見なすとスパムの件数は減りますが、**本来スパムでないメッセージがスパムと見なされるケース**が増えます。逆にスパムの判断を控え目にするとスパムの件数は増えますが、誤ってスパムと見なされるメッセージは減ります。ベイジアンフィルターを使用しているときに、受け取ったメールを、ある場合は明示的にスパムと区分し、ある場合は明示的にスパムでないと区分します。そのようにしてベイジアンフィルターを長く使い続けると、スパムかどうかを明示的に区分したときの情報がデータベースに追加され、判断がより的確に行われるようになります。ベイジアンフィルターは、特定の語句を含む電子メールをブロックするだけのコンテンツフィルタリングよりも効果的です。それはスパム発信者が語句のスペルを変更するだけで効果を失うからです。

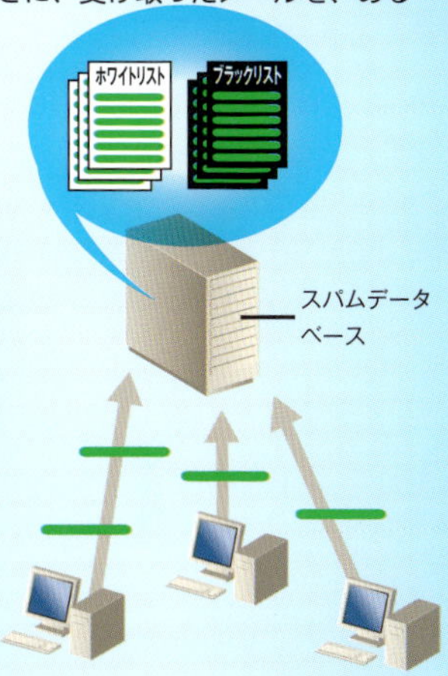

5 ホワイトリストは、そこに登録したアドレスがスパム対策ソフトウェアで常に有効なアドレスとして扱われるようにするものです。たとえば、あるスパム対策ソフトウェアはユーザーの連絡先リストを調べ、そこに含まれているすべてのアドレスをホワイトリストに自動的に追加します。必要なアドレスをホワイトリストに明示的に追加して、スパム対策ソフトウェアでブロックされないようにすることもできます。

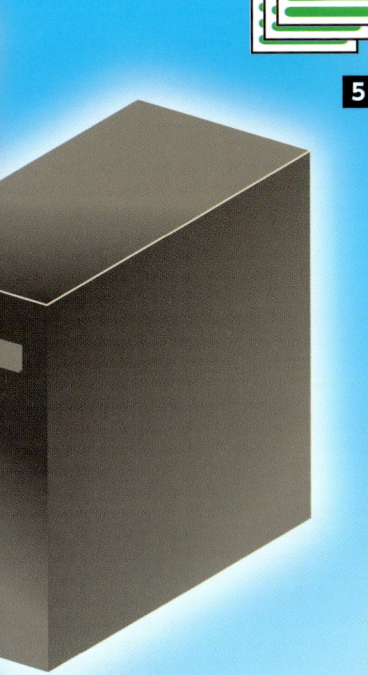

6 スパムと戦うためにピアツーピア技術を使うソフトウェアもあります。スパム対策ソフトウェアを利用するいずれかのユーザーが、あるメッセージを明示的にスパムと区分します。この情報は、ブラックリストとホワイトリストを管理している中央のサーバーに送信され、その後、各ユーザーのコンピューター上のソフトウェアが中央のサーバーからの情報で更新されます。

Spammerwocky とは？

「inexorable lie stone liver conclude grandma trickster」（冷酷な嘘石レバーがばあちゃん詐欺師を締めくくる）のようなわけのわからない語句をランダムに並べたスパムがあります。これは Spammerwocky と呼ばれる手法で、スパムフィルターをだましてメッセージがスパムでないことを信じ込ませるために使われます。スパム発信者は、ランダムな語句を含めればベイジアンフィルターがスパムと解釈しないだろうと希望的に考えています。しかし、スパム対策ソフトウェア側も抜かりはなく、Spammerwocky を検出する方法を備えています。

素数によって秘密が守られる仕組み

1 インターネットを介して情報を交換するとき、その情報が部外者に読まれたり改ざんされたりしないようにするには、**暗号化**ソフトウェアを用いて2つの**鍵**を生成します。

2 一般に、このソフトウェアは2つの**素数**を掛け合わせます。素数とは、1と自分自身以外では割り切れない数です。その数を記録するために最大128ビットが使われます。これだけのビットを使うと、3,402,823,669,209,384,634,633,746,074,300,000,000,000,000,000,000,000,000,000,000,000 とおりの組み合わせを表現できます。2つの素数がどちらも75桁だとするなら、その積は150桁になります。この2つの素数から**秘密鍵**が作られます。その作成者が秘密鍵の唯一の所有者です。

3 秘密鍵の所有者は2つの素数の積を求め、その値をだれでも読める場所に公開します。それは印刷物だったり、オンラインディレクトリだったりします。その値から**公開鍵**が作られます。

4 別の人が最初の人に秘密の文書を送信するときは、公開鍵を用いてファイルを暗号化します。公開鍵はソフトウェアで用いられる**アルゴリズム**の変数の1つとされます。ここでアルゴリズムとは、データを一定の方法で変更して最初の文書を判読不能なものにする一連の操作の集合を指します。アルゴリズムの簡単な例は「アルファベット順に1文字ずらす」です。たとえば、HALという文字列にこれを適用するとIBMになります。このときの暗号解読の鍵は、「アルファベット順の逆に1文字ずらす」です。

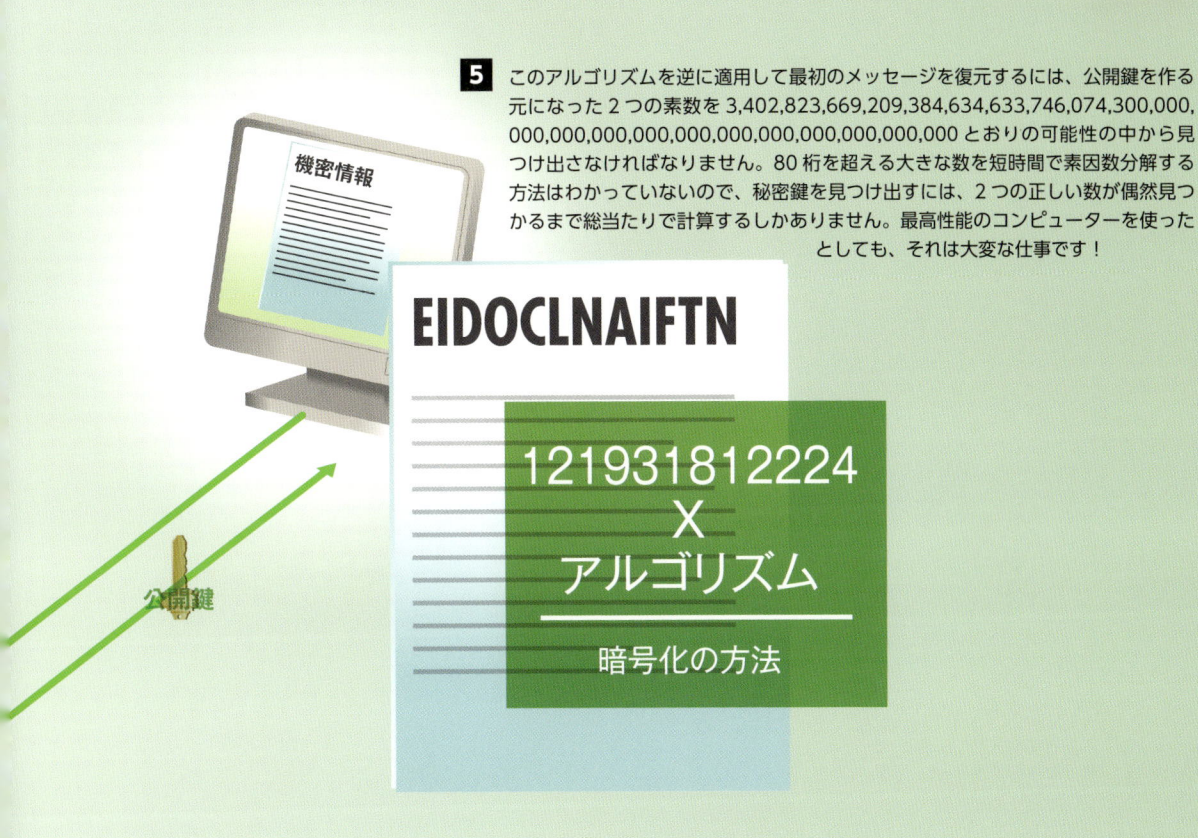

5 このアルゴリズムを逆に適用して最初のメッセージを復元するには、公開鍵を作る元になった 2 つの素数を 3,402,823,669,209,384,634,633,746,074,300,000,000,000,000,000,000,000,000,000,000,000 とおりの可能性の中から見つけ出さなければなりません。80 桁を超える大きな数を短時間で素因数分解する方法はわかっていないので、秘密鍵を見つけ出すには、2 つの正しい数が偶然見つかるまで総当たりで計算するしかありません。最高性能のコンピューターを使ったとしても、それは大変な仕事です！

EIDOCLNAIFTN

121931812224
×
アルゴリズム

暗号化の方法

6 公開鍵を用いた暗号化は**デジタル署名**でも使われています。一般に、デジタル署名を作成するときは**メッセージダイジェスト**（すなわち、**ハッシュ値**）が計算されます。これは文書の内容をハッシュアルゴリズムで処理したときに生成される値です。得られた値は、文書を数学的に要約したものと考えることができます。その後、このハッシュ値を秘密鍵で暗号化します。

7 メッセージの受信者は、送信者の公開鍵を使ってハッシュ値を復号します。受信者は送信者が使ったのと同じアルゴリズムで文書を処理します。その文書が正規の送信者から送られてきたものであれば、2 つのハッシュ値は一致します。文書がコンマ 1 個でも変更されていたり、送信者が本人ではなく他の人がなりすましていたりしたら、ハッシュ値は一致しません。

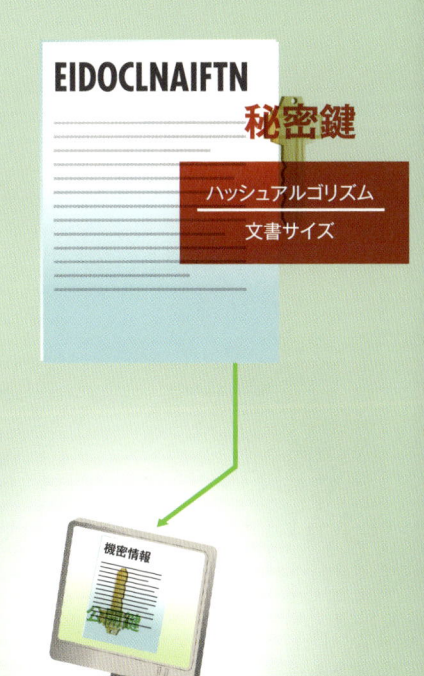

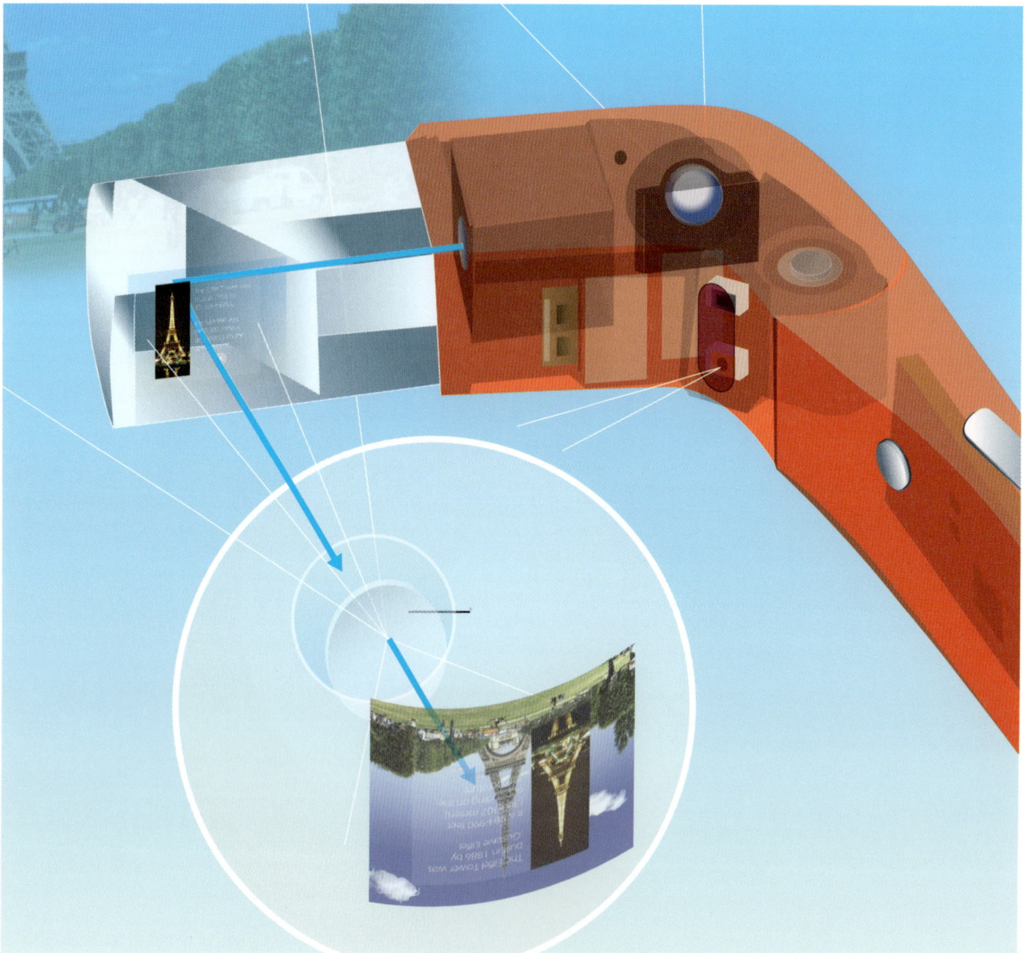

PART 3

コンピューターの進化

CHAPTERS

CHAPTER 9　コンピューターのDNAの起源　130

CHAPTER 10　小さな変化が大きな成果を生み出す仕組み　154

CHAPTER 11　小型になったパソコン　168

CHAPTER 12　スーパーコンピューターの進化　180

CHAPTER 13　カメラが思い出を記録する仕組み　192

累積的自然淘汰による進化論は、我々の知る限り、組織化された複雑性の存在を原理的に説明しうる唯一の理論である。

―リチャード・ドーキンス

無生物が進化するという考えには違和感があります。進化というと、魚が水から陸地に上がり、苦労しながらようやく陸上で一人前に生きられるようになるまでにかかった計り知れない歳月が思い浮かぶでしょう。恐竜は何千万年にもわたって地球を支配しましたが、あるとき巨大な小惑星が地球に衝突し、ちりとがれきで世界が覆われると、太陽光が遮られて、食料となる植物が育たなくなって絶滅しました。滅びかけた恐竜の種族から最初の鳥類が発生し、現在見られる1万種もの鳥に進化しました。同様に生き残った生物の1つである**単弓類**は、6,500万年の歳月を経て現在の哺乳動物へと進化しました。私たち人間もその仲間です。

しかし、進化は植物や動物だけに限りません。言語や社会など、生物以外の体系も進化します。岩さえも進化します。最初は死んだ海洋生物が残した殻と骨の層だったものが、自らの重みによって生じた圧力を何百万年も受けて石灰岩に変化します。それからまた何百万年も圧力を受けると、石灰岩は大理石へと姿を変えます。さらに年月が経過して、大理石は浴室の洗面台へと変わります。

岩に起きるこのような変化は、本当の進化とは言えないかもしれません。**適者生存**の概念が作用していないからです。一方、コンピューターの進化を支配するのは適者生存です。生き残るには、ジュラ紀の恐怖に匹敵する情け容赦ない残忍さが必要になることもあります。生物学の世界では、進化的変化がのろのろと永遠に続くことがありますが、テクノロジーの進化はあっという間に訪れ、「前の大きな出来事」が終わる前に「次の大きな出来事」が起きることも珍しくありません。

このような速さになるのは、テクノロジーの進化的変化は、良くも悪くも偶発的かつ自然発生的な突然変異によって種の変化が起きる生物学的な進化とは異なるからです。この変化は、発案者や技術者、ソフトウェア開発者、それに狡猾な市場商人による、意図的で作為的な決定によって起こされます。彼らは進化を誘導しながら、ささいな変更も大幅な変更もその場の判断で行います。それもこれもすべて、競合他社からの攻撃を撃退しつつ、自分たちの発明品が10年先まで安全で収益性のある道筋を辿るように計画するためです。

生物学的な進化には、進化を誘導する知性がありません。だからといって、計画的で作為的なハードウェアとソフトウェアの変更が常に思い描いたとおりに実現するとは限りませんし、たとえ実現したとしても、それが良いアイデアになるとは限りません。マウスにWebページを移動するためのスクロールホイールとボタンを付けたのは素晴らしいアイデアでした。これこそ生き残りの特徴です。マウスの代わりに2台のフットペダルを使い、一方のペダルでカーソルを上下に、もう一方で左右に動かすというとんでもないアイデアが20年ほど前にありました。これは「ガラパゴス」という言葉を言い終わるよりも先に絶滅しました。

絶滅したのは、このばかげたマウスの代替品だけではありません。テクノロジーの発展において絶滅は日常茶飯事です。1981年にIBM社が発売したパーソナルコンピューターは、たちまち大ヒットしました。小型コンピューターをマニア向けのおもちゃから、ビジネス用の道具へと変身させたからです。出来合いの部品で作られたこの製品は、自分専用のコンピューターを持ちたいと切望していた人々にとって手の届く価格でした。しかし、マシンのDNAをさらけ出すというIBM社の戦略は、IBMクローンのウイルス的な増加を招きました。数年以内にIBM社の模造品が大量に出回るようになり、中には本物より高性能なものや、価格が安いもの、その両方を兼ね備えたものもありました。生き残りをかけた闘いは熾烈で、IBM PCは生き残りの仲間に入れませんでした。けれどもその亡霊は、IBM社のラップトップパソコンの子孫の権利を購入した中国企業であるLenovo社で生き続けています。右のページのグラフは、現在、食物連鎖の上位にいるメンバーを示しています。

パソコンの初期噴火に続いて、ソフトウェアの余震が起こりました。最初に人気を博したワードプロセッサは、Electric Pencil（電気鉛筆）という気の利いた名前で、1976年にApple用に作成されました。この製品の運命は、気が利いているだけでは長続きしないという教訓を与えました。1979年、Electric PencilはWordStarに敗退したのです。高性能で多機能なWordStarの天下は、1986年にWordPerfectがWordStarと他の55のワードプロセッサを打ち負かすまで続きました。少なくとも私にとっては、いまだにWordPerfectはプログラムの原始時代から這い出てきた最高のワードプロセッ

サです。WordPerfectはMicrosoft WordとMicrosoft社のマーケティング力にその座を追われ、生き残りをかけた闘いでは「適者」が「最高」に勝てることが証明されました。

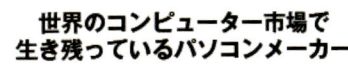

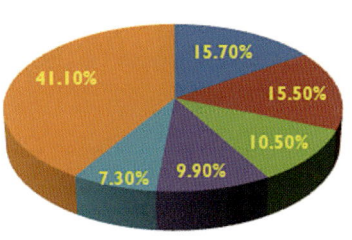

WordPerfectはまだ生き残っていますが、経験則からすると、トップに登り詰めるテクノロジーはどれも適切な地点でその座を降りるものです（Intel社のマイクロプロセッサは大きな例外です。ただし、Androidの普及と共に**ARMのプロセッサ**が追い上げています）。表計算ソフトのVisiCalcは、単体で何百万台ものパーソナルコンピューターの売り上げに貢献した製品ですが、Lotus 1-2-3に破れて絶滅し、そのLotus 1-2-3もExcelに敗退しました。ブラウザーのInternet Explorerは、Netscapeを支配的な立場から追い落としましたが、現在はFirefoxとChromeに追い上げられています。小型コンピューター用のオペレーティングシステムであるCP/Mは、新しいIBM PCのOSとして採用される寸前に、まさに運命のいたずら[1]によってその役割をMS-DOSに譲り渡しました。MS-DOSはWindowsへと進化しましたが、モバイル市場の拡大に伴ってWindowsもAndroidに押されて急速に後退しています。

現在は、インターネットが巨大な小惑星となり、古いテクノロジーの息の根を止めて新しいテクノロジーにその領域を譲ることで、テクノロジーの生態系を変えつつあります。Windowsは絶滅危惧種には（まだ）ほど遠いものの、Google社のAndroidオペレーティングシステムが、モバイルコンピューティング用に設計されたマイクロプロセッサと共に、ウェブの世界で勢いを増しています。この動きは注視する必要があるでしょう。本書のPart3では、テクノロジーの進化の過程について、マーケティングの「衝撃と畏怖」の手法には言及せずに明らかにしていきます。こうしたマーケティングには影響力がありますが、テクノロジーと物理学を主眼とした本書の範疇を超えています。

---

[1] 興味深い余談：CP/Mは、故ゲイリー・キルドールが生み出したオペレーティングシステムで、IBM PC以前のマイクロコンピューター市場にはこれに匹敵する製品はありませんでした。当然、IBM社は自社の新しいコンピューターでCP/Mを動かすための修正についてキルドールと話し合いたいと考えていました。しかし、IBM社の重役たちが面会に来たときに、キルドールは自家用飛行機を飛ばしに行っていて不在でした。責任者だったキルドールの妻、ドロシーは、IBM社のお偉方が要求する機密保持契約へのサインを嫌がりました。そこで、IBM社は代わりに、BASICというプログラミング言語でそこそこ成功を収めていたビル・ゲイツという人物に接触しました。
IBM社はゲイツに、Intel 8086プロセッサで動作するように改造できて、自社の新しいコンピューターの心臓部となるようなオペレーティングシステムがあるかどうかを尋ねました。ゲイツは、できないと答えれば生き残ることができないことを承知していました。そこで彼は「あります」と回答し、8086に適応可能なQDOS（Quick and Dirty Operating System）というオペレーティングシステムを開発していたプログラマのティム・パターソンにすぐさま5万ドルを支払いました（実話です）。その後のことはいうまでもないでしょう。それは生き残ったのです。

PART 3 コンピューターの進化

CHAPTER 9

コンピューターの
DNAの起源

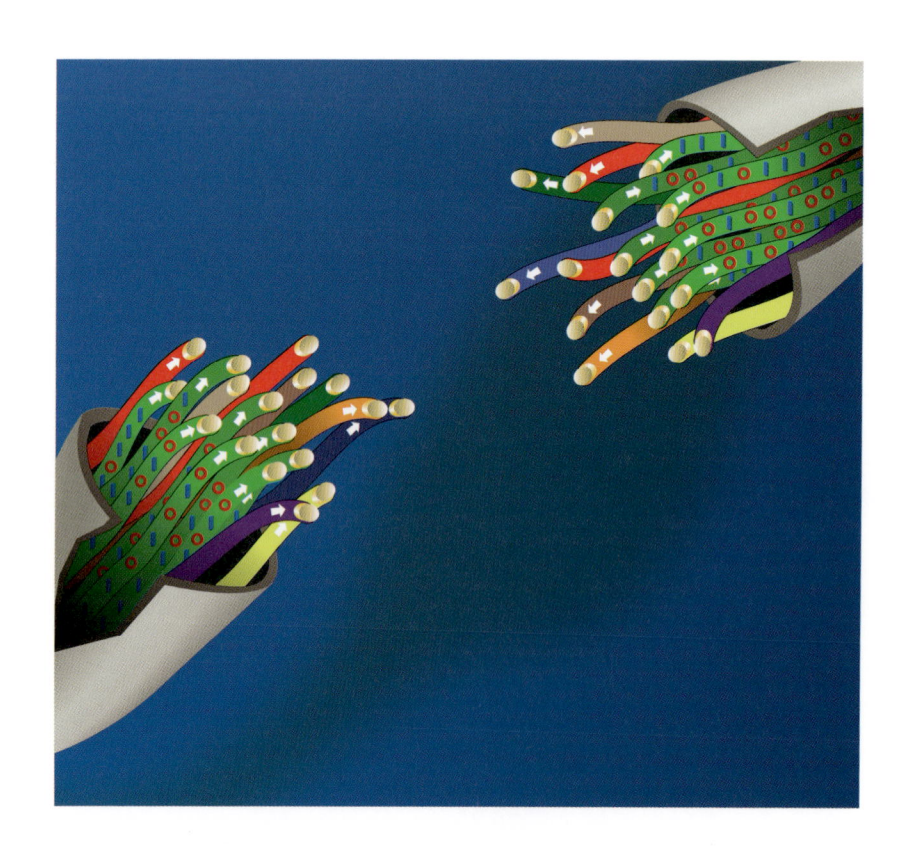

炭素系生命体である私たちに数十万年前までさかのぼる祖先がいるのと同様に、コンピューティングにも祖先が存在します。年月では人類に及びも付きませんが、現在使われているデジタルマシンの仕組みを理解するうえでは同じように重要です。コンピューター用語の中には、単語の系統を知っていないと意味をなさないものがあります。ハードドライブは、今ではめったに見かけないフロッピードライブから進化したためにそう呼ばれます。CDが"コンパクト"ディスクと呼ばれるのはなぜでしょうか。その理由は、CDがLPレコードのサイズ（直径30cm）のビデオディスクから進化した子孫だからです。

ランダムアクセスメモリ（RAM）という用語は、メモリ内のデータからデータへと手当たり次第に（ランダムに）アクセスする人のために設計されたメモリを連想させます。しかし、メモリチップとフロッピードライブやハードドライブが登場する以前は、プログラムとデータがビデオカセットのテープによく似た磁気テープに保存されていたことを知ると、RAMという用語の意味を理解しやすくなります。ビデオテープの先頭から途中の位置にジャンプできないのと同様に、大昔のコンピューターユーザーは、巨大な磁気テープの末尾に保存されたデータにアクセスするために、かなりの長さのテープを早送りして目的のデータを取り出す必要がありました。

しかし、コンピューティングの祖先から伝わったのは用語だけではありません。マストドンという祖先がいなかったら象が存在していないのと同様に、モバイル化以前の時代のさまざまな化石がなかったら、今のような姿のコンピューター、電話、テレビ、タブレット、プリンター、自動車、医療機器、その他多くは存在していなかったでしょう。

そうした化石たちを見ると、かつて実際に使われていたことに驚きを覚えるほど原始的に感じます。初期のモデムは、電話回線を通じてテキスト（のみ）を非常に低速で送信していたので、表示される文字を1文字ずつ目で追うことができました。しかし、それまで文字のメッセージを電話回線で送る手段がなかった人々にとって、のろのろ表示される単語でも画期的だったのです。これらなしでは、今のようなインターネットは存在しなかったでしょう。

デジタルの骨を掘り起こして得られる教訓がもう1つあります。3Dプリンターや3Dテレビ、音声認識、人工知能、家事ロボットなど、今はまだ貧弱だったり制限ばかりあるように見える発明品が、将来、私たちの子孫にとって、昔はこれなしでどうやって暮らせたのかと不思議に思うようなテクノロジーの祖先になるに違いないということです。ですから、多少は敬意を払いましょう。

モバイル化以前の時代の化石

かつて太古のオフィスでは、Apple 社の Mac を含むデスクトップパソコンが机の上を占拠していました。筐体がかさばるため、今では当たり前の、コンピューターの持ち運びができませんでした。筐体の大きなデスクトップパソコンには、拡張し、カスタマイズし、廃棄されたコンピューターから（人造人間を作り出すかのように）部品を取ってきて接続し、他にはない高性能のマシンを作るという楽しみもありました。現代は、モバイルデバイスによってその環境が大きく変化しています。

- 今では絶滅したか、伝説的なパソコンの墓場へと突き進んでいるパーツは赤で示します。
- 変化し続けるコンピューティングの生態系に適応してきた生存者は緑で示します。
- まだ進化の過程にあるパーツは青で示します。

A 電源ユニット：大型のコンピューターには、壁のコンセントから流れる激しい交流を穏やかな直流に変換するものが必要です。ラップトップパソコンやそれより小型のモバイルデバイスでは、バッテリを使用することで、絶え間ない電力変換の大部分が不要になっています。

B 光学式ドライブ：ファイルの保存や配布の手段としてクラウドが全面的に普及するまでは、新しいプログラムをロードし、CDをリッピングし、クラウドを信用しない人々のために家族写真のバックアップを作成するためにも、デスクトップパソコンや大きめのラップトップパソコンでは DVD ドライブが使われ続けるでしょう。ラップトップパソコンより小型のデバイスでは、光学式ストレージは絶滅したどころか、そもそも搭載が想定されていませんでした。

C テープドライブ：ファイルを見つけるのに時間がかかって面倒なテープバックアップが使われていた唯一の理由は、当時のハードドライブと比べて安価だったからです。今となってはその絶滅を嘆く人はいません。

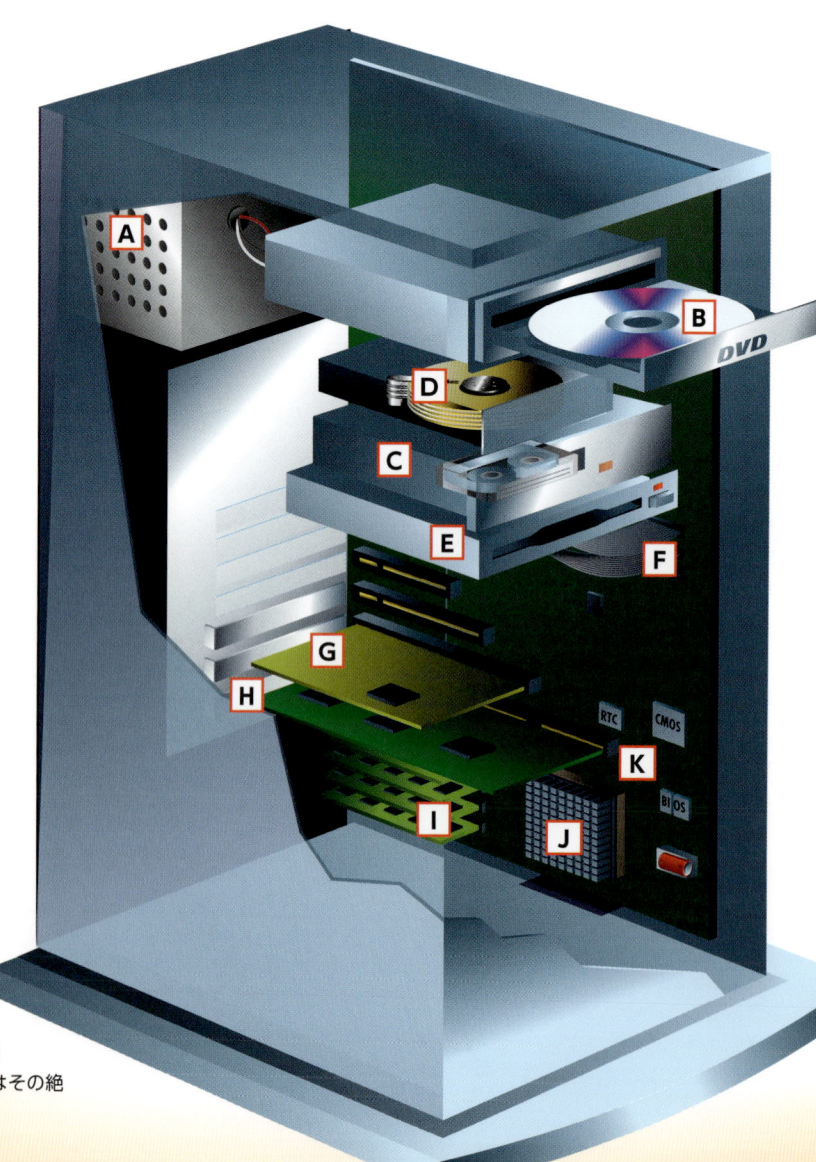

CHAPTER 9　コンピューターの DNA の起源

D ハードディスクドライブ：大量のデータを保存する手段としては今でも最も安価であり、iPod のような小型のモバイルデバイスでも使われています。しかし、単に楽曲を保存して演奏する以上の機能が必要なスマートフォンでは、ストレージとして RAM とクラウドが使われています。また、どのデバイスでも、巨大な大容量ストレージ以外は、RAM ベースの SSD が回転ディスクに取って代わりつつあります。

E フロッピードライブ：海の底で魚と一緒に眠っています。

F 幅の広いフラットなドライブケーブル：マザーボードとドライブを接続するケーブルは堅く、いつも配線が絡み合って扱いに苦労しました。今は細くて扱いやすい SATA ケーブルに置き換わっています。

G ビデオカード：熱烈なゲーマーでない限り、マザーボードに搭載されたビデオ回路があれば十分です。

H サウンドカード：かつては、コンピューターでビープ音以外の音を鳴らしたければサウンドカードが必要でした。今では、デスクトップパソコンやラップトップパソコンの内蔵サウンドがホームシアターアンプ並の性能を持っています。音にうるさいオーディオマニアでない限り、拡張カードは不要です。

I RAM：デスクトップパソコン、ラップトップパソコン、ノートパソコン、タブレット、スマートフォン、MP3 プレーヤー、スマートウォッチ、またはスマートグラスのどれを使っているにせよ、RAM は必要です。ただそれだけのことです。もちろん、何らかの**量子メモリ**を意味する可能性もあります。

J マイクロプロセッサ：種類やサイズにかかわらず、デバイスには必ずマイクロプロセッサ、つまり頭脳があります。マイクロプロセッサは独自の進化を経て、より高速かつ高性能になっています。

K デスクトップパソコンとラップトップパソコンに必須の機器には、常に次のようなものが含まれていました。
- すべてのコンポーネントが足並みを揃えて動作するように制御するためのリアルタイムクロック
- コンピューターの電源がオフになったときに、基本的で必須の情報を保持する CMOS チップと、CMOS チップに電源を供給し続けるバッテリ
- コンピューター内のコンポーネントに関する情報と、コンポーネントと情報をやり取りする方法の要約が記録された BIOS (basic input/output system)

この 3 つが提供する情報と機能は、特にモバイルデバイスでは、省スペースで更新が容易なフラッシュメモリに移行しつつあります。

L ファン/冷却：処理によって熱が発生します。チップやその他のコンピューターパーツは膨大な処理を行うので、デバイスが熱くなります。デスクトップパソコンではファンによる冷却が行われますが、小型のデバイスにはファンを取り付けるスペースがありません。小型で冷却能力の高い何かが進化しない限り、スマートフォン、グラス、およびタブレットの処理量と処理速度は、人体がどれだけの熱さに耐えられるかに左右されるかもしれません。

M USB ポート：ユニバーサルシリアルバスポートは、デスクトップパソコンからスマートフォンや小型デバイスまで、デバイス間でデータをきわめて効果的かつ高速に転送する手段なので、今後も長く使われ続けるでしょう。

N キーボードポートとマウスポート：ご冗談でしょう？今は USB ポートと Bluetooth がその役目を果たしています。

P パラレルポート：以前はプリンターの接続に使われていました。今のプリンターは USB、ネットワーク、Wi-Fi、または Bluetooth などで使用できます。

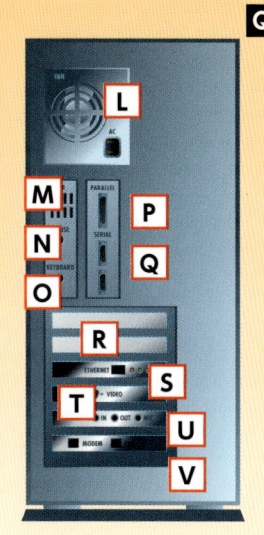

Q シリアルポート：ユニバーサルではないほうのポートです。当時は多目的に使われていました。ピン配列をさまざまな、ときには不可解な方法でつなぎ直すことをいとわなければ、ほぼどのような接続にも利用できました。今では、USB のほうが遥かに高機能で、いじり回す必要もありません。

R 拡張スロット：コンピューターが基本デバイスだったころは、コンピューターを構成して新しい素敵なことをさせるために、拡張スロットが不可欠でした。現在の拡張スロットは、コンピューターの能力をとことんまで追求したいスーパーオタクのための贅沢品です。

S ネットワークポート：ローカルエリアネットワークの世界には有線接続がまだありますが、Wi-Fi があればイーサネットポートは不要になります。モバイルデバイスでは、そもそもイーサネットポートの装備が不可能です。

T ビデオポート：デスクトップパソコンとラップトップパソコンでは、標準 VGA ポートにデジタルビデオポートと HDMI ポートが仲間として加わりました。タブレットとスマートフォンでは、画面、Wi-Fi、および NFC が内蔵されているので、有線のビデオ出力に対する需要はあまり高くありませんが、ミニ HDMI ポートとマイクロ HDMI ポートおよびアダプターで対応できるようになっています。

U オーディオポート：デスクトップパソコンには、5.1ch や 7.1ch オーディオを処理するための出力ポートがひととおり用意されていますが、モバイルデバイスには、ステレオ用のヘッドホンポートが 1 個しかありません。また、迫力あるオーディオを出力する必要がある場合も HDMI ポートしかありません。それも Bluetooth に移行しつつあります。

V モデム：もはやモデムを使って外の世界に接続するのは、木の棒を回して火をおこすくらい原始的な行為に思えます。

しぶとく生き残る遺物：マウス

プロセッサ、ストレージ、ユーザーインターフェイス、およびファンがさまざまな変遷を遂げてきたのを尻目に、有史以前（IBM PC 以前）から生き残っている 2 つの人工遺物がマウスとキーボード（136 ページを参照）です。モバイルコンピューティングへの移行に伴って、ポケットやブリーフケースや財布に収まるコンピューターが必要になり、これらの入力方式の重要性は低下しましたが、まだまだ必要な場面があります。ふだんはスマートフォンの仮想キーボードで文字を入力している人でも、大量の文字を入力するときはワイヤレスキーボードを接続するでしょう。また、モバイルデバイスのジェスチャーインターフェイスは確かに便利ですが、タブレットやスマートフォンで写真を修正したりアクションゲームをプレイしたりするときはマウスのほうが使いやすいはずです。

1 **光学式マウス**を動かすと、マウスでなぞっている表面をレーザーや発光ダイオード（LED）が照射します。熱心なゲーマーたちは、レーザーマウスと LED マウスの精度、正確さ、トラッキング性能について論争しています。テンポの速いアクションゲームをプレイしている場合、違いは問題にならないでしょう。

2 硬貨より小さいデジタルカメラが、光で照射された表面をプラスチックレンズ越しに見ています。カメラは毎秒数百枚の写真を撮影し、マウスの速度と方向がわかるような画像間の違いを探します。

3 カメラは表面を白黒のみで見ています。ここに示す表面の微細パターンは、フレームとフレームの間で下方向と右方向に移動しているので、マウスが上方向と左方向に移動したことがわかります。

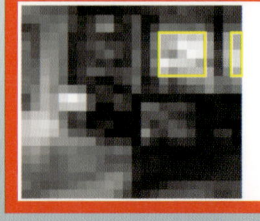

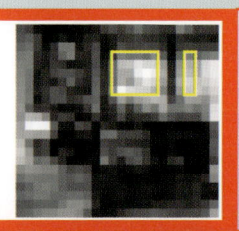

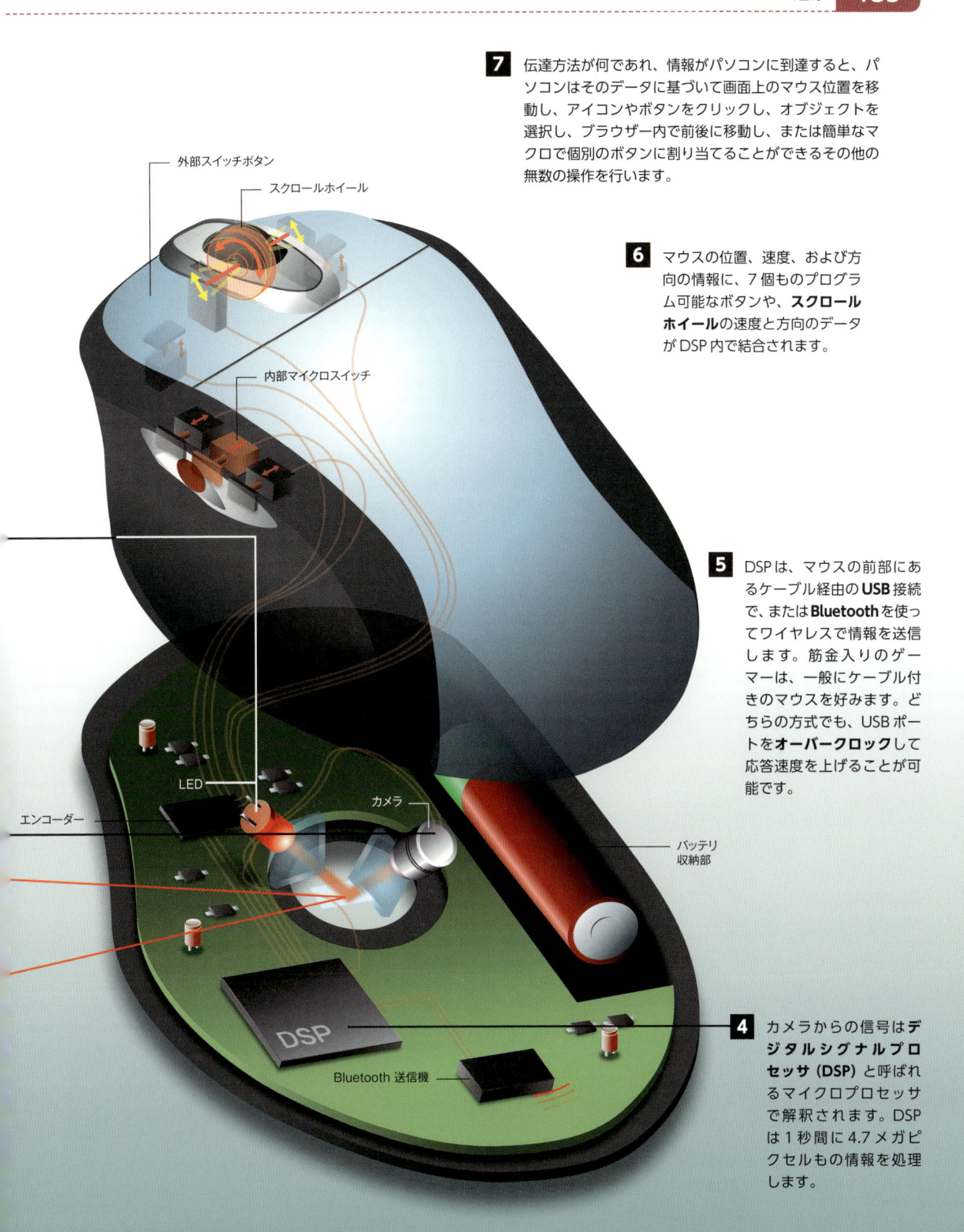

CHAPTER 9 コンピューターの DNA の起源　135

7 伝達方法が何であれ、情報がパソコンに到達すると、パソコンはそのデータに基づいて画面上のマウス位置を移動し、アイコンやボタンをクリックし、オブジェクトを選択し、ブラウザー内で前後に移動し、または簡単なマクロで個別のボタンに割り当てることができるその他の無数の操作を行います。

6 マウスの位置、速度、および方向の情報に、7 個ものプログラム可能なボタンや、**スクロールホイール**の速度と方向のデータが DSP 内で結合されます。

5 DSP は、マウスの前部にあるケーブル経由の **USB** 接続で、または **Bluetooth** を使ってワイヤレスで情報を送信します。筋金入りのゲーマーは、一般にケーブル付きのマウスを好みます。どちらの方式でも、USB ポートを**オーバークロック**して応答速度を上げることが可能です。

4 カメラからの信号は**デジタルシグナルプロセッサ (DSP)** と呼ばれるマイクロプロセッサで解釈されます。DSP は 1 秒間に 4.7 メガピクセルもの情報を処理します。

- 外部スイッチボタン
- スクロールホイール
- 内部マイクロスイッチ
- LED
- エンコーダー
- カメラ
- バッテリ収納部
- Bluetooth 送信機
- DSP

しぶとく生き残る遺物：キーボード

確かに最近は、 パソコンと Mac のどちらでも、音声入力したり、スキャンしたり、手書きしたり、手を振ったりして、次に大当たりするスプラッター映画の台本を書くことができます。しかし、長年コンピューターを使っている人なら、考える速度で画面に文字を送りつけることにかけて、キーボードにかなうものはないというでしょう。

1 キーを押すと、対応する回路を通じて流れる電流が変化します。

2 キーボードに内蔵されたマイクロプロセッサは、各キーに通じる回路を常にスキャンしており、キーの上下によって生じる電流の増減を検出します。各キーには固有のコードが割り当てられているので、プロセッサは、たとえば左 Shift キーと右 Shift キーを区別することができます。本物の信号と異常な電流変動を見分けるために、スキャンは毎秒数百回繰り返され、プロセッサは、2 回以上のスキャンで検出された信号のみを処理します。

3 信号を伝達するキーの回路に応じて、マイクロプロセッサは**スキャンコード**と呼ばれる数字を生成します。各キーには、キーが押し下げられたときと離されたときに対応する 2 種類のスキャンコードがあります。プロセッサは、キーボード自体のメモリバッファーにその数字を格納し、ポート接続に数字をロードして、コンピューターの **BIOS** (basic input/output system) から数字を読み取れるようにします。次に、マイクロプロセッサはキーボードケーブルを通じて割り込み信号を送信し、スキャンコードが待機中であることをコンピューターのプロセッサに知らせます。割り込みが発生すると、コンピューターのプロセッサは現在実行中の処理を中断し、割り込みで要求されたサービスに注意を向けます。

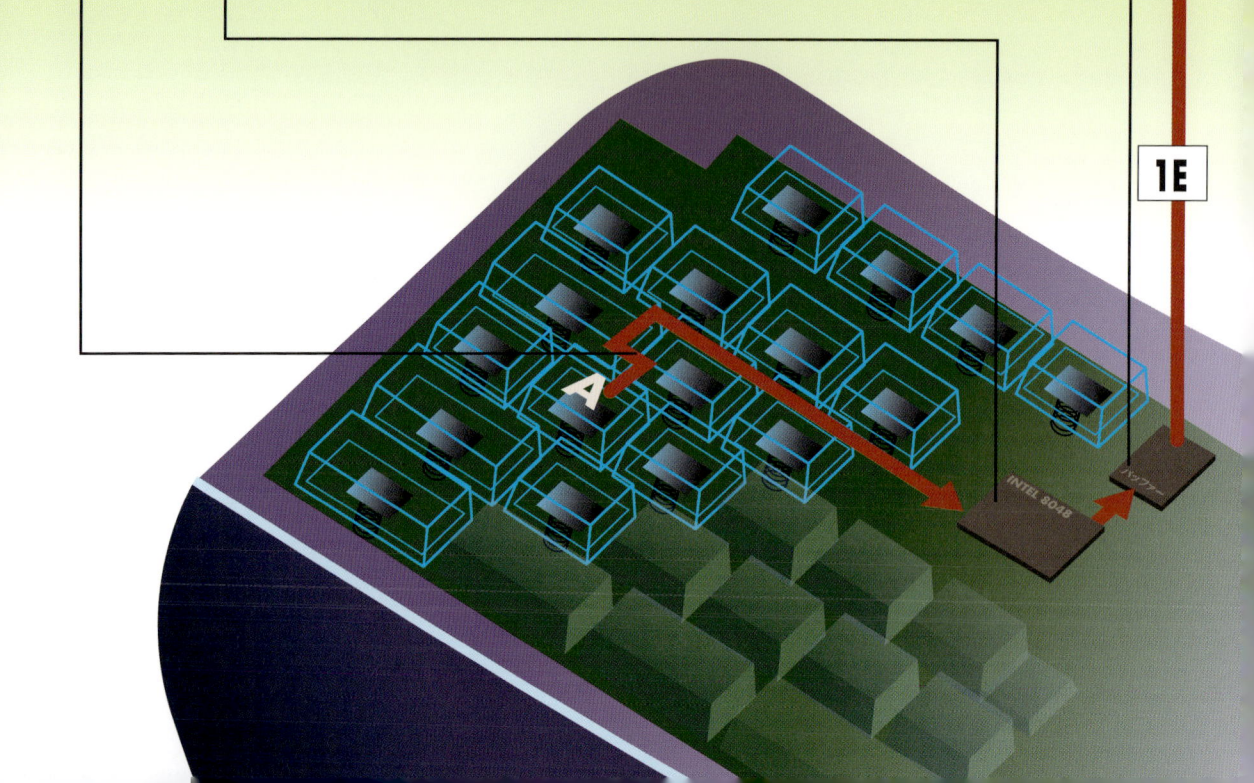

パソコンのキー

キーボードで使われるキーには主に 2 種類あります。**静電容量キー**は、押下時にクリック音を出すバネを中心に組み立てられます。キーを押すと、回路基板上でコンデンサーの役割を果たす 2 つの電極の間を金属プランジャーが通過します。プランジャーによって 2 つの電極間の電位が変化し、そのキーの押下が通知されます。**ハード接点**キーは、ラバードームの上に取り付けられます。キーを押すとラバードームがつぶれて 2 枚の金属板が接触し、電流が流れます。キーを離すと、ラバードームがキーキャップを押し上げます。

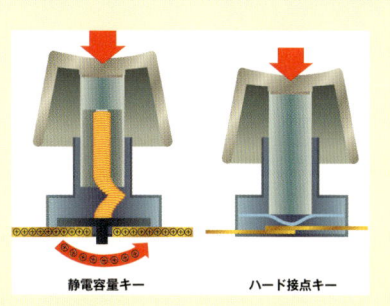

静電容量キー　　ハード接点キー

スキャンコードテーブル

1E	A
30	B
2E	C

4 BIOS はキーボードポートからスキャンコードを読み取り、キーボードに対してバッファーからスキャンコードを削除してもよいことを知らせます。

5 スキャンコードが通常の Shift キーのものであったり、特殊な Shift キーやトグルキー (Ctrl、Alt、NumLock、CapsLock、ScrollLock、Insert) のものであった場合、BIOS はメモリの特殊な領域のうちの 2 バイトを変更し、押されたキーの記録を保持します。

6 それ以外のキーの場合、BIOS はその 2 バイトをチェックして、Shift キーとトグルキーの状態を確認します。これらのバイトの状態に応じて、BIOS はスキャンコードを文字を表す ASCII コードに、またはファンクションキーやカーソル移動キーの場合は特殊なコードに変換します。大文字と小文字には別々の ASCII コードが割り当てられています。アプリケーションはキー入力を解釈して文字を表示することも、コマンドとして受け取ることもできます。たとえば Windows アプリケーションでは、太字属性の切り替えに Ctrl+B キーが広く使われています。どちらの場合も、BIOS は ASCII コードや特殊キーのコードを自身のメモリバッファーに格納します。オペレーティングシステムやアプリケーションソフトウェアは、現在実行中の処理が終了するとすぐにそれを取り出します。

時代を制したフロッピードライブ

今から振り返ると、フロッピーは容量の少ないひどくのろまなドライブでした。しかし、数々の欠点があるとはいえ、当時としてはもっと評価されるべき優れた技術でした。考えてもみてください。情報満載の 1 冊の本を丸ごと、ポケットに入る安価なディスクに収めることができたのです。クラウドと安価な USB フラッシュドライブが登場するまでは、フロッピードライブはパソコン間で少量のデータをやり取りするための確実で便利な手段でした。通信回線も、プロトコルの設定も、ネットワークやゲートウェイも不要で、フロッピーをマシンから取り出して、別のマシンに差し込むだけで済みました。フロッピードライブは匹敵するものがないほどの遺産を持っており、構造がシンプルなので、コンピューターのストレージの仕組みを学ぶ第一歩として理想的です。

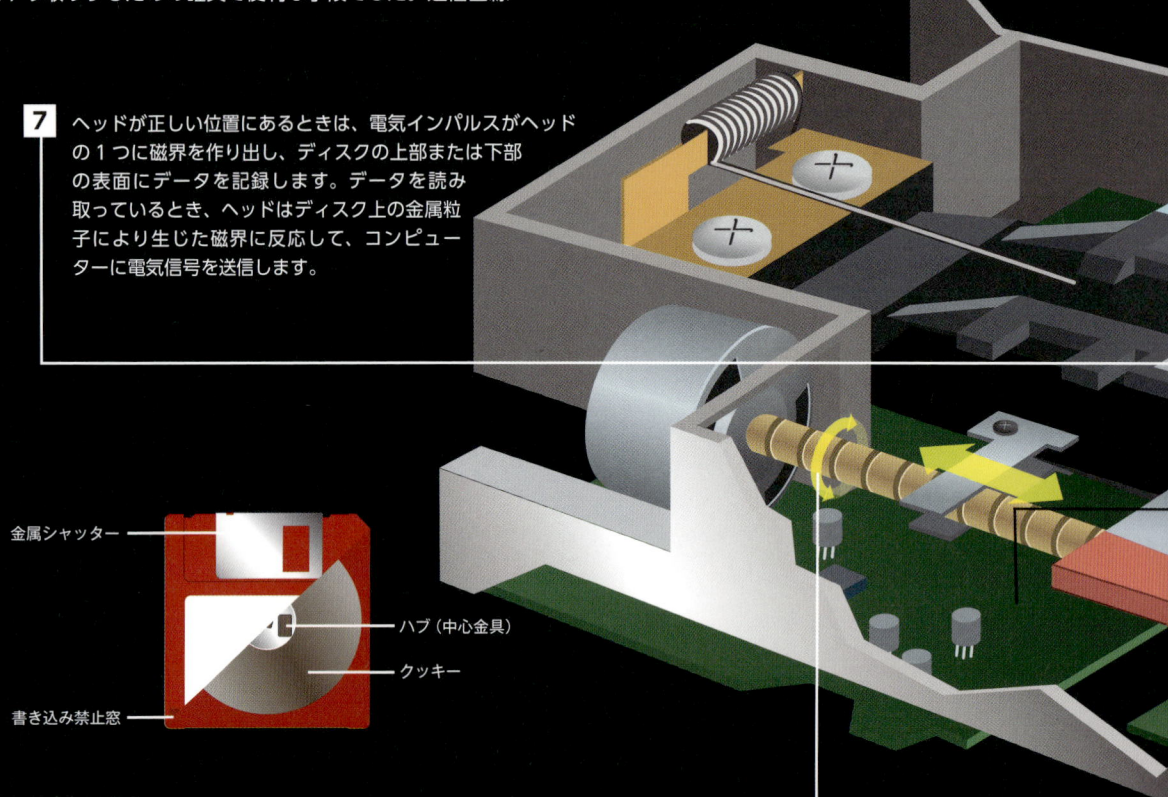

7 ヘッドが正しい位置にあるときは、電気インパルスがヘッドの 1 つに磁界を作り出し、ディスクの上部または下部の表面にデータを記録します。データを読み取っているとき、ヘッドはディスク上の金属粒子により生じた磁界に反応して、コンピューターに電気信号を送信します。

金属シャッター

ハブ（中心金具）

クッキー

書き込み禁止窓

6 回路基板の信号に従ってどちらの方向にも一定の距離だけ回転する**ステッピングモーター**が、らせん状に溝が切り込まれたもう 1 本の軸を動かします。読み取り / 書き込みヘッドに取り付けられたアームが軸の溝の中に収まります。軸が回転すると、アームが前後に移動して、読み取り / 書き込みヘッドがディスクの上に配置されます。

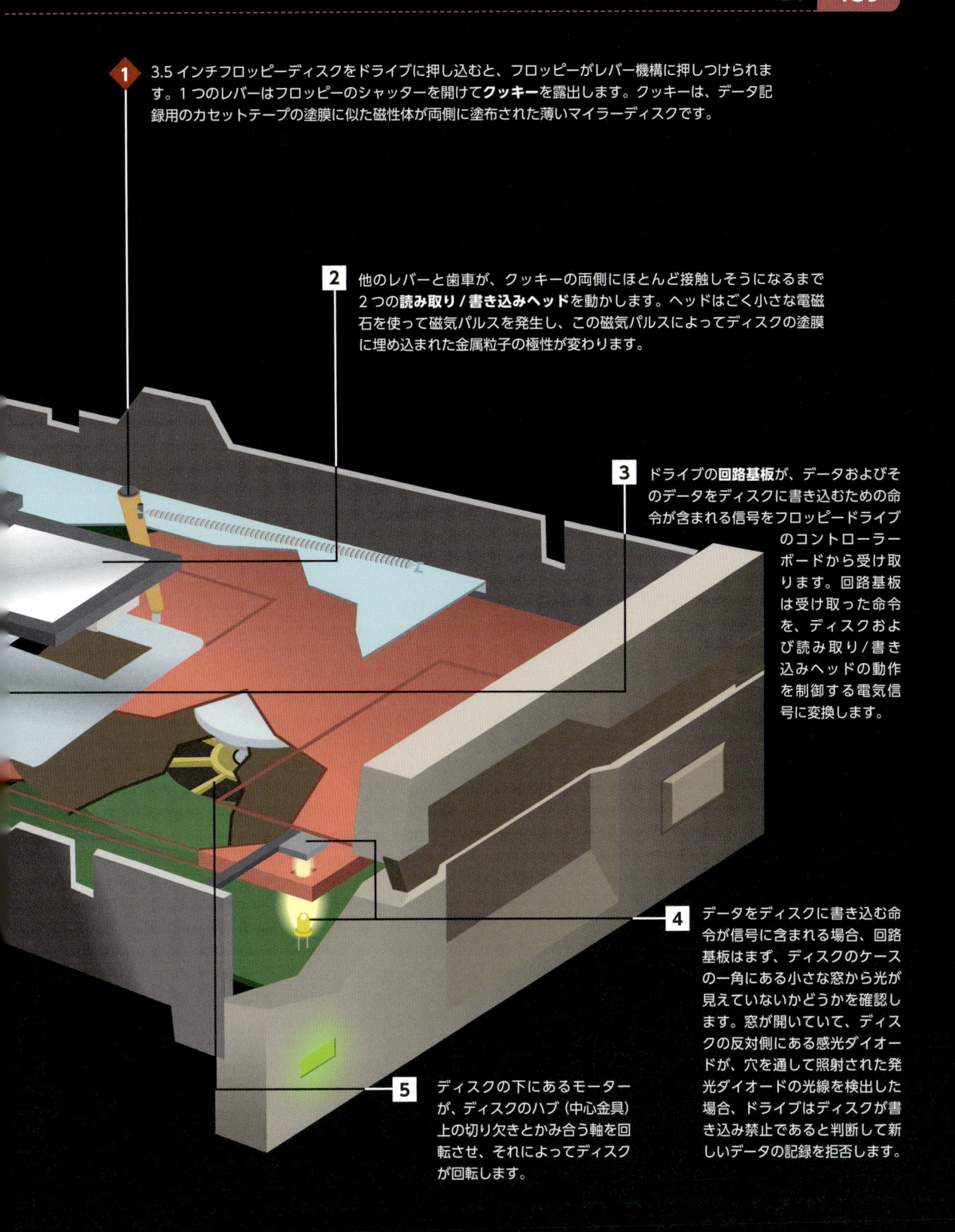

CHAPTER 9　コンピューターのDNAの起源

1 3.5インチフロッピーディスクをドライブに押し込むと、フロッピーがレバー機構に押しつけられます。1つのレバーはフロッピーのシャッターを開けて**クッキー**を露出します。クッキーは、データ記録用のカセットテープの塗膜に似た磁性体が両側に塗布された薄いマイラーディスクです。

2 他のレバーと歯車が、クッキーの両側にほとんど接触しそうになるまで2つの**読み取り/書き込みヘッド**を動かします。ヘッドはごく小さな電磁石を使って磁気パルスを発生し、この磁気パルスによってディスクの塗膜に埋め込まれた金属粒子の極性が変わります。

3 ドライブの**回路基板**が、データおよびそのデータをディスクに書き込むための命令が含まれる信号をフロッピードライブのコントローラーボードから受け取ります。回路基板は受け取った命令を、ディスクおよび読み取り/書き込みヘッドの動作を制御する電気信号に変換します。

4 データをディスクに書き込む命令が信号に含まれる場合、回路基板はまず、ディスクのケースの一角にある小さな窓から光が見えていないかどうかを確認します。窓が開いていて、ディスクの反対側にある感光ダイオードが、穴を通して照射された発光ダイオードの光線を検出した場合、ドライブはディスクが書き込み禁止であると判断して新しいデータの記録を拒否します。

5 ディスクの下にあるモーターが、ディスクのハブ（中心金具）上の切り欠きとかみ合う軸を回転させ、それによってディスクが回転します。

ディスプレイの貴婦人だったCRT

CRT（ブラウン管）ディスプレイは、伝説のソプラノ歌手に似ています。コンピューターのディスプレイとしてきわめて優秀だったため、若いLCD（液晶ディスプレイ）に世間の注目が移って数十年が過ぎても、いまだにディスプレイ愛好者から他のディスプレイを評価するときの基準と見なされています。進化を免れないテクノロジーの宿命として、今ではCRTを目にすることはめったにありませんが、CRTをよく知る人々は、CRTが制御された電光を使ってコンピューティング初のカラーディスプレイを描画した仕組みに今でも畏敬の念を抱いています。

2 DACは、パソコンから送られたデジタル値を参照テーブルと比較します。参照テーブルには、1つのピクセルの色の作成に必要な3原色に対応する電圧レベルが記録されています。ふつうのVGAアダプターでは、テーブルに262,144種類の色の値が記録されていて、その中の256個の値をVGAアダプターのメモリに一度に格納できます。現在のSuper-VGAアダプターには、ピクセルあたり16ビットの情報（**High Color**と呼ばれる65,536色）または24ビットの情報（**True Color**と呼ばれる16,777,216階調）を格納できるだけのメモリが搭載されています。

3 アダプターは、ディスプレイのブラウン管（CRT）の背後にある3つの電子銃に信号を送ります。CRT内部の真空を通して、各電子銃は3つの原色ごとに1本ずつの電子ビームを射出します。各ビームの強度はアダプターからの信号によって制御されます。

1 操作環境やアプリケーションソフトウェアからのデジタル信号が**SVGA（Super Video Graphics Array）**アダプターに送られます。アダプターは**デジタルアナログ変換器（DAC）**と呼ばれる回路を通じて信号を処理します。一般に、DAC回路は3つのDAC（ディスプレイで使われる赤、青、緑の原色ごとに1つずつ）が格納された1つの専用チップ内に組み込まれています。

電圧		
赤	緑	青
5	2.5	1
5	2.5	2
5	2.5	3
5	2.5	4
5	2.5	5

4 また、アダプターはCRTのネック部分にある、電子ビームの焦点と照準を合わせるメカニズムにも信号を送ります。この**磁気偏向ヨーク**と呼ばれるメカニズムでは、電磁界を使用して電子ビームの道筋を曲げます。ヨークに送られる信号によって、モニターの**解像度**（縦と横に表示されるピクセルの数）とモニターの**リフレッシュレート**（画面の画像が再描画される頻度）が決まります。

CHAPTER 9　コンピューターのDNAの起源　141

5 ビームは**シャドウマスク**と呼ばれる金属板の穴を通過します。このマスクの役割は、電子ビームの位置をCRTの画面内側の目標に正確に合わせることです。CRTの**ドットピッチ**は、この穴と穴の間隔の長さで、穴どうしの間隔が短いほどドットピッチは小さくなります。ドットピッチが小さいほど精細な画像を得ることができます。ほとんどのシャドウマスクの穴は三角形に配置されますが、多くのディスプレイメーカーが採用するSony Trinitron CRTの穴は例外で、並列の細長い穴として配置されます。

ドットピッチ

6 画面の内側に塗布された蛍光体に電子が当たります。**蛍光体**は電子が当たると光を放つ物質です。赤、青、緑に1つずつ、3種類の蛍光物質が使われています。蛍光体に当たる電子ビームが強いほど、蛍光体が発する光は明るくなります。配列内の赤、緑、青のそれぞれのドットに同じ強さの電子ビームが当たると、白い光のドットになります。さまざまな色を作るために、3つの各ビームの強さを変化させています。ビームが蛍光ドットに当たらなくなった後も、蛍光体は少しの間光っています。この状態を**残光**といいます。画像を安定した状態に保つには、残光が消失する前に電子ビームの走査を繰り返して蛍光体を再活性化する必要があります。

7 ビームが画面の端から端まで水平方向に1回走査した後、電子ビームがオフになり、磁気ヨークがビームの道筋を画面の左端の、前回の走査線のすぐ下の位置に戻します。この処理を**ラスタースキャン**といいます。

8 磁気偏向ヨークは電子ビームが曲がる角度を連続的に変更し、ビームが画面の左上隅から右下隅まで表面全体を走査するようにします。1回の走査が完了した画面を**フィールド**と呼びます。フィールドが完成すると、ビームは左上隅に戻って新しいフィールドを開始します。画面は通常、毎秒60回（またはそれ以上の回数）再描画、つまり**リフレッシュ**されます。

9 ディスプレイアダプターによっては、1つのフィールドにつき1段おきにしか走査しないものがあります。この処理を**インターレース**と呼び、安価なコンポーネントで解像度を上げる、つまり走査線を増やすことができます。ただし、走査と走査の間の蛍光体の消失が顕著な場合があり、それによって画面がちらつくことがあります。

大活躍したインパクトプリンター

コンピューターの初期のプリンターには、何か本能を満足させるものがありました。小さな金属棒をタイプライターリボンに叩きつけて、テキストや、ときには原始的なグラフィックを出力しました。印刷音は、がちゃがちゃ音とうなり音の間ぐらいの騒々しさでした。単純なページの印刷にも延々と時間がかかるので、騒音が果てしなく続くこともありましたが、その音は安心感を与えてくれました。自分でタイプしているのではなく、プリンターで印刷していることを実感できたからです。

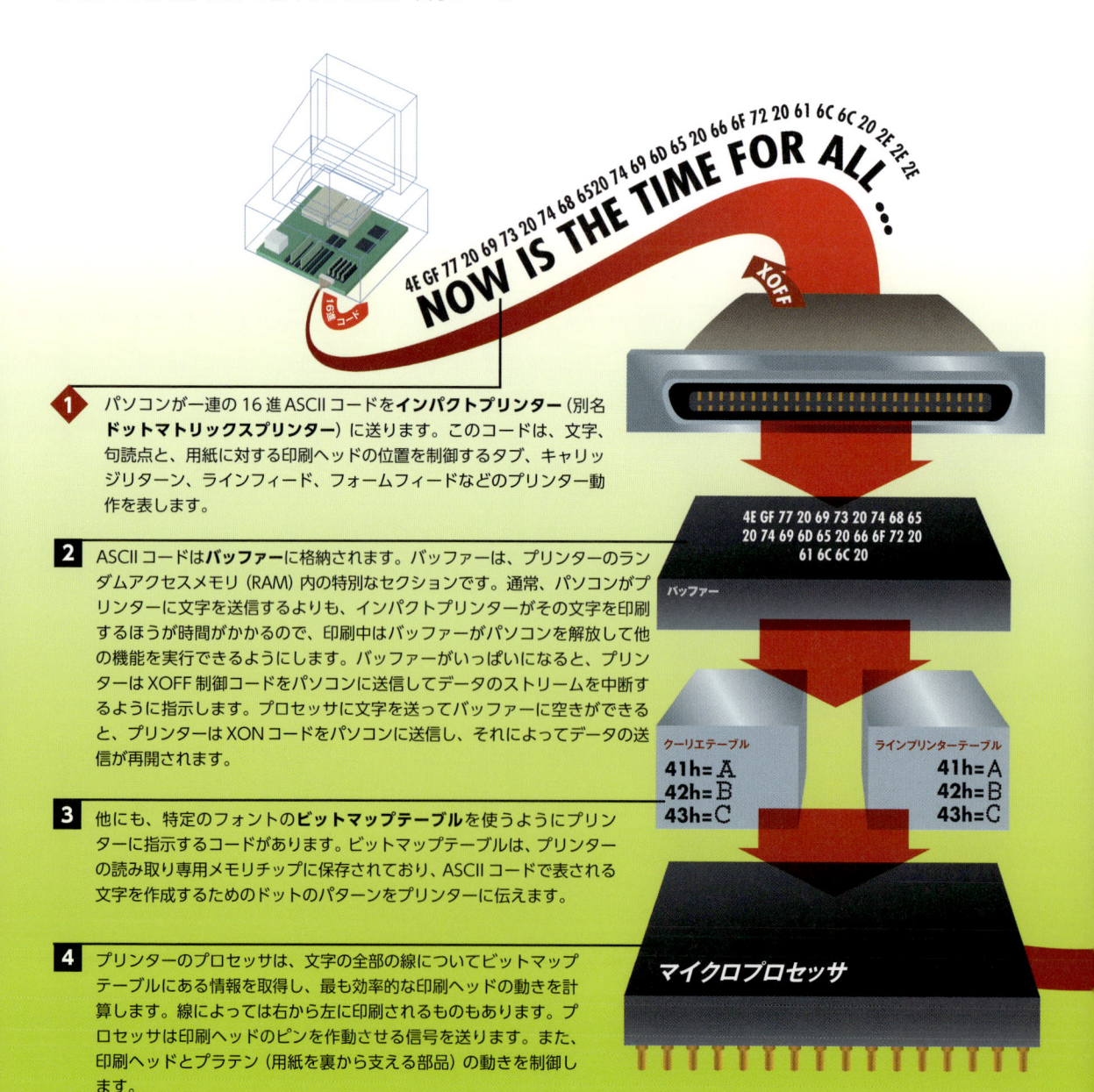

1. パソコンが一連の16進ASCIIコードを**インパクトプリンター**（別名**ドットマトリックスプリンター**）に送ります。このコードは、文字、句読点と、用紙に対する印刷ヘッドの位置を制御するタブ、キャリッジリターン、ラインフィード、フォームフィードなどのプリンター動作を表します。

2. ASCIIコードは**バッファー**に格納されます。バッファーは、プリンターのランダムアクセスメモリ（RAM）内の特別なセクションです。通常、パソコンがプリンターに文字を送信するよりも、インパクトプリンターがその文字を印刷するほうが時間がかかるので、印刷中はバッファーがパソコンを解放して他の機能を実行できるようにします。バッファーがいっぱいになると、プリンターはXOFF制御コードをパソコンに送信してデータのストリームを中断するように指示します。プロセッサに文字を送ってバッファーに空きができると、プリンターはXONコードをパソコンに送信し、それによってデータの送信が再開されます。

3. 他にも、特定のフォントの**ビットマップテーブル**を使うようにプリンターに指示するコードがあります。ビットマップテーブルは、プリンターの読み取り専用メモリチップに保存されており、ASCIIコードで表される文字を作成するためのドットのパターンをプリンターに伝えます。

4. プリンターのプロセッサは、文字の全部の線についてビットマップテーブルにある情報を取得し、最も効率的な印刷ヘッドの動きを計算します。線によっては右から左に印刷されるものもあります。プロセッサは印刷ヘッドのピンを作動させる信号を送ります。また、印刷ヘッドとプラテン（用紙を裏から支える部品）の動きを制御します。

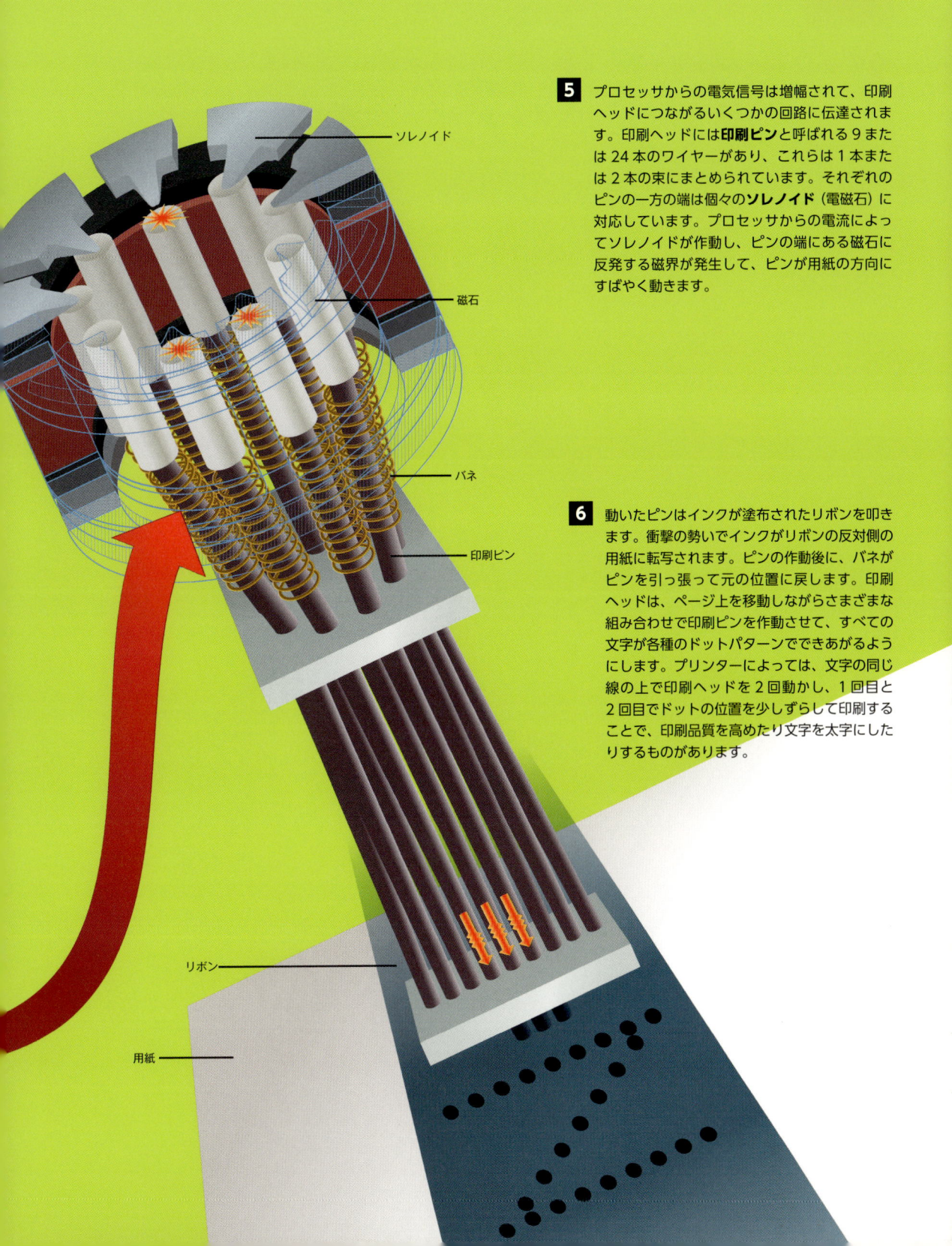

CHAPTER 9　コンピューターのDNAの起源　143

5 プロセッサからの電気信号は増幅されて、印刷ヘッドにつながるいくつかの回路に伝達されます。印刷ヘッドには**印刷ピン**と呼ばれる 9 または 24 本のワイヤーがあり、これらは 1 本または 2 本の束にまとめられています。それぞれのピンの一方の端は個々の**ソレノイド**（電磁石）に対応しています。プロセッサからの電流によってソレノイドが作動し、ピンの端にある磁石に反発する磁界が発生して、ピンが用紙の方向にすばやく動きます。

ソレノイド

磁石

バネ

印刷ピン

6 動いたピンはインクが塗布されたリボンを叩きます。衝撃の勢いでインクがリボンの反対側の用紙に転写されます。ピンの作動後に、バネがピンを引っ張って元の位置に戻します。印刷ヘッドは、ページ上を移動しながらさまざまな組み合わせで印刷ピンを作動させて、すべての文字が各種のドットパターンでできあがるようにします。プリンターによっては、文字の同じ線の上で印刷ヘッドを 2 回動かし、1 回目と 2 回目でドットの位置を少しずらして印刷することで、印刷品質を高めたり文字を太字にしたりするものがあります。

リボン

用紙

思いも寄らないインターネットの祖先：ダイヤルアップモデム

古めかしいダイヤルアップモデムのシャーという音やガーガーという音ほど 1988 年を物語るものはありません。当初はコンピューターどうしを電話回線経由でつなぐために使われていたこの小さな箱が、多くの人々にとってインターネットへの最初の入り口になりました。ブロードバンドアクセスを利用できない不幸な人々にとって、この途方もなくのろいデバイスは依然としてデスクトップコンピューターからウェブにアクセスする唯一の手段です。

1 ダイヤルアップモデムテクノロジーの最終規格は 56K、または V.92 と呼ばれます。この規格では、データを標準のアナログモデム速度である 33,600bps（ビット毎秒）で送信できますが、データのダウンロードはほぼ 2 倍の速度で行うことができます。パソコンから 56K モデムを使用して**ホスト**に接続すると、モデムは接続を調べて、ホストモデムが 56,600bps で送信する V.92 規格に対応しているかどうかを確認します。対応していない場合、接続の両端のモデムは通常の伝送を行います。対応している場合、パソコンとホストモデムはタイミングを同期して、データが正確にダウンロードされるようにします。

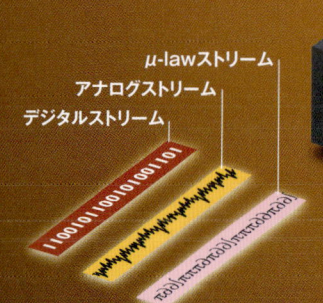

2 パソコンからメッセージや要求が送信されます。初めはパソコンのデジタルデータの状態です。モデムはビットを通常の電話アナログ信号に変換します。要求はパソコンのモデムから 2 本の銅のより線（アナログ電話回線）を通って最寄りの電話会社の**電話局**に送られます。この銅のより線の範囲を**アナログローカルループ**といい、線を伝わる送信信号は、理想的な条件下でデータ圧縮を使用した場合、36,000bps が上限です。

10 クライアントモデムで、デジタル信号プロセッサが電圧をデジタルシンボル値に戻し、V.92 プロトコルで使われるシンボルスキームに従って、その値をコンピューターに送信されるビット形式のデータに変換します。

PC側の56Kモデム

μ-lawストリーム
アナログストリーム
デジタルストリーム

3 電話局で、信号は**公衆交換電話網（PSTN）**に入ります。一般に"電話システム"と考えられているのはこの部分です。ここでアナログ信号がデジタル信号に変換されます。加入者宅と最寄りの電話局を接続するアナログ電話回線を除いて、米国のほぼすべての電話システムではデータをデジタルで送信します。このため、理論上はデータを64,000bpsの速度で伝送することが可能で、V.92テクノロジーが実現します。

4 電話設備で、**アナログデジタル変換器（ADC）**が受信したアナログ波形を毎秒8,000回サンプリングし、毎回、信号のおおよその振幅、つまり電流の強さが、8ビットの**パルス符号変調（PCM）**として記録されます。振幅の値は連続的に変化しますが、ADCは256の離散的な（とびとびの）レベルのみを検出できます。その理由は、電気信号が伝わる経路に沿って、電話線自体を含む無数のソースから発生する一過性の電磁波の影響を受けるからです。こうした電磁界で発生する電流電圧によって信号の値がゆがみ、信号が不明瞭になります。この**回線雑音**のせいでアナログ回線の速度は33.6Kbpsに制限されます。

5 データは電話システムを通じて伝送され、最終的にホストシステム、通常は最寄りの**インターネットサービスプロバイダー（ISP）**に到達します。プロバイダーの56Kモデムは、信号が適合するモデムから送信されているかどうかを認識します。

ホスト側の
56Kサーバーモデム

7 μ-lawコーデックは、アナログ電話回線で区別できる256種類の電圧のうち、最も識別しやすいものに対応する値にデータを変換します。これらの値を**シンボル**（情報伝達トークン）と呼びます。

6 パソコンからの要求に応えて、サービスは何らかの種類の情報を返します。この情報はイラストや写真、音楽満載のウェブページ、シェアウェアプログラム、プレーンテキストの場合もあれば、単に"見つかりません"というメッセージの場合もあります。サービスは情報を一度に8ビットずつ **μ-lawコーデック**（μ-lawコーダー/デコーダー）と呼ばれるデバイスに送信します。μ-lawという名前は、ある値とその次に大きい値の差が、値が増えるにつれてそれ自体大きくなるという数列にちなんで名付けられています。

8 モデムで256種類すべてのシンボルを使用できるのであれば、毎秒64,000ビットのデータを送信できます。しかし、ホストとクライアントのモデムは、互いの状態を監視するために一部のシンボルを使用します。また、値がゼロに近付くシンボルは、雑音の多い電話回線で正確に区別するには互いの間隔が近すぎます。モデムは128個の最も堅牢なシンボルを利用するので、56,600bpsしか速度が出せません。

9 信号がアナログ電話回線に到達すると、**デジタルアナログ変換器（DAC）**が毎秒8,000回の電気パルスを生成します。各パルスの電圧は、128種類のシンボル値の1つに対応します。

厄介だったケーブル接続：シリアル

シリアル通信では、一度に1ビットずつデータをやり取りします。これは思ったほど悪くはありません。USBはきわめて高速なシリアルインターフェイスですし、Serial-ATAも同様です。この祖先は、**RS-232**と呼ばれる規格に準拠し、低速車線を走行していました。ダイヤルアップモデムや、たまに1990年代の科学装置や故障診断装置を接続するには十分でしたが、それ以外にはあまり使い道がありませんでした。

3 パソコンのピン7は、モデムのピン4に接続されます。モデムはこの線に電圧をかけて要求を作成し、データの受信準備ができたことをパソコンに通知します。

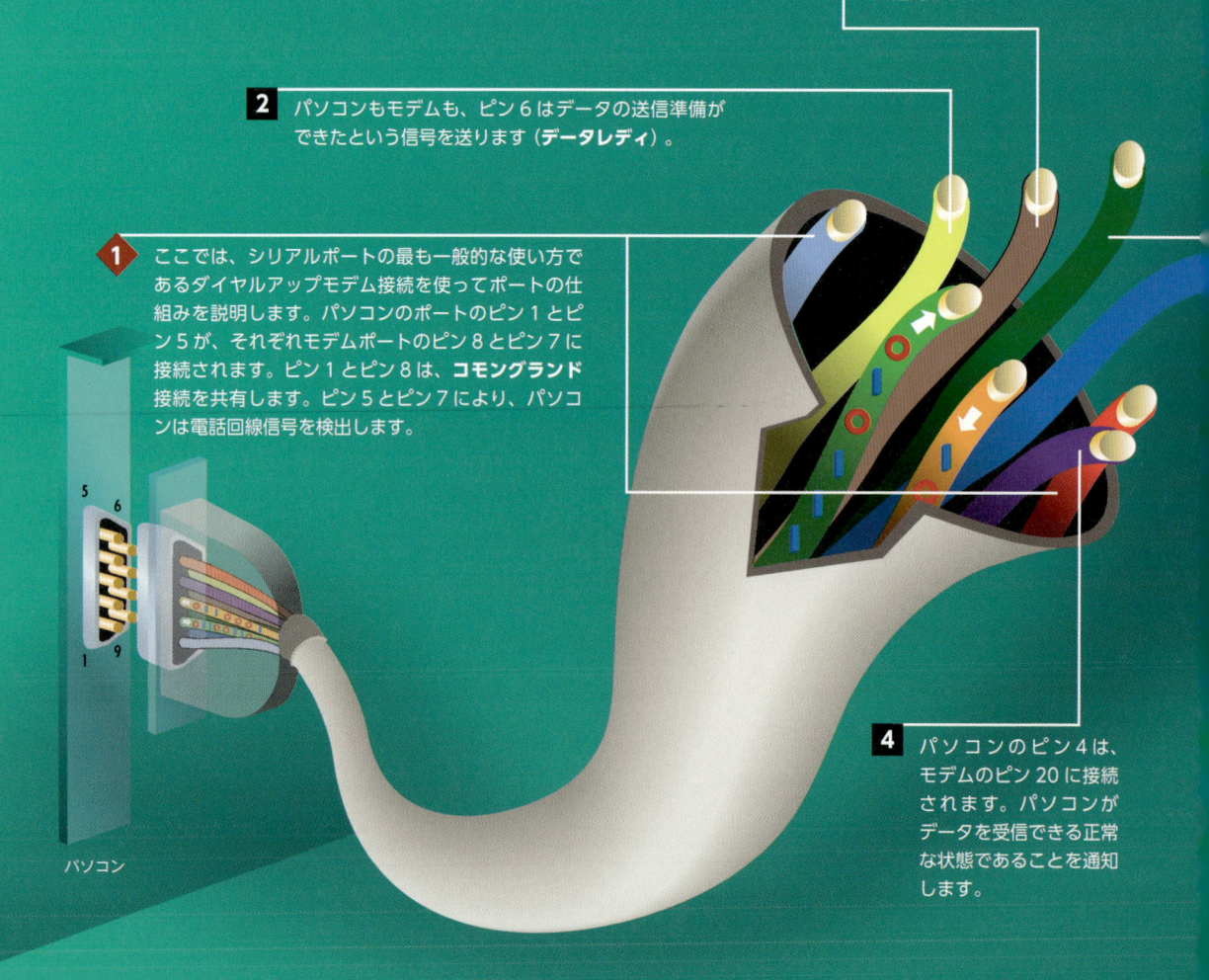

2 パソコンもモデムも、ピン6はデータの送信準備ができたという信号を送ります（**データレディ**）。

1 ここでは、シリアルポートの最も一般的な使い方であるダイヤルアップモデム接続を使ってポートの仕組みを説明します。パソコンのポートのピン1とピン5が、それぞれモデムポートのピン8とピン7に接続されます。ピン1とピン8は、**コモングランド**接続を共有します。ピン5とピン7により、パソコンは電話回線信号を検出します。

パソコン

4 パソコンのピン4は、モデムのピン20に接続されます。パソコンがデータを受信できる正常な状態であることを通知します。

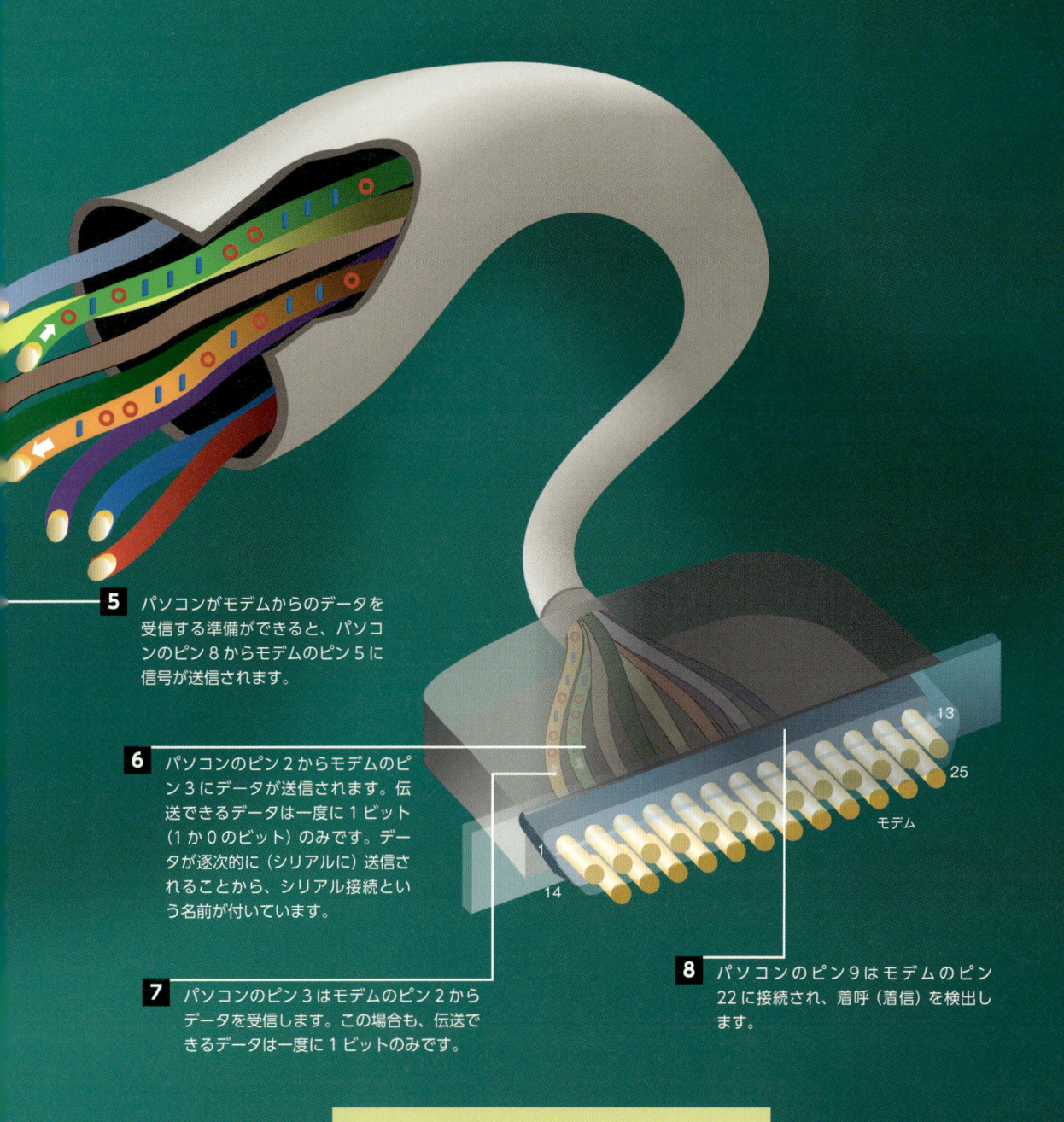

CHAPTER 9　コンピューターのDNAの起源　147

5 パソコンがモデムからのデータを受信する準備ができると、パソコンのピン8からモデムのピン5に信号が送信されます。

6 パソコンのピン2からモデムのピン3にデータが送信されます。伝送できるデータは一度に1ビット（1か0のビット）のみです。データが逐次的に（シリアルに）送信されることから、シリアル接続という名前が付いています。

7 パソコンのピン3はモデムのピン2からデータを受信します。この場合も、伝送できるデータは一度に1ビットのみです。

8 パソコンのピン9はモデムのピン22に接続され、着呼（着信）を検出します。

13
25
モデム
1
14

全員が1列に並んだ兵士

シリアル接続は、1列に並んだ兵士になぞらえることができます。一度に1人の兵士だけが地面に引かれた線を越えることができます。大隊の兵士全員が逐次的に線を越えるには1分以上かかります。149ページの囲み記事も参照してください。

厄介だったケーブル接続：パラレル

シリアル通信が内なる超高速航法に目覚める前は、一度に8ビットのデータを転送するパラレル通信が、データ転送を高速化するための解決策になりました。USBの普及によって時代遅れになるまで、パラレルポートは主にプリンターの接続に使われていました。

1 周辺装置（通常はプリンター）からパソコンのライン13（**セレクトライン**と呼ばれる）への信号は、プリンターがオンラインになっていて、データの受信準備ができていることをコンピューターに通知します。

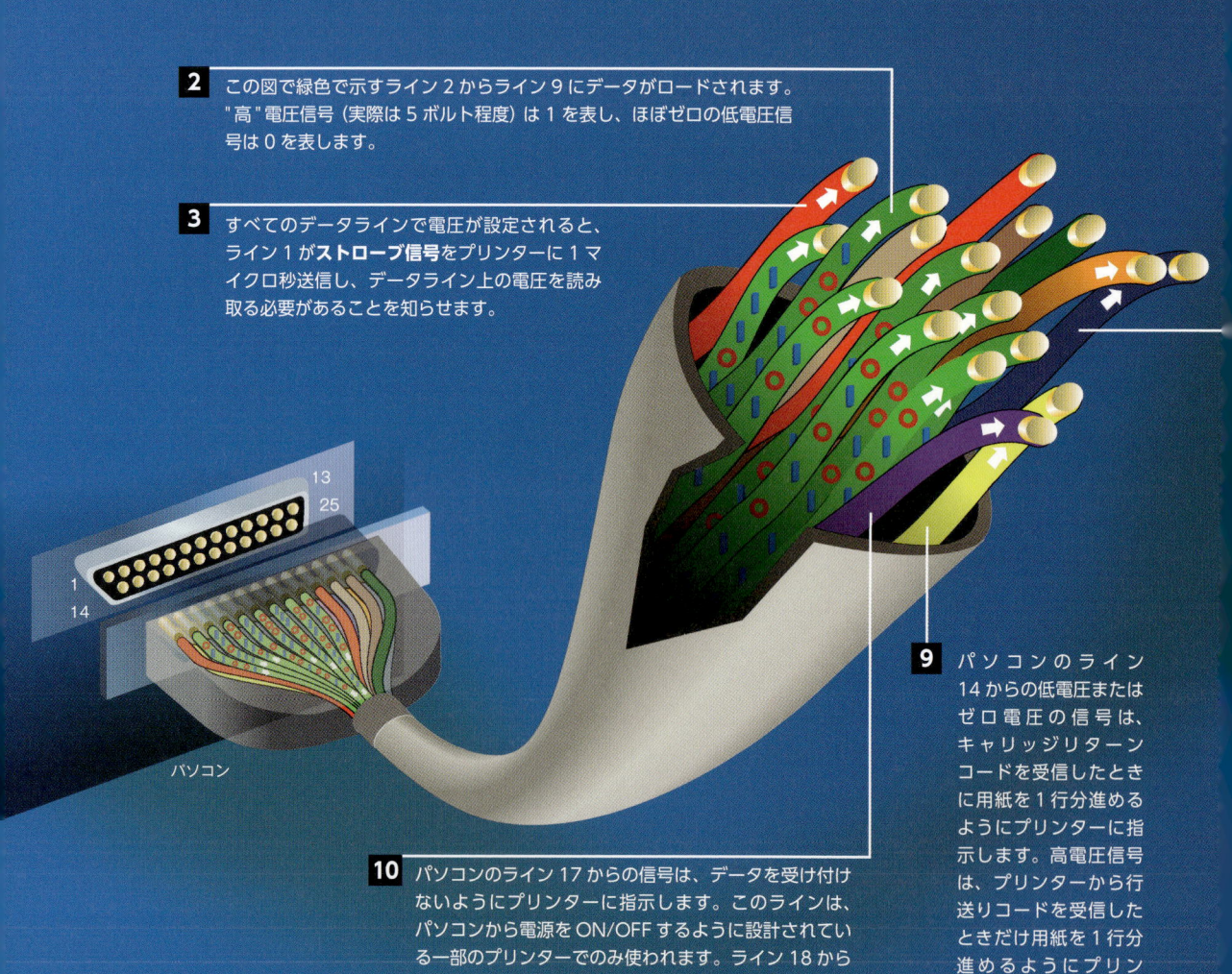

2 この図で緑色で示すライン2からライン9にデータがロードされます。"高"電圧信号（実際は5ボルト程度）は1を表し、ほぼゼロの低電圧信号は0を表します。

3 すべてのデータラインで電圧が設定されると、ライン1が**ストローブ信号**をプリンターに1マイクロ秒送信し、データライン上の電圧を読み取る必要があることを知らせます。

パソコン

9 パソコンのライン14からの低電圧またはゼロ電圧の信号は、キャリッジリターンコードを受信したときに用紙を1行分進めるようにプリンターに指示します。高電圧信号は、プリンターから行送りコードを受信したときだけ用紙を1行分進めるようにプリンターに指示します。

10 パソコンのライン17からの信号は、データを受け付けないようにプリンターに指示します。このラインは、パソコンから電源をON/OFFするように設計されている一部のプリンターでのみ使われます。ライン18からライン25はグランドラインです。

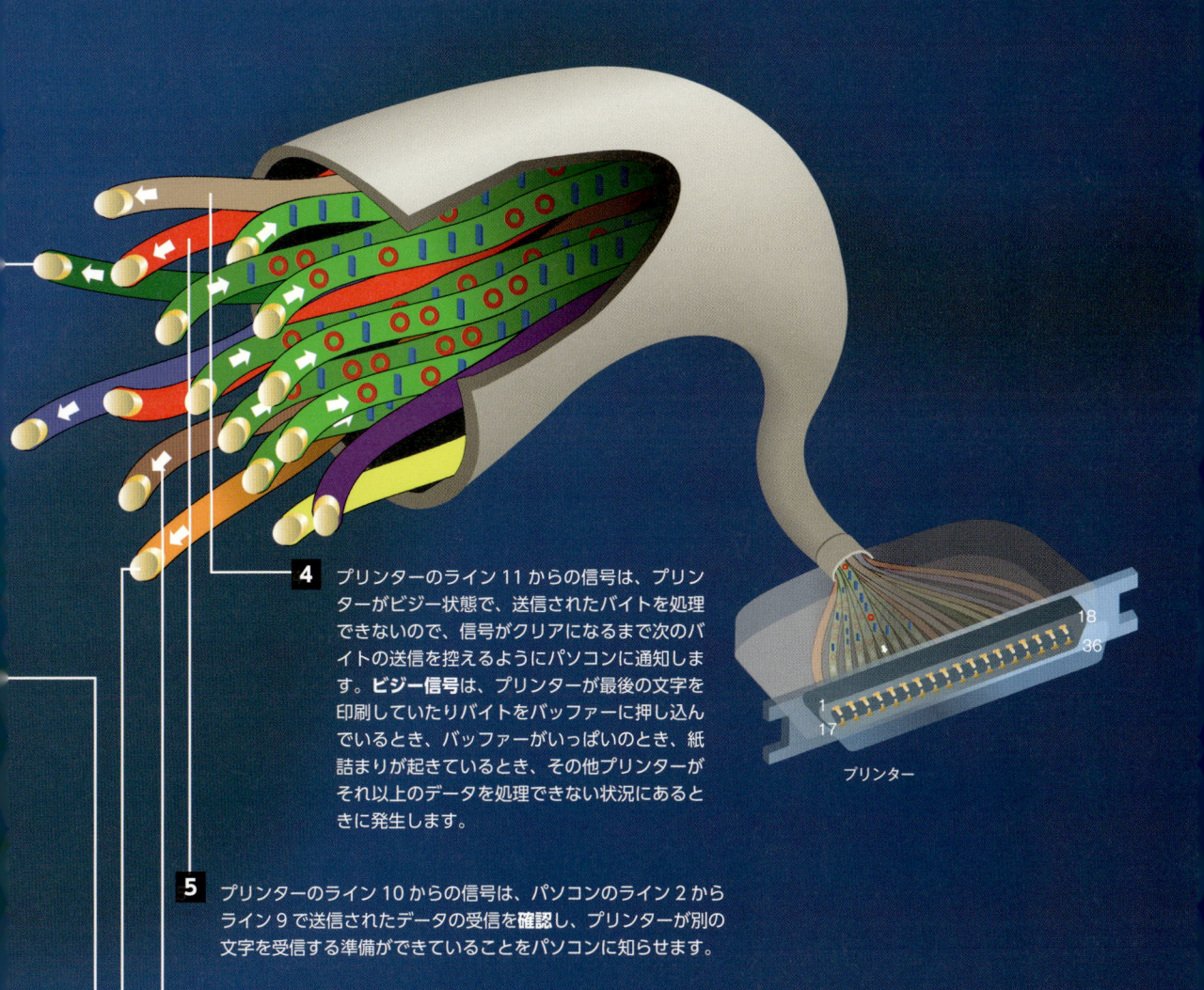

CHAPTER 9　コンピューターのDNAの起源　149

4 プリンターのライン 11 からの信号は、プリンターがビジー状態で、送信されたバイトを処理できないので、信号がクリアになるまで次のバイトの送信を控えるようにパソコンに通知します。**ビジー信号**は、プリンターが最後の文字を印刷していたリバイトをバッファーに押し込んでいるとき、バッファーがいっぱいのとき、紙詰まりが起きているとき、その他プリンターがそれ以上のデータを処理できない状況にあるときに発生します。

5 プリンターのライン 10 からの信号は、パソコンのライン 2 からライン 9 で送信されたデータの受信を**確認**し、プリンターが別の文字を受信する準備ができていることをパソコンに知らせます。

6 ライン 12 は、プリンターの用紙が切れているかどうかを示す信号をプリンターからパソコンに送信します。

7 プリンターはライン 15 を使用して、プリントヘッドの目詰まりやパネルオープンなど、エラー条件があることをパソコンに知らせます。ただし、エラーの性質は通知しません。

8 パソコンのライン 16 からの信号を受け取ると、プリンターは自身を元の状態に**リセット**します。プリンターの電源をオフにしてからオンにした場合と同じです。

プリンター

並列の兵士

パラレル通信は 8 列縦隊で行進する小隊のようなものです。兵士たちの前の地面に線を引くと、8 人の兵士が同時に線を越え、その後ろにいる 8 人の兵士が続きます。この方法で行進する大隊は、10 秒ほどで線を越えることができます。

変化していない
電源ユニット

電源ユニット（PSU） は、プロセッサやマザーボードにも匹敵する、コンピューターの基礎をなす重要なコンポーネントです。電源ユニットが適切な量と電圧の電気を供給しなければ、パソコンは起動すらしません。電源ユニットは一連の内部テストを実行し、動作が正常かどうか、適切な量と電圧の電気を供給しているかどうかを確認します。すべての動作が正常であれば、ユニットはパソコンのマザーボードに起動を促すパワーグッド信号を送信します。この信号は絶えず送信されています。電源ユニットが正常に動作しなくなると、信号の送信が停止して、パソコンはシャットダウンします。

1 電源ユニットの電源ケーブルをコンセントに差し込みます。日本では、100ボルト、50/60Hzの**交流（AC）** で供給されます。電源ユニットに流れ込む100ボルトの交流（AC）を、パソコン内部の繊細な電子部品で使用できる遥かに低電圧の**直流（DC）** に変換する必要があります。

2 流れ込む電力は、電流と電圧に小さな変動があります。パソコンの部品は、理論上はこうした変動によって破損する可能性があるので、電源ユニット（一般に価格が高めの製品）によっては、低電圧の直流に変換する前に電力をフィルター処理して調整するものがあります。電力は変動を取り除く**電磁妨害（EMI）** フィルターと、一定の電力レベルを維持する回線調整回路を通過します。

9 電力は一連のケーブルに送られ、最終的にパソコンの各部品に供給されます。各ケーブルには複数の導線が入っており、それぞれの導線が異なる電圧を運びます。12ボルトの電力はディスクドライブのモーターなどのデバイスに使われます。3.3ボルトと5ボルトの電力は、PCI/AGPカード、ISAカード、CPU、DIMM、その他の部品で使用されます。ケーブルはケーブルコネクタによってパソコンに接続されます。各コネクタには、差し込み口の形に合わせた**突起があり**、特定の方法でしか差し込めないので、適切な位置で適切な電圧が供給されるようになっています。

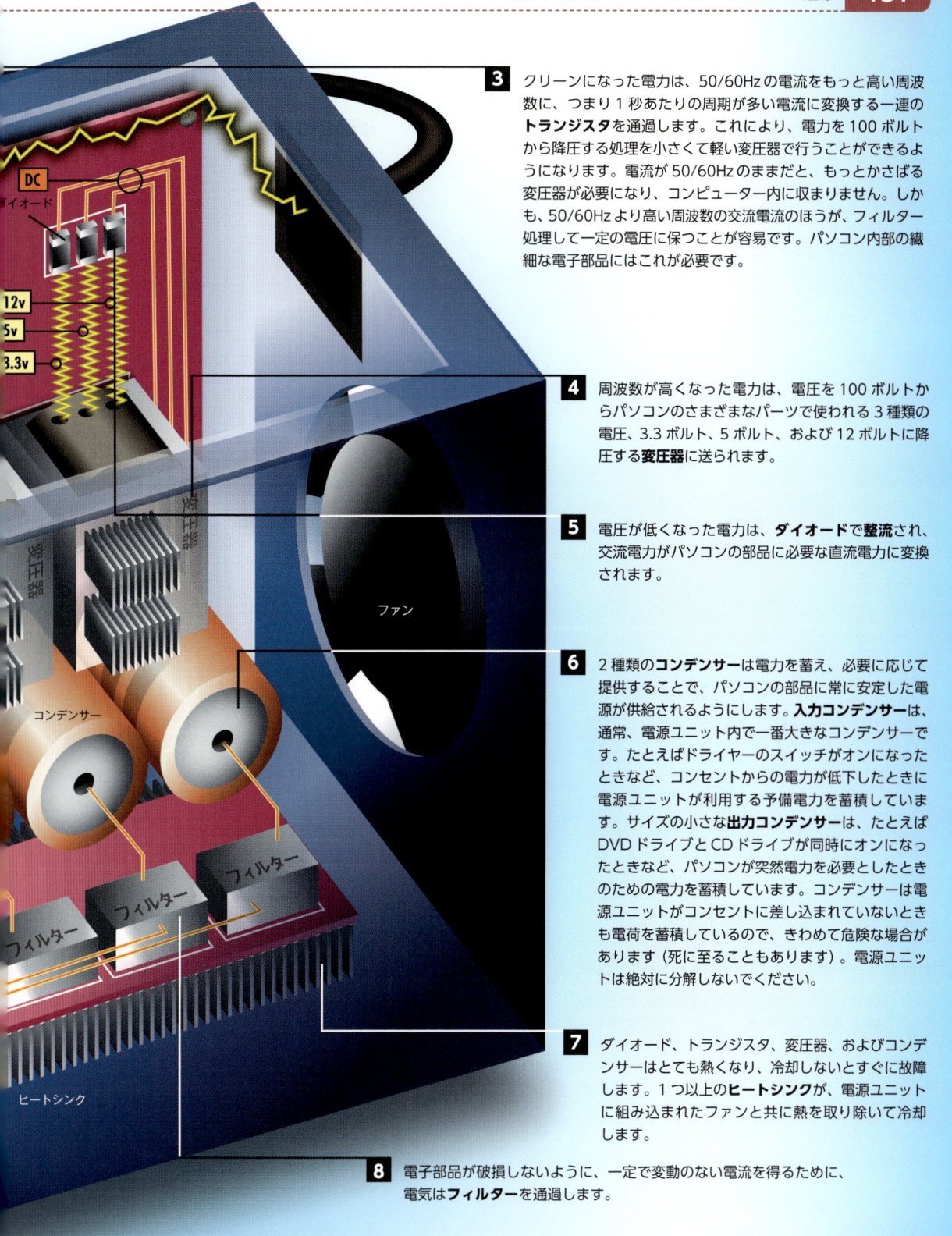

CHAPTER 9　コンピューターの DNA の起源

3 クリーンになった電力は、50/60Hz の電流をもっと高い周波数に、つまり 1 秒あたりの周期が多い電流に変換する一連の**トランジスタ**を通過します。これにより、電力を 100 ボルトから降圧する処理を小さくて軽い変圧器で行うことができるようになります。電流が 50/60Hz のままだと、もっとかさばる変圧器が必要になり、コンピューター内に収まりません。しかも、50/60Hz より高い周波数の交流電流のほうが、フィルター処理して一定の電圧に保つことが容易です。パソコン内部の繊細な電子部品にはこれが必要です。

4 周波数が高くなった電力は、電圧を 100 ボルトからパソコンのさまざまなパーツで使われる 3 種類の電圧、3.3 ボルト、5 ボルト、および 12 ボルトに降圧する**変圧器**に送られます。

5 電圧が低くなった電力は、**ダイオード**で**整流**され、交流電力がパソコンの部品に必要な直流電力に変換されます。

6 2 種類の**コンデンサー**は電力を蓄え、必要に応じて提供することで、パソコンの部品に常に安定した電源が供給されるようにします。**入力コンデンサー**は、通常、電源ユニット内で一番大きなコンデンサーです。たとえばドライヤーのスイッチがオンになったときなど、コンセントからの電力が低下したときに電源ユニットが利用する予備電力を蓄積しています。サイズの小さな**出力コンデンサー**は、たとえば DVD ドライブと CD ドライブが同時にオンになったときなど、パソコンが突然電力を必要としたときのための電力を蓄積しています。コンデンサーは電源ユニットがコンセントに差し込まれていないときも電荷を蓄積しているので、きわめて危険な場合があります（死に至ることもあります）。電源ユニットは絶対に分解しないでください。

7 ダイオード、トランジスタ、変圧器、およびコンデンサーはとても熱くなり、冷却しないとすぐに故障します。1 つ以上の**ヒートシンク**が、電源ユニットに組み込まれたファンと共に熱を取り除いて冷却します。

8 電子部品が破損しないように、一定で変動のない電流を得るために、電気は**フィルター**を通過します。

魅力あふれるiPhone

確かに、Apple社のiPhoneの機能はどれも目新しいものではありません。ウェブブラウジングも、スナップ写真も、MP3の再生も、インスタントメッセージングも、電話も、どれも以前からあった機能ばかりです。iPhoneがすごいのは、それらすべてをとても魅力的に、全部のデジタルツールをポケットに入れて持ち運べる新しい形で実現した初めてのテクノロジーだったことです。そうした試みはiPhoneが最初ではありませんが、初めて大成功した事例といえます。

Apple社とAndroid製品のマニアたちは、どれが最高のスマートフォンかについて議論し続けるでしょう。1つだけ議論の余地がないのは、iPhoneはテクノロジーの新時代へと向かうコンピューティングの移行を担っており、あらゆる進化と同様、後戻りはできないということです。今持ち歩いているスマートフォンが何であろうと、その祖父にあたるiPhoneは次のような構造をしていました。

回路基板はフレキシブルプリント回路によってRetinaディスプレイに接続されています。Retinaディスプレイでは、HD品質の解像度を得るために1インチあたり実に326ピクセルが詰め込まれています。

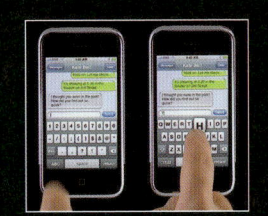

iPhoneのプロセッサは、人間が入力している内容の中から**パターン**を探して、単語を自動的に補完したり、次の文字になると推測されるものに対応する画面上のタッチ領域を拡大したりします。

スマートフォンの複雑なタッチメカニズムは、指の圧力、形、動きに反応します。これにより、1本以上の指で行う**ジェスチャー**に画面が反応するようになります。たとえば、iPhoneは親指ともう1本の指が互いに遠ざかる動きをズームコマンドと解釈し、画面上の画像を拡大して反応します。このテクノロジーを**マルチタッチ**と呼びます。

液晶画
自己キャパシタンス方式の画面
検出ライン
駆動ライン
相互キャパシタンス方式の画面
耐擦傷層
透明電極層

iPhoneはフルサイズのコンピューターと全く同じように**マルチタスク処理**を行います。たとえば、ウェブサーフィン中に、連絡先、メール、カレンダーなどの更新が自動的に行われます。

CHAPTER 9　コンピューターの DNA の起源　**153**

赤外線 LED とセンサーは、電話が耳から離れたことを検出して電話を切ります。

イヤホンと電源コード用のジャック

カメラ

SIM

電話サービス認証用のSIMカード

マイクロプロセッサ

2個のマイクロプロセッサを搭載した回路基板

赤外線センサー

バッテリ

バッテリ

携帯電話サービス、Bluetooth、およびWi-Fi用のアンテナ

アンテナ

加速度センサー

加速度センサーは、iPhoneが縦横どちらを向いているかを検出し、その向きに合わせて画面表示を変更します。

画面には2種類のタッチセンサーが組み込まれています。**相互キャパシタンス方式の画面**には、互いに直角に配置された電線が埋め込まれています。一方の**駆動ライン**を流れる電流によって電磁界が発生し、それをもう一方の**検出ライン**で読み取ります。**自己キャパシタンス方式の画面**では、静電容量検出回路を持つ電極が画面全体に埋め込まれています。指でiPhoneの画面にタッチすると、電磁界が変化し、それが両方の種類のセンサーで検出されます。すると、データがiPhoneのプロセッサに送られ、画面に表示中の内容と実行中のアプリケーションに照らして解釈されます。

PART 3 コンピューターの進化

CHAPTER 10
小さな変化が大きな成果を生み出す仕組み

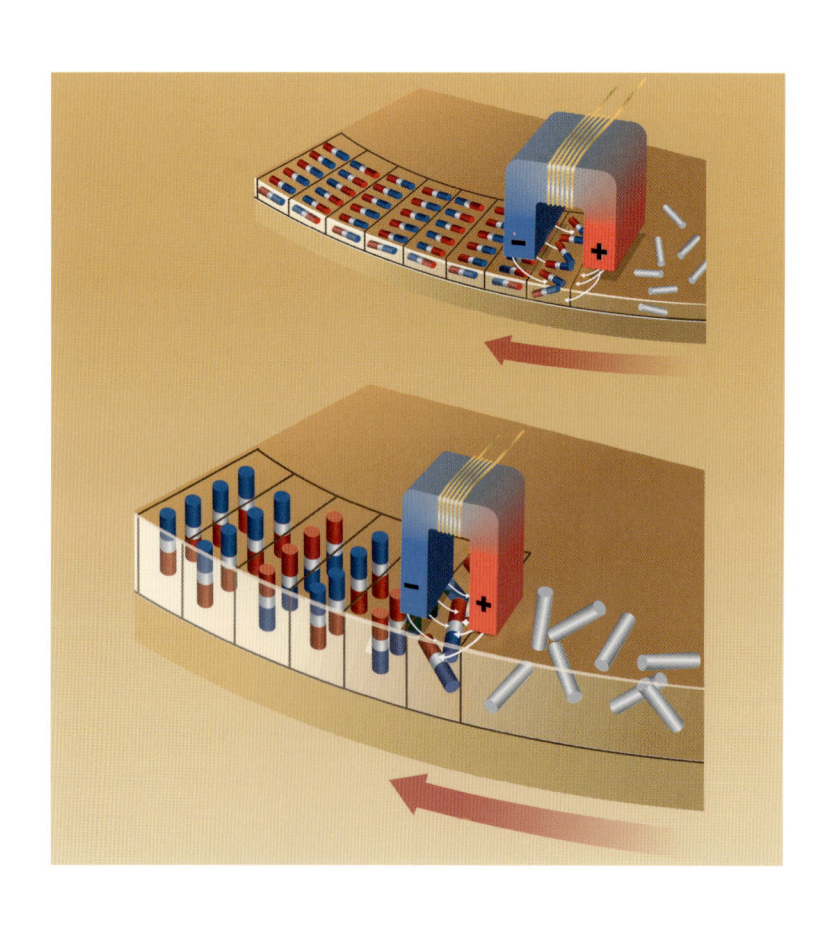

CHAPTER 10　小さな変化が大きな成果を生み出す仕組み　155

小さな物事、たとえば細胞の突然変異や機械の小さな部品などが、大きな影響を及ぼすことがあります。

初期の時計は決して小さな物ではありませんでした。紀元前16世紀にバビロンとエジプトで最初に登場した時計は、机サイズのものから家ほどのサイズがあるものまでさまざまでした。最も単純な形態の時計では、底に穴があいた鉢に水が満たされていました。水は穴からゆっくりしたたり落ちて、その下にある容器を満たします。容器の中の水位が上昇するのに伴って、浮きも上昇します。浮きに付いた針が、容器の内側にある目盛りを指して時刻を示します。

クレプシドラと呼ばれるこの水時計は、あまり正確ではありませんでした。クレプシドラがいかに不正確だったかは、水時計の時間の修正に日時計が使われていたことからもわかります。精度を上げるために、通常は水をたらす鉢を増やす方法がとられましたが、ついにはその重さが数百キロにもなりました。

機械の変化によってすべてが変わったのは1250年になってからのことです。とても小さくて単純な機構が、計時に大変革をもたらしました。**脱進機**と呼ばれるこの機構は今でも使われています。下の絵をご覧ください。

回りにギザギザの付いた**がんぎ車**は、電池、バネ、または重りからの一定の力を受けて回転します。がんぎ車から出ている軸は、時計の針を回転させる歯車装置につながっています。がんぎ車のすぐ上にある**アンクル**という部品の両端には、2つの**爪**が付いています。アンクルの役割は、前後に揺れ動いてギザギザの1つを引っかけ、がんぎ車の動きを一瞬止めることです。がんぎ車はすぐに最初の爪を振りほどき、少しだけ回転しますが、今度はもう1つの爪が降りてきて反対側からがんぎ車を止めます。2つの爪が順番にがんぎ車を止めるときに出る音が「チクタク」の語源です。

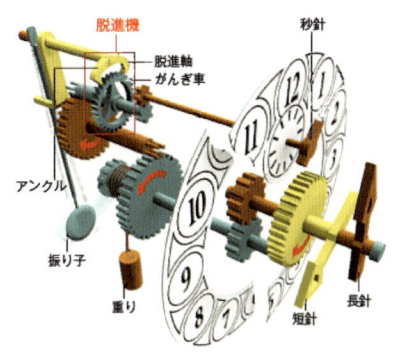

韓国の国立古宮博物館で展示されている自撃漏と呼ばれる韓国の水時計。1434年の実物大モデル。大きい水槽の中の水が上昇すると、浮いている棒がてこに触れる。それによって玉が装置を作動させ、どら、鐘、または太鼓を叩き、時刻を知らせる板を引き上げる。

脱進機は小さな物ですが、商業、旅行、工場、科学の分野で、脱進機によって可能になったことを考えてみてください。

同様に、コンピューティングのさまざまなイノベーションは、その物理的なサイズとまるで釣り合わない大きな影響を与えてきました。髪の毛を1本切ってみてください。その髪の毛の断面には何千個ものトランジスタが収まります。こうした極小のコンポーネントがなかったら、私たちがコンピューティングに関して知っているものは何ひとつ実現しなかったでしょう。スマートフォンのディスプレイ、スピーカー、それに電話を振動させる小さな部品などのもっと複雑なコンポーネントでさえ、お菓子のオレオより薄いデバイスの中に他のたくさんのパーツと一緒に収まるぐらいの小ささです。20世紀末のコンピューターと同様に、21世紀初頭を特徴付けるテクノロジーであるスマートフォンも、小さな物たちがなかったらここまで大きく成長できませんでした。

USBはいかに万能か

進化の道は、有機体であれデジタルであれ必ずしも平坦ではありません。進化はときとして、必要でなくなった後も生物やマシンにずっと張り付く機能を生み出すことがあります。現在、ごく一部のパソコンには、キーボードとマウス専用の奇妙な小さいポートが付いています。ScrollLock キーは、元々の用途だった Lotus 1-2-3 というプログラムがひっそりと絶滅した後も長く生き残っています。他にも、下位互換性の名の下に故意に残されている過去の遺物があります。

ユニバーサルシリアルバス 3(USB3) がその名に恥じないのは、思い付く限りのあらゆるパソコン周辺機器に接続できるという理由だけではありません。第 9 章「コンピューターの DNA の起源」で取り上げた厄介なシリアルポートとパラレルポート以外にも、さまざまなポートに取って代わるユニバーサルなシステムだからです。しかも、USB1 や USB2 にしか対応していない古いコンピューターや周辺機器でもそのまま使用できます。これは進化の理想形であり、数本の小さな線がどれほどの違いを生むかを示す例でもあります。

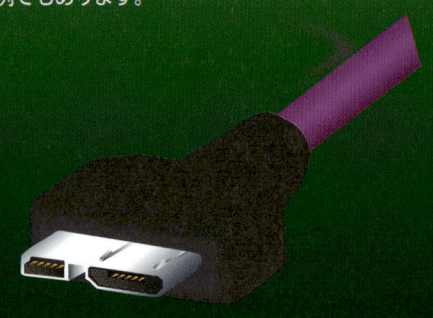

ポリ塩化ビニル外被

シールド

USB2シールドディファレンシャル
ツイストペアの線

シールド線

グランド

電力

USB3シールドディファレンシャル
ツイストペアの線

USB3シールドディファレンシャル
ツイストペアの線

1 パソコンの USB3 コネクタは USB ポートに似ていますが、片側に切り込みがあります。USB3 コントローラーはデュアルバスアーキテクチャで動作します。バスの 1 組の線では USB2 と USB1 を実行し、同時にもう 1 組の線ではデータを 10 倍の速度 (5Gbps) で送信します。

2 切り込みの両側にある接続は同じケーブルにつながっています。ケーブルには周辺機器の動作に必要な電気を供給する電力ラインとグランドラインもあります。USB2 のデータ (信号) は、USB2 の標準の細い非シールドツイストペアの線を通じて伝送されます。

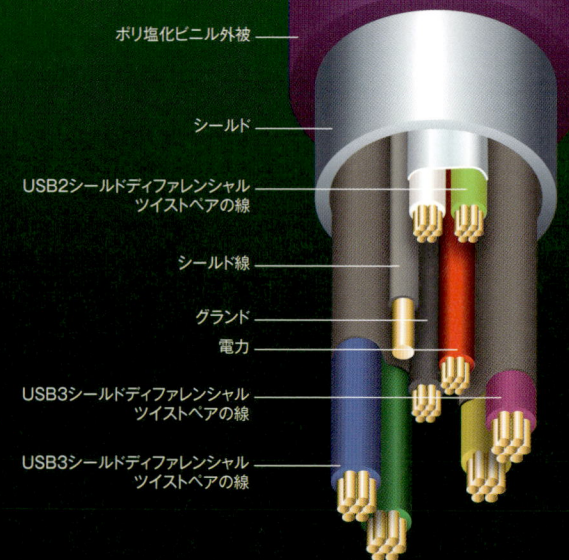

3 USB3 の信号は、多芯シールド線を通じて伝送されます。多芯シールド線は、2 つのシールドディファレンシャルペア (SDP) を構成する線の中を通っており、この 2 つのペアは USB2 の線と同じケーブル内にあります。ペアの線は太めで、それぞれ網状の金属帯板の層で覆われています。USB3 では、それぞれのペアを送信と受信に使用できます。つまり、USB2.0 の**ハーフデュプレックス**方式と異なり、USB3 の接続ではデータの読み取りと書き込みを同時に行うことができます (**デュアルシンプレックス**)

CHAPTER 10　小さな変化が大きな成果を生み出す仕組み　157

4 本質的にすべての電気信号は、特定の時間の長さと電圧で決定される電気パルスで構成されます。5Gbpsの帯域幅を得るには、USBの信号を短くし、同じ長さの時間で送れる信号を増やす必要があります。また、電圧の値は瞬時には変化しないので、より低い電圧にしなければいけません。電圧の変化には時間が必要で、変化量が小さいほど短時間で変化します。

5 電圧の変化が長くて大きいUSB2の伝送信号では影響を与えない電磁干渉が、USB3の信号では混乱を引き起こすことがあります。信号の完全性を乱し、バスの5Gbpsのスループット実現を妨げる電気ノイズを除去するシールドが必要です。しかし、USB3にはもう1つのテクノロジー、つまりシールドディファレンシャルペアによる「ディファレンシャル（差動）伝送」も必要です。

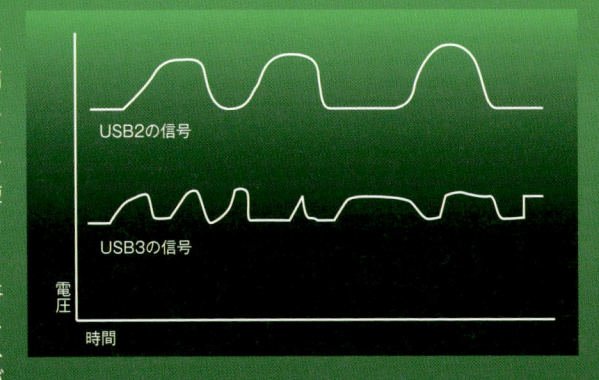

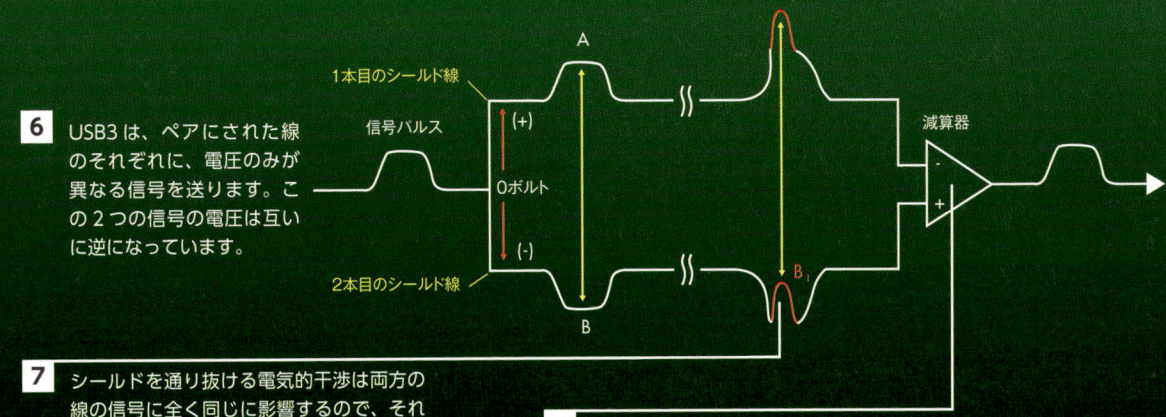

6 USB3は、ペアにされた線のそれぞれに、電圧のみが異なる信号を送ります。この2つの信号の電圧は互いに逆になっています。

7 シールドを通り抜ける電気的干渉は両方の線の信号に全く同じに影響するので、それぞれの線の電圧が同じ量だけ上昇または下降します。図のAとBの間の電圧の差は、A1とB1の間の差と等しくなります。

8 信号（ノイズの影響を受けた場合はゆがんでいる）を受信すると、**減算器**が2つの信号の電圧の差を測定します。この値の差が信号にエンコードされたデータの判別に使われます。

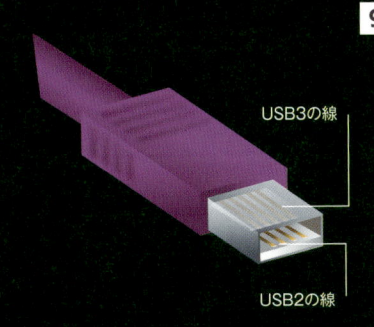

9 受信側のコネクタは、USB3またはUSB2の機器で利用できるように設計されています。一般的な**Standard A**ポートでは、ピンが両側にあります。USB2とUSB3のプラグは、同じポートに互いに上下逆向きに差し込まれる形になります。

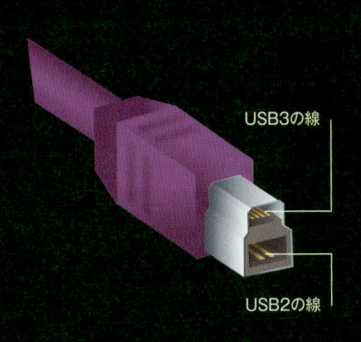

10 プリンターでよく使われるUSB Standard Bポートでは、USB2のポートにUSB3用のプラグを収容するための屋上階が追加されています。USB2のプラグはそのままふつうに差し込むことができます。

小さな歩みの積み重ねがもたらす大きな変化

何年もの間、コンピューターユーザーはメガバイト単位のストレージを好きなように使えることに満足していました。50MB以上のストレージなんて必要ないでしょ… なになに、100MBのストレージだって？ そして、1台のドライブにギガバイト単位のストレージが載るようになると、満足の意味が様変わりしました。ギガバイト！ メガバイトの容量の1,000倍、10億バイト！ 次にテラバイトという言葉が聞こえ始めました。これは辞書で調べる必要がありましたが、思ったとおりギガバイトのサイズの1,000倍、1兆バイトでした。

それでも十分ではありません。十分になることはないでしょう。ハードドライブのサイズは急速に拡大しています。その拡大は、歴史的偉業による成果ではありません。むしろハードディスクドライブの進化では、ごく小さな改良が少しずつ積み重なり、新しい大きなストレージに結び付いてきました。目覚ましい改良をいくつか挙げてみましょう。

ゾーンビット記録（1996年）

ドライブのディスクの中心から外側へ向かう同心円状のトラックは、元々放射状に分割されていました。放射状に分割されたトラックの1つの区画はセクターと呼ばれました。ドライブにセクターが必要だったのは、ディスクに書き込まれたすべてのファイルの場所を追跡するためです。一番内側のセクターには、当時のテクノロジーで管理できる最大限の記録密度のデータが詰め込まれました。外側になるほどセクターは大きくなり、内側のセクターの2倍の量のデータを入れることができました。問題は、ファイルを追跡するために、どの場所にあるセクターにも同じ量のデータを入れる必要があったことです。これでは外側のセクターの記録密度が低下します。

そこで登場したのが**ゾーンビット記録**（ZBR、マルチゾーン記録、またはゾーン記録）です。ZBRでは、情報が記録および認識される方法を少し変更し、ディスクの中心からのトラックの距離に基づいてトラックをいくつかのゾーンに分けます。トラック内に設定できるセクターの数は、ゾーンごとに異なります。上に示す簡略化したZBRディスクの図では、各ゾーンが色分けされています。外周のゾーンのほうがセクターの数が多いことや、場所にかかわらずどのセクターもほぼ同じ長さであることがわかります。

垂直磁気記録（2007年）

初期のドライブでは、あたかも幹線道路の中央に縞のペンキを塗る機械と同じように、ディスクに情報を記録していました。ドライブの読み取り/書き込みヘッドの下でディスクが回転すると、電磁石が作動して、磁界がすべてディスクの回転方向に（N極からS極に）並ぶようにディスクの表面に磁性粒子を「塗り」ます。異なるビットを作成するために、電磁石が極性を反転して磁界のN極とS極が逆向きに並ぶようにすることもありますが、それでも磁界は水平です。

この線形記録方式がスペースを無駄遣いしていたことは、**垂直磁気記録（PMR）** の登場によって明らかになりました。PMRでは、横向きに磁界を並べる代わりに、書き込みヘッドの記録フィールドをディスクの奥に押し込み、立ち上がった形の磁界を作成します。もしもエレベーターで乗客が重ならずに寝そべる必要があったら、乗れる人数がどれだけ少なくなるかを想像してみてください。

出典:storagenewsletter.com

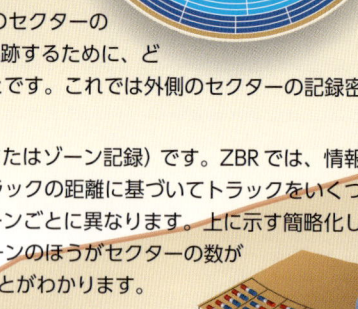

ビットパターンメディア(2013年)

ハードディスクの2つの物理的特性により、ディスクの記録密度は1平方インチあたり1.20Tbitに制限されていました。特性の1つは、各ビットに十分な磁性体が必要なことです。これは、至るところに存在する一般的な磁気ノイズから、読み取りヘッドが1つのビットの磁気を見分けられるようにするためです。もう1つは、**超常磁性限界**によりビットの最小サイズが決まることです。これは、磁化状態が熱で不安定になり、データが格納できなくなるのを防ぐためです。

ここで登場したのが**ビットパターンメディア**です。この手法はディスクの作成から始まります。音楽CDを作成する工程とほぼ同じように、ディスクの表面に型を押し込んで、水素シルセスキオキサンのごく小さな柱を表面上に作成します。

スパッタリングと呼ばれる工程で、ディスクは磁性体の**ターゲット**と共に真空チャンバーに入れられます。中ではイオンまたは電子の流れがターゲットに衝突し、ターゲットの分子や電子が破裂して、磁性体の強烈な雲が作られます。その雲の中の粒子が柱の先端部に付着して、各先端部を個別の磁気ビットに変換します。磁気ビットは強い磁気記録を受け付ける程度に密集し、超常磁性限界を免れる程度に分離しています。柱と柱の間隔が35nmの場合、ディスクの記録密度は1平方インチあたり0.6Tbitです。間隔が12nmの場合は、1平方インチあたり3.3Tbitになります。

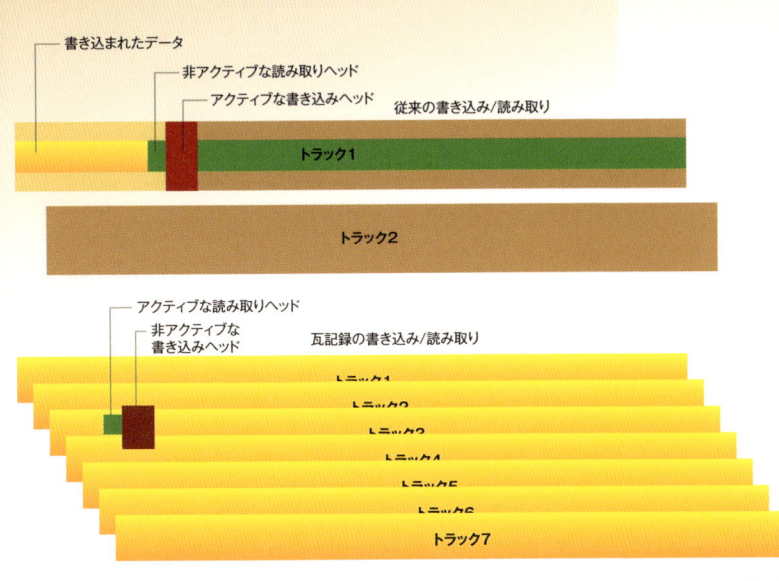

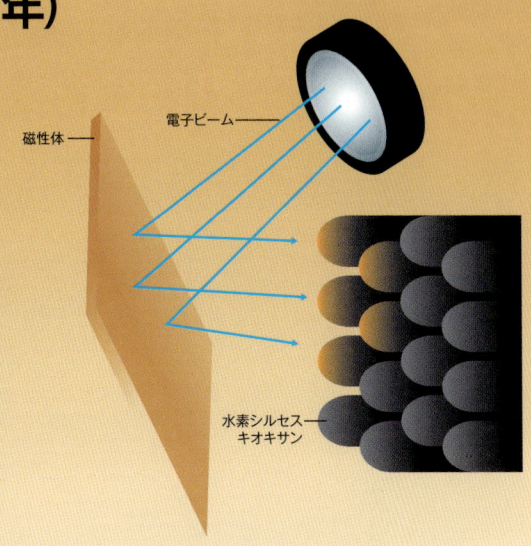

瓦記録(2011年)

技術者たちは、ディスクのトラックは互いに分離していなければならないというおきてを破ることで、ハードドライブを拡大できました。屋根瓦のように、トラックの縁を順番に重なり合わせて配置することで、**瓦記録(SMR)** を開発したのです。

SMRは、読み取り/書き込みヘッドがデータを書き込む際、ディスクの表面上の粒子の磁性配向を変えるためにたくさんのエネルギーを作り出すことを利用します。書き込むときには、トラックの広い範囲が対象となるためです。書き込み後のデータをエンコードするパターンを作り出す磁界は弱いものですが、読み取りヘッド内に電流を発生させるには十分な強さを持っています。

書き込みヘッドは、読み取りヘッドが必要とする幅よりもずっと広い幅のトラックを書き込みます。そのため、SMRでは1つのトラックを書き込む際、そのトラックの一方の縁に、隣り合うトラックの縁が重なります。結果として、読み取りヘッドがエラーなく処理するのに十分なトラックができあがります。

ファイル圧縮によって
ファイルが小さくなる仕組み

1 ファイルは、たとえ圧縮ディスク上にあるものでも、ファイル圧縮によってさらに小さくすることができます。この処理を、よくファイルの **zip 圧縮** と呼びます。この種の圧縮では、ファイル内の冗長な部分をなくすことによってファイルサイズを減らします。これを **可逆圧縮（ロスレス圧縮）** と呼びます。展開時にファイル内のビットをすべて正確に復元できることを意味します。

2 圧縮プログラムでは、一般に LZ（作成者のレンペルとジヴにちなんだ名前）**適応型辞書ベースのアルゴリズム** と呼ばれる方式のバリエーションが使われます。プログラムは非圧縮ファイルを読み取りながら、ファイルにデータの繰り返しパターンがないか調べます。パターンが見つかると、LZ は他のセクションと同じようにテキストに従ってパターンを書き込む代わりに、パターンを辞書に書き込みます。辞書は圧縮ファイルの一部として保存されます。

65,536番目のファイル
FAT
トラック
1番目のファイル
512バイトのセクター

ドライブサイズ	クラスターサイズ
256MB	4K
512MB	8K
1GB	16K
2GB	32K

3 パターンが書き込まれるはずだった場所に、LZ は代わりに遥かに短いポインターを書き込みます。このポインターは、省略されたパターンが辞書のどこにあるかを示しています。**適応型** とは、アルゴリズムがファイルの書き込みを続けながら、常により効率的なデータパターンを探して、辞書の登録項目をその場で変更することを意味します。たとえば、LZ は "sells"、"seashells"、および "seashore" の中の "se" を辞書のパターンの 1 つとして選ぶことができますが、"ells" と "seash" を使うほうが効率的です。

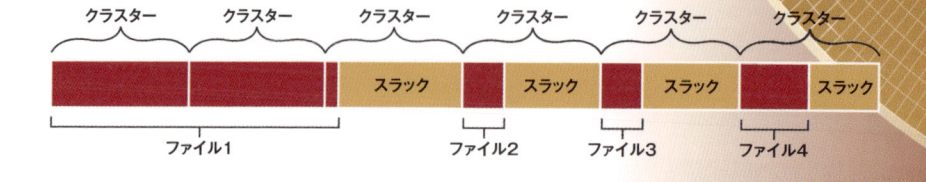

クラスター　クラスター　クラスター　クラスター　クラスター　クラスター　クラスター
スラック　　スラック　　スラック　　スラック
ファイル1　　　　　　　　　　　ファイル2　ファイル3　ファイル4

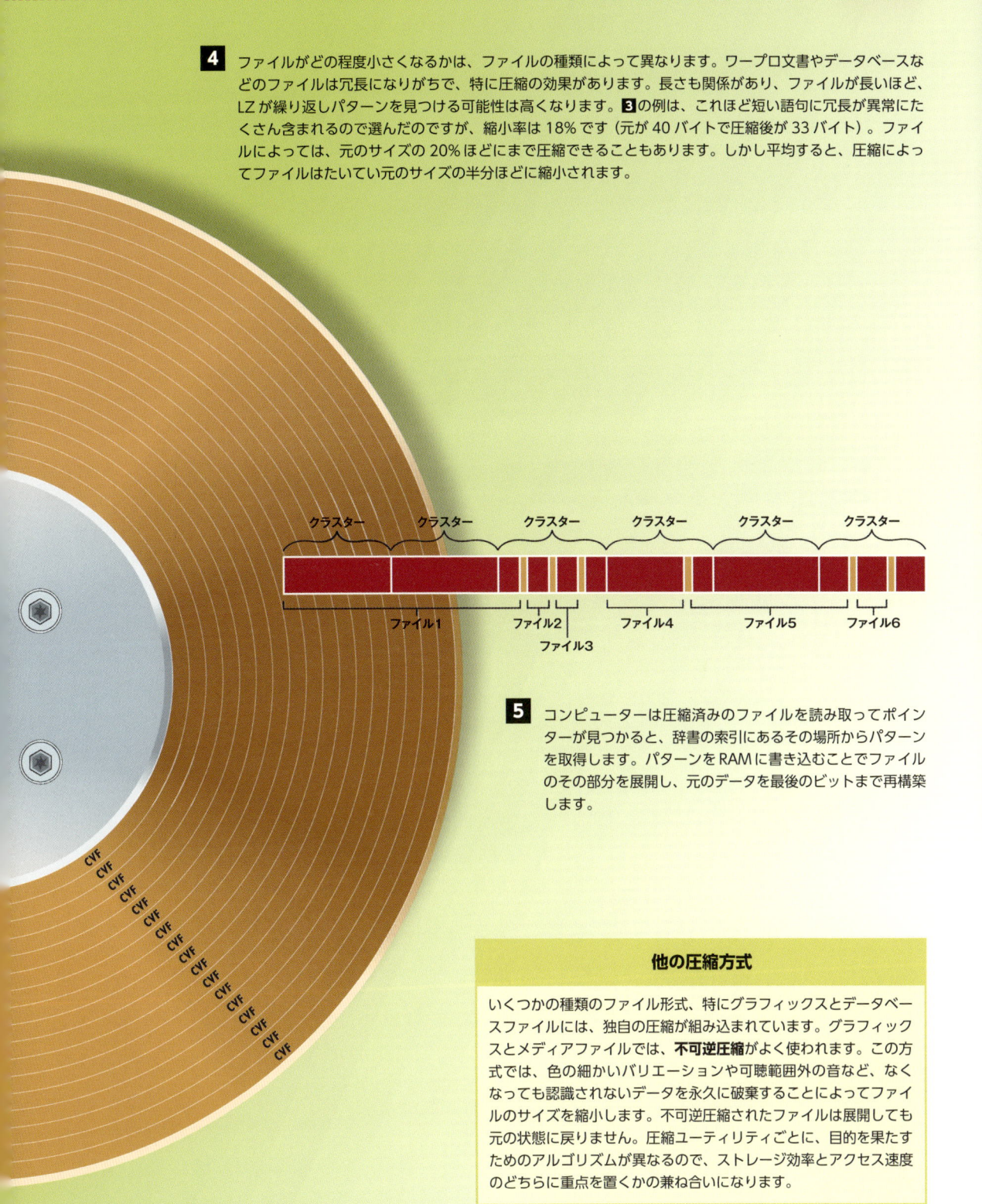

4 ファイルがどの程度小さくなるかは、ファイルの種類によって異なります。ワープロ文書やデータベースなどのファイルは冗長になりがちで、特に圧縮の効果があります。長さも関係があり、ファイルが長いほど、LZ が繰り返しパターンを見つける可能性は高くなります。**3** の例は、これほど短い語句に冗長が異常にたくさん含まれるので選んだのですが、縮小率は 18% です（元が 40 バイトで圧縮後が 33 バイト）。ファイルによっては、元のサイズの 20% ほどにまで圧縮できることもあります。しかし平均すると、圧縮によってファイルはたいてい元のサイズの半分ほどに縮小されます。

5 コンピューターは圧縮済みのファイルを読み取ってポインターが見つかると、辞書の索引にあるその場所からパターンを取得します。パターンを RAM に書き込むことでファイルのその部分を展開し、元のデータを最後のビットまで再構築します。

他の圧縮方式

いくつかの種類のファイル形式、特にグラフィックスとデータベースファイルには、独自の圧縮が組み込まれています。グラフィックスとメディアファイルでは、**不可逆圧縮**がよく使われます。この方式では、色の細かいバリエーションや可聴範囲外の音など、なくなっても認識されないデータを永久に破棄することによってファイルのサイズを縮小します。不可逆圧縮されたファイルは展開しても元の状態に戻りません。圧縮ユーティリティごとに、目的を果たすためのアルゴリズムが異なるので、ストレージ効率とアクセス速度のどちらに重点を置くかの兼ね合いになります。

SSDが高速に動く仕組み

パソコンのパフォーマンスを低下させる主な要因は、**アクセス待ち時間**、つまりデータの移動にかかる時間です。ハードディスクドライブとコンピューターのそれ以外の部分には、容量と速度の両面で大きな格差があります。プロセッサがRAMからのデータを待つ場合、待ち時間は数十サイクルです（**サイクル**はコンピューターが処理を実行できる最短時間を表す時間単位です）。しかし、ハードディスクからのデータを待つ場合、待ち時間は数百万サイクルにもなります。

ハードドライブには、常にこの問題がつきまとってきました。ハードドライブは機械で、一般の物理法則に縛られます。ハードドライブの待ち時間のほとんどは、データの読み書きではなく、読み取り/書き込みヘッドの移動に費やされます。ヘッドは、1分間に何千回転もするプラッターのわずか数千分の1ミリ上（ドライブが読み書き用の電気を一瞬送るためだけの最適な位置）に浮いています。この仕組みは実に見事ですが、静かで動かない**ソリッドステートドライブ（SSD）**に比べるとあきれるほど原始的です。

2 フローティングゲートトランジスタの図は「第2章　コンピューターが記憶する仕組み」のRAMの図によく似ていますが、電荷を絶えず補充する必要はありません。代わりにNANDトランジスタには、**フローティング（浮遊）ゲート**と呼ばれる構造が組み込まれています。このように呼ばれるのは、トランジスタ内の他のゲートと異なり、このゲートが回路につながっていないからです。

3 フローティングゲートは、二酸化ケイ素などの物質の薄いシート上に浮いています。このシートが**トンネル障壁**となり、ゲートを**基板**から分離します。基板には、トランジスタの電子の貯蔵庫である**ソース**と、ソースから取り出されてトランジスタを通過した電子の出口となる**ドレイン**があります。

4 各NANDトランジスタは、最初は電荷を全く含んでいません。この状態のトランジスタは1を表します。トランジスタが0を表すようにするプロセスは、ドレインに正電圧をかけ、フローティングゲートの下にある基板内の電子をかき混ぜると始まります。

5 次に、**誘電体**（電界で極性を与えることができる絶縁物）の層によってフローティングゲートから分離されている**コントロールゲート**に、より高い電圧をかけます。電圧によって電子がフローティングゲートに引き込まれ、コンピューターの電源がオフになってもそこに捕らわれたままになります。

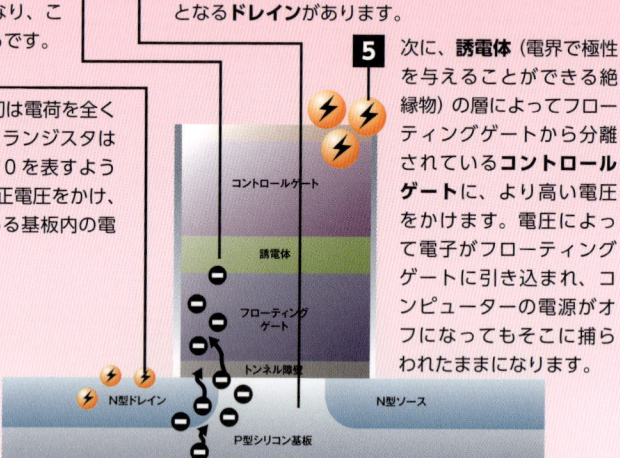

1 マーケティング上の理由から、SSDは、前任者であるハードドライブと同じフォームファクターとコネクタを備えています。しかしSSDのカバーをはがすと、回転するプラッターと動き回るアームの代わりに**NAND型フラッシュメモリ**が静かに並んでいます。フラッシュメモリの中核をなす論理演算「Not And」（否定論理積）にちなんで名付けられたNANDは、コンピューターのふつうのメモリを構成する**ダイナミックランダムアクセスメモリ（DRAM）**の近縁です。DRAMと違い、フラッシュは不揮発性です。コンピューターの電源を切ってもデータはすべてそのまま保存されています。スマートフォン、MP3プレーヤー、それに小さなUSBメモリの中で働いているのと同じもので、同じ生産ラインで製造されています。

SSDがUSBメモリに比べて遥かに高速なのは、NANDチップの**アドレス指定**の仕組みによるものです。また、SSDの内蔵コントローラーがデータを読み書きし、古くなったデータを規則正しく一掃するために使用するさまざまなキャッシングおよびコンピューティングショートカットの働きもあります（次のページを参照）。

6 トランジスタを読み取るには、コントロールゲートに書き込み電圧より低い正電圧をかけます。同様に、ドレインに書き込み電圧より低い追加の正電圧をかけます。ソースとドレインの間の電流の強さから、フローティングゲートに余分の電子があるか（論理0）ないか（論理1）がわかります。

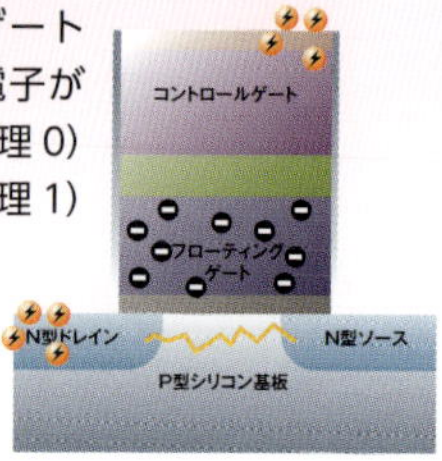

7 トランジスタを消去するには、コントロールゲートに負電圧をかけ、ソースに正電圧をかけます。これによって電子がフローティングゲートの外に強制的に出されてソースに入ります。

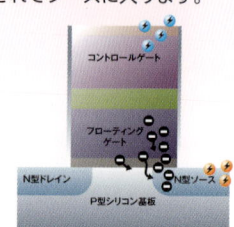

SSDがガベージを取り除く仕組み

SSDが速度の面でハードディスクドライブに勝る理由は、データの読み取りが高速だからではありません。読み取り速度はほぼ同じです。ただし、SSDのほうが先に読み取り先へ到達します。ハードドライブは、読み取り／書き込みヘッドの位置を調整し、目的のデータ片が直下へ進んでくるまで待つ必要があり、その待ち時間に足を引っ張られます。しかしSSDにも特有の足かせがあります。NANDトランジスタは電荷をとても強くつかんでおり、ハードドライブやふつうのRAMと同じ方法では、ビットの状態を1から0に変更することは不可能です。NANDビットを変更するには、周囲にぎっしり詰め込まれたトランジスタの状態に影響を与えるほど強力な電荷をぶつける必要があります。SSDでは、この問題に次のように対処しています。

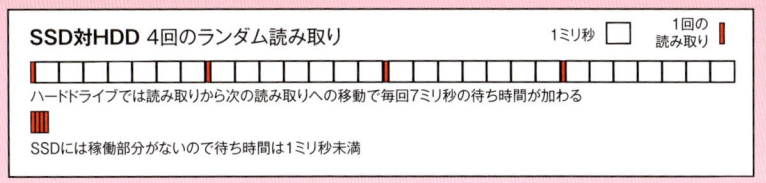

SSD対HDD 4回のランダム読み取り　1ミリ秒 □　1回の読み取り ■

ハードドライブでは読み取りから次の読み取りへの移動で毎回7ミリ秒の待ち時間が加わる

SSDには稼働部分がないので待ち時間は1ミリ秒未満

1 SSD内のトランジスタは32〜256の列にまとめられます。各列には**ページ**が指定されます。4,096〜65,536のページは、**ブロック**としてグループ化されます。ブロックが格納できるのは2MBほどで、これがドライブが消去できる最小単位になります。このため、従来のハードドライブ用のデフラグソフトや最適化ソフトは**使用しない**でください。

2 ブロックは回路基板上でグループ化され、通常は1,024ブロックで1**プレーン**になります。一般に、1つのNANDフラッシュの**ダイ**には複数のプレーンが含まれます。1つのフラッシュチップには複数のダイを含めることができます。そして1台のSSDには複数のチップを載せることができます。

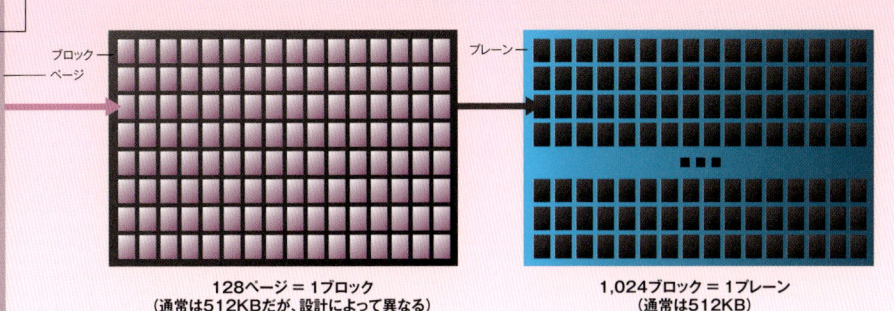

NANDトランジスタ
ブロック
ページ

128ページ＝1ブロック
（通常は512KBだが、設計によって異なる）

プレーン

1,024ブロック＝1プレーン
（通常は512KB）

3 データの書き込みに関しては、SSDではハードドライブとは別の種類の待ち時間が発生します。特に、そのSSDがしばらくの間使用されていて、未使用のページがほとんどない場合は待ち時間が顕著になります。コンピューターがSSDに新しいファイルを送ると、SSDのコントローラーはまず、ファイルを入れるのに十分な未使用のページがあるブロックを探します。見つかった場合、ファイルはそのブロックに書き込まれます。

4 ハードドライブでは、削除済みとマークされた古いデータの上に新しいデータを簡単に書き込むことができます。SSDではこれができません。たとえ新しいファイルを入れるのに十分な場所があっても、その領域が**古くなったデータ（ガベージ）**に占有されている場合、コントローラーはまずそのブロックの内容全体をキャッシュへ一時的に書き込んで、ブロックの内容をすべて消去します。そして、古くなったページを除外したファイルをキャッシュからブロックに戻し、広くなった空きページに新しいファイルを追加します。

5 SSDが**ガベージ**ページでいっぱいの場合、ドライブはブロックの移動と消去にかなりの時間を費やすため、書き込みが著しく遅くなります。この待ち時間を解消するための手段が**トリム（ガベージの取り除き）**です。ドライブは、ドライブ処理がほとんど行われていない時間を利用してガベージページを探し、ブロックをキャッシュに移動してからNANDメモリに戻すことによってガベージページを削除します。これにより、必要なときすぐに、空きページを新しいファイルのために利用できるようになります。

キャッシュ
ページ
ページ
ページ
空のページ
空のページ

ブロック｜ブロック｜ブロック｜ブロック
ガベージ｜ガベージ｜空のページ｜ページ
ページ｜ページ｜空のページ｜ページ
ページ｜ページ｜空のページ｜ページ
空のページ｜新しいページ｜空のページ｜新しいページ
空のページ｜空のページ｜空のページ｜新しいページ

新しいデータ　新しいデータ　新しいデータ　新しいデータ

パソコンが光を使って情報を読み取る仕組み

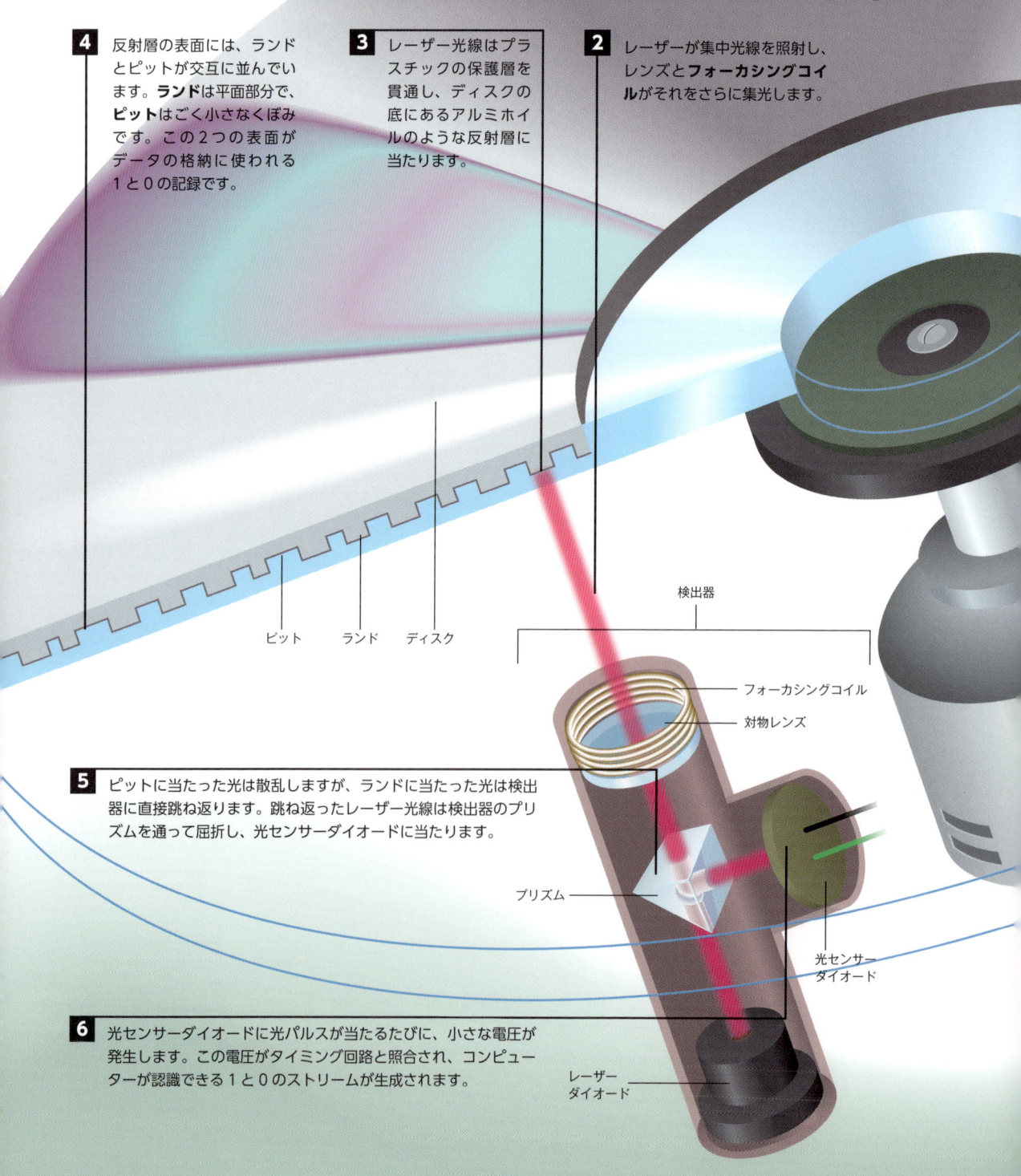

4 反射層の表面には、ランドとピットが交互に並んでいます。**ランド**は平面部分で、**ピット**はごく小さなくぼみです。この2つの表面がデータの格納に使われる1と0の記録です。

3 レーザー光線はプラスチックの保護層を貫通し、ディスクの底にあるアルミホイルのような反射層に当たります。

2 レーザーが集中光線を照射し、レンズと**フォーカシングコイル**がそれをさらに集光します。

ピット　ランド　ディスク

検出器

フォーカシングコイル
対物レンズ

5 ピットに当たった光は散乱しますが、ランドに当たった光は検出器に直接跳ね返ります。跳ね返ったレーザー光線は検出器のプリズムを通って屈折し、光センサーダイオードに当たります。

プリズム

光センサーダイオード

6 光センサーダイオードに光パルスが当たるたびに、小さな電圧が発生します。この電圧がタイミング回路と照合され、コンピューターが認識できる1と0のストリームが生成されます。

レーザーダイオード

CHAPTER 10　小さな変化が大きな成果を生み出す仕組み　　165

1 **検出器**と呼ばれるコンポーネントがディスクの半径に対してどの位置にあっても、検出器のすぐ上にあるディスク領域が常に同じ速度で動くように、モーターはディスク（CD、DVDなど）の回転速度を絶えず変化させています。

ピットとランドを小さくする取り組み

Blu-rayは、小さな変化が大きな成果を生み出すことを示す好例です。Blu-ray（青色光）という名前は、DVDの赤色レーザー光線よりも波長が短い青色のレーザー光を使用することに由来します。両者の差は250nmです。その結果、Blu-rayではDVDの約5倍の高密度記録を実現しています。以下をご覧ください。

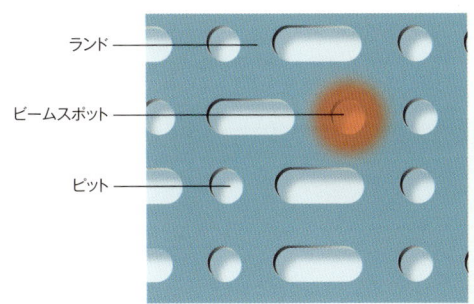

ランド
ビームスポット
ピット

コンパクトディスク：CDでは波長が790nmの赤色レーザーを使用します。これは100万分の1mよりも少し短く、人間の髪の毛の幅に赤色レーザー光を並べるには300本以上必要です。データが記録されるらせん状のトラックどうしの間隔は1.6μm（100万分の1.6m）です。データは**ピット**（穴）と**ランド**（元のままの平面部分）の形でコード化されます。

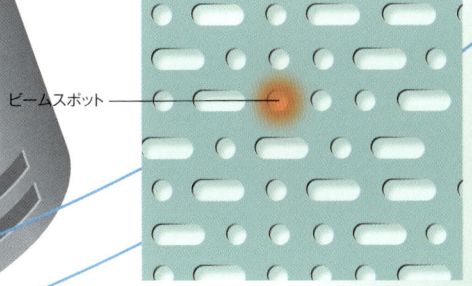

ビームスポット

DVD：普及して10年以上になるDVDでも赤色レーザー光線を使用しますが、波長はもっと短く650nmです。このわずかな違いによって、片面単層のディスクにCDの7倍もの情報を記録できます。トラックどうしの間隔は0.7μmで、ランドとピットも小さくなっています。

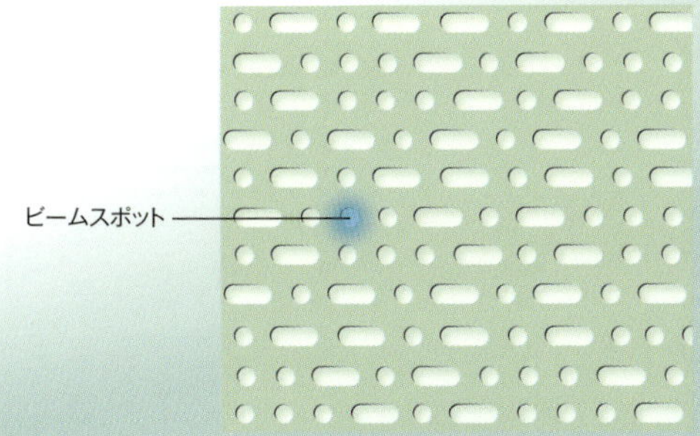

ビームスポット

Blu-ray：この高精細度形式では、光学式ストレージのピットとランドのサイズが飛躍的に小さくなっています。Blu-rayでは実際は青紫色のレーザー光線を使用し、波長は405nmです。Blu-rayディスクのトラックどうしの間隔は0.3〜0.4μmで、マイクロプロセッサの一般的な回路線間隔の約4分の1です。

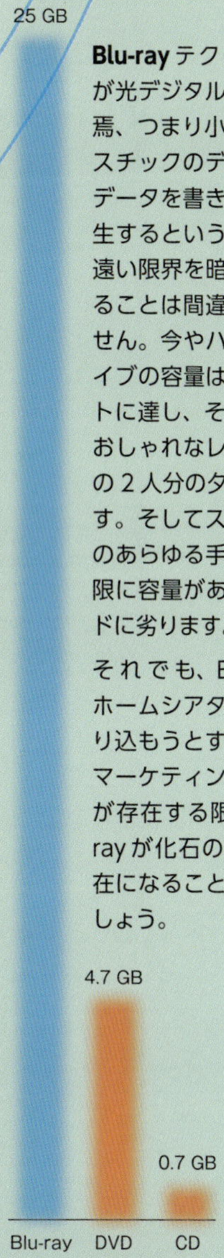

Blu-rayテクノロジーが光デジタル時代の終焉、つまり小さなプラスチックのディスクにデータを書き込んで再生するというやり方の遠い限界を暗示していることは間違いありません。今やハードドライブの容量はテラバイトに達し、その価格はおしゃれなレストランの2人分の夕食程度です。そしてストレージのあらゆる手段は、無限に容量があるクラウドに劣ります。

それでも、Blu-rayをホームシアターへと送り込もうとする映画とマーケティング担当者が存在する限り、Blu-rayが化石のような存在になることはないでしょう。

25 GB
4.7 GB
0.7 GB
Blu-ray　DVD　CD

光学式ディスクドライブが 光を使って書き込む仕組み

1 レーザーは、透明なポリカーボネートプラスチックの比較的厚い層を基盤とするコンパクトディスクに向けて、低エネルギーの光線を放ちます。プラスチックの上には、通常緑色に染められた色素層、レーザー光線を反射する薄い金の層、ラッカーでできた保護層、および多くの場合、耐擦傷性のポリマー素材の層があります。これらの上に、紙やシルクスクリーンで印刷されたラベルがくることもあります。

ポリマー　ラッカー　金

色素　ポリカーボネートプラスチック

2 レーザーの書き込みヘッドは、プラスチックの層に刻まれた密ならせん状のグルーブ（溝）をなぞります。**ATIP (Absolute Timing In Pregroove)** と呼ばれるこのグルーブには、レコード盤に似た連続する波模様があります。波の周波数はグルーブの最初から最後まで常に変化します。レーザー光線は波模様に反射します。光学式ドライブは波の周波数を読み取ることによって、ディスクの表面に対するヘッドの位置を計算できます。

3 ヘッドはATIPをなぞりながら、グルーブの波が示す位置情報を利用して、ヘッドの下にあるディスク領域が常に同じ速度で動くように、ディスクを回転させるモーターの速度を制御します。そのためには、ディスクはヘッドが中心へ向かって移動するにつれて回転速度を上げ、ヘッドが外周部へ近付くにつれて回転速度を下げる必要があります。

レーザー

書き込みヘッド

CHAPTER 10 小さな変化が大きな成果を生み出す仕組み

5 色素層は特定の周波数の光を吸収するように設計されています。レーザー光線からのエネルギーを吸収すると、ディスクの設計に応じて、色素が漂白されるか、ポリカーボネート層が変形されるか、色素層に気泡が作られるかの3つのうち、いずれかの方法でマークが作成されます。マークの作成方法にかかわらず、らせん状のトラックに沿って**ストライプ**と呼ばれるひずみが生じます。光線がオフになると、マークは発生しません。ストライプの長さはさまざまで、その間にあるマークのないスペースの長さもさまざまです。ドライブはそれらの長さを利用し、データを圧縮してエラーをチェックする特殊なコードで情報を書き込みます。色素の変化は永続するので、書き込み可能なコンパクトディスクはWORM（write-once, read-many）、つまり書き込みは一度しかできないが読み取りは何度でもできるメディアになります。

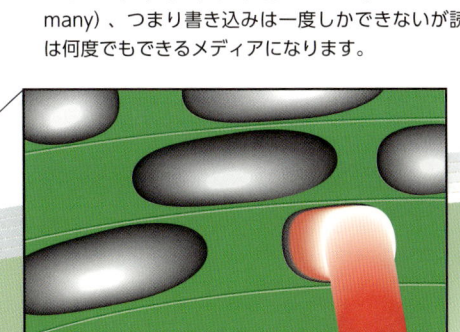

6 データを読み取る場合、ドライブは通常の読み取り専用のドライブと同様に、弱めのレーザー光線をディスクに照射してデータを読み取ります。ディスクの表面のマークが作成されていない場所では、金の層が読み取りヘッドへ直接、光線を跳ね返します。光線がストライプに当たると、グルーブ内のひずみによって光線が散乱するので、光は読み取りヘッドに戻りません。結果は、通常のディスクのランドとピットに光線が照射された場合と同じです。光線がヘッドへ反射されるたびに、ヘッドは電気のパルスを発生します。パルスのパターンから、ドライブはデータを展開し、エラーをチェックし、0と1のデジタル形式でパソコンに渡します。

4 ディスクへの記録を行うソフトウェアは、ISO 9660など、特定の形式で保存されるデータを送ります。これにより、自動的にエラーが修正されて目次が作成されます。たとえば、書き込み可能なCDドライブは、強めのレーザー光線のパルスを780nmの光波長で送って情報を記録します。

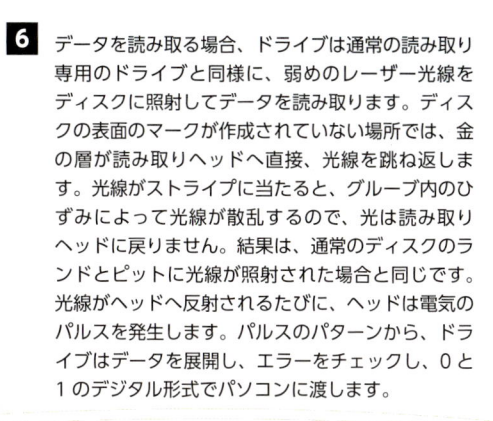

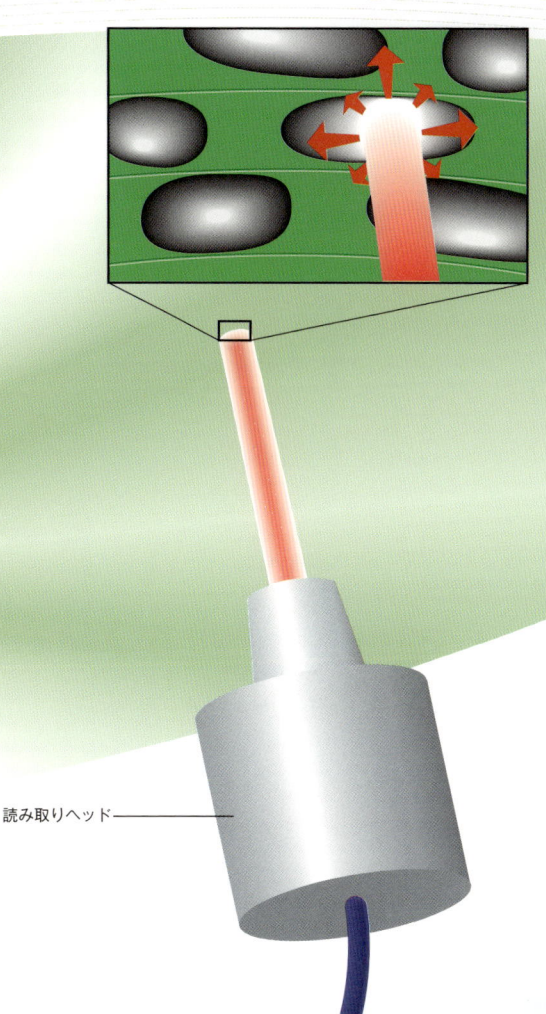

読み取りヘッド

168　PART 3　コンピューターの進化

CHAPTER 11

小型になったパソコン
それからCDプレーヤー、テレビ、電話、図書館、新聞売り場、美術館、ゲームボード、地球も…

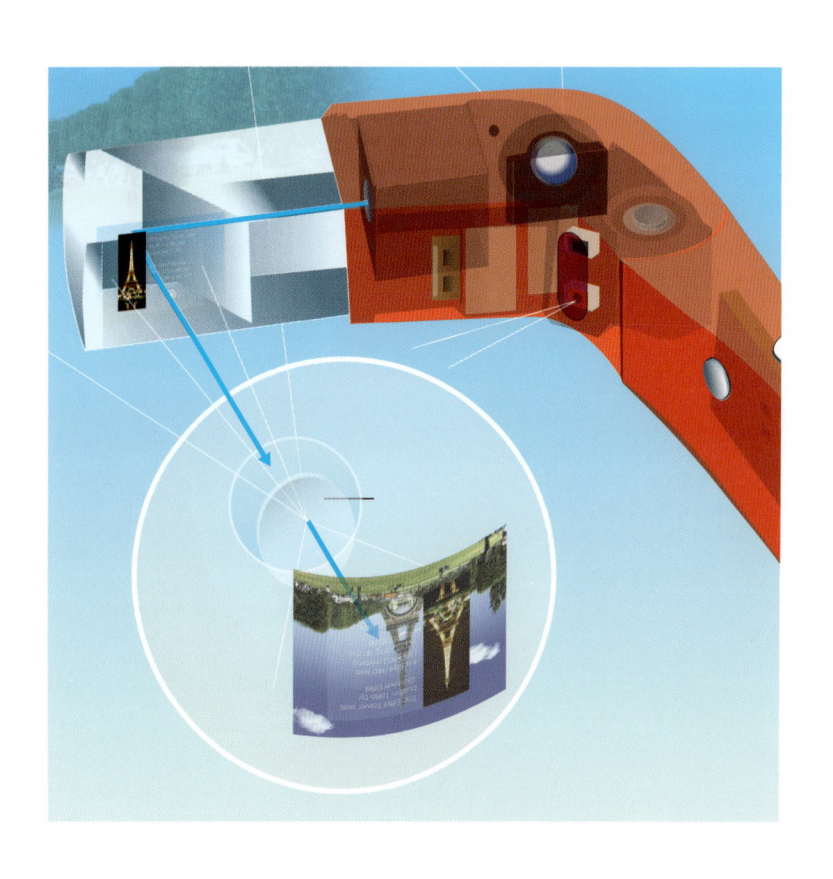

CHAPTER 11　小型になったパソコン

私が初めて使ったコンピューターの1つは Seequa Chameleon で、これは初代 Compaq（コンパック）のコピー商品でした。1983年に2,000ドルの価格で登場した Chameleon は、2台の5.25インチフロッピードライブ（ハードドライブはなし）、9インチのグリーンモノクロ画面、それに256KBのRAMを搭載していました。筐体は頑丈な重金属でできていました。そう、「重」金属です。やっとの思いでセントルイス空港まで引きずっていきながら、「これがモバイルコンピューティングの未来だとしたら、そろばんを買うことにしよう」と考えていたことを思い出します。

その決意を貫かなくてよかったと思います。現生機械（マキナ・サピエンス）になる進化の過程で、パソコンはかなりいじり回されてきました。コンピューターから始まった機能の多くは、より高速で容量の大きいコンポーネントに取って代わられており、しかも小型化しています。結局、コンピューティングの未来は、ペーパーバックよりも小さく、百科事典の情報にアクセス可能で、宝飾品のように身に付けることができて、ただし相変わらず高価なデバイスとなりました。

Seequa Chameleon、1983年ごろ

コンピューターが進化の過程で辿った道筋には、たくさんの化石が残されています。かつてマンモスのように巨大なストレージに思えたディスクドライブは、ただのシジュウカラであることがわかりました。光速に挑むかと思われたプロセッサの処理速度は、結局、制限速度を守っているだけでした。進化にゴール地点はないということを忘れないでください。ゴールに到着したと思うたびに、だれかが突然変異をもたらして、レースはまた最初からやり直しになります。

小型化し、高機能になったコンピューター

デスクトップパソコンとラップトップ型パソコン（ラップトップ）は、うまく共存することができます。とはいえ多くのユーザーにとって、ラップトップは単なる出張用の控えのコンピューターではありません。職場でも自宅でも外出先でも、ラップトップしか使わない人は大勢います。というのも、テクノロジーによって新聞とあまり変わらない手軽さで持ち運べるぐらいまでラップトップが小型化したからです。しかも、ラップトップの機能は、ほんの数年前にはだれも想像しなかったほどに膨れあがっています。ラップトップの中にあるものは、デスクトップパソコンの中身に目をこらすだけでよくわかります（第9章「コンピューターのDNAの起源」を参照）。ラップトップもしょせんはコンピューターなのです。ここではラップトップに特有のパーツとコンポーネントをいくつか見ていきます。

1. タッチパッド。たいていはマウスのほうが使いやすいのですが、由緒あるタッチパッドはラップトップコンピューターを使用するうえで主役の座にとどまっています。

2. SSD（ソリッドステートドライブ）は、ラップトップでますます使われるようになっています。高速で、不注意による損傷を受けにくく、薄いという点で、モバイルコンピューターにうってつけです。

3. SDスロットは、デジタルカメラのメモリカードの別荘であり、手軽なオフラインストレージになります。

4. 昔からあるおなじみのキーボードは、今後も生き残るでしょう。小型化が進む最近のラップトップでは、全部のキーを限られたスペースに詰め込むため、より一層の創造性を発揮する必要があります。

5. 筐体のすぐ下には、通信の新しいヒーローたち、Wi-Fi、Bluetooth、およびNFC（Near-Field Communication）用の回路とアンテナがあります。

6. ヘッドホンジャックはまだ生き残っていますが、いずれBluetoothによって過去の遺物になるでしょう。

7. ラップトップの世代交代のたびに、バッテリは軽く、小さく、長持ちするようになっています。

8. バッテリの寿命は永遠ではありません。電源アダプターを使い、従来のパソコンの電源ユニットを筐体外の「れんが」へ移すことにより、ラップトップの持ち運びが可能になっています。コネクタも進化しています。多くのアダプターは、数個の磁石の力だけでラップトップにつながっています。

9. 内蔵イーサネットポートは、Wi-FiやBluetooth通信と共にスリムな筐体で隠されていて、ネットワークに接続する手段の1つを提供します。

10. 内蔵ディスプレイはモバイルコンピューティングの花形になりつつあり、ときにはHDTVよりも優れた解像度を誇ります。

11. カメラとマイクは現在のラップトップの標準装備です。自分自身のビデオを録画したり、きわめて明瞭な音で同僚や友人と会話したりできます。

12. USBポートは、まとめてたくさん付いているデスクトップパソコンにはかないませんが、ラップトップにも少なくとも2、3個のUSBポートはあります。ポートが足りなければ、いつでも外付けのUSBハブを接続できます。

13. 内蔵HDMIポートを使うと、ラップトップを別の画面（HDTV、プロジェクター、デスクトップモニターなど）へ簡単に接続できます。接続すると、内蔵ディスプレイと同じ画面をもう1つの画面に映したり、両方にまたがって表示画面を拡張したりできます。

14. スピーカーは、ときには予想より高性能である場合があります。ラップトップの筐体の下に隠れています。

筐体の中身

平均的なデスクトップパソコンの筐体の中にあるコンポーネントは、ほぼすべてラップトップの中にもあります。プロセッサ、RAM、マザーボード、ビデオとオーディオ回路まで、すべて揃っています。

遠い昔になくなったもの

かつては標準的に備わっていたけれど、現在のラップトップではもはや使われなくなったパーツもたくさんあります。モデムとフロッピーはすっかり姿を消しました。また、音楽、映画、写真、それに日々のファイルをしまい込む場所としてクラウドが好まれるようになるにつれ、光学式ドライブも見かけなくなってきました。光学式ドライブが必要なときは、USBポートに接続することができます。ラップトップにメモリやその他の機能を追加するために、PCMCIAカードを使っていたことを覚えていますか？　覚えていない？　結構。みんなそうです。

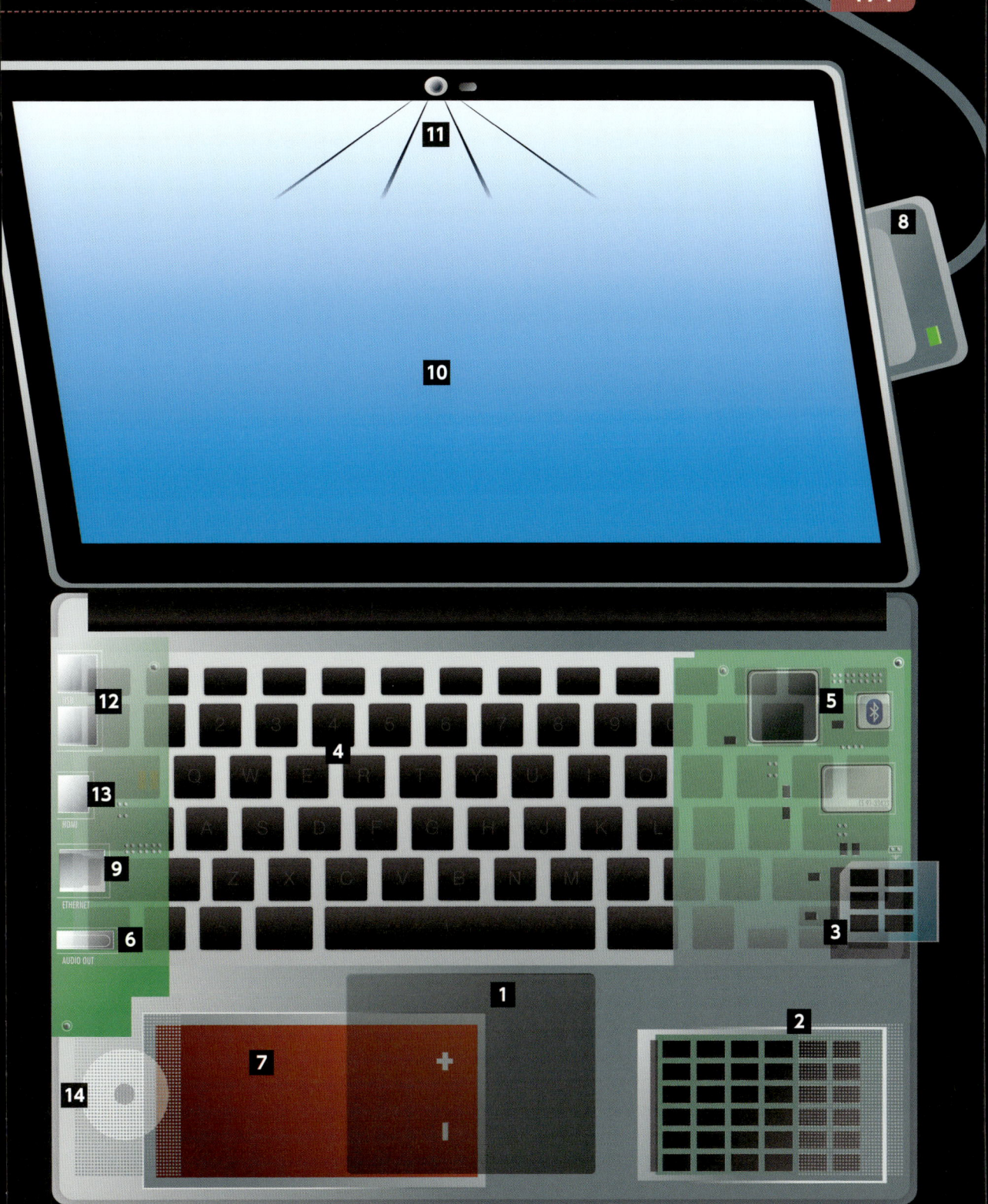

CHAPTER 11 小型になったパソコン

iPodがメディアを供給する仕組み

超小型化の話になると、iPodが最終候補者リストに挙がります。かつて家から離れた場所でお気に入りの曲を聴くには、冷蔵庫より少しだけ小さくて明るい光を放つ、**ジュークボックス**という機械に内蔵された100枚ぐらいのレコードの中にその曲が含まれていることを願うしかありませんでした。しかも、ふつうは1曲25セントかかりました。iPodもその競合製品も、トランプ1組から紙マッチ程度の大きさです。ただ、何千曲も収録できる紙マッチがどれだけあるでしょうか？

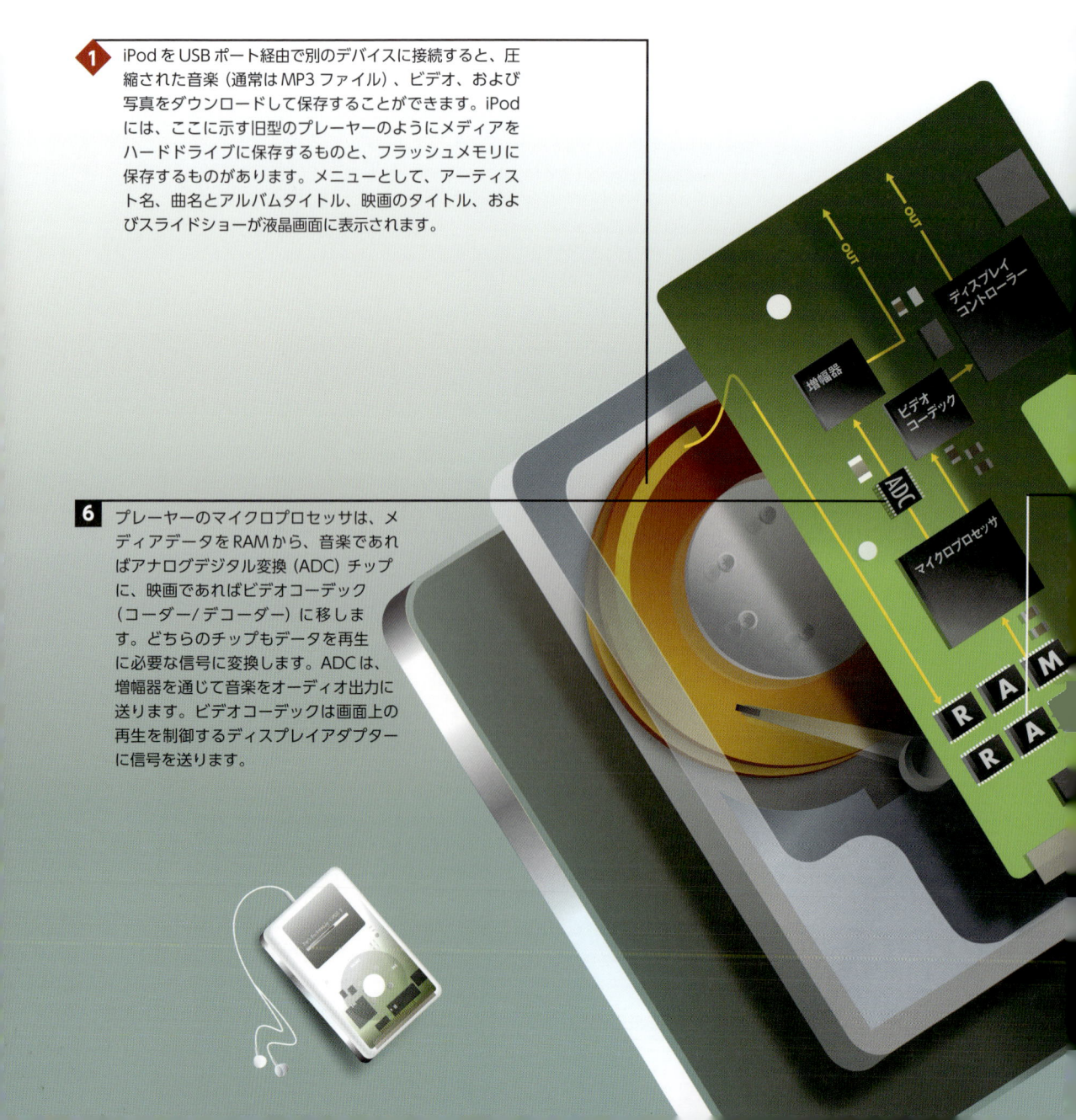

1 iPodをUSBポート経由で別のデバイスに接続すると、圧縮された音楽（通常はMP3ファイル）、ビデオ、および写真をダウンロードして保存することができます。iPodには、ここに示す旧型のプレーヤーのようにメディアをハードドライブに保存するものと、フラッシュメモリに保存するものがあります。メニューとして、アーティスト名、曲名とアルバムタイトル、映画のタイトル、およびスライドショーが液晶画面に表示されます。

6 プレーヤーのマイクロプロセッサは、メディアデータをRAMから、音楽であればアナログデジタル変換（ADC）チップに、映画であればビデオコーデック（コーダー/デコーダー）に移します。どちらのチップもデータを再生に必要な信号に変換します。ADCは、増幅器を通じて音楽をオーディオ出力に送ります。ビデオコーデックは画面上の再生を制御するディスプレイアダプターに信号を送ります。

CHAPTER 11 小型になったパソコン

2 メニューを選択するには次の2つのどちらかの方法を使います。最近のiPodでは、ディスプレイがタッチスクリーンになっていて、指で直接メニューを選択したり、音量や早送りなどの再生機能を制御したりできます。その他のiPodでは、**クリックホイール**を使います。これは筐体とは異なる色合いの少しだけ盛り上がった円で、中央に謎めいたボタンが1個あります。メニューの選択と制御は、円の周りで指を動かして行います。中央のボタンを押すと選択が完了します。ホイールの上下左右にある4つのアイコンでは、使用するメニューの表示、前後のトラックへの移動、および再生/一時停止を制御します。

3 クリックホイールの裏面には、かすかな電荷を蓄える金属のグリッドがあります。グリッドの各交点は、ホイールのコントローラーチップによって別々のアドレスにマッピングされます。縁の周りを指でなぞると、ホイールに圧力をかけなくても、指が電気的な**アース**の役割を果たしてグリッドの電荷を引き付けます。

4 コントローラーチップは指の位置で電荷が増えたことを検出します。指を動かすと、チップは絶えずその位置と速度を追跡します。この2つの測定値がiPodのマイクロプロセッサに送られます。マイクロプロセッサは画面の表示内容に照らして、それらを解釈します。メニューが表示されている場合は、指を動かすと選択バーがメニュー項目の間を移動します。曲を再生中であれば、ホイールを回すと音量が変化します。

5 メディアを選択すると、iPodはハードドライブやフラッシュメモリにある曲や写真を高速なRAM上の一時記憶領域にコピーし、バッテリ節約のためにハードドライブをオフにします。長い音楽やビデオはストリーム再生されます。iPodは必要に応じてメディアの塊だけをコピーします。

iPod shuffle、iPod nano、およびiPod touch

iPodは小型で軽量であるにもかかわらず、Apple社は小型化や操作性をさらに追求したiPodシリーズを投入しました。どの機種からもハードドライブはなくなり、メディアはすべて不揮発性メモリに保存されます。

iPod shuffleは重さが30g未満で、サイズはわずか25mm×41mm程度です。液晶画面はなく、2GBのメモリに約580曲を収録できます。

iPod nanoにはカラー液晶画面と16GBのメモリが搭載されているうえに、従来のiPodよりもかなり小型で軽量です。約4,500曲を収録できます。

iPod touchには**マルチタッチ**ディスプレイが搭載されており、基本的には電話機能のないiPhoneと捉えられます。容量は16GBから128GBまであります。第14章「さまざまなコンピューター技術」の「デバイスがタッチを認識する仕組み」を参照してください。

電子インクが電子書籍リーダーに文字を表示する仕組み

Kindle などのモバイルデバイスでは、電源をオフにしても画面には画像が表示されたままです。確かに、画像が動いたり変化したりすることはありませんが、バッテリを消耗せずにどうやって表示し続けているのでしょうか。

これは電子インクと呼ばれるものを使います。**電子ペーパー（EPD）** は、薄くて曲げやすく、従来の紙によく似ています。しかし、ふつうの紙の約2倍の厚さの電子ペーパーは、木材パルプの代わりに、電子インクが入った数百万個の**マイクロカプセル**を挟む2枚の薄いフィルムでできています。

1 業界の先駆者であるE Ink社では、**電気泳動方式の前面板**を使用しています。これは幅100μm（人間の髪の毛の直径程度）のマイクロカプセルの層で満たされた、電子ペーパーのサンドイッチのようなものです。1平方インチの電子ペーパーに、このマイクロカプセルが10万個含まれています。

2 各マイクロカプセルには透明な液状ポリマーが入っています。液体の中にはごく小さな白と黒の粒子が浮遊しています。この粒子は、白か黒の二酸化チタン顔料を何層もの二酸化ケイ素で覆ったものです。外側は炭素系の層で、髪の毛のような表面になっているため粒子どうしがくっつくのを防ぎ、白の粒子では正の電荷、黒の粒子では負の電荷を保持しています。この電荷によって、マイクロカプセルの液体の中心を通して粒子を集めることができます。

3 電子ペーパーの下層では **TFT (Thin-Film Transistor)** が使われています。これは**アクティブマトリクス**テクノロジーを利用したもので、ラップトップの画面にも使用されています。有機炭素ベースのトランジスタが、マイクロプロセッサにつながる回路と共に、フィルム上に直接印刷されています。プロセッサからトランジスタに信号が送られると、各トランジスタが正または負に帯電します。

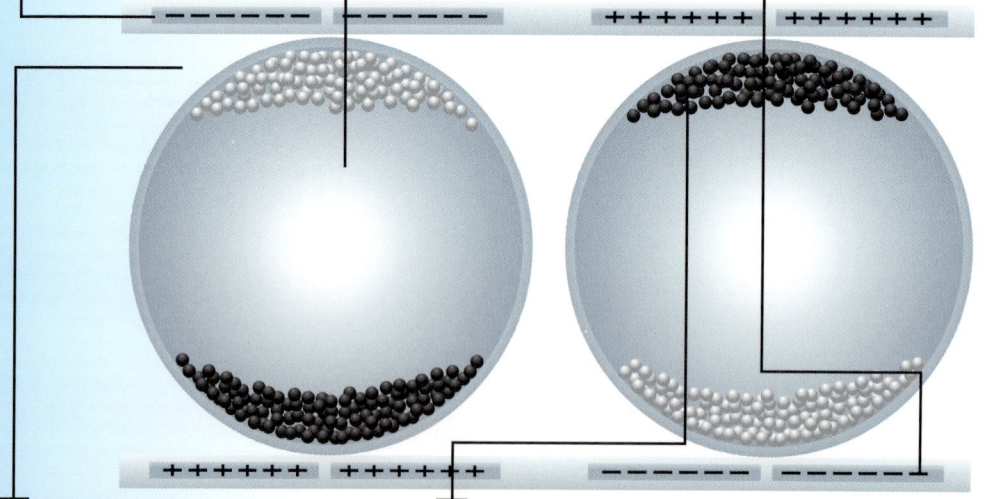

4 白紙の状態の電子ペーパーでは、プロセッサがすべてのマイクロカプセルに正の電荷を送っています。同じ極性に帯電した物質は互いに反発するので、正に帯電した白の粒子は下層から離れてペーパー上部の表面に移動し、シート全体が白くなります。

5 電子ペーパー上に黒っぽい文字や画像を作成する場合、プロセッサはメモリチップに保存されている何百冊もの本から文字や画像を読み取り、本の文字や画像の形状に対応するパターンでトランジスタに信号を送信します。信号によってトランジスタは負に帯電するので、白の粒子はペーパー上部の表面から下へ引き寄せられ、負に帯電した黒の粒子は上に押し出されて白の粒子と入れ替わります。

電子ペーパーとラップトップ

重要なのは、トランジスタへの信号は数マイクロ秒しか継続しませんが、電荷は信号が止まった後も残るということです。Kindleやその他のリーダーで、電源を切った後も画像が表示されたままになるのはそのためです。実際、本物の紙のように、Kindleで何かを見るときはペーパーの前面に光が当たっている必要があります。光が明るいほど読みやすくなります。これに対してラップトップのディスプレイは、明るい光の中では読みにくくなります。ラップトップのディスプレイに比べてリーダーのバッテリの持続時間が長い理由は、こうした違いにもあります。

黒と白でグレーの色調を作り出す仕組み

1 電子インクの元になる各ドットは、すべてオンかすべてオフのどちらかしかないように思えます。にもかかわらず、これらのリーダーでは、右の第1世代のKindleのようにきめ細かい画像を表示することができます。

2 きめ細かさと濃淡の仕掛けの1つは、下層のフィルムに色の付いたマイクロカプセルよりも多くのトランジスタがあることです。プロセッサが隣り合ったトランジスタどうしに逆の信号を送ると、一方のトランジスタは黒の粒子を押し上げ、もう一方のトランジスタは白の粒子を押し上げます。その組み合わせでグレーが作られます。

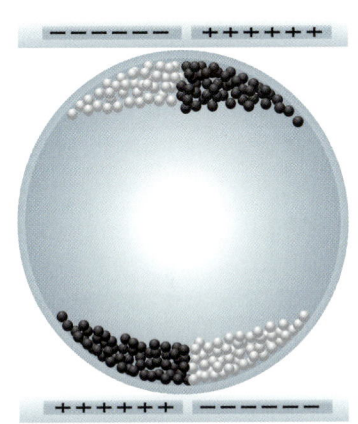

3 電子ペーパーが濃淡ときめ細かさを作り出すもう1つの仕掛けは、通常2個のマイクロカプセルで作られる各ピクセルがきわめて小さいという点にあります。この顕微鏡写真の赤い円は、文字からはみ出した白いドットと、文字の中にある黒いドットを示しています。これらは不具合のあるマイクロカプセル、つまり間違った場所で立ち往生しているカプセルですが、これを見るとカプセルがどれくらい小さいかわかります。ふつうの文字を作るのにどれだけのカプセルが集まるのかがわかると、ごく小さな白と黒とグレーのマイクロカプセルの組み合わせをどのように混ぜ合わせれば繊細な画像を作れるのか簡単に想像できます（また、ぎざぎざを消すアンチエイリアス処理に使われているグレーのドットを囲む緑の円にも注目してください）。

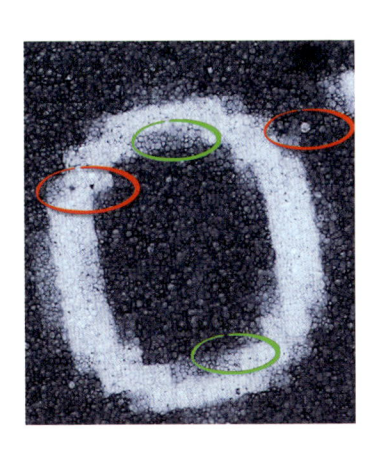

スマートフォンに詰め込まれた数々の賢い機能

「大きい」という言葉からは、何かよいものを連想するのがふつうです。大口の銀行口座。大邸宅。大型のストレッチリムジン。大画面テレビ。意味はおわかりでしょう。しかしコンピューティングでは、ENIAC（重さ25トン、設置面積63m²の1946年のコンピューター）以来、小型化こそ究極のコンピューティングへの道になってきました。これは私たちがコンピューティングを幅広く受け容れ、コンピューティングに大きく依存するようになったことを反映した進化です。最近では、外出時に鍵、財布、それにスマートフォンを必ず携帯します。そして間もなく、スマートフォンがあれば財布も鍵も不要になるかもしれません。

かつては、携帯電話に電卓の機能を付けるだけで技術の驚異と考えられていました。今では、スマートフォンはデスクトップパソコンでできることはもちろん、それ以上のことができると期待されています。デスクトップパソコンが心拍数を教えてくれたり、水準器や金属探知機として機能したり、裏庭の子犬の写真を撮ったり、迷子にならないように散歩に同行してくれたのはいつのことでしたか？　スマートフォンがあまりに多芸多才になったため、どうやってこれだけの賢い機能を筆箱より小さい箱に詰め込むことができたのかと不思議に思わざるを得ません。実際に分解することもできますが、保証が効かなくなります。または、ベルリンにあるiDoc社という、電子機器の分解を専門にしている会社にスマートフォンを持ち込み、自分で修理する方法を学ぶこともできます。準備はよろしいですか？ Samsung Galaxyの最新世代のスマートフォンの幕が上がりました。中に詰め込まれているものをすべてご覧ください。

- 受話口
- 近接／ライト／ジェスチャー
- 反対側にあるディスプレイコントローラーと画面を固定する、前面の部品
- 2MP 1,080p @30fps 自撮り用に最適化された後ろ向きカメラ
- 通知 LED
- 自撮りカメラ
- 16MP 前向きカメラ 2,160p@30fps 1,080p@60fps 720p@120fps
- 5.1インチ AMOLED (Active Matrix Organic Light Emitting Diode) マルチタッチHDディスプレイ
- マグネシウムの中仕切り
- 両面テープがディスプレイを固定
- Gorilla 3 強化ガラス
- 戻るボタン
- 下部入出力基板
- 履歴ボタン
- ホームボタンと指紋スキャナー用の穴
- ホームボタンと指紋スキャナー
- 充電およびUSB 3.0用のポート

CHAPTER 11　小型になったパソコン　177

マザーボードの反対側
SIM スロット
最大 128MB の SD メモリ拡張用スロット
HDMI コントローラー
電源管理スクリプト
RF 送信機
6 軸ジャイロスコープと加速度センサー

3 軸電子コンパス
GPS 受信機
NFC コントローラー
心拍数バイオセンサー
オーディオコーデック

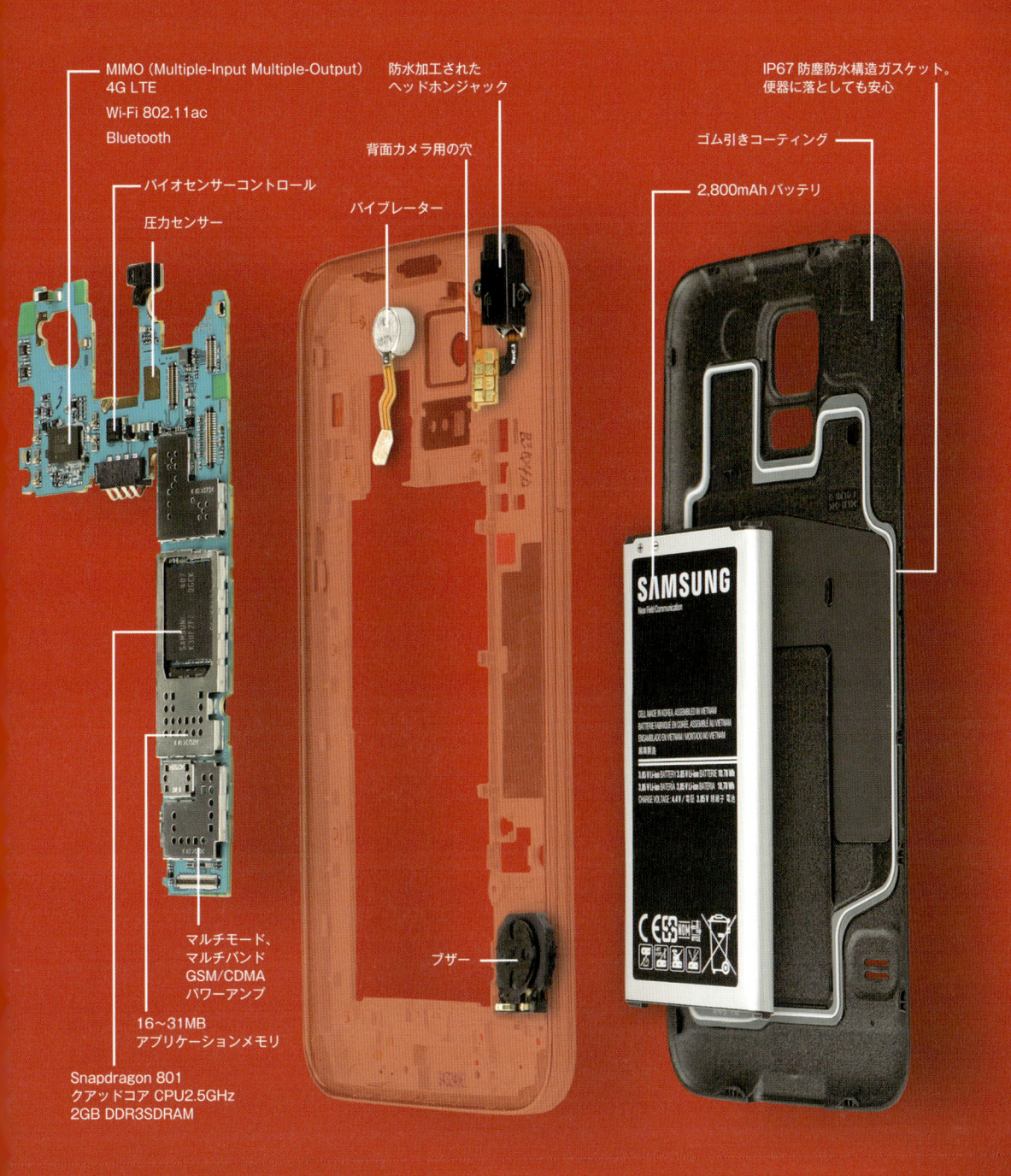

MIMO (Multiple-Input Multiple-Output)
4G LTE
Wi-Fi 802.11ac
Bluetooth

防水加工された
ヘッドホンジャック

IP67 防塵防水構造ガスケット。
便器に落としても安心

バイオセンサーコントロール

背面カメラ用の穴

ゴム引きコーティング

圧力センサー

バイブレーター

2,800mAh バッテリ

マルチモード、
マルチバンド
GSM/CDMA
パワーアンプ

ブザー

16〜31MB
アプリケーションメモリ

Snapdragon 801
クアッドコア CPU2.5GHz
2GB DDR3SDRAM

Google Glassがボーグへと至る仕組み

コンピューティングの究極のユーザーインターフェイスは、もちろん、「スター・トレック」のボーグです。しかし、あれは架空の未来です。この現実の世界で、現在ボーグらしさを最も野心的かつ複雑に具体化しているのは Google Glass です。Google Glass は、スーパーマンの宿敵レックス・ルーサーを彷彿とさせる額のバンドにまでコンピューターを小型化したものです。実際、Google Glass を装着すると、コミック誌のスーパーヒーローや大悪党にしか備わっていないような精神的、身体的能力が手に入ります。今のところ、Google Glass は間違いなく、小型の種へとなおも突き進むコンピューターの進化の最も極端な例といえます。

文字、写真、ビデオをプリズムを通して投射し、コンテンツを網膜に送り届けることで、Google Glass はこれまでの人類には及びも付かない能力を与えてくれます。実際、Google Glass を巡る旅は SF アドベンチャーのようです。私たちはオタマジャクシよりも小さくなり、見慣れたテクノロジーやハードウェアがとても小型になってぎっしり詰め込まれた世界を泳ぎ回ります。ここに示すような地図がないとすぐに迷ってしまうでしょう。

プロジェクター Google Glass の内蔵プロジェクターは額型コンピューターの「画面」であり、ユーザーはスプレッドシートから大ヒット中の新作映画まで何でも見ることができます。そのために、プロジェクターは画面の内容をプリズムに投射します。

投射が当たるプリズムの面は、プロジェクターの映像を眼球に反射する光学フィルムでコーティングされています。

同時に、このフィルムは、ユーザーが見ている現実の光景からの光が、プリズムをそのまま通過してユーザーの目に届くような向きに貼り付けられています

目の中では、現実の像とプロジェクターの映像が網膜の同じ箇所に当たり、合成映像を作り出します。投射により、高解像度の 25 インチスクリーンを 2.4m 離れて見たときと同等の映像が得られます。

ヘッドバンド 細くて薄いチタン製のヘッドバンドは眉毛の高さで止まり、Google Glass のバッテリ、CPU、検出コンポーネント、およびオーディオ/映像装置をつるす足場としての役割を果たします。

目に見える光景

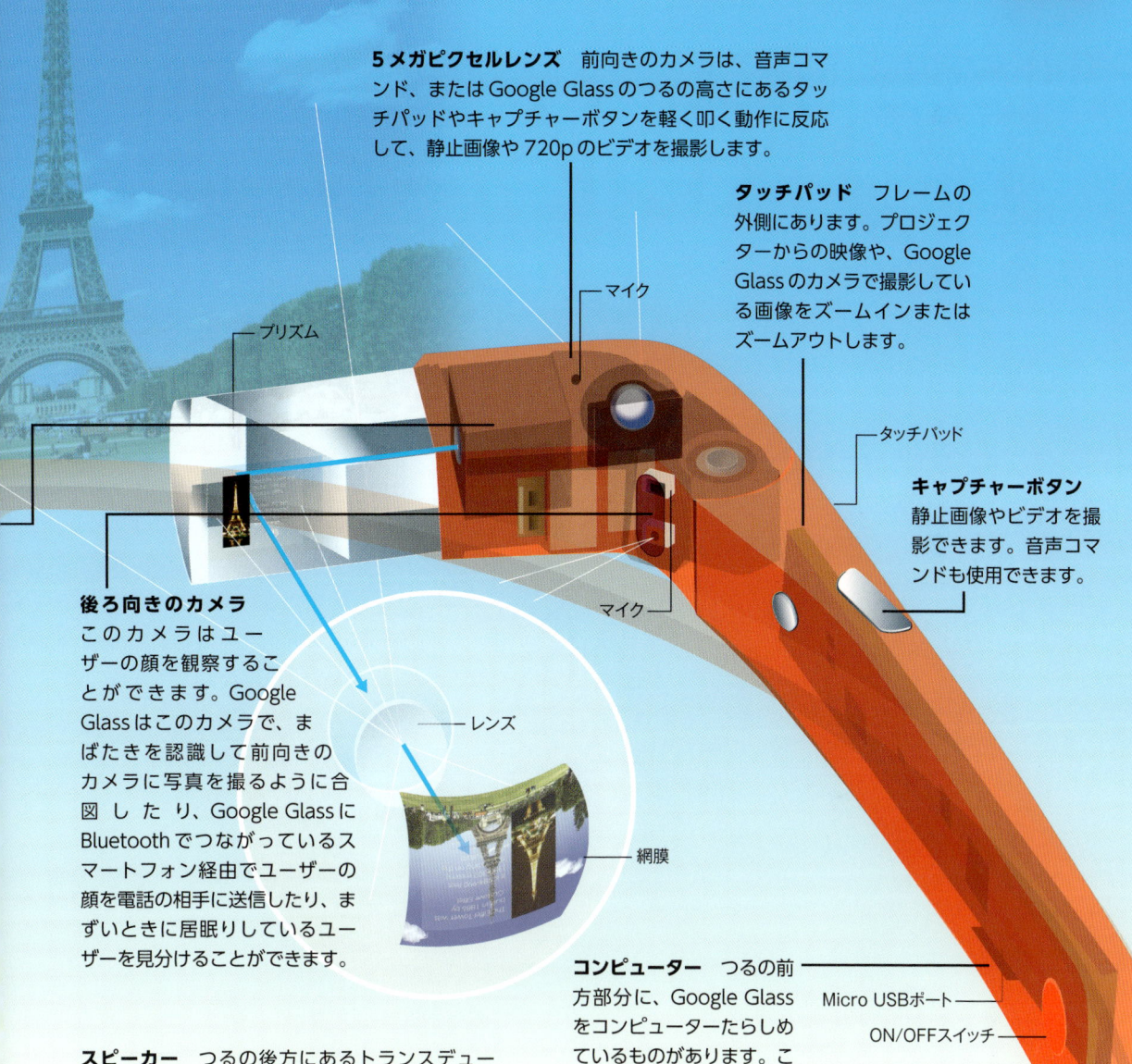

CHAPTER 11　小型になったパソコン　179

5 メガピクセルレンズ　前向きのカメラは、音声コマンド、または Google Glass のつるの高さにあるタッチパッドやキャプチャーボタンを軽く叩く動作に反応して、静止画像や 720p のビデオを撮影します。

タッチパッド　フレームの外側にあります。プロジェクターからの映像や、Google Glass のカメラで撮影している画像をズームインまたはズームアウトします。

マイク

プリズム

タッチパッド

キャプチャーボタン　静止画像やビデオを撮影できます。音声コマンドも使用できます。

後ろ向きのカメラ　このカメラはユーザーの顔を観察することができます。Google Glass はこのカメラで、まばたきを認識して前向きのカメラに写真を撮るように合図したり、Google Glass に Bluetooth でつながっているスマートフォン経由でユーザーの顔を電話の相手に送信したり、まずいときに居眠りしているユーザーを見分けることができます。

レンズ

網膜

マイク

コンピューター　つるの前方部分に、Google Glass をコンピューターたらしめているものがあります。ここには通常の部品（マイクロプロセッサ、システムメモリ、Wi-Fi と Bluetooth、ジャイロスコープなど）が収められています。

Micro USB ポート

ON/OFF スイッチ

スピーカー　つるの後方にあるトランスデューサー（スピーカー）は、頭蓋骨を振動させます。振動は骨を伝わって内耳に届き、そこで電気信号に変換されて脳に送られます。Google 社ではこれを**骨伝導トランスデューサー接続**と呼んでいます。

リッスンボタン

ヘッドバンド

充電式バッテリ　通常の使い方で丸 1 日もつように作られています。ビデオ通話やビデオ録画など、バッテリの消費が激しい機能を使うときはもっと頻繁に充電する必要があります。バッテリの位置は、前方部分にあるコンポーネントの重さとの釣り合いを取る役目も果たしています。

CHAPTER 12 スーパーコンピューターの進化

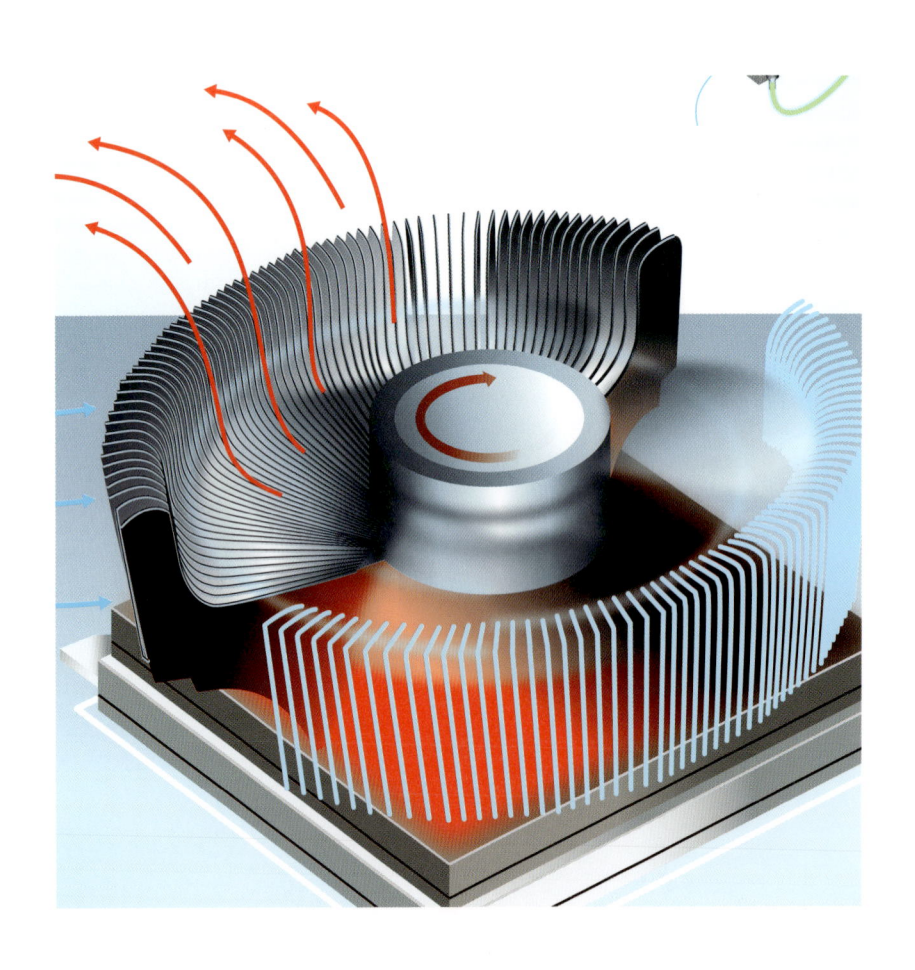

CHAPTER 12　スーパーコンピューターの進化

だれもかれもを満足させることはできません。今の私たちは、バスを待つ間に地球のどこかの戦場からの光景を伝えてくるコンピューターを持っています。コンピューターを使うと好きな曲にアクセスできます。子供たちが今どこにいるかを調べることもできますし、雑誌のデザインとレイアウトを数時間で行うこともできます。数日あれば、新しいキッチンを設計することもできるでしょう。コンピューターは、写真用の暗室、演奏用のキーボード、カレンダー、固定電話、図書館、映画館、それにおばあちゃんの家までの道順を尋ねるガソリンスタンドの店員に取って代わっています。iPhone 5 は、アポロ 11 号のコンピューターシステムの何と 180 万倍もの数のトランジスタを搭載しています。これ以上何を望むというのでしょう？

それでは満足しない人たちがいます。

たいていは、高機能で、素晴らしく、立派なだけではとにかく満足できないゲーマーやコンピューターユーザーたちです。彼らは最高を求めます。それも最高に勝る究極の最高です。この人たちには何を言っても無駄です。オンラインで 30 分も買い物をすれば、十分な性能のコンピューターでもタブレットでもスマートフォンでも手に入ると彼らに教えてみましょう。彼らは意に介しません。その目がくらむような超高速のビデオカードを活用できるゲームは 1 つしかなく、彼らのコンピューターには元々ビデオカードが内蔵されていると言い聞かせてみましょう。彼らは冷笑します。カスタムマシンを 1 から組み立てる必要はなく、たとえ組み立てるにしても、防弾にするのはやり過ぎだと言ってみましょう。彼らは、「あんたは俺が考えていることをこれっぽっちもわかっていない。つまらない奴だ。」という目であなたを見ます。彼らはコンピューターの最高品、極上コンピューターを購入するか組み立てるでしょう。

以前は、デジタルパワーに対するこの飽くなき渇望はデスクトップパソコンユーザーの間でのみ見られました。その後、対戦ゲームを行うために共通の場所に遠征するゲーマーが増えるにつれて、渇望はラップトップパソコンに広がりました。今では、同じ伝染病がタブレットとスマートフォンにも広がりつつあります。スマートフォンの中身はいじれないのだから、この極上への渇望もしぼむのではないかと思われるかもしれません。はたしてそうでしょうか。ときには、新型のスマートフォン、ゲーム機、またはタブレットを発売直後に手に入れるために電器店の外で一晩中待つなど、その情熱が礼儀正しい形で現れることもあります。しかし、そこで終わりではありません。感染したスマートフォンユーザーたちは、デジタル戦利品の内部に隠されたソフトウェアの秘密を探るためなら、喜んで保証を無効にして中身を調べます。

こうした極上主義者たちにとって、真の楽しみは優れた新品のタブレットやスマートフォン、パソコンを使うことではありません。何かもっとすごいもの、デジタル部族内での自分たちの優位を証明する何かを作り出すことにあります。

この章はそうした人たちに捧げます。

ゲームを美しく滑らかに動かす
ビデオカードの仕組み

デスクトップパソコンが直面する最大の難題は、複雑なスプレッドシートでも巨大なデータベースでもありません。ゲームです。コンピューターゲームは処理能力を大食いし、ゲーマーたちは高速なフレームレートが得られる、つまりゲームの中で他人より先に発砲できるハードウェアには大金を惜しみません。かつては、速度への要求がコンピューターのマイクロプロセッサによって満たされていましたが、現在はその役目がゲームのパフォーマンスに直に影響するビデオカード（または統合チップセット）に代わっています。

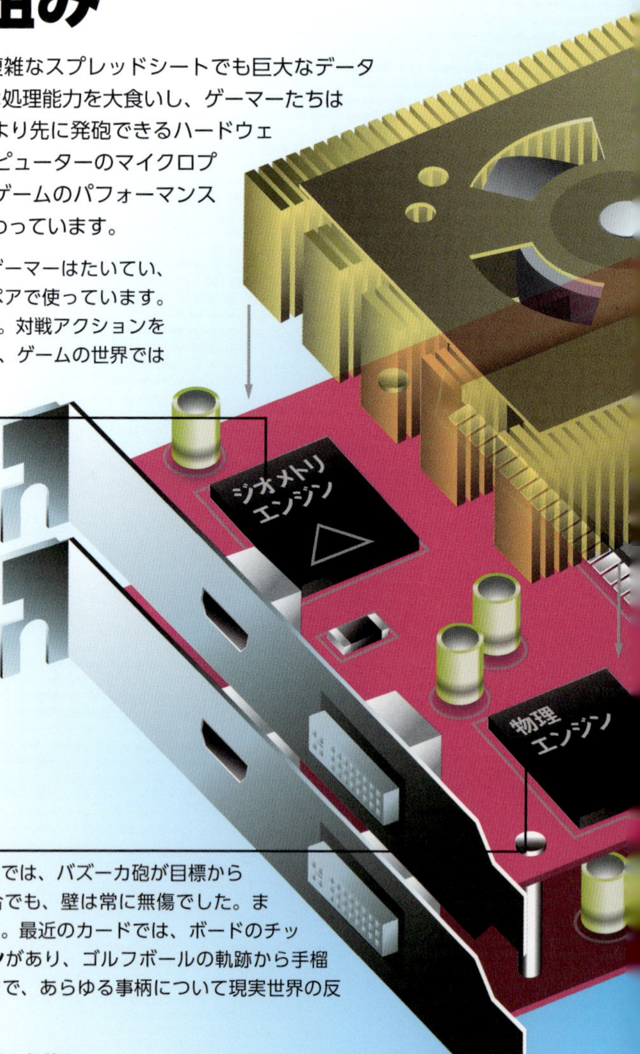

1 一般ユーザーなら 1 枚のカードで十分ですが、筋金入りのゲーマーはたいてい、最新のチップとアーキテクチャを搭載した 2 枚のカードをペアで使っています。この 2 枚のカードは画面の描画と再描画の処理を分担します。対戦アクションを表示するために 1,000 ドル以上の費用をかける人もいますが、ゲームの世界ではこれが生死を分ける場合があります。

2 ペアになったカードは、ゲームの 3 次元世界を表現する幾何学データの処理を分担します。カードにはそれぞれ**ジオメトリエンジン**が搭載されており、シーンやキャラクターの数学的表現による描写を、3D 空間内の特定の点集合に変換します。それぞれのカードのプロセッサは、**レンダリング**や**ラスター化**を行います。これは 3 次元世界のデータを 2 次元画面に広がるポリゴンに変換するために必要となる、負荷の高い演算処理です。多くの GPU はプログラム可能で、ソフトウェアで新しい振る舞いを指示することができます。

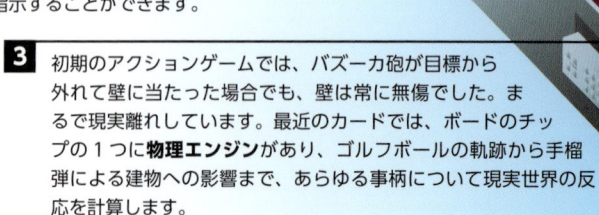

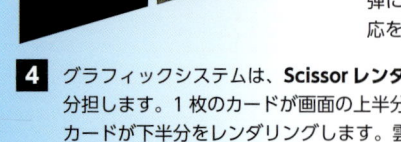

3 初期のアクションゲームでは、バズーカ砲が目標から外れて壁に当たった場合でも、壁は常に無傷でした。まるで現実離れしています。最近のカードでは、ボードのチップの 1 つに**物理エンジン**があり、ゴルフボールの軌跡から手榴弾による建物への影響まで、あらゆる事柄について現実世界の反応を計算します。

4 グラフィックシステムは、**Scissor レンダリング**を使って処理の負荷を分担します。1 枚のカードが画面の上半分ぐらいを担当し、もう 1 枚のカードが下半分をレンダリングします。雲ひとつない空のように、どちらかのカードのレンダリングのほうが単純だった場合、そのカードはもう一方のカードの処理の一部を引き受けて負荷を均等にします。

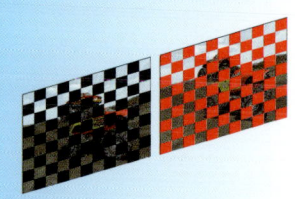

5 カードによっては**スーパータイル**に対応しています。このレンダリング方式では、処理を市松模様に分割します。1 枚のカードは黒のマス目を担当し、もう 1 枚のカードは赤のマス目を処理します。ディスプレイに指示を送る前に、ボードの 1 つのチップがマス目を正しい順序に入れ替えます。

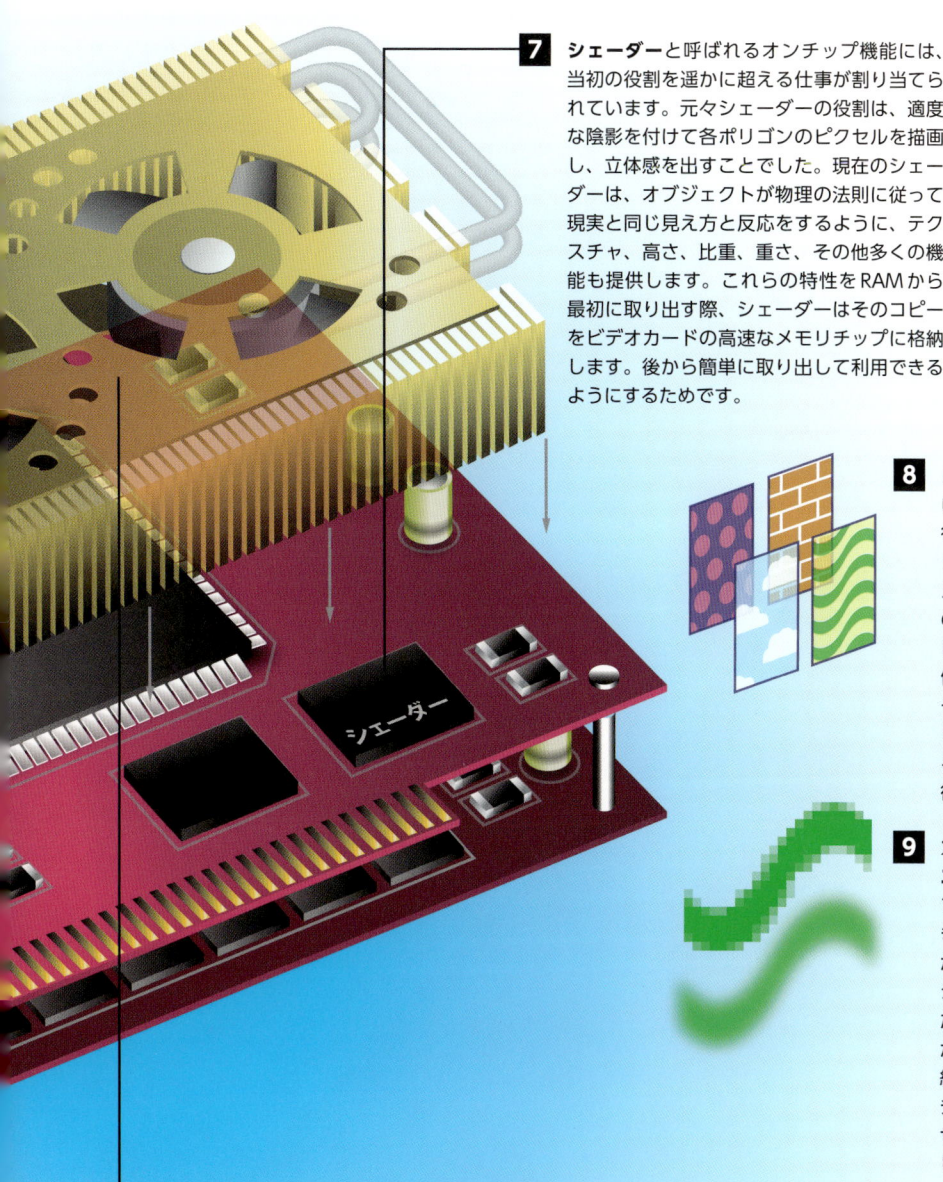

CHAPTER 12　スーパーコンピューターの進化

7 **シェーダー**と呼ばれるオンチップ機能には、当初の役割を遥かに超える仕事が割り当てられています。元々シェーダーの役割は、適度な陰影を付けて各ポリゴンのピクセルを描画し、立体感を出すことでした。現在のシェーダーは、オブジェクトが物理の法則に従って現実と同じ見え方と反応をするように、テクスチャ、高さ、比重、重さ、その他多くの機能も提供します。これらの特性を RAM から最初に取り出す際、シェーダーはそのコピーをビデオカードの高速なメモリチップに格納します。後から簡単に取り出して利用できるようにするためです。

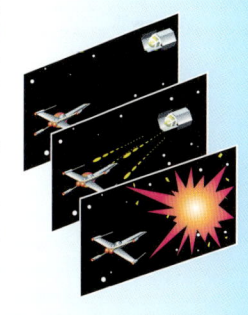

8 レンダリングエンジンは、常に表示内容に先行して処理を行おうとします。両方のカードが画面のレンダリングを終えると、エンジンはカード上の高速メモリの区画である**フレームバッファー**にピクセル値を蓄えます。ピクセル値は、そのフレームが画面に 33 ミリ秒だけ表示される順番が来るまでフレームバッファーで待機します。

9 2 枚のカードは、**2 重にアンチエイリアス処理された**グラフィックスの作成にも使用できます。滑らかであるべき線がぎざぎざになるのは、エッジを正しくレンダリングするための情報が少なすぎることが原因です。この問題に取り組むため、2 枚のカードのアンチエイリアス機能を組み合わせてスムージング効果を実現します。1 枚のカードだけではパフォーマンスへの影響が大きく、このようなことはできません。

6 高性能のビデオカードは、一部の CPU と同様にオーバークロックが可能ですが、それにはやはり冷却が必要です。少なくとも、よいヒートシンクとファンが必要ですが、水冷式クーラーを利用してカードの繊細なマイクロチップの焼け焦げを防いでいる強者もいます。

何倍もオーバークロックする仕組み

どのコンピューターにも、1秒間に数百万回の時を刻む内部クロックが搭載されています。内部クロックは、コンピューターのメトロノームであり、指揮者であり、振り付け師でもあります。その役目は、データとコマンドを正確なタイミングでコンポーネント間を行き来させることです。クロックを載せたコンピューターは、重いクラブをギリギリ衝突しないよう同時に投げ合う、数人のジャグラーの一団のようなものです。クロックを載せていないコンピューターは、脳震とうと骨折だらけのジャグラーの一団のようになります。ところが、市販のパソコンの速度では満足できない**マニア**たちは、パソコンを壊さずにパソコンの心拍数を上げる方法を編み出しました。まあ、壊れることもありますが。

水晶発振器

AC電流

1 コンピューターの処理はすべて、**水晶発振器**という自前のドラム奏者のビートに合わせて行われます。石英でできた水晶発振器は、電気を伝える2枚の電極に挟まれています。石英には固有**共振振動数**（電気を通したときに振動する回数）があり、これはその石英の大きさと形で決まります。

2 起動時に、発振器の回路が水晶に交流（AC）信号を与え、全くの偶然で、電流内のランダムノイズの一部分が水晶の固有共振振動数になります。水晶は自身の固有共振振動数を捕捉して振動し、水晶の振動に合わせて方向を切り替える別のAC電流が発生します。

3 発振器は水晶からの信号を増幅して水晶に返します。**ループバック**補強によって信号強度を上げると同時に、水晶と回路は**フィードバック**（帰還）に貢献しない不必要な振動数を除去します。信号（MHzやGHzで表される）は安定した信頼できる周期になり、コンピューターのコンポーネントがそれを処理と通信の調整に使用します。

CHAPTER 12　スーパーコンピューターの進化

4 発振する水晶の振動数だけをクロックレートのベースにしているコンピューターは今ではほとんどありません。遅すぎるからです。代わりに、**逓倍器**と呼ばれる回路がスイッチを開閉してクロックの電流を切り分け、クロックの**刻み**、つまり電気のパルスを操作して、水晶の**固有共振振動数**よりも高い**倍振動数**を作り出します。

5 逓倍器の電気のバースト（クロックの**時間刻み**）は、パソコンの大部分の電気が1秒間に何百万回もオンとオフに切り替わっているかのように動作します。電気が"オフ"のときは、コンポーネントが強制的に待機させられてスリープ状態になります。電気が"オン"のときは、コマンドとデータをやり取りするための媒介がコンポーネントに与えられます。

6 パソコンの速度を左右するもう1つの要素が、CPU、RAM、およびメモリコントローラーを結び付けている**フロントサイドバス**という回路です。このバスには独立したクロックがあり、これがコンピューター全体の速度に影響を与えます。パソコンのクロック速度を判断するための簡単な式は以下のとおりです。

フロントサイドバス（Hz）× CPU 逓倍器 × 水晶の共振振動数 ＝ 動作振動数（Hz）

電気のバースト間の時間の長さ

電気が流れている時間の長さ

クロック速度を上げる

電気が"オン"になる頻度が上がるほど、コンポーネントが何かを成し遂げる機会が増えます。このことが**オーバークロック**（パーツに手を加えて1秒あたりの刻みの数を増やすこと）を実践する動機付けになってきました。オーバークロックでは、チップメーカーがマイクロチップの信頼性を維持するために、プロセッサの定格振動数にかなりの余裕を持たせていることを利用します。オーバークロックには基本的に2つの方法があります。逓倍率を上げる方法と、フロントサイドバスの速度を上げる方法です。

以前は逓倍率を上げるのは簡単でした。ジャンパーを設定するか、マザーボードの設定画面で値を変更するだけでした。しかし、オーバークロックのうまみが何もないチップメーカーは、逓倍率を固定しました。今でも回路間にトレースを（場合によっては鉛筆の線だけで）追加することによって、逓倍率をつり上げることは可能です。しかし、回路の働きに精通していないと一筋縄ではいきません。

残るオーバークロックの手段は、フロントサイドバスの速度のリセットです。この方法では、オーバークロックをサポートする会社のマザーボードが必要です。親切に用意されている設定画面を使って変更します。過度のオーバークロックは、パソコンにとって致命的な過熱の原因になります。設定変更は小刻みにし、さらなる変更を進めるのはパソコンをしばらく動かしてからにしてください。

パソコンを冷却する仕組み

オーバークロックしようとしまいと、パソコンは例外なく焼きすぎの状態です。マイクロチップと回路基板上の配線を動き回る電子の衝突によって熱が発生します。その熱によって、今度は電子が不安定になります。猛スピードで走っている車のように、高速で移動している電子は軌道にとどまる能力を失うことがあります。特に、パソコンメーカーが回路（電子の軌道）を狭くしていればなおさらです。その結果、熱によってエラーが発生するだけでなく、コンピューターのコンポーネントを構成している素材の劣化が加速します。オーバークロックはその状況をさらに悪化させます。ある研究によると、温度が10℃上昇するごとに、パソコンのコンポーネントの信頼性は50%ずつ低下します。意欲的なコンピューターユーザーとメーカーは、マシンを冷却するさまざまな方法を見つけてきました。

暖められた空気

冷たい空気

ヒートシンク

CPU

放熱グリス

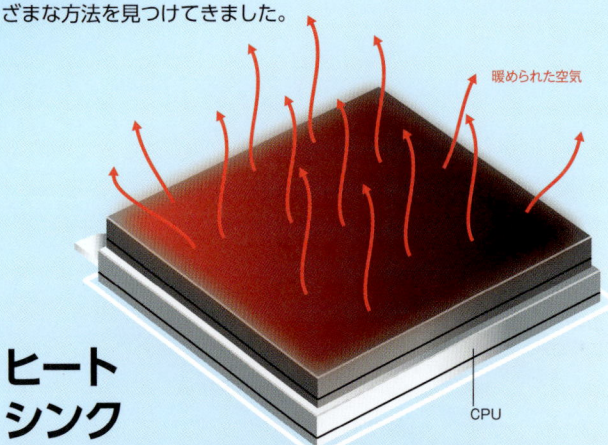

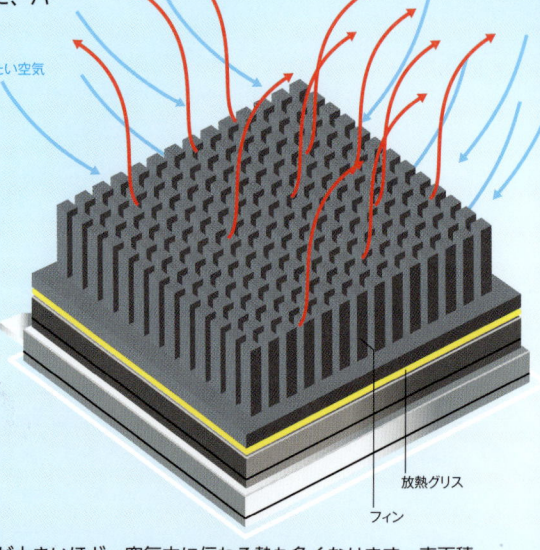

フィン

1 空冷が全くない状態では、CPUなどのコンポーネントは**伝導**によって熱を伝えます。高温で、めまぐるしく振動するチップ内の分子は周囲の原子や分子に衝突し、その過程で熱を伝えます。最終的に熱はチップの表面に達し、伝導によって空気中に伝わって、ゆっくり放散されます。

2 チップの表面積が大きいほど、空気中に伝わる熱も多くなります。表面積を広げるために使うのが**ヒートシンク**です。シンクはきわめて伝導性の高い**放熱グリス**を使ってチップに接着され、伝導性の低い空気が間に入り込まないようになっています。熱はシンク（通常は銅またはアルミ製）に伝わり、シンクから数十個の薄い**フィン**に移って表面積が拡大し、より多くの空気中に伝わります。フィンによって熱が周囲の空気中に伝わります。

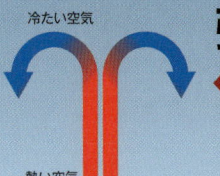

強制対流

冷たい空気

熱い空気

冷たい空気

熱い空気

対流

1 ヒートシンクやヒートパイプを使用しても、シンクやパイプから離れたところにある空気に熱を伝えて、さらに多くの熱を空気中に放散できるようにしなければならないという問題が残ります。これは**対流**によって自然に行われます。熱い空気の中でより活発に動いている原子と分子は、互いにより遠くに離れているので、熱い空気の密度は小さくなり、そのため軽くなります。

2 熱い空気は軽いので上昇し、冷たい空気は密度が大きくて重いので下降します。熱源から離れると、熱い空気は冷えて下降します。下降した冷たい空気は熱源に暖められて上昇します。これが大ざっぱな循環対流の仕組みです。しかし、コンピューター内部のケーブル、ドライブベイ、および拡張ボードが循環を妨げるため、対流の効率が低下します。

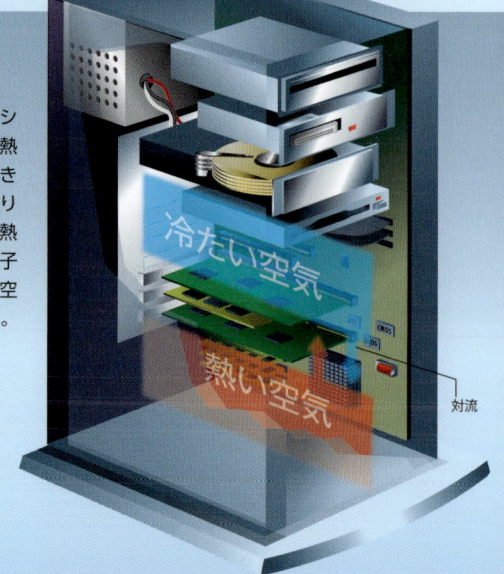

CHAPTER 12 スーパーコンピューターの進化

ヒートパイプ

1 **ヒートパイプ**は、ヒートシンクの強化版で、エアコンと同じ**気化冷却**という方法で冷却します。パイプの一方の端はヒートシンクと同じ方法でマイクロチップに結合しています。もう一方の端はコンピューターの比較的冷たい部分の中にあります。パイプは封印された空洞のチューブで、少量の冷却液を含んでいます。冷却液は一般に、アンモニア、アルコール、および水の組み合わせで作られます。チューブの残りの部分はほぼ真空で、冷却液の薄い蒸気のみが存在します。

（フィン、パイプ、内側の芯、蒸気、冷却液）

2 マイクロチップからの熱によって冷却液が蒸発し、**潜熱**と呼ばれる作用によってパイプの熱い端から熱が奪われます。潜熱は、液体が気体になるなど、物質の状態が変化するときに常に発生します。

3 蒸発によって、チップに接触している端でパイプ内の蒸気圧が上がります。圧力はパイプ内全体で均等化しようとするため、蒸気がパイプの冷たい端に押し寄せます。冷たい端では蒸気が凝結し、熱い端から運んできた熱を放出します。冷たい端は通常フィンに囲まれており、フィンによって熱は周囲の空気中に放散されます。わずか1gの水の蒸発で、1gの水の温度を540℃上げるのに必要なエネルギーが使われます。

4 凝結によって生じた液体は、パイプの内側を覆う芯を伝わって、または単に垂直に取り付けられたパイプの内側を流れ落ちて、熱い端に戻ります。

（液体）

5 すべてのヒートパイプがパイプの形をしているわけではありません。**フラット型ヒートパイプ**は、間に狭い空洞がある2枚の薄い金属板です。フラット型のパイプの中には、厚みが500μm未満のものもあります。金属板の間のスペースは、空洞の領域と、芯の働きをする毛細管が付いた薄い材質のシートに分かれています。パイプがフラット型なので、マイクロチップの表面にぴったり接触するように装着して、熱を最大限に伝えることができます。熱は離れたヒートシンクやファンに運ばれて放散されます。

3 1つの解決策は、オーブンで使われているファンによる強制対流に似ています。効果的に配置されたファンがヒートシンクやヒートパイプのフィン全体に空気を吹きつけます。中にはシンクやパイプの一部になっているものもあります。これによって、熱い空気が対流に頼らずに強制的に循環します。また、コンピューターのケースの穴に取り付けて、熱い空気をコンピューターから排出するためのファンもあります。

4 マザーボードに内蔵されているプローブが、CPU、GPU、RAMなどの主要コンポーネントの温度を読み取ります。結果はLEDディスプレイに表示できます。また、必要に応じてファンを自動的に作動させてコンポーネントを冷却したり、温度があまり高くないときはノイズレベルを下げたりできます。

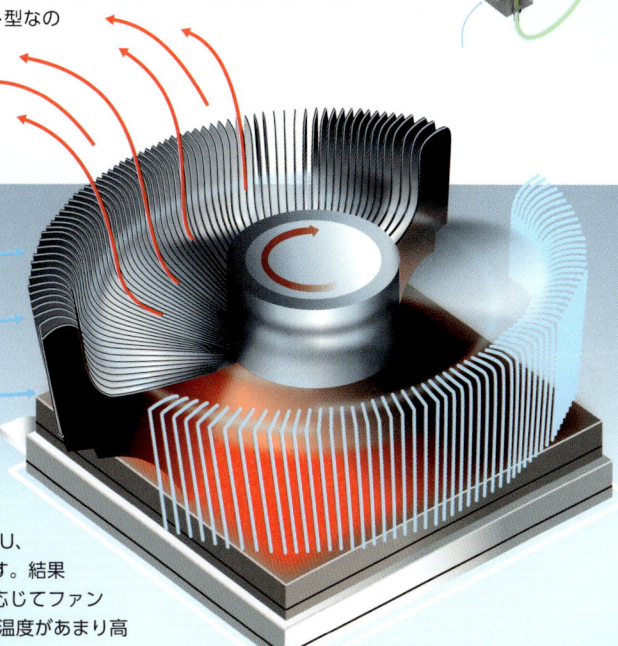

パソコンの高度な冷却方法

水冷式パソコン

1 ファンの騒音をなくすと同時に、温度をさらに下げるための最も一般的な解決策は、自動車やブローニング50口径機関銃が採用しているのと同じ方法、すなわち水冷です。

2 ヒートシンクで使われているのと同じタイプの放熱グリスが**ウォーターブロック**をCPUにしっかり固定します。ブロックの内部には水密性の水路が行き来しており、CPUからの熱を可能な限り水路内の液体に伝えようとします。同じようなウォーターブロックをノースブリッジとサウスブリッジのチップやビデオカード上のGPUなど、かなりの熱源となる部分に取り付けることもあります。

3 複数のマイクロチップを冷却している場合は、ねじれずに曲げられるように作られた丈夫なプラスチックチューブで数珠つなぎにします。ポンプはチューブを通して絶えず液体を流します。液体には蒸留水などが使われます。さらに、添加剤を加えることで熱を吸収する能力を高めたり、腐食や細菌の増殖を抑えたり、液体に明るい色を付けたり、紫外線の下で光らせたりすることもあります。

4 ポンプは熱くなった冷却液を、コンピューターの外部か、少なくとも熱いコンポーネントから遠く離れた場所にある金属製の**ラジエータ**に送ります。ラジエータには波状の水路があり、金属が可能な限り水から熱を吸収します。熱は金属の熱吸収材を通ってフィンに伝わります。ヒートシンクの場合と同様に、フィンは熱を空気中に放散するために表面積を広げる役目を果たします。水冷システムの効率と、所有者が静音システムを求める度合いによって、フィンを冷却するファンを付ける場合と付けない場合があります。

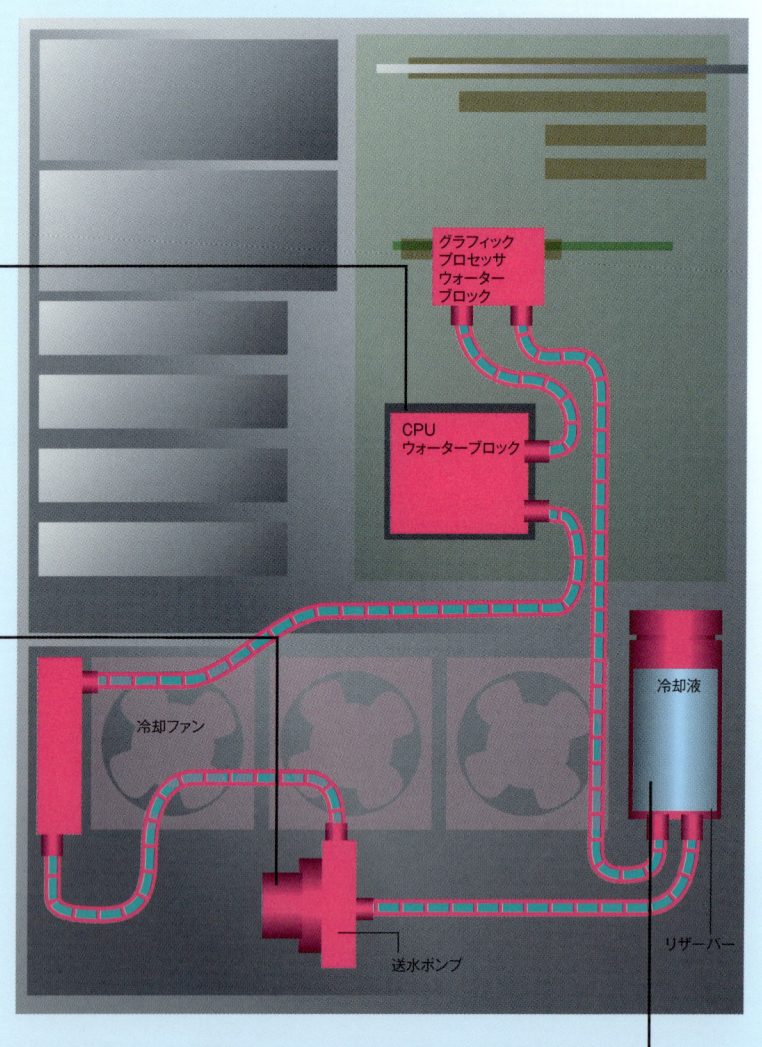

5 冷却された液体は**リザーバー**を流れます。リザーバーは熱を逃がすことができるもう1つの場所で、一部分だけが液体で満たされています。リザーバーの中には空気があるので、液体は温度が変化してもチューブに必要以上の圧力をかけることなく膨張または収縮することができます。また、必要に応じてここに冷却液を補充することもできます。冷却された冷却液はリザーバーからウォーターブロックに戻り、冷却処理を続行します。

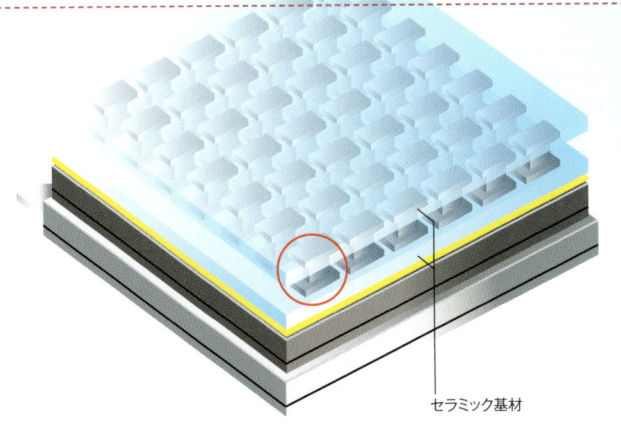

ペルチェ冷却

1 コンピューターを冷却する風変わりな方法の1つが、1834年にジャン・ペルチェによって最初に発見された**ペルチェ効果**を利用するものです。この効果は、2つの異種金属（電流に対して異なる反応を示す金属）でできた素子を少なくとも2カ所で連結したときに現れます。ペルチェ素子（**熱電クーラー**とも呼ばれる）は2種類の半導体でも動作します。余分な電子を持つ不純物が添加されている**n型**と、不純物が**正孔（ホール）**を作る**p型**です。正孔は電子が入れる空き地のようなものです。説明を簡単にするために、この例では半導体を使います。

セラミック基材

2 電気がn型半導体を流れて金属製のコネクタを渡り、p型半導体に入ると、n型半導体内の余分な電子が電流と反対の方向に流れます。

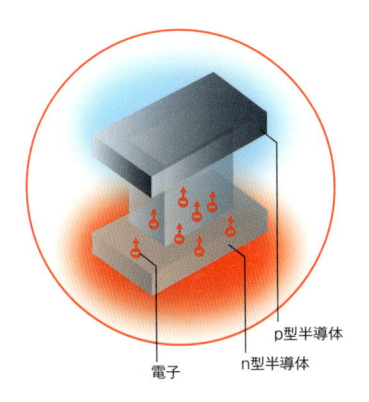

3 電流はそのまま流れてp型半導体を通過した後、別の金属製のブリッジを通ってn型半導体に戻ります。今度はp型半導体の正孔（ホール）が金属製のブリッジを電流と同じ方向に移動します。

電子　n型半導体　p型半導体

4 どちらの場合も、電子と正孔（ホール）が熱を運びます。電子と正孔の進行方向にある接合部は熱くなり、その反対方向にある接合部は冷えます。冷える側の半導体をヒートシンクのようにマイクロチップに取り付け、熱い側にフィン、ヒートパイプ、およびファンを組み合わせてチップから次々に発生する熱を放散します（ハイテクに見えますが、ペルチェ素子は電気を大食いし、冷蔵庫のコンプレッサーの49〜60%の効果しかありません）。

食用油による冷却

オーバークロックマニアたちが考案した最も奇妙なコンピューターの冷却方法は、マザーボードと拡張ボードを食用油に沈めるというものです。油には2つの利点があります。絶縁体であることと、熱の伝導体として優れていることです。このため、油はチキンを揚げるだけでなく、汚くなるとはいえ、パソコンを冷却するにも適した物質です。

写真提供：Tom's Hardware

Jailbreakによるデバイスの解放

スマートフォンやタブレットのすらっとして美しいケースの中には、水冷式クーラーや高性能のビデオカードを入れる余裕は全くありません。しかし、モバイルデバイスをハッキングする方法はあります。こうしたハッキングを、Appleの世界では **Jailbreak（脱獄）**、Androidデバイスでは **root化**と呼びます。デバイスのコード上で最も干渉を許さない部分であるROMに侵入し、そこに保存されている**ファームウェア**を変更するのです。それにより、たとえばロックを外して別の通信キャリアを利用したり、オペレーティングシステムを入れ替えたりすることができます。

Jailbreakやroot化は、経験豊富なハッカーでなくても行えます。ハッカーたちは既にAppleとAndroidのデバイスのソフトウェアを両方とも解析しており、ソフトウェアのセキュリティのほころび（**エクスプロイト**と呼ばれる）を暴いています。さらに、暴く手順を自動化したプログラムも作成しています。このプログラムの仕組みを見ていきましょう。

Jailbreak

1 iPhoneを起動すると、ブートプログラムが**信頼チェーン**を検査します。これはiPhoneの**ファームウェア**の各ステージの信頼性を証明する一連のデジタル署名です。ファームウェアは、ハードウェアとソフトウェアを連結するきわめて重要なコードです。署名が確認されるまでは、どのステージもロードされません。

2 iPhoneやiPadをバックアップした後、QuickPWNやevasi0nなどのJailbreakプログラムをダウンロードします。Jailbreakプログラムを作成するハッカーたちは、信頼チェーンの弱点を見つけ、その弱点を利用して、気付かれずに自分たちのコードを潜り込ませるための工夫をしてきました。必要なプログラムは、デバイスの種類やiOSのバージョンごとに異なります。ユーザーはダウンロードしたプログラムをMacまたはWindowsコンピューターにインストールします。このコンピューターにはiTunesがインストールされていて、対象のデバイスがケーブルで接続されている必要があります。

3 順を追った説明とスクリーンショットでJailbreakの手順がユーザーに示されます。デバイス内部で行われている処理はユーザーには見えません。処理は巧妙かつ複雑なので、これは適切な措置です。実際の処理内容はプログラムとデバイスによって異なりますが、プログラムはまず既知の不具合を利用します。たとえば、あるJailbreakプログラムは、入出力の分岐点に整数をあふれさせます。そうするとキャッシュ内にあるデータがオーバーフローし、プログラムは気付かれずに自身のコードをシステムに滑り込ませることができます。また、PDF文書や、場合によってはその文書の作成に使ったフォントの中にコードを隠す方法もあります。iOSがPDFをロードするとコードが取り込まれ、気付かないうちに実行されます。

4 最終的には、Jailbreakプログラムが自身のコードをroot内に保存します。rootは、Apple自身のプログラムしか存在しないはずの最も干渉を許さないレベルです。デバイスのユーザーはこの新しいコードを使い、地下組織版のiTunesである **Cydia**から未承認のアプリをダウンロードして実行することができます。

root化

1 root化という名前は、その標的にちなんでいます。**root** は Android オペレーティングシステムの最も内部のコードレベルで、デバイスで実行できる事柄に関するすべての権限を持ちます。表面上、root化は Jailbreak に似ているように見えますが、Android は iOS ほどセキュリティにこだわっていないので、root化のほうが単純明快です。実際、Android デバイスメーカーの中には見て見ぬふりをしてくれるところもあります。root化を行うには、まずデバイスのファイルをバックアップし、デスクトップパソコンに Android スマートフォンやタブレットをケーブルで接続します。

2 ユーザーはUniversal AndrootやSuperOneClickなどのroot化プログラムをデスクトップパソコンにダウンロードしてインストールします。root化ソフトウェアにはAndroid Software Developer Kitが含まれる場合があります。含まれていない場合は、http://developer.android.com/sdk/index.htmlからダウンロードします。

3 ユーザーは Android デバイスで **USB デバッグモード**を有効にし、それぞれのデバイスの手順に従います。この手順は、使用するソフトウェアツールだけでなく、時期によっても異なります。オペレーティングシステムとしての Android は、デバイスメーカーごとに異なる変更に合わせて絶えず変化しているからです。このため、ハッカーたちはやむを得ず新たな**エクスプロイト**（弱点と無防備な入り口）を探し、それを利用する新しい方法を考案しています。一般に root 化操作を行うと、ユーザーは本来立ち入り禁止になっているオペレーティングシステムコードの一部を思いどおりにすることができます。

4 root 化ソフトウェアでデバイスのメモリ領域にアクセスできるようになると、ユーザーは最新バージョンの Android オペレーティングシステム や、ClockworkMod などの **ROM Manager** をインストールすることができます。ROM Manager を使うと、代替ソフトウェアを使用してデバイスの読み取り専用メモリを新しい **MOD**（改造データ）で上書きすることができます。CyanogenMod などの新しいプログラムには、メモリ最適化、ジェスチャーの有効化、Bluetooth と Wi-Fi の**テザリング**有効化、オーバークロックによる Android の高速化といった機能まで含まれています。

Jailbreak の適法性

この問題を 3 年ごとに検討している米国議会図書館は、Jailbreak と root 化は電話機については合法だが、タブレットについては（電話機能のない大型のスマートフォンと大差ないにもかかわらず）違法だと述べています。Jailbreak も root 化も、一歩間違えばデバイスは**文鎮化**し、起動しなくなったりウイルスに感染しやすくなるおそれがあります。メーカーからの手助けは期待できません。とはいえ他のハッカーソフトウェアを利用すれば、たいていはデバイスを蘇生させることができます。が、できないこともあります。危険な冒険だと考えてください。

PART 3　コンピューターの進化

CHAPTER 13
カメラが思い出を記録する仕組み

露出計　すりガラス

イメージセンサー

プリズム（またはミラー）

レンズの構成部品

レンズを通過する光

CHAPTER 13　カメラが思い出を記録する仕組み

デジタルカメラを同価格帯のフィルムカメラの横に並べてみてください。違いがわかりますか？　確かに、外見上の違いは何もありません。どちらのカメラにもレンズがあり、たいていは何らかのファインダーがあり、同じような各種のボタンとつまみが並んでいます。

　2つのカメラの重要な違いは内部に隠れています。フィルムカメラの裏蓋を取り外すと、一方の端にはフィルムのカートリッジを入れる溝穴があり、もう一方の端には1コマ露出するたびにフィルムを巻き上げる空のスプールがあります。その間にはシャッターがあります。カメラの裏蓋を閉じると、フィルムはプレッシャープレートと呼ばれる滑らかな平面によってシャッターの周囲の枠にしっかり押し付けられます。

　今度はデジタルカメラの裏蓋を開けてみる……　ことはできません。裏蓋を開いて中身を見る方法はありません。この章では、普段自分では見られないこと、デジタルカメラが実際には非常に特殊なコンピューターであることをお見せします。デジタルカメラには、微小なトランジスタを詰め込んだ**マイクロチップ**が搭載されていて、デスクトップパソコンやスマートフォン（たいていは本体に高性能のデジタルカメラが内蔵されています）のプロセッサと同じようにデータを処理します。

　この独特なマイクロチップは、光に敏感に反応して、その光を電気に変換する特殊な種類のトランジスタ（実際は数百万個のトランジスタ）で覆われています。このチップは**イメージセンサー**、または**イメージャー**と呼ばれます。

　光のさまざまな色と強弱を、常に変化する電流に変換するイメージセンサーの能力こそ、デジタルカメラとフィルムカメラの重要な違いを生む要因になっています。最もわかりやすいのは、ほとんどのデジタルカメラの背面に小さなテレビのような液晶画面があることです。この画面には撮影する景色や、既にカメラに保存されている写真が表示されます。液晶自体にもずらりと並んだトランジスタがあり、イメージャーのトランジスタとは正反対に、電気を光に変換します。

　2つのカメラをよく見比べると、他にもいくつかの違いに気付きます。たとえばデジタルカメラには、**ホワイトバランス**という名前のボタンかスイッチがあります。また、画面上のメニューを操作するコントロール（画面構成部品）や、撮影した写真の情報を表示するコントロール、ファイルを削除するためのごみ箱アイコン付きのボタンなどもあります。

　とはいえ、デジタルカメラをよく見てわかる違いは、たとえ分解してみたとしてもそれぐらいです。先ほど述べたホワイトバランスのように、わずかな例外はありますが、デジタルカメラの使い方はフィルムカメラと変わりません。

　しかし、シャッターを押して、光を一瞬だけイメージセンサーに当てて生み出した写真は、自在に加工できます。その写真がどのような仕上がりになるかは、あなたの想像力次第です。

デジタルカメラが一瞬を捕らえる仕組み

車で走行中の道路が突然途切れて、先のほうでまた始まるということがないように、私たちの知る限り、時間が5分間止まり、再びその時点から動き出すということはありません。私たちはふつう、物事をアナログで、つまり切れ目のない連続的なものとしてとらえています。しかしコンピューターの世界には（デジタルカメラもコンピューターの一種です）、滑らかで連続的なものはなく、すべてがデジタルです。場所と場所の間や、今と次の瞬間の間には切れ目があります。カメラにコンピューターが詰め込まれてできるようになったさまざまなことを楽しむ前に、私たちとカメラは意思疎通を図らないといけません。私たちは自分の言葉で。カメラは0と1だけの数字の言葉で。

1 世の中にあるものはすべてアナログかデジタルの尺度で測ることができます。**アナログ**とは、測定値の表し方がその測定対象をなぞらえている（analogous）ことを意味します。旧式の温度計では、赤く染めたアルコールが管に入っています。気温の上昇に伴ってアルコールも上昇し、暑さをアナログで表します。**デジタル**温度計では、気温を小さな液晶画面に数字で表示します。気温が上昇しても、数字自体が拡大することはありません。

2 フィルムはアナログ方式で写真を記録します。フィルムに埋め込まれたハロゲン化銀結晶に光が当たると、その場所の結晶が固まります。光が強く当たる場所ほど、固まる結晶は多くなり、光が弱く当たる場所では、固まる結晶も少なくなります。

3 デジタルカメラでフィルムの代わりとなるフォトダイオードは、写真の撮影前後で見た目は全く変わりません。光が強く当たる場所でも、フォトダイオードがイメージセンサーの表面上で変化して固まることはありません。しかし、デジタル写真の撮影時には、目に見えないアナログ処理が行われています。個々のフォトダイオードは、シャッターが開いている間、光子を集めており、写真の明るい部分ほど、その部分に相当するピクセルに当たる光子も多くなります。シャッターが閉じると、すべてのピクセルに受光量に比例する電荷が蓄えられます。輝く小石の小山のように積み重なった光子を想像すると、イメージしやすいでしょう。

次に起きることは、イメージセンサーが **CCD (Charged Coupled Device)** か **CMOS (Complementary Metal Oxide Semiconductor)** かによって異なります。仰々しい名前のことは気にしないでください。一方のテクノロジーが他方より優れている理由を並べ立てるカメラメーカーの広告もたくさん目にするでしょうが、それも無視してかまいません。イメージセンサーの種類は、写真に影響を与える1つの要素に過ぎません。重要なのは写真プリントです。満足のいくプリントが得られるかどうかは、イメージセンサーの種類とは無関係です。しかし、ここではあくまで参考のために、この2種類のチップの仕組みの違いを説明します。

CCD

4 CCDの大半が該当する**インターライン型CCD**イメージセンサー内の電荷は、避難訓練中の学生たちのように、デジタル数字としての未来に向けて行儀正しく行進を開始します。イメージセンサーの一方の端では、だれかが自動販売機から一番下の缶ジュースを続けざまに取り出しているかのように、電荷が下に移動して、列の一番下から外に出ます。

5 列の一番下から最後の電荷が転がり出ると、2番目の列の電荷がシフトして、出て行った電荷の空きを埋めます。3番目の列の電荷は2番目の列に移動し、残りの何千という列もそれに続きます。

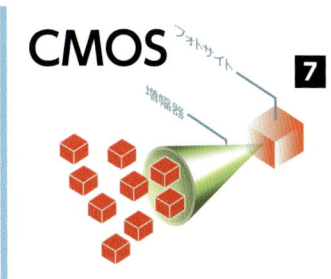

6 イメージセンサーから抜け出た電荷の列は、**読み出しレジスタ**によって検出され、増幅器に運ばれます。増幅前の電荷は、電流というより微弱な静電気のようなものです。増幅器は、各電荷のサイズに応じた電圧をかけて、電荷にエネルギーを注入します。

CMOS

7 CCDのフォトサイトが、どこか別の場所にあるコントロールから指示があるまで、電荷を蓄える以外にほとんど何もしない受動的な**コンデンサー**であるのに対して、CMOSセンサーは、フォトサイトが光から取り込んだ電荷を有効活用するために必要な処理の一部を自発的に行います。

8 CMOSイメージセンサーは最初に、各フォトサイトの一部になっている増幅器を使用します。これにより、電荷はセンサーを出た後に、増幅器を一列縦隊で通過する必要がなくなります。

9 さらに重要なのは、その場で増幅器を使うことで、CCDのようなのろのろした避難訓練が不要になることです。増幅器によって電荷が実際の電圧に変わるとすぐに、電圧はX-Y線のグリッド上で読み取られます。X-Y線の交点はフォトサイトの位置に対応しています。

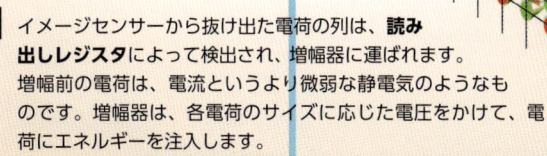

オートフォーカスで写真が鮮明になる仕組み

撮影時に、いつでもオートフォーカス任せにできるとは限りません。オートフォーカスは予測できない振る舞いをすることがあるからです。とはいえ、オートフォーカスを利用すれば、親戚の顔や誕生日パーティーの写真がピンぼけになることはたいてい防げます。オートフォーカスの実装は、それを発明した独創的な技術者たちの考え方の違いによって、いくつもの種類に分かれます。大まかには、**アクティブ方式のオートフォーカス**と**パッシブ方式のオートフォーカス**があります。アクティブ方式のオートフォーカスは、主にコンパクトカメラで使われます。何らかの形のレーダーとソナー、またはレンジファインダーを使った三角測量が用いられます。パッシブ方式のオートフォーカスは、デジタル一眼レフカメラでよく使用されます。ここで図解するのはパッシブ方式のオートフォーカスです。

1 カメラのレンズを通過した光は、ミラーまたはプリズムによって、カメラの背後にあるイメージセンサーからそらされます。

2 光は、イメージセンサーを構成しているフォトセルに似た細長いフォトセルに当たります。光がこの細長いフォトセルに届くまでの距離は、光がイメージセンサーに届くまでの距離と等しくなっています。

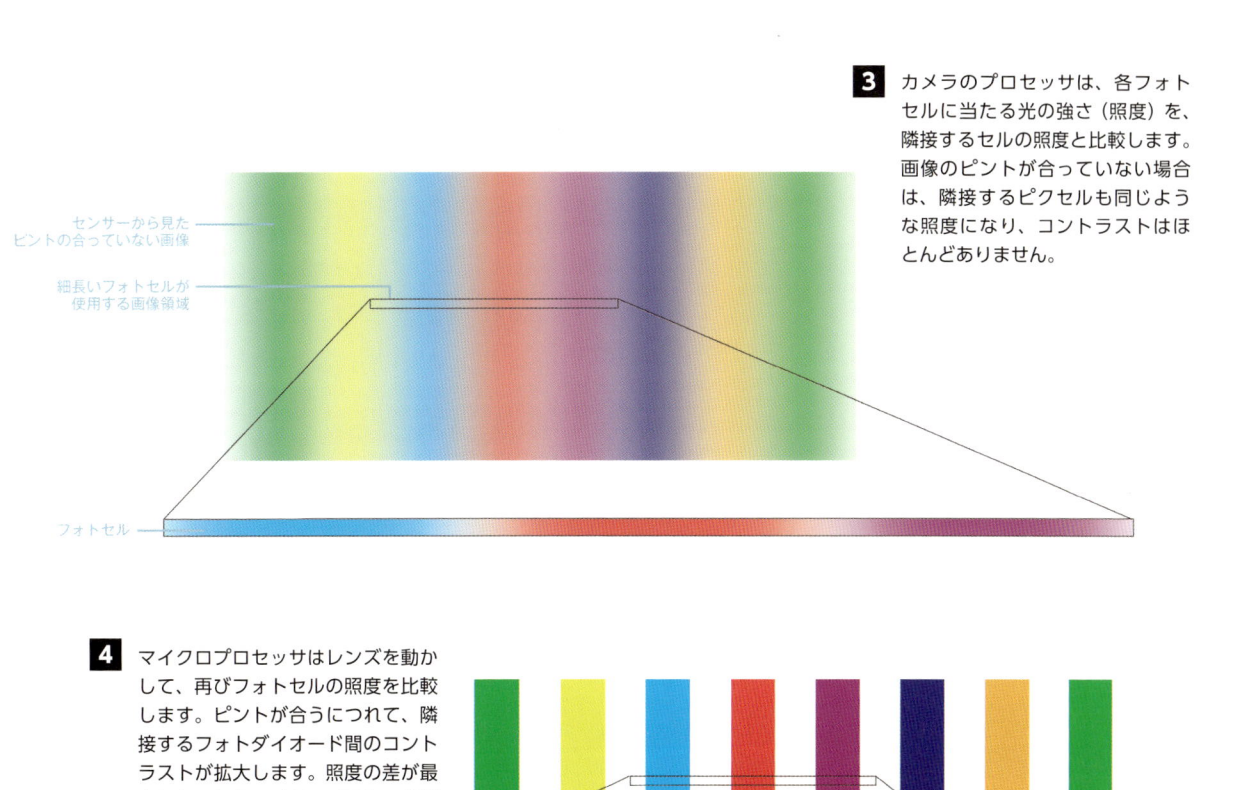

CHAPTER 13 カメラが思い出を記録する仕組み 197

3 カメラのプロセッサは、各フォトセルに当たる光の強さ（照度）を、隣接するセルの照度と比較します。画像のピントが合っていない場合は、隣接するピクセルも同じような照度になり、コントラストはほとんどありません。

センサーから見た
ピントの合っていない画像

細長いフォトセルが
使用する画像領域

フォトセル

4 マイクロプロセッサはレンズを動かして、再びフォトセルの照度を比較します。ピントが合うにつれて、隣接するフォトダイオード間のコントラストが拡大します。照度の差が最大になったとマイクロプロセッサが判断したときが、撮影シーンのピントが合ったときです。

フォトセル

オートフォーカスの制約

パッシブ方式のオートフォーカスにもアクティブ方式のオートフォーカスにも長所と短所があります。アクティブ方式のピント合わせは夜でも薄暗い照明でも機能しますが、赤外線がガラスや鏡に反射して、プロセッサを混乱させることがあります。パッシブ方式のピント合わせを使うと、窓ガラスを通して被写体を狙うことができ、遠距離でも制限なくピントを合わせることができます。しかし、装飾のない壁や、直線の輪郭がない、特に垂直線がない撮影シーンでは、パッシブ方式のオートフォーカスは混乱します。アクティブ方式のオートフォーカスでガラスを通した撮影に対する影響を最小限にするには、レンズを直接ガラスに当てて撮影します。赤外線がガラスを通過するためです。たとえ跳ね返る光があっても、伝わるのが速すぎるので、カメラはそれを測距情報に使用できません。

パッシブ方式のオートフォーカスでは、カメラを90度傾けることで必要な垂直線が得られます。コントラストがほとんどない撮影シーンでは、被写体とほぼ同じ距離にある別の対象物にピントを合わせ、そしてシャッターボタンを半押ししながら、目的の被写体にフレームを合わせます。カメラによっては、ボタンを半押ししたままにすると、ボタンを押し下げて撮影するかボタンを離すまでピントがロックされるものがあります。

カメラが露出を判断する仕組み

デジタルカメラで最も複雑な部分は、露出システムです。単にレンズを通して入ってくる光をフォトダイオードで測定するだけではありません。多機能のカメラになると、露出システムは複数の方法で光を測定し、得られた測定値を混ぜ合わせます。混ぜ合わされた情報には、照明の種類に応じた設定、イメージセンサーの感度、および特別な設定（動きのある写真、花火、白黒、またはセピア調などの特殊効果に応じた設定）が含まれます。カメラはこの情報に基づいて絞りとシャッターを動かします。これらすべての処理が一瞬で行われます。

1 比較的安価なデジタルカメラ、いわゆる**コンパクトカメラ**と呼ばれるモデルには、高価なカメラが誇るいくもの測光方法のうちの1つしか備わっていないことがほとんどです。この方法は**フルフレーム**と呼ばれ、通常はレンズの横に取り付けられた1個のフォトダイオード装置を使います。もっと高性能のカメラでは、レンズから入った光がイメージセンサーを隠しているシャッターに届くまでの道筋に取り付けられた複数のフォトダイオードを使ってフルフレーム測光を行います。どちらの種類のフルフレームでも、被写体から反射された光の強さを平均してシャッター速度と絞りを決定します。これにより、写真の中のあらゆるものを表現する露出が得られるはずです。しかし、撮影シーンに均等に光が当たっていて、被写体の明度がすべて同じという条件でない限り、フルフレーム露出は一般的にあまり正確ではありません。

フォトダイオードの配列
フォトダイオード

2 たとえばこちらの写真では、車に乗った少年の背後のレンガに強い日光が当たっているために、カメラの自動露出機能が過剰な補正を行い、絞りを閉じ過ぎています。その結果、写真の最も重要な部分は、くすんだ影のせいで細部がほとんど見えなくなっています。

3 このようなことが起きるのは、被写体の明暗の度合いにかかわらず、露出システムがそれを18%グレー（ミディアムグレー）と見なすからです。右に示す写真では、白とグレーと黒の紙をすべて1枚の写真に収めたときは、本来の色で写っていることがわかります。しかし、それぞれの紙を露出計で計測される唯一の対象物になるように撮影すると、カメラの露出は3枚の紙を同じミディアムグレーとして表現するように自動的に設定されます。

4 撮影シーンの平均照度を使用する危険性を回避するために、高機能のデジタルカメラでは、液晶画面に表示されるメニューか、設定つまみやボタンを使って代わりの測光方法を選択できるようになっています。代わりの測光方法の1つは、**中央部重点**測光です。この方法では、撮影領域全体の約10分の1にあたる領域で光を測定します。名前が示すとおり、その10分の1の領域は画面の中央部にあります。撮影シーンの最も重要な部分はそこにあるという推測に基づくものです。

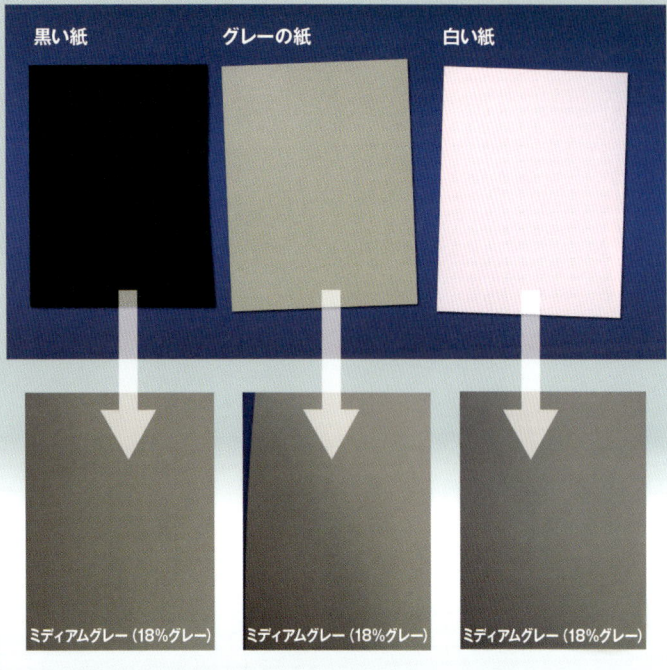

黒い紙　　グレーの紙　　白い紙

ミディアムグレー (18%グレー)　ミディアムグレー (18%グレー)　ミディアムグレー (18%グレー)

中央部重点測光の対象領域

スポット測光の対象領域

5 代わりの測光方法でもう1つ一般的なのが**スポット測光**です。この方法では、撮影シーンの最も重要な部分に露出を合わせることができます。照度は画面の中央にある小さな円からのみ読み取れます。このため、測光を混乱させかねない黒髪とあごひげに囲まれていたとしても、撮影者はほおに当たる照明に合わせて露出を合わせることができます。重要な被写体が中央から外れている場合、カメラによっては、画像のさまざまな部分の小さな領域を測光スポットに指定できるものがあります。そのようなカメラがない場合は、下の囲み記事で説明している**フォーカスロック**を使うことができます。

半押し

写真の最も重要な要素がフレームの中央にない場合、多くのカメラには、フレームの中央をその重要な要素に向けてピントを合わせ、露出を測ることができるフォーカスロック機能が用意されています。そのようなカメラでは、シャッターボタンを半押しすることで、オートフォーカスと自動露出の設定がロックされます。撮影者はその重要な要素を中央からずらして構図を決め直し、シャッターボタンを最後まで押し込みます。

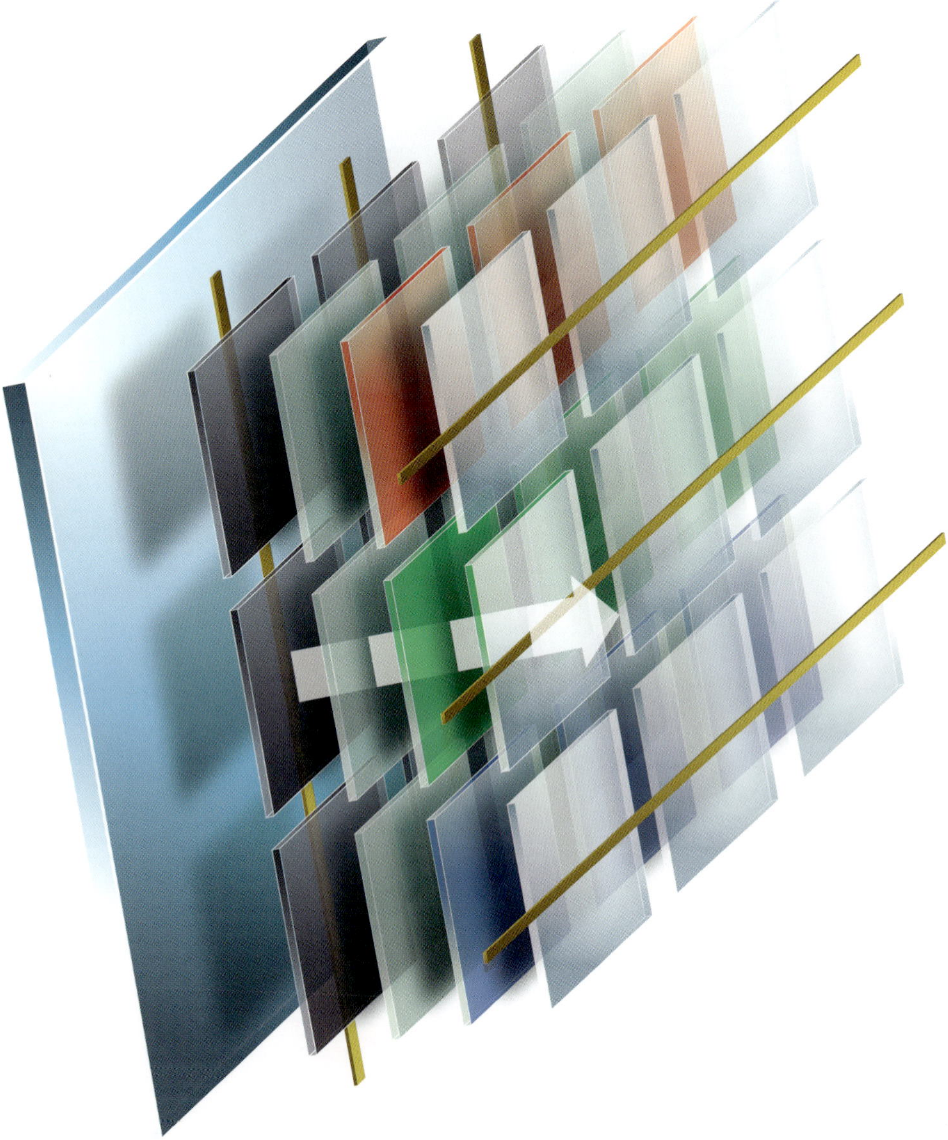

PART 4

私たちの感覚を広げるコンピューター

CHAPTERS

CHAPTER 14 さまざまなコンピューター技術　204

CHAPTER 15 コンピューターが映像を作り出す仕組み　224

CHAPTER 16 コンピューターが耳を刺激する仕組み　238

> ガーゴイル…ばらばらのモジュールに分解したコンピューターを腰や背中、ヘッドセットにつるして身にまとっている。彼らは人類監視装置として働き、周囲のあらゆる出来事を記録している。見た目はこの上なく愚かだ。その異様な装いは、近代ならベルトに下げた計算尺ケースや電卓ポーチに相当し、身に着けている者は人間社会の上層と最下層に同時に属しているようである。
>
> —ニール・スティーヴンスン、『スノウ・クラッシュ』

いつの日かアイアンマンになりたいと夢見たことのない少年など、この50年で一人もいないでしょう。考えてもみてください。最新鋭の電子機器が満載の、派手な色の金属製の装具を身に付けると、少年の貧弱な身体が（ストーリー上の展開として必要な場合を除けば）だれにも負けない半人半ロボットに変身するのです。もちろん、空を飛ぶこともできます。

　超人を夢見た子供たちは、やがてそれが単なる空想の産物であると知りました。それからすぐにコンピューターが登場しました。いろいろなことが本当に駆け足で変化しましたね。デスクトップパソコンの出始めのころは、クラッシュしたパソコンをまた動かす方法を知っているだけで英雄扱いされました。しかしその後パソコンは小型化し、タブレットやスマートフォン、時計、メガネへと進化しました。コンピューターメーカーとユーザーは、モバイル機器が単なる事務用機器や家庭用ゲーム機ではないことに気付いたのです。モバイル機器は、常につながり合うための能力を私たちに与えました。そして、今の私たちはただつながっているだけでなく、ほんの15年前にはSFの空想に過ぎなかったような方法でデバイスと対話し、見て、触れて、聞いています。

　インターネットに常時接続できるようになり、これらのデバイスは海を越えて音声や画像を集めたり送ったりする能力を私たちに与えています。私たちは、高精細度の内蔵カメラを通して、かつて経験したことのないような画像を見ることができます。撮影シーンの光の強さがすべて完璧にバランスよく調整され、影で見えなかったり光で白っぽくなったりした部分のない写真です。コンピューティングのおかげで、私たちはだれ一人聞いたことのない音を使った音楽を作曲し、聴くことができます。また、お気に入りのアプリは自分でも知らなかった好みの音楽を教えてくれます。数百万光年かなたの銀河から届いた何百万年も前の電磁波を捕らえると、何十億個という星々が登場する光り輝く色彩の素晴らしい画像が得られます。コンピューティングが登場するまでは、そうした星々の存在を推測することしかできませんでした。（厳密にいえば、この星々の画像の取得はスマートフォンの機能ではありませんが、スマートフォンを使えばそうした画像をすぐに画面へ呼び出すことができます。）

　これらすべての新しい能力が、アイアンマンの主人公トニー・スタークが鉄製の外骨格を装着するように便利な形でもたらされたわけではありません。しかし、着実に前進はしています。Google Glassは、使うものから身に付けるものへ、さらには自分自身の一部へと向かうコンピューティングの進化におけるマイルストーンです。Google Glassはそうした進化の初期段階にある製品の1つで、自身やその子孫が生き残りに適しているかどうかを試しています。

　その結果、Google Glassの子孫は改良された外観を持つ必要があることがわかりました。また、その先にはデバイスが人間の一部になる未来があることもわかりました。3D印刷された義歯やギプス、Bluetoothの聴覚インプラント、糖尿病患者の涙の血糖値を常に測定し、値が高すぎると黄色に点滅するGoogleのコンタクトレンズなど、補装具にどれだけの選択肢があるかを考えてみてください。

　私たちは、色、感触、動きなど、デジタルコンポーネントからの新しい感覚を記憶に留めて、その情報を最も個人的なパーソナルコンピューターである脳に送り込むことができるようになりつつあります。脳はそうした感覚を理解し、それに基づいて行動することを学んでいます。コンピューティングの究極の進化は、私たちがコンピューティングで行うことと自分の身体で行うことを区別しなくなったときでしょう。まだそこには至っていませんが、さしあたってここでは現在と未来を結ぶ橋を渡すためのさまざまな方法を見ていきます。

CHAPTER 14 さまざまなコンピューター技術

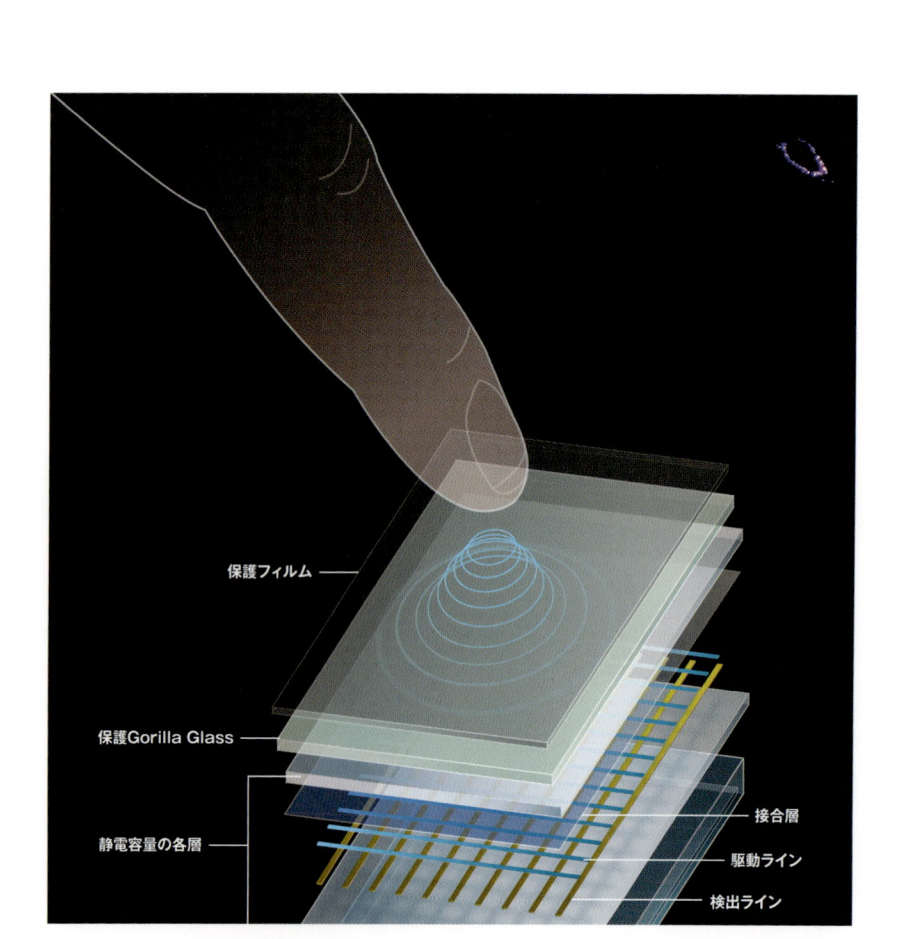

保護フィルム
保護Gorilla Glass
静電容量の各層
接合層
駆動ライン
検出ライン

古生物学者は、ヒトを含む類人猿と動物界の他の生き物との重要な違いは母指対向性 ^(編注) であるという事実に注意を向けたがります。母指対向性のおかげで、私たち類人猿は物を強くつかんだり、他の 4 本の指だけではできない優雅さで扱うことができます。むろん、親指がなかったら、タブレットやスマートフォンを操作する私たちの姿は惨めなものになるでしょう。機器をポケットから取り出し、鼻の先でメッセージを書こうとして落とさずに済めば運がいいほうです。

　幸い、私たちはそのような宿命を負っていません。私たちがこよなく愛する小さな電子機器との意思疎通の手段として、親密さを表すための自己表現方法である接触（タッチ）を好んでいるのは理にかなっています。私たちの多くは、スマートフォンやタブレットやゲームコントローラーと何時間も過ごして、触れたり、撫でたり、叩いたり、ときには怒鳴りつけたりもします。残りの人生と同様に、タッチにも限界があります。少なくとも、タイプライターとキーボードで育った私たち中高年のユーザーは、米粒のように小さい仮想キーを指で器用にタップすることを難しく感じます。

　しかし、事態は良い方向に向かっています。仮想キーボードは、私たちが何をタッチしたかではなく、何をタッチするつもりだったかをうまく見分けられるようになっています。デバイスに話しかけて、再生中の曲や最新の天気予報を調べることも簡単になりつつあり、音声認識の正確性はまさに発展途上にあります。8 章で説明したウイルスに対する脆弱性であったり、iPhone の音声入力に応える Siri の芸当やジョークはさておいても、聞いたことの意味を理解するデバイスの能力はペットと同程度のところまできています。

　幸いにも、私たちは 1 つの方法だけに頼る必要はありません。コンピューターは、人間の顔、表情、身振りなど、見たものをより的確に認識できるようになっています。また、物事を見るためのたくさんの新しい方法を対話の相手に提供します。コンピューターは、空間に手を伸ばし、電波、バーコード、重力、赤外線画像など、以前は見えなかったものを感知してグローバルな地図を作成することで、私たちの視覚を広げています。もちろん、地球の反対側の出来事をライブ映像で見ることはあまりにありふれた体験となり、もはや驚くことではなくなりました。私たちは、親指を軽んじているように、そうした体験を当然のことと思うようになっています。

（編注）親指が他の 4 指と向かいあっており、物をつかめること。

スマートフォンが位置情報を取得する仕組み

現在の電子機器には、私たちの母親の多くが何としても欲しがっただろう機能が備わっています。それは、私たちの昼夜の居場所を突き止める能力です。この能力を携帯電話、タブレット、コンピューター、車、時計、それにランニングシューズにまで授けているのがGPS (Global Positioning System) です。GPSは上空にある24個の発信器で、デバイスが現在地や、最寄りのスターバックスへの道順を表示するために必要な情報を常にブロードキャストしています。

3 地上では、携帯電話、電子コンパス、カーナビゲーションシステム、その他十数種類のデバイスに搭載されたGPS受信機が、最低4個の衛星からブロードキャストされた信号を受信します。受信機のデータには、各衛星の正確な位置がプログラムされています。GPSデバイスには、各衛星から信号が届くのにかかった時間を計測するマイクロプロセッサが内蔵されています。

1 米国国防総省といくつもの企業が共同で打ち上げた衛星が、巨大なジオデシックドームの集合体のように地球を一面に覆う静止軌道にとどまっています。地球との間、および相互の間で、各衛星は常に同じ決まった位置を維持しています。

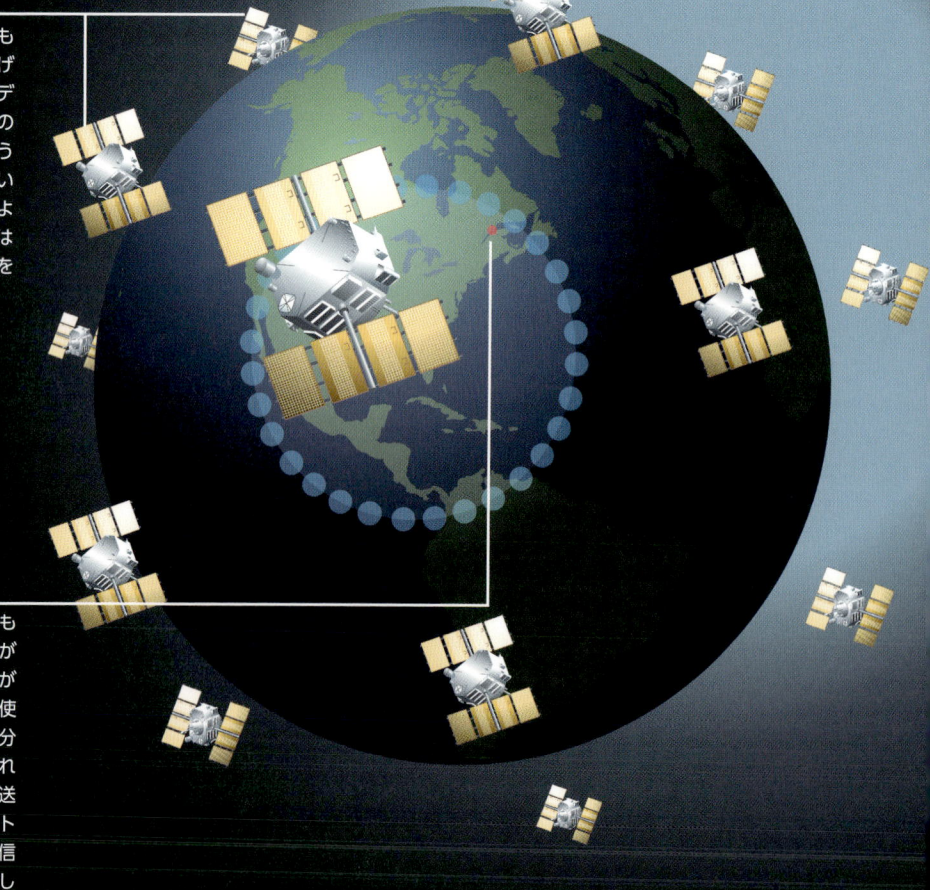

2 地球上のどの地点からでも5〜8個の衛星を見ることができます。ただし、視力がとてもいいか、望遠鏡を使えばの話ですが。1,000分の1秒ごとに、衛星はそれぞれの識別情報と信号の送信時刻をブロードキャストします。地上局は時刻の信号を絶えず更新して修正します。

CHAPTER 14　さまざまなコンピューター技術　207

衛星
GPS受信機が存在する可能性のある位置
GPS受信機の実際の位置

4 1個の衛星のみからの信号を基に測定すると、受信機はその1個の衛星と受信機の間の距離に一致するどの地点にでも存在する可能性があります。その距離は、衛星の頭上位置を中心とする円の半径に等しく、円周は受信機が存在する可能性のあるすべての位置を表します。

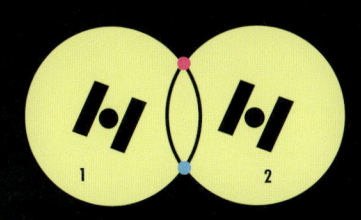

5 ここにもう1個の衛星からの信号に含まれる情報が加わると、GPS測位計算によって、最初の円と2つの地点で交わるもう1つの円が作図されます。どちらの地点も両方の円の中心から等距離にあるので、どちらか1つが受信機の位置に違いありません。

6 3つ目の信号によってGPS受信機の位置はほぼ特定されます。それは、3番目の衛星を中心とする円が、前の2つの円の2箇所の交点の1つと交わる点です。ただ、GPS受信機の位置にはわずかな誤差があるので、4番目の衛星からの信号を使って測位計算の精度をさらに向上させています。

7 プロセッサが算出した緯度と経度がマッピングされて、携帯電話、タブレット、またはカーナビゲーションの画面上の光の点に変わります。GPS装置付きのデバイスが移動している場合は、画面上のドットもそれに合わせて移動します。画面がデバイス内のランドマークデータまたは地図情報サービスのデータベースと連動している場合は、レストラン、ガソリンスタンド、病院、ショッピングセンター、それにもちろんスターバックスなど、目印となる場所の記号が地図に表示されることがあります。

デバイスがタッチを認識する仕組み

私たちの手は、意思疎通の手段としてふつうに使われています。人々が話しているときの身振りを想像してみてください。主張するときに拳を突き上げたり、答えがわからないというしぐさで手のひらを上に向けたり、もちろん、何かを指さして「これ。これが欲しいんだ」という意思を示すこともあります。タブレットやスマートフォンと意思疎通を図るときは、手がことさらに重宝します。

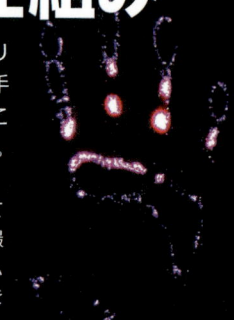

1 指とモバイルデバイスを結び付ける電磁界は、**キルリアン写真**で撮影された**発散物（コロナ）**として見ることができます。この写真は、金属板の上に置いた写真用フィルムを使って撮影します。写真撮影する対象物をフィルムの上に置き、金属板に電圧をかけると、電荷によって手の電磁界がフィルムを通して下に引き寄せられ、電磁界を示す露出が作成されます。カーペットの上を転がったり、髪をブラシでとかしたりして、身体が余分な電子を集めたときにも電磁界の作用を感じることができます。

2 電磁界は**静電容量方式**の**タッチスクリーン**で利用されています。スマートフォンやタブレットの画面をタッチすると、指の電磁界が画面の表面の保護層を通して広がり、互いに直角に配置された電線の2つの層の間に生じる電磁界をゆがめます。電線どうしは決して接触しませんが、指でタッチした領域の中心に近づくほど、電線の静電容量（電線が静電荷を蓄える能力）が増加します。

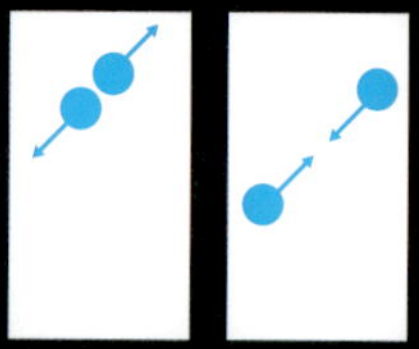

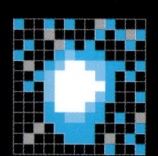

3 デバイスはタッチされると、加工されていないそのままのデータを取り込みます。

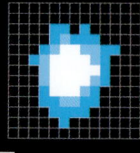

保護フィルム
保護Gorilla Glass（次のページを参照）
静電容量の各層
接合層
駆動ライン
検出ライン
LEDまたはOLEDディスプレイ

4 このデータはクリーンではないので、フィルターにかけてバックグラウンドノイズを取り除く必要があります。

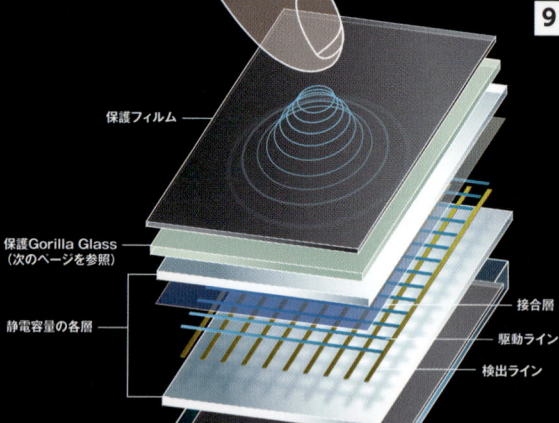

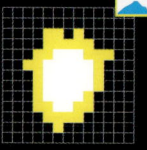

5 デバイスは電磁界のゆがみを測定し、ピクセルごとの静電容量の変化に基づいて、タッチ領域の形とサイズを検出します。

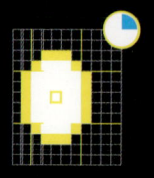

6 デバイスはフィルター処理された静電容量の情報を使用して、タッチの正確な中心を判断します。

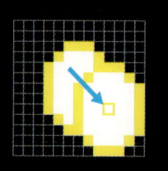

7 デバイスはまた、表面に沿った指の動きと、タッチが続いた長さを検出し、スワイプどうしの違いや、タッチの長短を見分けます。それによって動作が変わります。

8 デバイスは情報をソフトウェアに伝え、ソフトウェアは画面表示をどのように変更するかを判断します。同じタッチやジェスチャーの操作でも、画面に表示されているソフトウェアで設定されたジェスチャールールによって反応が異なる場合があります。

9 タッチスクリーンの技術は十数種類に及びますが、メーカー各社は静電容量方式のタッチスクリーンに落ち着いています。10個ものタッチ場所の情報を同時に集めて送信できるのは、静電容量方式だけだからです。この**マルチタッチ**機能のおかげで、たとえば指どうしを遠ざけたり近づけたりして画像を拡大縮小するなど、デバイスの画面で複雑な操作を行うことができます。

ガラスが強くしなやかになった仕組み

スティーブ・ジョブズは、新しいiPhoneの試作品をズボンのポケットに入れて何週間もあちこちに出かけたといわれています。車のキー、硬貨、その他もろもろによる傷跡や擦り傷やへこみがiPhoneの画面上にたまるにつれて、ジョブズのいらだちもつのりました。「人々はポケットに入れて持ち運べる電話を求めているんだ！」と彼はApple社の技術者たちに言いました。しかし技術者たちは、この問題にどう対処したらよいかわかりませんでした。

運良く解決策を持っていたのがCorning社です。Corning社はその数年前に、傷つかず割れないところまであと少しという段階のガラスを発表していました。しかし、ジョブズがCorning社の重役たちに熱心に事情を説明するまで、そのガラスは店ざらしになっていました。半年後、Gorilla Glassが誕生しました。スマートフォンをタップ、スワイプ、その他の方法で操作する際は、Gorillaと接触することになります。

GORILLA

1. Gorilla Glassの原形は、**アイソパイプ**と呼ばれる巨大なV字型の桶の中で1,000℃で溶融された酸化ガラスの混合物です。**フュージョンドロー**プロセスで、溶融ガラスがアイソパイプの両側を均等に流れ、側面を流れ落ちた2つの流れは底の部分で交わって、厚さ0.4～2mmの連続したガラスの**マザーシート**に融合します。

2. マザーシートから大断面が切り取られ、溶融塩とカリウムの400℃の溶液に浸されます。溶液によって大きなカリウムイオンがガラス内に押し込まれ、ガラスの小さなナトリウムイオンが押し出されます。ガラスが冷えると、収縮によってカリウムイオンはさらにガラス内に押し込まれて互いに接近するため、ガラスは日々の酷使に耐える密度になります。

3. Gorilla Glassに擦り傷がついた場合、ガラスの高密度のイオン圧縮領域がそれ以上の損傷の拡大をせき止める働きをします。しかし、Gorilla Glassといえど壊れないわけではありません。繰り返し、力ずくで乱暴に扱うと、それまでの事故で生じた微細な損傷が新たな圧力によって拡大し、ガラスに悪影響を及ぼします。

4. Gorilla Glass 3からは、抗菌物質である銀イオンがガラスに埋め込まれています。このイオンは、指が細菌を堆積させるガラスの表面に抽出され、ほぼすべてのばい菌を除去します。

Willow

1. Willow Glassの原形はGorilla Glassとよく似ています。石灰岩、砂、ホウ酸ナトリウム、その他の物質を溶融することで、Willow Glassはふつうのガラスならパキンと割れるような形に曲げることができます。溶融ガラスは、ふつうのガラスが厚さ0.2mmか0.5mmであるのに対して、わずか0.05mmほどの厚さのシートに押出成形されます。

2. ガラスのシートとして仕上げる代わりに、Willow Glassはローラーにかけられます。ローラーにはつまみ部分があり、巨大なロールに巻き付けられるときに、ガラスの表面がガラス自体を含めて何にも接触しないようになっています。

3. Willow Glassは、一部のテレビで使われているように、単に曲面に成形されるだけではありません。冷えた後も曲げやすい特性を維持します。

ウェアラブルコンピューターの誕生

ガラスの種類は他にもあります。Apple Watchで使われているサファイアガラスはもろいものの、ダイアモンドに次ぐ硬さなのでひびを入れるのはきわめて困難です。新世代の腕時計型ウェアラブルが登場すると、サファイア、Gorilla、Willow、その他のガラスを誇示するさまざまなモデルを目にすることになるでしょう。非常に興味深いのは、Willowと有機発光ダイオード（OLED – 第15章を参照）の組み合わせです。Willow GlassとOLEDは相性がとても良いからです。Willowと同様に、OLED（有機EL）ディスプレイも曲げることができ、その可能性は、コンピューター業界のマッドサイエンティストたちにも認知されています。Apple社、Samsung社、その他のメーカーが、着ける人に合わせて曲がるスマートウォッチを提案しています。

ゲームコントローラーでプレイできる仕組み

何年もの間、最も凝ったジョイスティックでさえ、トリガーが1個とボタンが1個か2個付いていればそれで十分でした。けれどもゲームが多機能になるにつれて、プレーヤーもアクションを制御するために多機能のツールを求めるようになりました。そのニーズから誕生したのが、現在広く使われている、ボタンとパッドがちりばめられた、両手で操作するコントローラーです。Playstationの DUALSHOCKは、多くのゲームパッドの代表例です。ほぼすべての用途に使われるコントローラーでありながら、DUALSHOCKの使い方は少しも直観的ではありません。そのことが、任天堂が単純さに立ち戻ってWiiリモコンという全く種類の異なるコントローラーを生み出すきっかけになりました。

ゲームパッド

4個の**トリガーボタン**がコントローラーの前面に配置されています。これらのボタンはシューティングアクションに使われることも、他のキーと組み合わせてもっと複雑なアクションに使われることもあります。

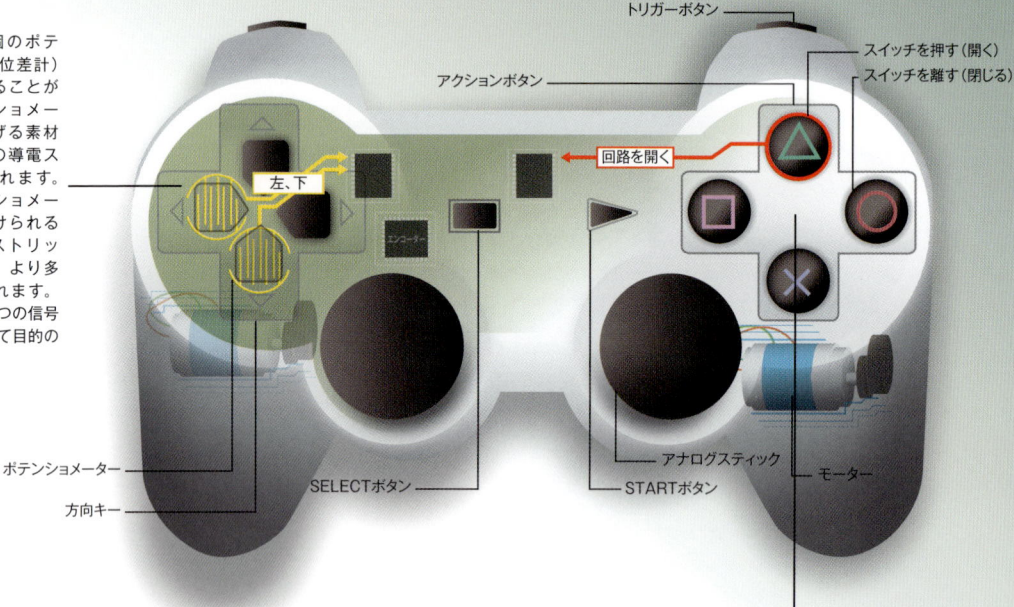

方向キーでは、2個のポテンショメーター（電位差計）を同時に作動させることができます。ポテンショメーターは、電流を妨げる素材で隔てられた2つの導電ストリップで構成されます。方向キーがポテンショメーターに強く押し付けられるほど、2つの導電ストリップが互いに接近し、より多くの電流が間を流れます。マイクロチップは2つの信号の強さを組み合わせて目的の方向を計算します。

DUALSHOCKには、14個のスイッチ、2個のモーター、4個のアナログコントロール、および1個のライトがあります。エンコーダーチップがすべてのアナログ信号をデジタルに変換し、データを圧縮し、信号を発生したコントロールを識別するタグを追加して、ゲーム機本体に順次送信します。本体ではプレイ中のゲームの内容に応じてソフトウェアが信号を解釈します。

2個のアナログスティックは、昔ながらのゲームセンターのジョイスティックのように、圧力がかかった方向を記録します。たいていは、ゲーム内でのプレーヤーの動きを制御します。通常、スティックの1つは方向キーの代わりに使用されます。もう1つのスティックでは、ゲーム内に表示されるカメラ画像を制御できます。

ゲームパッドの握り部分の中にある2個のモーターは、爆発、銃の反動、衝撃、その他の事象に伴うフォースフィードバックを振動という形で伝えます。モーターはそれぞれ偏心錘につながっています。モーターが回転すると、不均衡な重りのせいでぐらぐらするフォースフィードバックの感覚が発生します。

多くのゲームパッドにある十数個のボタンの中で、最もよく使われるのがDUALSHOCKの右側にある4個のアクションボタンです。押されたときに電流を流す多くのスイッチと異なり、ゲームパッドのスイッチは通常閉じた状態でわずかな電流を流しており、押されたときに電気を遮断します。定電流は、信号を監督しているマイクロチップにゲームパッドとスイッチが動作していることを知らせます。

CHAPTER 14 さまざまなコンピューター技術

Wii リモコン

ほとんどのゲームでは、ボタンを押してスティックを動かすだけでアクションを行います。これではモールス信号で話しているようなものです。任天堂は、Wii ゲームシステムでこのありきたりのやり方を改めました。Wii リモコンにはアナログスティックはなく、わずかなボタンしかありません。ゲームコントローラーよりもテレビのリモコンに似ているので、この名前が付いています。Wii リモコンの汎用性は、その単純さにあります。振ればバットやゴルフクラブやテニスラケットに、狙ってボタンを押せば銃に、両手で握れば車のハンドルになります。Wii リモコンはコントローラーのデザインに全く新しい考え方を持ち込みました。

Wii のコントローラーを使ってビデオゲームのアクションを制御するには、プレーヤーはゲームに必要なアクションを現実に行っているかのように Wii リモコンを動かして、振ったり、突いたり、狙ったり、ひねったりします。

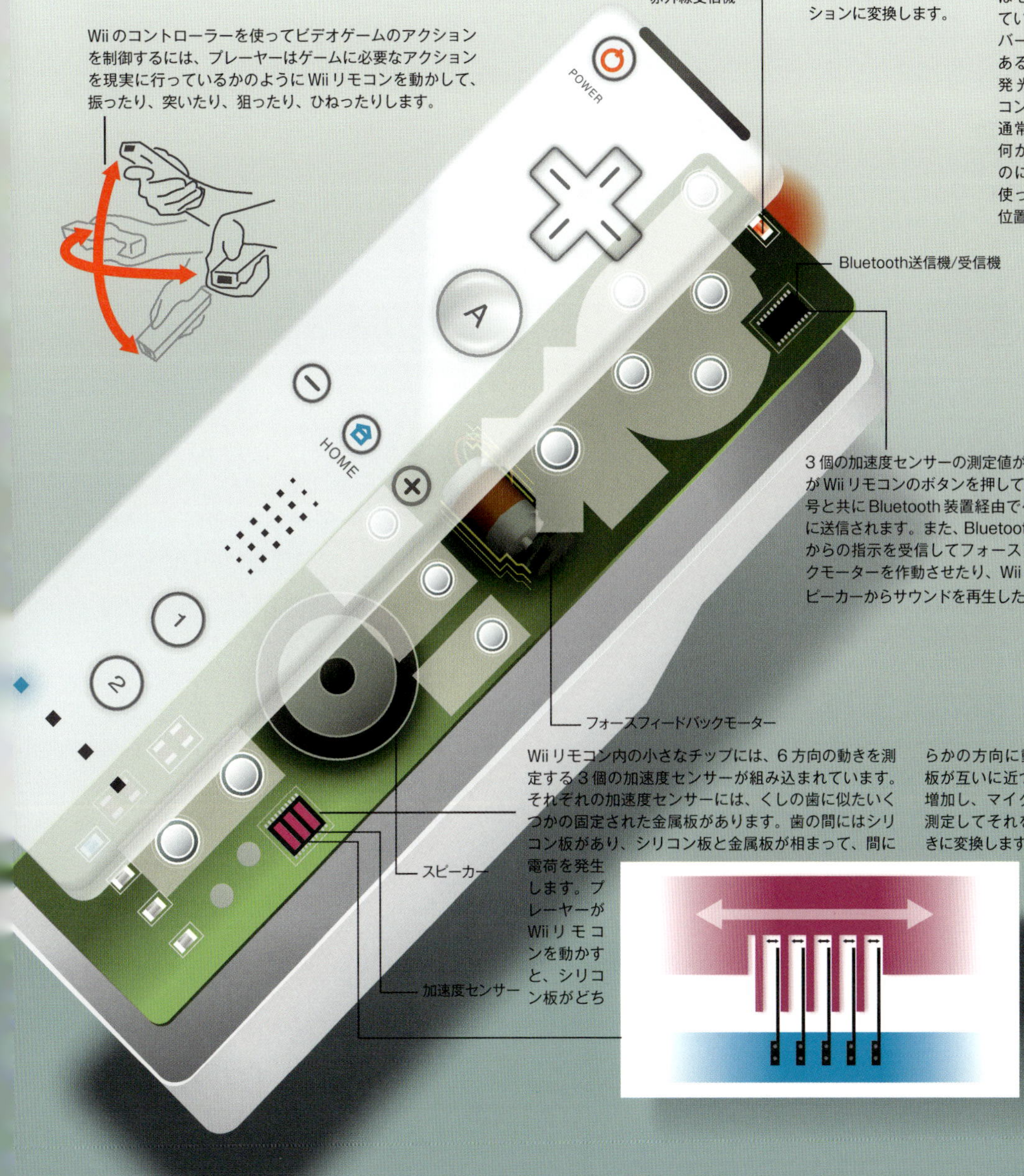

ゲームのソフトウェアは Bluetooth 信号を通じて送られてきた情報を組み合わせて、プレーヤーの Wii リモコンの動かし方に似せた画面上のアクションに変換します。

Wii をつないだテレビの上か下に置かれるセンサーバーには、実際はセンサーは内蔵されていません。代わりに、バーの両端に 5 個ずつあるライトが赤外線を発光します。Wii リモコンは赤外線を検知し、通常はテレビ画面上の何かを狙って発砲するのに併せて、赤外線を使って三角法で自身の位置を測定します。

赤外線受信機

Bluetooth 送信機/受信機

3 個の加速度センサーの測定値が、プレーヤーが Wii リモコンのボタンを押して発生させた信号と共に Bluetooth 装置経由でゲーム機本体に送信されます。また、Bluetooth 装置は本体からの指示を受信してフォースフィードバックモーターを作動させたり、Wii リモコンのスピーカーからサウンドを再生したりします。

フォースフィードバックモーター

Wii リモコン内の小さなチップには、6 方向の動きを測定する 3 個の加速度センサーが組み込まれています。それぞれの加速度センサーには、くしの歯に似たいくつかの固定された金属板があります。歯の間にはシリコン板があり、シリコン板と金属板が相まって、間に電荷を発生します。プレーヤーが Wii リモコンを動かすと、シリコン板がどちらかの方向に動きます。2 種類の板が互いに近づくにつれて電荷が増加し、マイクロチップは電荷を測定してそれを画面上の特定の動きに変換します。

スピーカー

加速度センサー

ゲームコントローラーで
力を感じる仕組み

1 **フォースフィードバック機能付きジョイスティック**では、ジョイスティック自体が動いてゲーム内のイベントに反応します。ジョイスティックを動かす指示は、ソフトウェアで波形（時間の経過と共にグラフ化されるさまざまな力の度合い）として作成されます。次に示すのは、さまざまなフォースフィードバックの波形の例です。

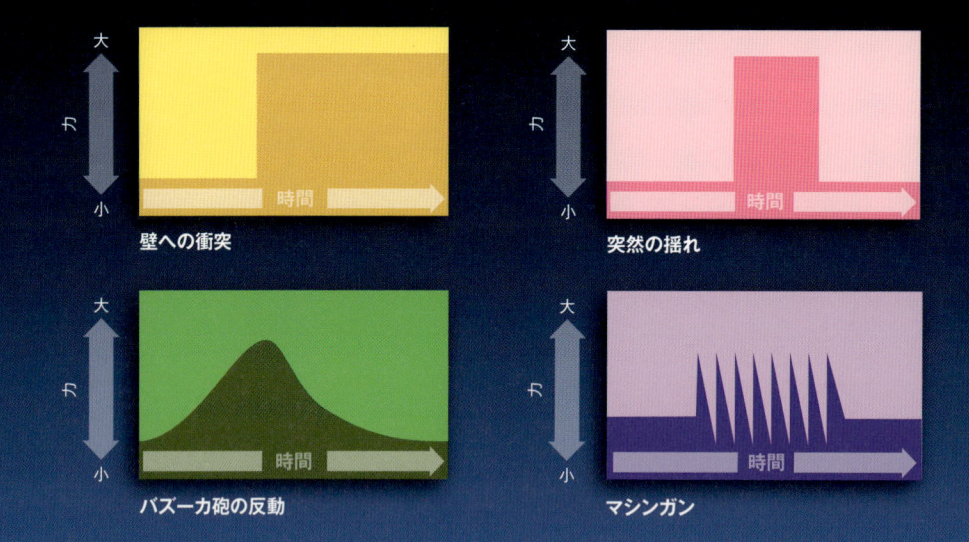

力 / 時間 / 大 / 小

壁への衝突

突然の揺れ

バズーカ砲の反動

マシンガン

2 ゲームソフトウェアは、動きに関する詳細な指示をジョイスティックに送信する必要はありません。代わりに、ソフトウェアは**トークン**という、ジョイスティックが実行すべき詳細な波形を示す遥かに短いデータを送信します。

3 ここに示す Microsoft 社の旧型のジョイスティックでは、16 ビットで 25MHz のマイクロプロセッサがトークンを受信し、ROM チップに恒久的に保存されている 32 種類の振動効果の中から波形を参照します。また、ソフトウェアはプロセッサが使用する 2KB の RAM チップに独自の波形をダウンロードすることもできます。

4 プロセッサはトークンが示す波形の指示に従い、ジョイスティックの X 軸と Y 軸に 1 個ずつある 2 個のモーターに電気信号を送ります。

5 モーターは正確な動きを歯車列に伝え、歯車列がジョイスティックの 2 つの軸に力を伝達することによって、ジョイスティック自体が圧力をかけます。

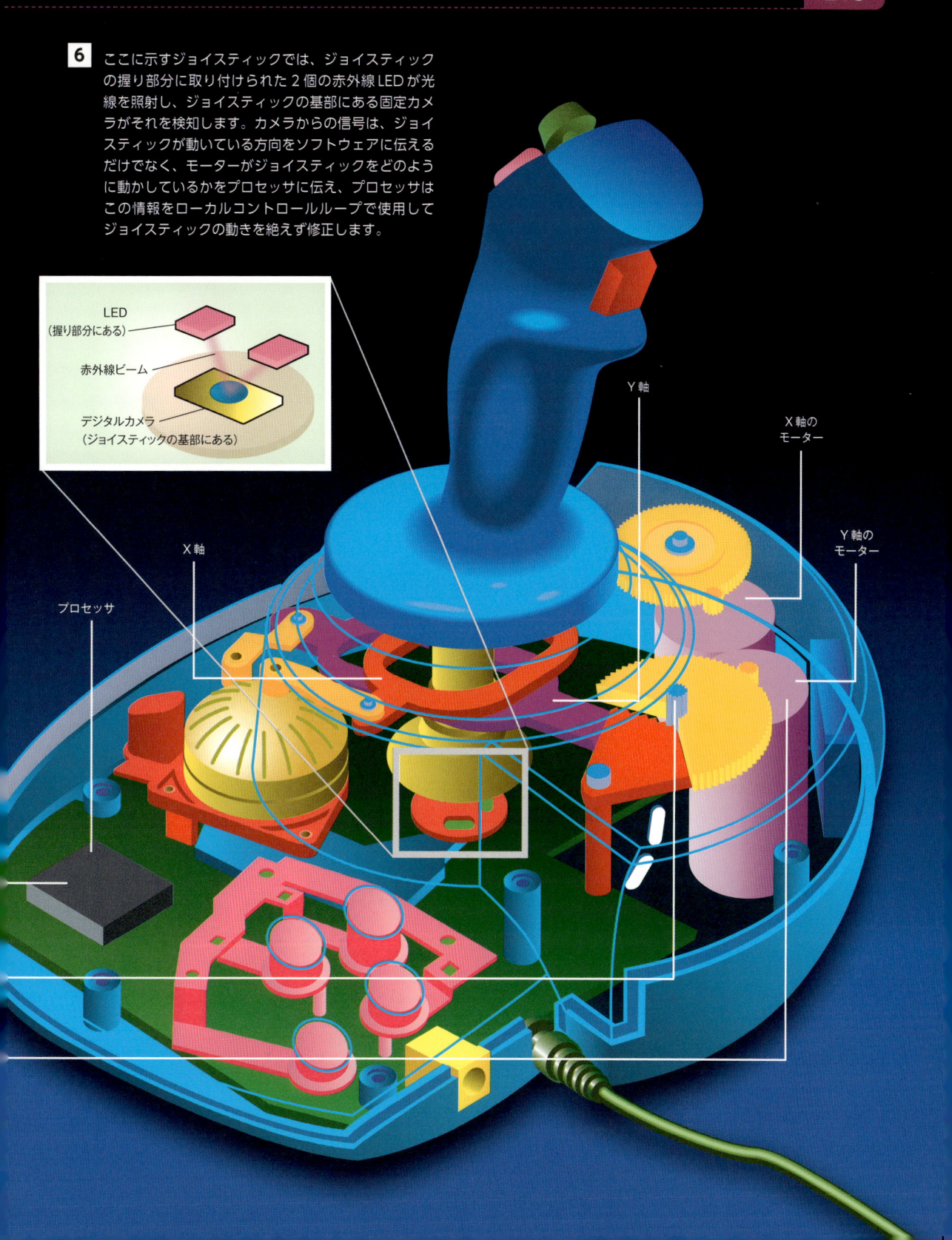

CHAPTER 14　さまざまなコンピューター技術　213

6 ここに示すジョイスティックでは、ジョイスティックの握り部分に取り付けられた2個の赤外線LEDが光線を照射し、ジョイスティックの基部にある固定カメラがそれを検知します。カメラからの信号は、ジョイスティックが動いている方向をソフトウェアに伝えるだけでなく、モーターがジョイスティックをどのように動かしているかをプロセッサに伝え、プロセッサはこの情報をローカルコントロールループで使用してジョイスティックの動きを絶えず修正します。

LED
（握り部分にある）

赤外線ビーム

デジタルカメラ
（ジョイスティックの基部にある）

X軸

Y軸

X軸のモーター

Y軸のモーター

プロセッサ

スマートフォンが振動する仕組み

私たちはみな、それが内緒の着信の通知であろうと、どこかのテーブルに置かれた電話で作動しているものであろうと、スマートフォンのバイブレーションを聞き慣れています。あれほどの騒音を発生させているのは、次の図に示すような驚くほど小さいコンポーネントです。

コンピューティングテクノロジーの進化において、こうした振動などの触感フィードバックをもたらす**ハプティクス**という技術は、ようやく現れてきたばかりです。ハプティクスが進化するにつれて、たとえばタップした画面上のボタンが実際に動いているような感覚を伝えるなど、スマートフォンの小さな振動の可能性も広がることでしょう。ハプティクスは、外科手術の練習や遠隔手術で既に使われており、将来はギターの弦を弾く感覚や仮想のページをめくる感覚を点字ディスプレイで伝えるのに活用できる可能性があります。

こうした振動を発生させるモーターは2種類あります。**偏心回転質量モーター(ERM)** と**リニア共振アクチュエーター(LRA)** です。単純か複雑かにかかわらず、振動のプロセスはタッチ、ソフトウェアからの信号（手榴弾の爆発など）、またはハードウェアからの信号（叔父さんからの電話など）によって始まります。

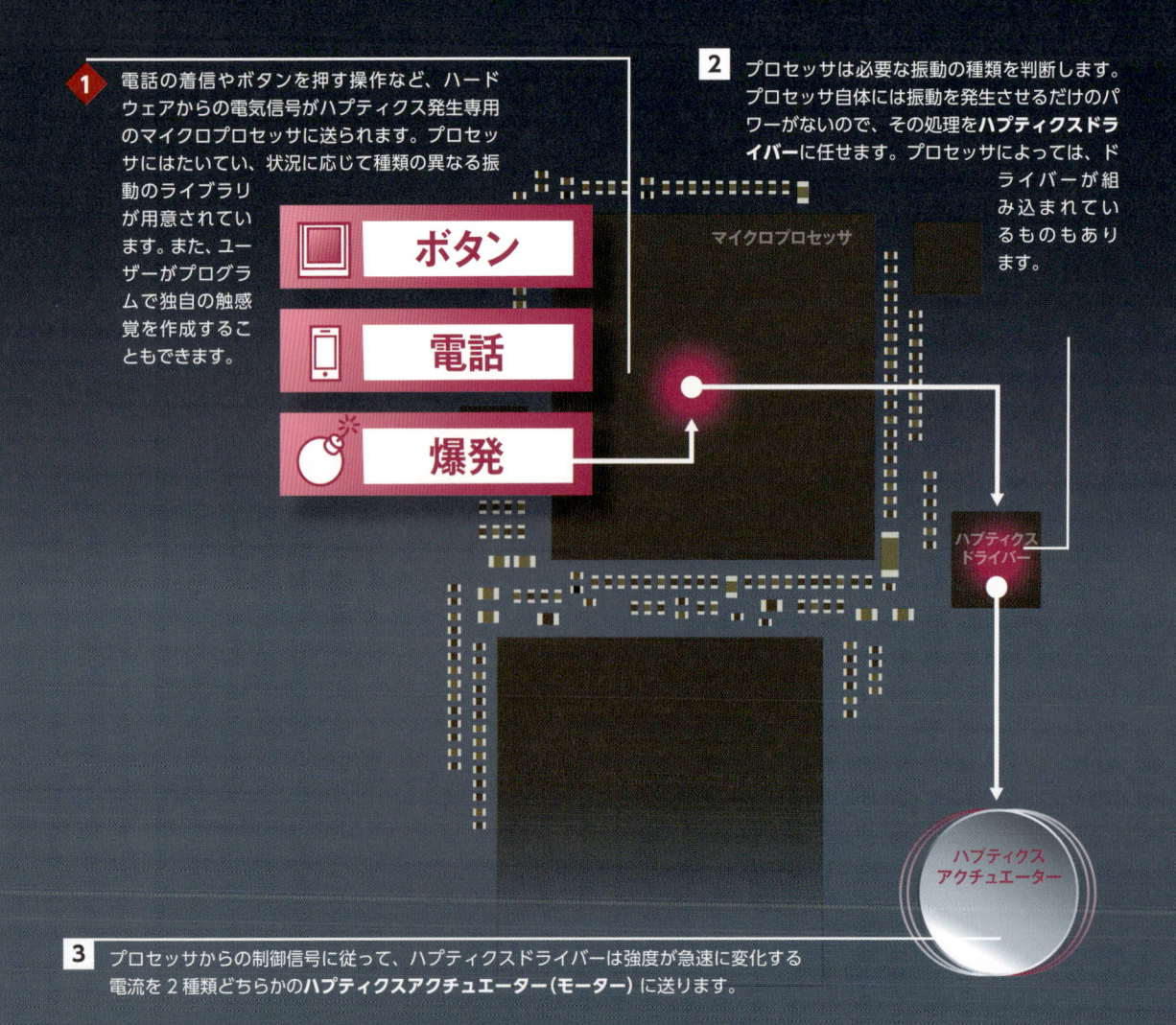

1 電話の着信やボタンを押す操作など、ハードウェアからの電気信号がハプティクス発生専用のマイクロプロセッサに送られます。プロセッサにはたいてい、状況に応じて種類の異なる振動のライブラリが用意されています。また、ユーザーがプログラムで独自の触感覚を作成することもできます。

2 プロセッサは必要な振動の種類を判断します。プロセッサ自体には振動を発生させるだけのパワーがないので、その処理を**ハプティクスドライバー**に任せます。プロセッサによっては、ドライバーが組み込まれているものもあります。

3 プロセッサからの制御信号に従って、ハプティクスドライバーは強度が急速に変化する電流を2種類どちらかの**ハプティクスアクチュエーター(モーター)** に送ります。

リニア共振アクチュエーター(LRA) は、ハプティクスドライバーから送られた変化する電流を**音声コイル**に流して振動を発生させます。音声コイルは、多くのオーディオスピーカーで使われているのと同じ装置です。磁石の内側にある音声コイルは、重い金属片をスプリングに押し付ける磁界を発生します。電流が徐々に弱くなると、スプリングは金属を磁石のほうに押します。この交互の動きが、個々の振動効果に必要な頻度と長さで繰り返されます。

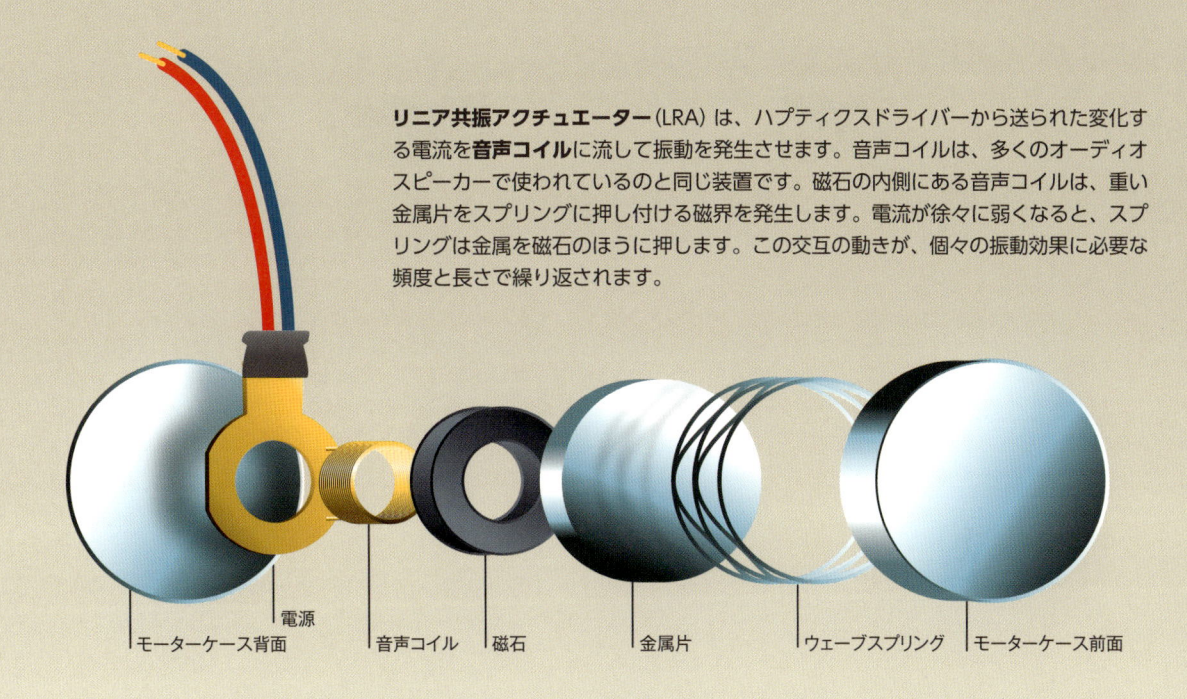

モーターケース背面　電源　音声コイル　磁石　金属片　ウェーブスプリング　モーターケース前面

偏心回転質量モーター(ERM) でも、送られてきた電流を振動に変換するために音声コイルと磁石を使います。ただし、この装置では、重い金属の円盤が軸を中心に回転するようにコイルと磁石が配置されます。円盤の片側に沿って切断面があるために円盤は非対称になり、偏心しています。円盤の重い側のほうが、切断された側よりも大きな遠心力が働くので、モーターの力の中心は小刻みに円を描くように回転し続けます。

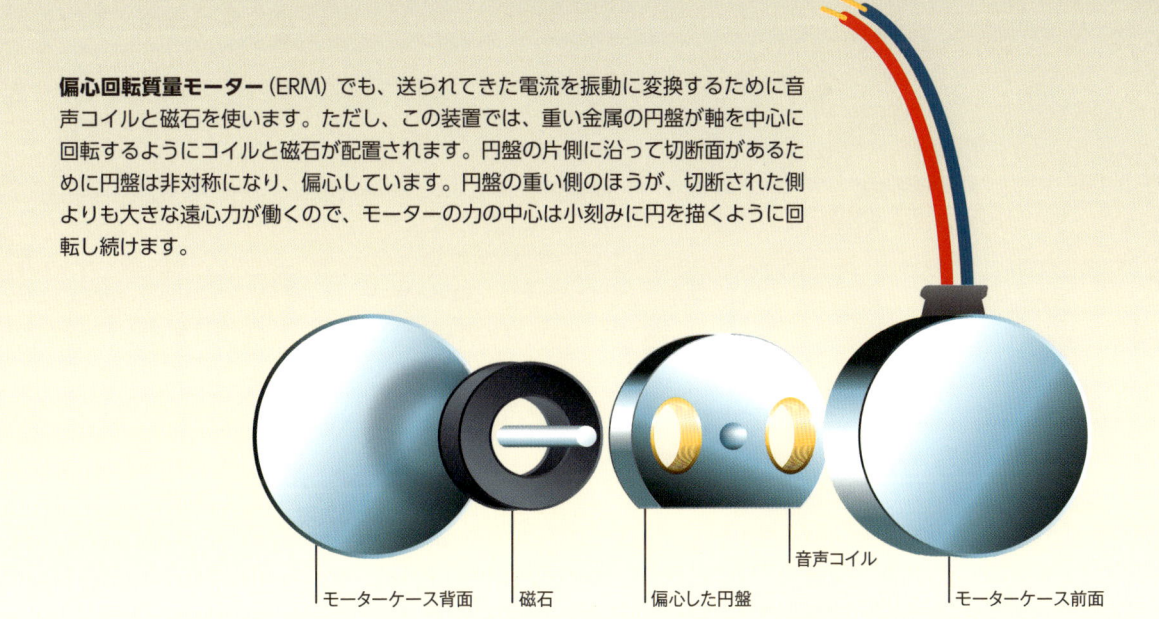

モーターケース背面　磁石　偏心した円盤　音声コイル　モーターケース前面

デバイスが光を捕らえる仕組み

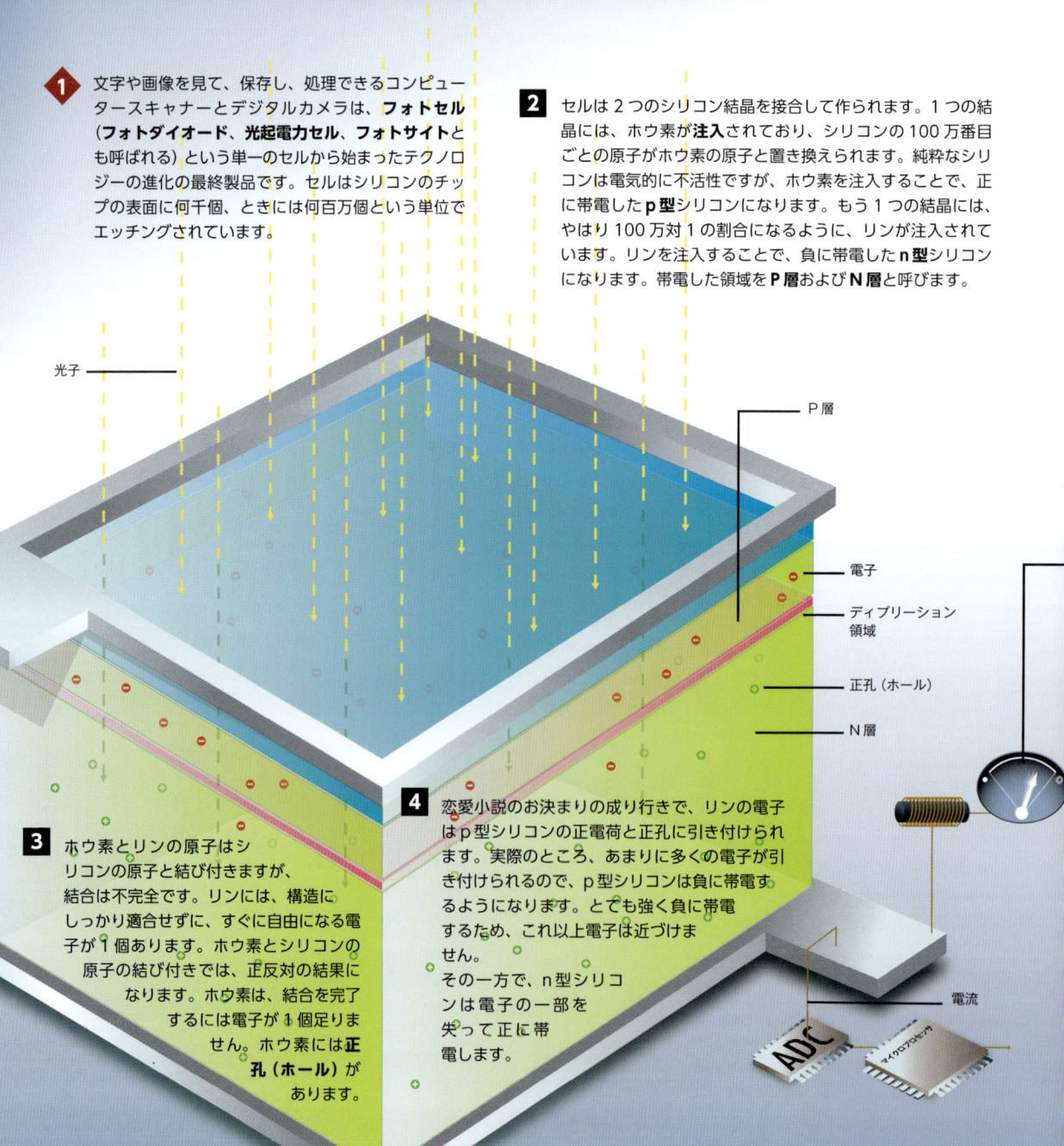

1 文字や画像を見て、保存し、処理できるコンピュータースキャナーとデジタルカメラは、**フォトセル**（**フォトダイオード**、**光起電力セル**、**フォトサイト**とも呼ばれる）という単一のセルから始まったテクノロジーの進化の最終製品です。セルはシリコンのチップの表面に何千個、ときには何百万個という単位でエッチングされています。

2 セルは2つのシリコン結晶を接合して作られます。1つの結晶には、ホウ素が**注入**されており、シリコンの100万番目ごとの原子がホウ素の原子と置き換えられます。純粋なシリコンは電気的に不活性ですが、ホウ素を注入することで、正に帯電した**p型**シリコンになります。もう1つの結晶には、やはり100万対1の割合になるように、リンが注入されています。リンを注入することで、負に帯電した**n型**シリコンになります。帯電した領域を**P層**および**N層**と呼びます。

光子

P層

電子

ディプリーション領域

正孔（ホール）

N層

3 ホウ素とリンの原子はシリコンの原子と結び付きますが、結合は不完全です。リンには、構造にしっかり適合せずに、すぐに自由になる電子が1個あります。ホウ素とシリコンの原子の結び付きでは、正反対の結果になります。ホウ素は、結合を完了するには電子が1個足りません。ホウ素には**正孔（ホール）**があります。

4 恋愛小説のお決まりの成り行きで、リンの電子はp型シリコンの正電荷と正孔に引き付けられます。実際のところ、あまりに多くの電子が引き付けられるので、p型シリコンは負に帯電するようになります。とても強く負に帯電するため、これ以上電子は近づけません。
その一方で、n型シリコンは電子の一部を失って正に帯電します。

電流

ADC　マイクロプロセッサ

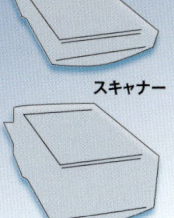

CHAPTER 14　さまざまなコンピューター技術

8 CCD および CMOS モデルを基にした光検出チップは、デジタルカメラからスキャナー、コピー機、ファックス装置、さらに指紋や網膜スキャンや顔の特徴から人物を視覚的に識別できる生体認証装置まで、コンピューターのさまざまな周辺機器で利用されています。

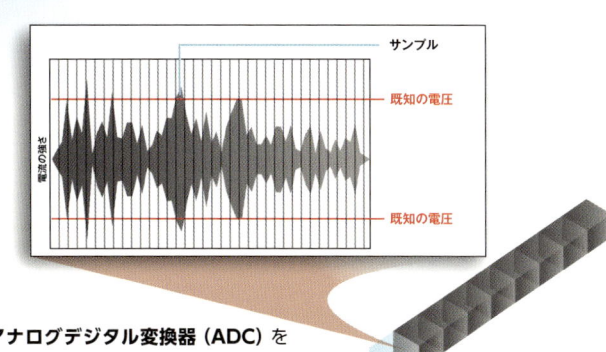

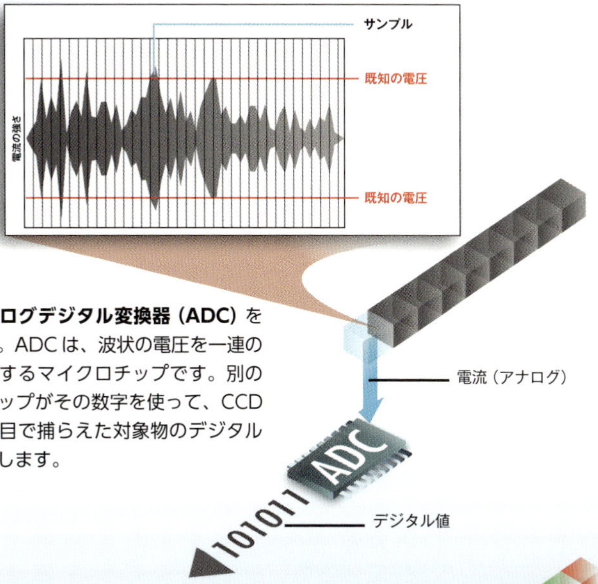

デジタルカメラ
スキャナー
コピー機
生体（掲印または虹彩）スキャナー

サンプル
既知の電圧
既知の電圧
振幅の強さ

7 電流は**アナログデジタル変換器（ADC）**を通過します。ADC は、波状の電圧を一連の数字に変換するマイクロチップです。別のマイクロチップがその数字を使って、CCD が数千個の目で捕らえた対象物のデジタル画像を処理します。

電流（アナログ）
デジタル値

5 この膠着状態は、**光子**（粒子形態の光 — もう1つの形態はエネルギー）がフォトダイオードに当たると終了します。光子のエネルギーが電子に変換されて、負電荷が生じます。負電荷と N 層の正電荷によって磁界が発生し、P 層からの電子が正の力によってダイオードのディプリーション領域に引き込まれます。ディプリーション領域は、負の層と正の層を隔てる狭いストリップです。ピクセルに当たる光が強いほど、ディプリーション層に移動する電子の数が増え、その特定のフォトダイオードに当たった光の強さに比例する強さの電荷が発生します。

6 1つのフォトダイオードが単独で使われることはめったにありません。ほとんどの場合、ダイオードは **CCD (coupled-charge device)** と呼ばれるコンポーネントの多数のダイオードの1つとして使われます。フォトダイオードに当たる光によって蓄積された電荷は、バケツリレーのようにダイオードからダイオードへと渡されます。電荷は CCD から移動して増幅器に入り、そこでさまざまな電圧の電流に変換されます。電圧の変化は、ダイオードが集めた光のさまざまな強さをアナログ的に表しています（**CMOS フォトダイオード配列**と CCD の違いは、CMOS チップではダイオードごとに小さな増幅器があることです）。

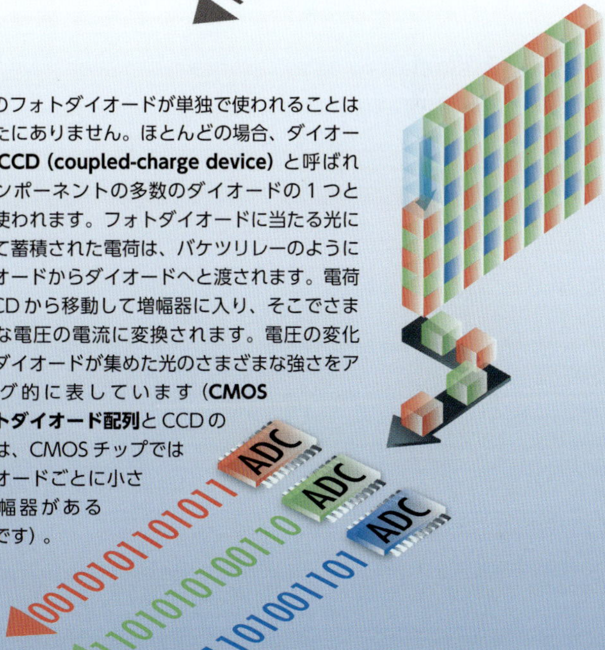

フラットベッドでスキャンが簡潔になる仕組み

1 スキャニングメカニズムの上にあるガラス窓に対して下向きに置いた原稿を光源が照らします。空白や余白は、インクや色の付いた文字や画像よりも光を反射します。

6 デジタル情報はパソコンのソフトウェアに送られ、データはグラフィックプログラムやOCRプログラムで処理できる形式で保存されます。

CHAPTER 14　さまざまなコンピューター技術　219

2 モーターが原稿の下でスキャンヘッドを移動させます。スキャンヘッドは移動しながら、原稿の個々の領域（それぞれ1インチ四方の9万分の1未満）に当たって跳ね返る光を捕らえます。

原稿送り装置

原稿は必ずしもスキャン中に静止しているとは限りません。上位モデルのスキャナーでは、固定されたスキャンヘッドの上に原稿が次々に送られます。ローラー給紙では、ファックス装置と同じように、2個のゴムローラーの間を通して原稿を送ります。ベルト給紙では、2個の向かい合わせのベルトを使って同じことを行います。ドラム給紙では、回転するドラムを通して原稿を送ります。真空給紙方式では、真空管を使って原稿をベルトに固定し、ベルトが回ってスキャンヘッドの上を通過します。

3 原稿から跳ね返った光はミラー装置によって反射されます。レンズの位置に合わせて光線の向きを調整するために、ミラーは常に向きを変える必要があります。

4 レンズは光線の焦点を感光性ダイオードに合わせます。ダイオードは光の量を電流に変換します。反射される光が多いほど、電流の電圧も大きくなります。スキャナーでカラー画像を処理する場合、反射された光は個別のダイオードの前にある赤、緑、または青のフィルターを通過します。

5 アナログデジタル変換器（ADC）は、電圧の各アナログ読み取り値をデジタルピクセルとして保存します。デジタルピクセルは、300～1,200個のピクセルを含む1インチのライン上の、ある1カ所の光の強さを表します。

コードが何もかも追跡する仕組み

バーコードには十分な敬意が払われていません。1974年に食料雑貨店の店員が、後に**統一商品コード（UPC）**として知られるようになるものを初めてスキャンしたときから（ちなみに商品はガム1個でした）、この12桁の番号と線から成るコードは小売業の仕組みだけでなく、博物館の所蔵品から病院の患者まで、あらゆるものを追跡する仕組みを変革し、文字と従来の数字だけでは成し遂げられなかった簡単で正確な追跡を可能にしてきました。そして世の中が複雑になれば、当然、もっと複雑なコードが必要になります。QRコードの登場です。

バーコード

1 バーコードにエンコードされた先頭の6桁の番号は、登録料を納めて固有の**製造者識別番号**の権利を取得した特定の会社を示します。製造者は、商品ごとに異なる12桁の**UPC**の前半部分にこの番号を使います。

2 製造者の6桁のコードは、会社のすべての商品に共通ですが、それはバーコードの前半部分だけです。次の5桁は**品目番号**、または**商品コード**です。会社のUPC担当者は、すべての商品はもちろんのこと、その商品のすべてのモデルやバリエーションにも品目番号を割り当てます。粉末洗剤のレギュラーボックスにはお徳用ボックスとは別の番号を割り当て、また香りの違いごと、粉末と液体でも別々の番号を割り当てます。

3 コードの最後の番号は**チェック数字**です。この値は、他の番号をアルゴリズムにかけて得られた数字と一致していなければなりません。

4 小売店では、レジにつながったレーザーにUPCを通すときには、左右どちらの側から読み取ってもかまいません。バーコードの中央より左側は、黒いバーが白で区切られています。右側は逆に、白いバーが黒で区切られています。このため、レジはコードがどこから始まるかを認識できます。

5 チェック数字がアルゴリズムと合致しないとレジのコンピューターが判断した場合、スキャナーは警告音を発して、UPCをスキャンし直すようにレジ係に伝えます。チェックが何度も失敗する場合は、レジ係が番号を手動で入力します。UPCの下には人間が読める形の番号も印刷されています。

6 スキャンが成功すると、レジは番号をコンピューターサーバーに送信します。サーバーはその商品の小売価格を調べて、価格をレジに送り返します。レジでは顧客のレシートに価格が加算されます。在庫管理のために、サーバーはその商品の販売数を更新することもできます。

マトリックスコード

12桁の番号を記録して読み取るだけで済むのであれば、UPCで十分です。もっと桁数の多いコードの場合は、**2次元バーコード**、別名**マトリックスコード**もしくは**QRコード**（Quick Responseの略）の容量が必要です。このコードは一般に2cm角程度の大きさですが、これで7,000桁または4,000字の英数字、つまり平均して700語弱の英単語を表すことができます。ほとんどのスマートフォンや、スキャナーのないデスクトップパソコンとノートパソコンでは、無料のアプリを使ってコードを画面上で読み取ることができます。2次元コードがどれも全く同じ仕組みで機能するわけではありませんが、ここでは代表的な例を見ていきます。

1 QRコードには、すべて**位置検出パターン**があります。これはコードの大きさ、方向、およびスキャン時のコードの角度をスキャナーが判断できるように配置された正方形です。

2 正方形のパターンは**位置合わせパターン**で、たとえば曲がった缶の上に印刷されているなど、コードがゆがんでいるかどうかをスキャナーに知らせます。

3 コードを読み取っているスキャナーは、コードの2つの辺に沿って**タイミングパターン**の列を重ね合わせます。これは目には見えません。スキャナーはタイミングパターンを使って、コードが読み取りビームをどれくらいの速さで通過しているかを判断します。

4 コード内の明るい部分と暗い部分の比率を計算することで、スキャナーはどの部分が全体をまとめる働きをし、どの部分にデータがあるかを把握します。この情報に基づいて、スキャナーは正方形のパターンに何のデータがエンコードされているかを判断します。2次元コードがバーコードに比べて遥かに多くの情報を保持できる理由の1つは、コードを2つの方向で読み取れるためです。ちょうど、Mを90度回転させるとEになり、180度回転させるとWになるようなものです。

5 QRコードの一部が別のラベルや汚れのせいで読めなくなっていても、通常、スキャナーはラベルの損傷した部分にあったデータを推測することができます。領域全体をデータに使う必要がないときは、残りのスペースを下図のようにロゴやマーケティングメッセージなどの装飾に使うことができます。

visualead.comなどのサイトでは、独自のQRコードを無料で作ることができます。右側のコードは、そのサイトを使って数分で作成したものです。このコードは、本書（英語版）のウェブページへのリンクになっています（これをお読みになるころにはコードの有効期限が切れているかもしれません）。

OCRの仕組み

1. スキャナーは原稿のイメージを読み取るときに、ページ上の暗い要素（テキストとグラフィックス）を**ビットマップ**に変換します。ビットマップは、オン（黒）またはオフ（白）になる正方形のピクセルの行列です。ピクセルはほとんどのテキストの細部よりも大きいので、この処理によって文字の鮮明な輪郭が劣化します。ちょうどファックス装置で文字の鮮明さがぼやけるのと同じです。光学式文字認識（OCR）装置の問題のほとんどは、この劣化が原因です。

2. OCRソフトウェアはスキャナーが作成したビットマップを読み取り、ページ上のオンとオフのピクセルのゾーンを平均化して、実質的にページ上の余白を地図のように描きます。これにより、ソフトウェアは段落、段組、見出し、およびふぞろいの図表をブロックに分けることができます。ブロック内のテキストの行間の余白は、各行のベースラインを定めます。ベースラインはテキスト内の文字を認識するのに不可欠です。

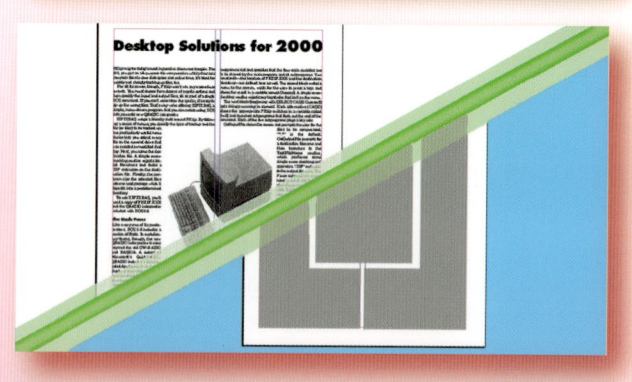

3. OCRソフトウェアはイメージをテキストに変換する最初の段階で、メモリ内にある文字テンプレートと個々の文字をピクセルごとに比較して照合を試みます。テンプレートには、12ポイントのCourierやIBMセレクトリックタイプライター文字セットなどの一般的な書体のフォントが、数字、句読点、拡張文字を含めて網羅されています。この処理ではきわめて厳密な一致が要求されるので、太字や斜体などの文字属性も同一でなければ一致とは見なされません。低品質のスキャンでは、すぐにマトリックスマッチングに失敗する可能性があります。

4 認識されなかった文字は、**特徴抽出**と呼ばれるより負荷が高く、時間のかかる処理にかけられます。ソフトウェアはテキストの**エックスハイト**（フォントの小文字のxの高さ）を計算し、それぞれの文字の直線、曲線、**球**（oやbなどにある輪の中の空洞部分）の組み合わせを分析します。OCRソフトウェアは、たとえばベースラインの下に曲線のディセンダーがあり、その上に球がある文字は小文字のgである可能性が高いことを知っています。新しい文字が見つかるたびに作業用のアルファベットが構築されていき、ソフトウェアの認識速度が上がります。

5 これら2つの処理でも解読できない文字が残ります。その場合、一部のOCRソフトウェアは、認識できない文字に~、#、@などの特殊文字のタグを付けて終了します。ユーザーはワープロの検索機能を使い、この特殊文字が挿入されている箇所を探して、単語を手動で修正する必要があります。また、特殊文字が挿入されている単語を大きなビットマップで画面上に表示するOCRソフトウェアもあります。ユーザーは特殊文字の代わりに入れる正しい文字のキーを押します。

6 さらに別のOCRソフトウェアは、専用のスペルチェッカーを起動して明らかなエラーを検索し、認識できない文字が含まれる単語の代わりとなる候補を探します。たとえば、OCRソフトウェアにとって数字の1と文字のlはよく似ています。5とSや、clとdも同様です。downturnのような単語はclownturnと認識されることがあります。スペルチェッカーはよくあるOCRエラーを認識して修正します。

7 ほとんどのOCRソフトウェアでは、変換後のドキュメントをASCIIファイルに、または一般的なワープロやスプレッドシートで認識できるファイル形式にして保存することができます。

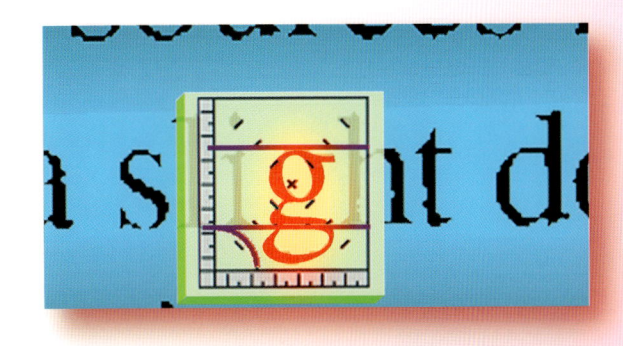

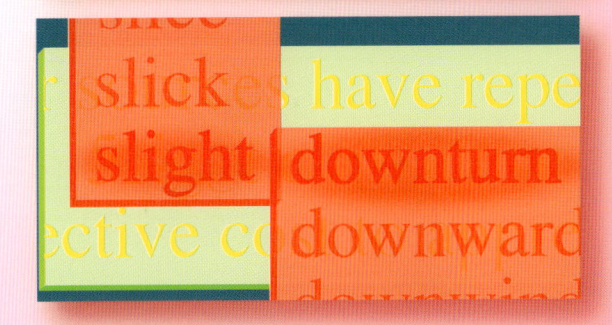

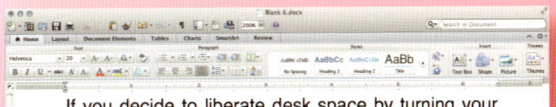

CHAPTER 15 コンピューターが映像を作り出す仕組み

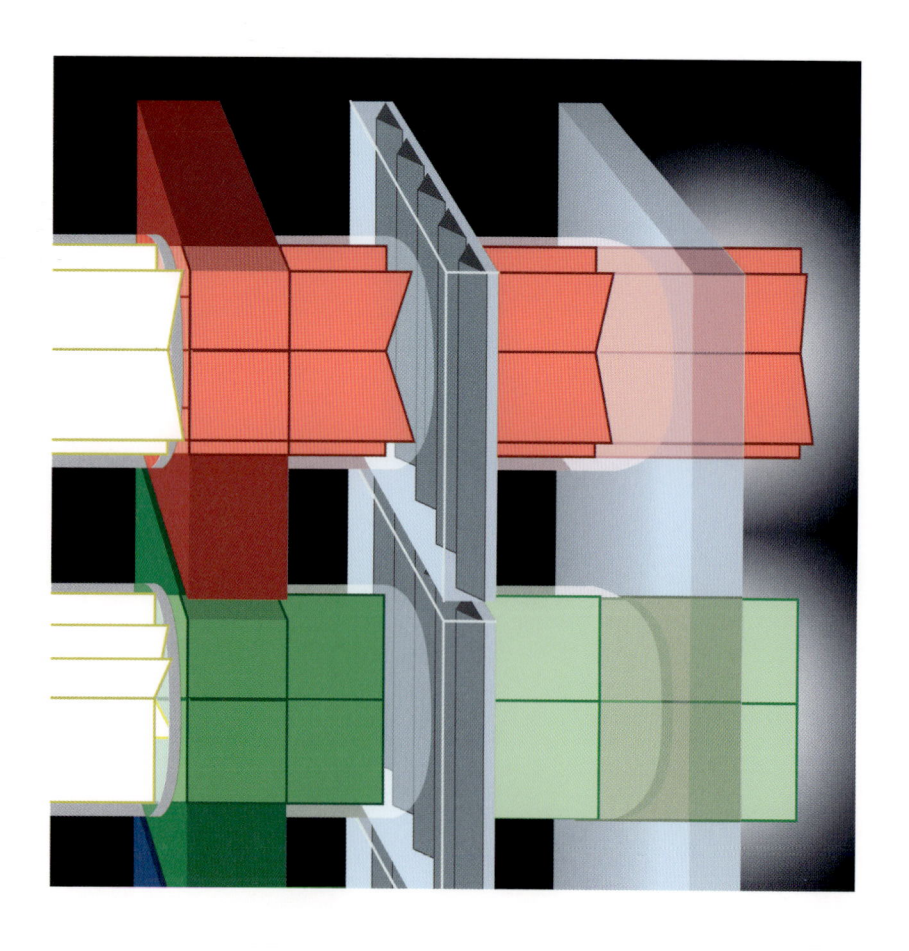

初期のコンピューターユーザーは、どれほど画像を表示できるパソコンを切望していたことでしょう。彼らは、テレビ画面で動いている映像のような、動き回って形を変える物体をなんとか画面に表示しようとして、右の小さなスクリーンショットに表示されているものを作り出しました。

　ASCII 文字だけで作ったパックマンゲームです。その大部分は、テキストに使うふつうの文字と句読点でできています。見た目は確かに貧弱ですが、このようなゲームには驚くほど娯楽性があり、21 世紀の本格的なグラフィックスのゲームと同じくらい時間を忘れて夢中にさせられました。

　しかも、コンピューターの出力といえば紙に印刷されるデータのことだった世代にとって、このような粗末な画像でも他と比べようがないほど刺激的でした。目で見たいと

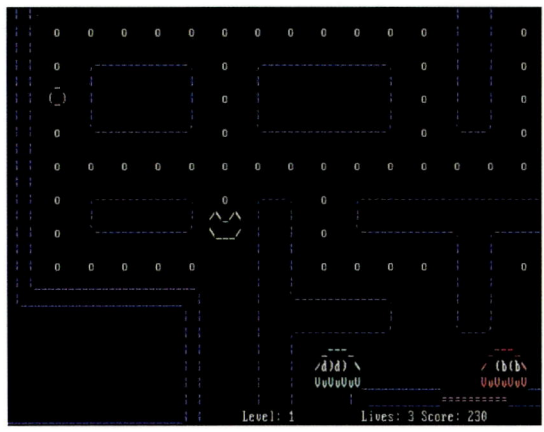

パックマンはほぼ単独で、ビデオゲームとゲーマーの一世代を誕生させた。

思うこと、単に読むだけでなく、読んだものを実際に見たいと思うことは生来の本能です。見るだけでは足りず、さらに動くところも見る必要があります。人々、戦争、沈む夕日、ラッシュアワーの交通渋滞、月面歩行など、どれもただ記事で読んだり、たとえ静止画で見たとしても、実際に目で見たときのインパクトにはかないません。

　コンピューティングが画像処理に対応するまでには何年もかかりました。その主な理由は、コンピューターはビジネスツールであり、グラフィックス、色、アニメーション、ビデオなどは、どこか軽薄なものという先入観があったためです。テキストのみの画面に風穴を開けたのは、Lotus 1-2-3 の普及でした。この電子表計算ソフトは、数字を視覚的に演算処理し、膨大な量の情報を何ページにもわたる数字で見せるのではなく、グラフにわかりやすく集約して表示できました。

　それ以降はせきを切ったように変化が起こりました。変化を先導したのは、ツールボックスの中の独創的な技を駆使して魅力的な画像を作り出すビデオゲームです。ビデオゲームが進歩するにつれて、ゲームを表示するディスプレイの性能も向上しました。ディスプレイの性能が上がると、コンピューティングの画像処理はビデオ、ゲーム、写真、生体認証セキュリティ、GPS、それにもちろんビジネスソフトの分野にまで対応するようになり、すぐにあらゆるものの見た目が良くなりました。

　グラフィックスとコンピューティングの関係がこれほど当然のものになったことで、次に何が登場するのか楽しみになりました。

液晶ディスプレイが色彩を作り出す仕組み

2 蛍光パネルの前にある**偏光フィルター**は、ほぼ水平方向に振動している光波のみを通します。偏光フィルターはそれほど高精度ではないので、ディスプレイはさまざまな色合いを作成できます。

1 ポータブルコンピューターのディスプレイパネルの背後にある蛍光パネルから放射された光が、振動する波になって全方向に広がります。

3 液晶セル（ピクセルを構成する3色に1つずつあります）の層において、グラフィックスアダプターは一部のセルにさまざまな電荷をかけ、残りのセルには全く電荷をかけません。電荷がかかったセルでは、液晶材料を構成する長くて棒状の分子が電荷に反応し、らせん状になります。電荷が強いほど、分子は大きくねじれます。電荷が最も強くかかった状態では、セルの一端にある分子が、セルのもう一端にある分子の方向に対して90度の角度で巻かれます。

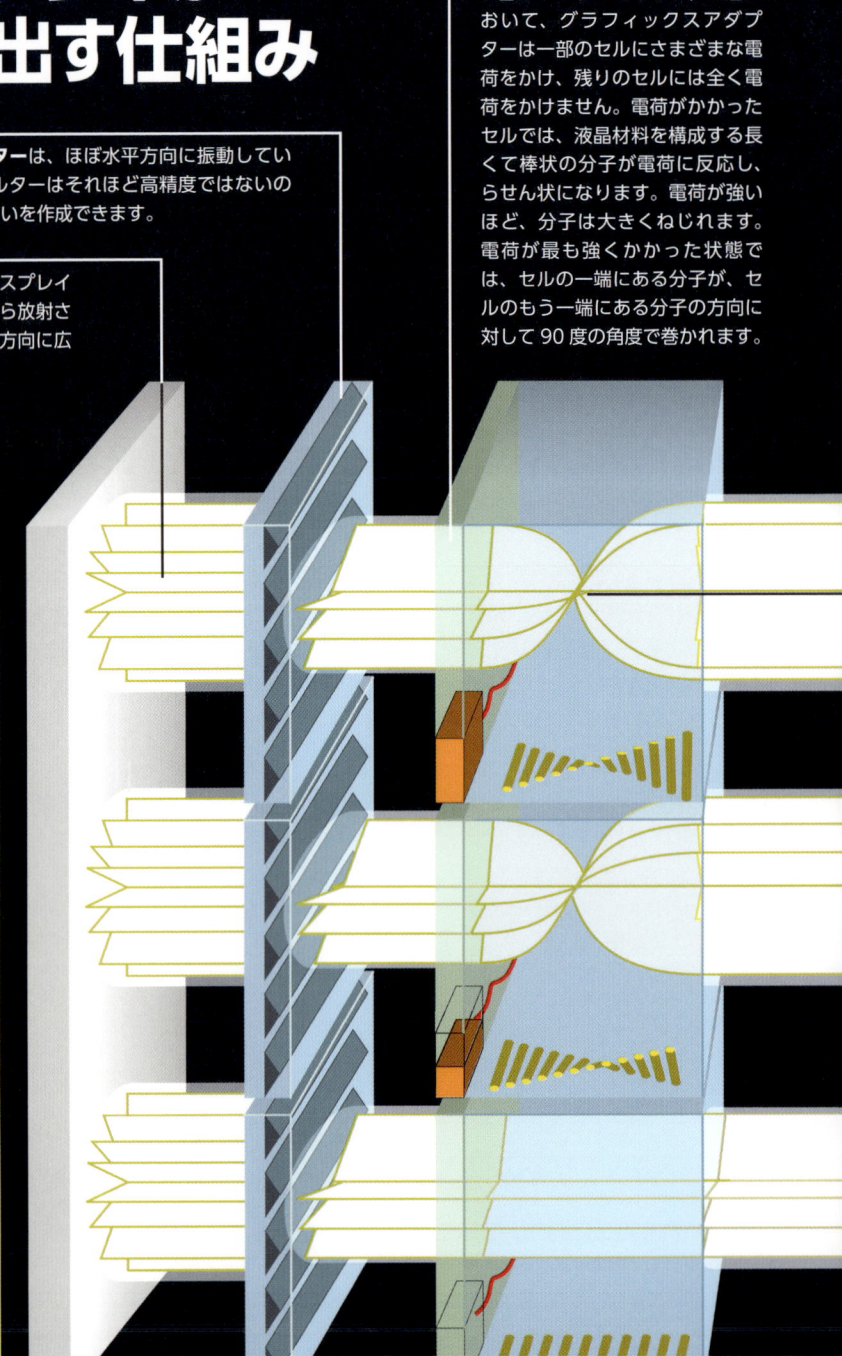

LEDを利用するLCD

一部の液晶ディスプレイ（LCD）では単一パネルからの光を使用する代わりに、白色LEDの配列を使用しています。発光ダイオード（LED）は、単一パネルが原因で起きる問題の解消に役立ちます。単一パネルのバックライトは、すべての液晶を均等に照らします。そのため、液晶ディスプレイで純粋な黒を生成したつもりでも、パネルの光の一部が液晶セルをすり抜けてしまい、純粋な黒ではない黒が生成されます。そのせいでコントラストが弱くなります。

LEDの配列を使用すると、ディスプレイで必要な部分だけ、つまり黒ではない画像の部分だけバックライトをオンにできます。黒の部分ではLEDがオフになり、光がすり抜けないのでコントラストが保たれます。

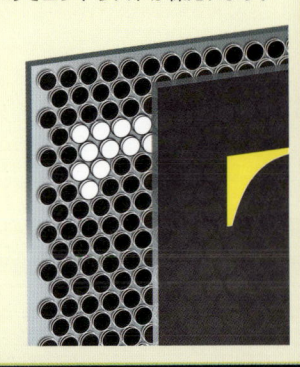

CHAPTER 15　コンピューターが映像を作り出す仕組み　227

4 背後からセルに入る偏光は、分子のらせん軌道に沿ってねじ曲げられます。電荷が最も強くかかったセルでは、元の並びに対して90度の角度で振動する偏光が出てきます。電荷がかかっていないセルを通る光は元のまま出てきます。その他のセルでは、電荷の量に応じて0～90度の範囲の角度で光が曲げられます。

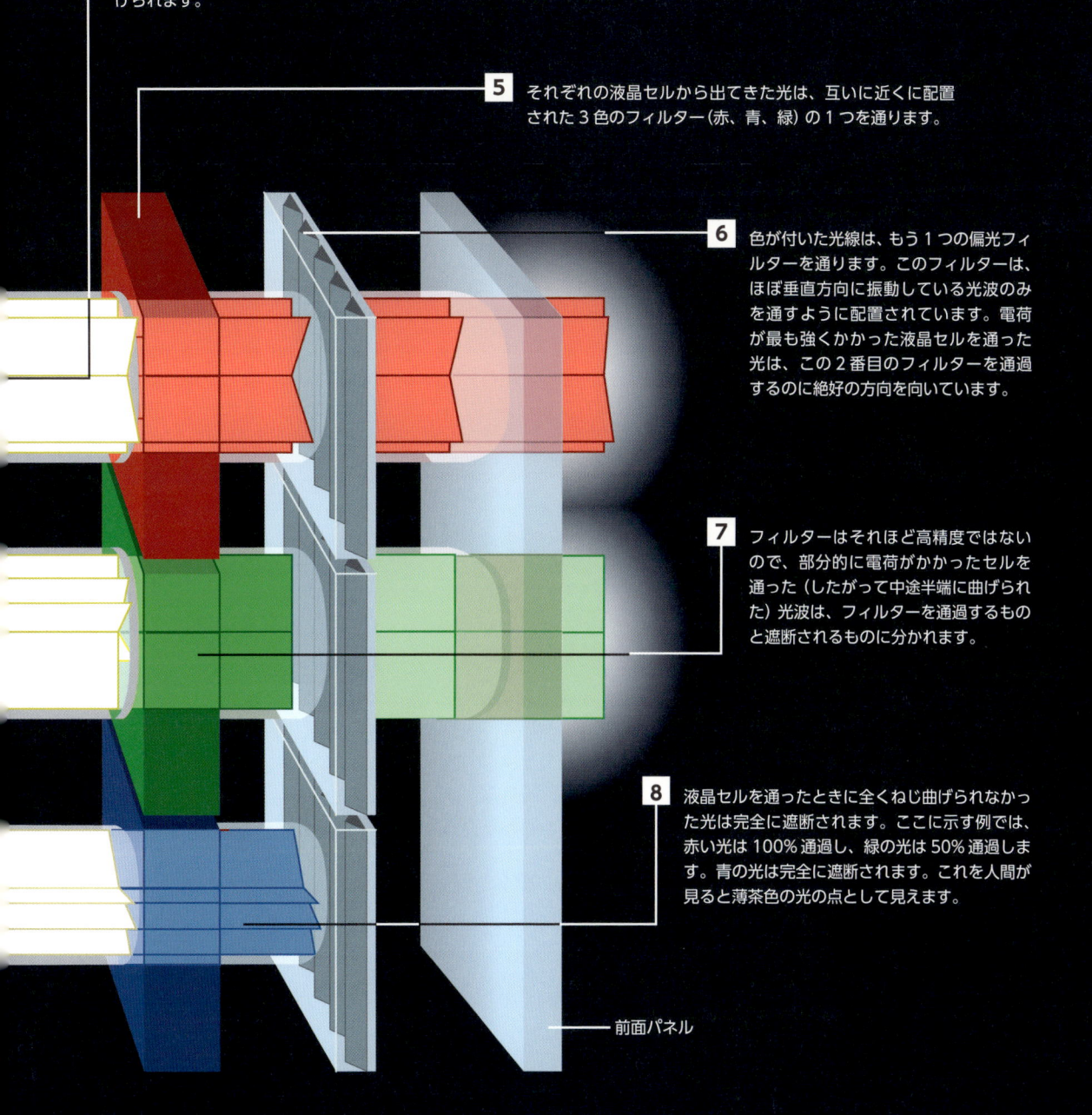

5 それぞれの液晶セルから出てきた光は、互いに近くに配置された3色のフィルター(赤、青、緑)の1つを通ります。

6 色が付いた光線は、もう1つの偏光フィルターを通ります。このフィルターは、ほぼ垂直方向に振動している光波のみを通すように配置されています。電荷が最も強くかかった液晶セルを通った光は、この2番目のフィルターを通過するのに絶好の方向を向いています。

7 フィルターはそれほど高精度ではないので、部分的に電荷がかかったセルを通った(したがって中途半端に曲げられた)光波は、フィルターを通過するものと遮断されるものに分かれます。

8 液晶セルを通ったときに全くねじ曲げられなかった光は完全に遮断されます。ここに示す例では、赤い光は100%通過し、緑の光は50%通過します。青の光は完全に遮断されます。これを人間が見ると薄茶色の光の点として見えます。

前面パネル

プラズマディスプレイが輝く仕組み

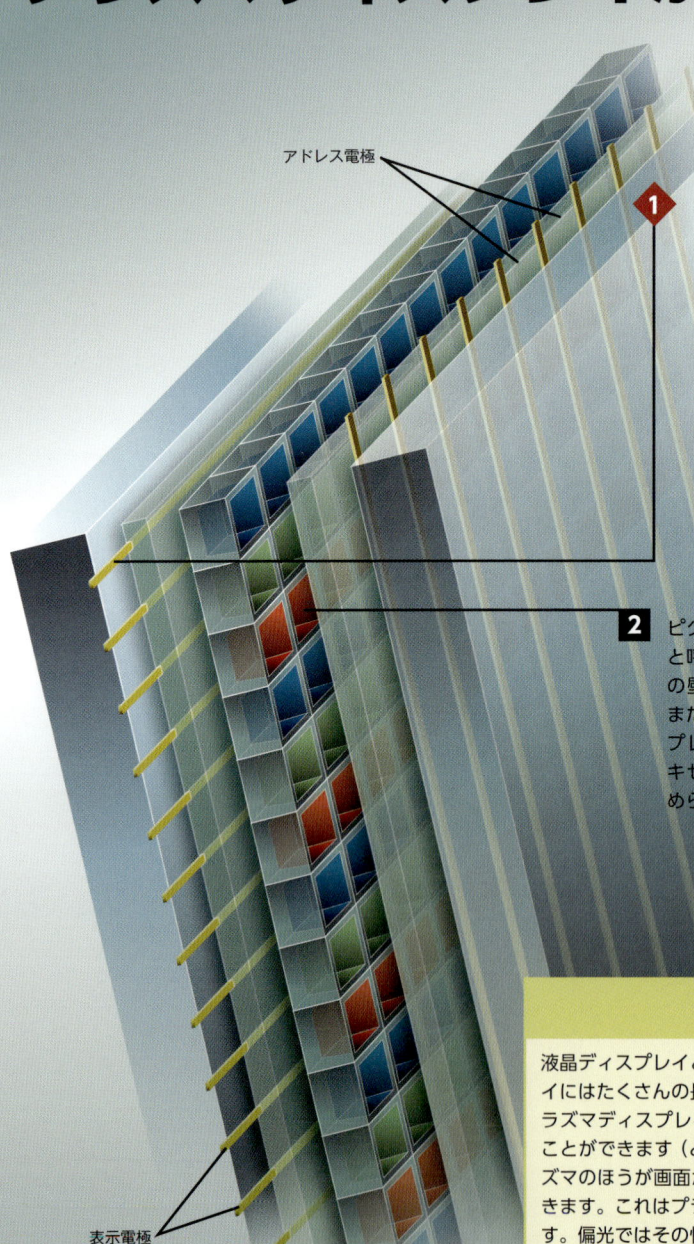

アドレス電極

1 プラズマディスプレイを制御しているテレビ受像器やビデオカードから、2 組の電極に電流が送られます。プラズマディスプレイの背面を垂直に通るアドレス電極は、ピクセルの前面を水平に通る透明な表示電極に電気が通ったときに、ディスプレイのどのピクセルが影響を受けるかを識別します。電極どうしを互いから保護および絶縁しているガラスと酸化マグネシウムの層を通って、電極はディスプレイを構成するピクセルの行と列の長さと幅に広がっています。電極は、100 万ピクセルの 4 分の 3 以上をサンドイッチ状に挟む交点を形成しています。

2 ピクセルはセルの集まりで、セルは**リブ（隔壁）**と呼ばれる隆起で分離されたくぼみです。セルの壁の内側には、電圧を加えたときに赤、青、または緑の光を出す 3 種類の蛍光体の 1 つがスプレー塗装されています。各セルの内部には、キセノンガスとネオンガスの混合気体が閉じ込められています。

表示電極

プラズマ vs. 液晶 vs.…

液晶ディスプレイとの勝負に敗れたとはいえ、プラズマディスプレイにはたくさんの長所があります。液晶ディスプレイと同様に、プラズマディスプレイは厚みが 5cm もなく、絵のように壁に掛けることができます（とても重い絵ですが）。しかし液晶と違い、プラズマのほうが画面が明るく、広い角度（160 度）から見ることができます。これはプラズマでは光が偏光フィルターを通らないからです。偏光ではその性質上、フィルターに当たる光の大部分が吸収され、通過した光も画面の表面に対してほぼ直角に進みます。このため、最適な明るさとコントラストを得るには画面をまっすぐに見る必要があります。

その一方、液晶ディスプレイは低価格で、軽く作ることができます。また技術の成熟に伴って、視野角の問題や、速く動くものがぼやけて見えるといった問題も解消しつつあります。

CHAPTER 15　コンピューターが映像を作り出す仕組み　229

3 特定のピクセルを光らせたいときは、ディスプレイコントローラーがそのピクセルのセルに通じる**アドレス線**を**開き**ます（線を開くためには回路を**閉じ**て、電気が流れるようにします）。同時に、コントローラーは同じピクセルに通じる**表示線**に電気を流します。電気は、開いたアドレス線の電荷に引き付けられ、セルを通り抜けてアドレス線との回路を形成します。電流のエネルギーによってガス混合体内の原子が励起し、ガスが**プラズマ**に変化します。プラズマは、高校の科学の授業で固体、液体、気体を学習するときには習わない、物質の第4態です。

自由電子　原子核　光子　荷電イオン

4 ネオンやキセノンなど、通常は安定しているガスがエネルギー源によって励起されると、プラズマに変化します。電気の自由電子がガスの原子にぶつかり、エネルギーを生み出してイオンに与えます。イオンは、電子の過不足によって正または負に帯電した原子です。イオンは不安定で、安定状態に戻ろうとします。安定状態に戻るときに、イオンを作り出したエネルギーを**光子**と呼ばれる紫外線の光の弾丸の形で放出します。

5 紫外線の光子は、セルの壁に塗られた蛍光体にぶつかります。蛍光体は光子のエネルギーに励起されて発光します。これはふつうのブラウン管モニターで行われる処理に似ています。1つの論理ピクセルは隣接するセルによって形成されており、セルの内側にはそれぞれ赤、青、緑に光る蛍光体が塗られています。各セルに流れる電流の量を変化させることで、ディスプレイは3原色の配合を変えてさまざまな色合いを作り出します。

DLPが色を生成する仕組み

1 映像投影技術として、**DLP (Digital Light Processing)** は天啓です。DLP が投影する映像は明るく鮮明で、映画館では DLP がフィルム映写機にほとんど取って代わりました。DLP は、赤、青、緑のフィルターに分かれた高速回転するホイールを通して光を照射することで動作します。ホイールは、個々の色が毎秒 60 回生成されるように高速に回転します。

光源

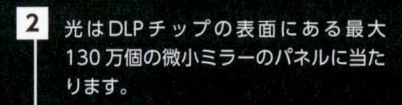

2 光は DLP チップの表面にある最大 130 万個の微小ミラーのパネルに当たります。

3 ミラーはレンズを通して通常のスクリーンに光を反射します。

レンズ

4 ミラーの働きがこれだけであれば、投影される映像は大きな白い四角形になります。しかし、個々のミラーは柔軟なヒンジに取り付けられており、このヒンジがミラーを電極のペアと、**バイアス / リセットバス**と呼ばれる回路の上に固定しています。電極はビデオメモリビットの配列に直接接続されていて、各電極が 1 または 0 を表すことができます。

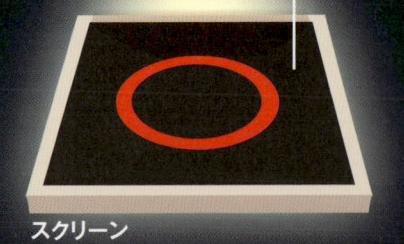

スクリーン

液晶プロジェクター

コンピューターディスプレイの映像を投影するもう 1 つの方法は、液晶プロジェクターを使うことです。液晶プロジェクターでは、モバイルデバイスの液晶パネルと同じ方法で色と映像が生成されます。本質的な違いは、プロジェクターの光源のほうが遥かに強力で、映像の焦点をレンズを通して合わせることです。ただし、液晶の性質上、光の大部分は吸収されるので、液晶の映像は DLP の映像よりも薄暗くなります。さらに、DLP ディスプレイの個々のミラー間の隙間は液晶プロジェクターを構成するセル間の隙間よりも小さいので、DLP の映像のほうが鮮明です。

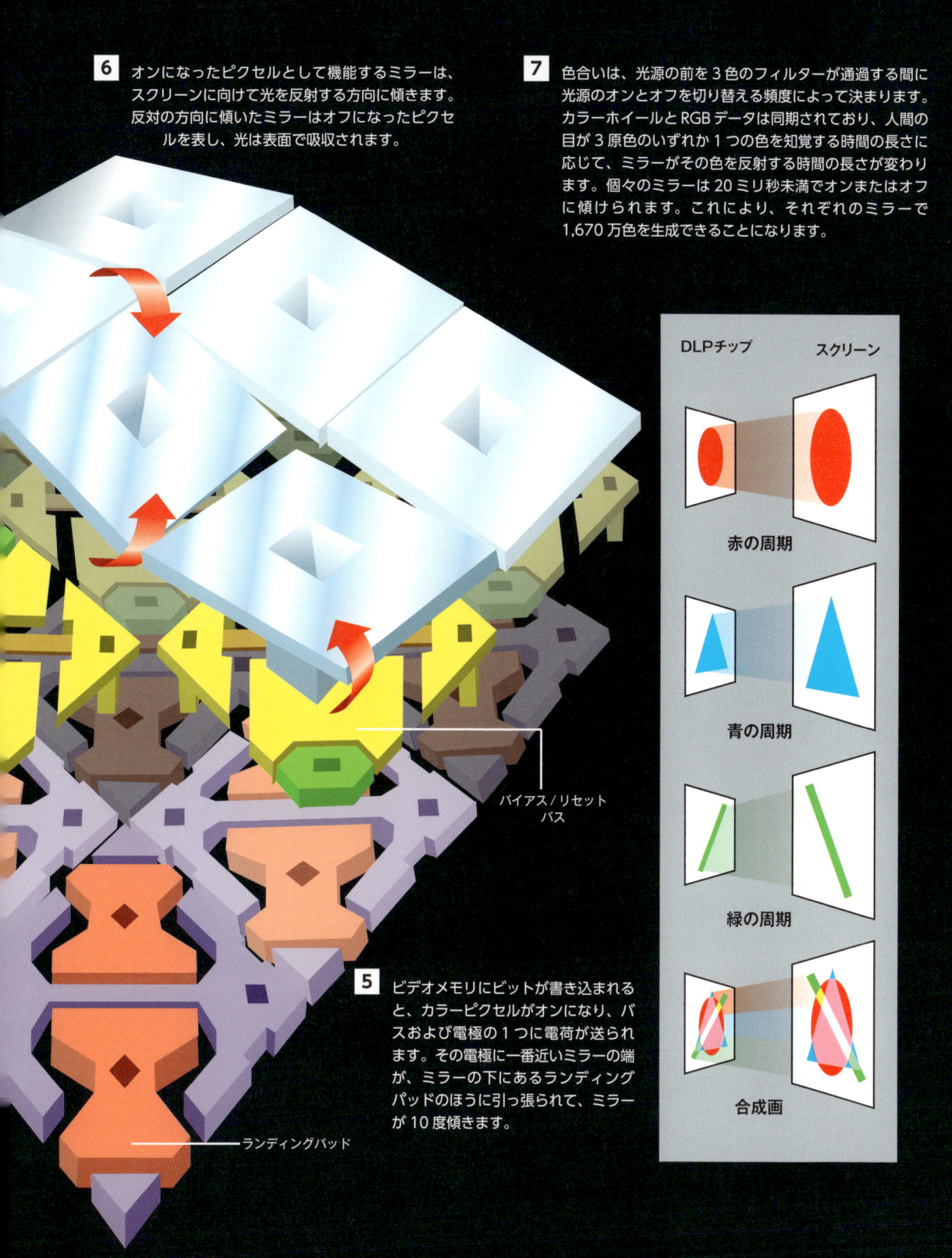

6 オンになったピクセルとして機能するミラーは、スクリーンに向けて光を反射する方向に傾きます。反対の方向に傾いたミラーはオフになったピクセルを表し、光は表面で吸収されます。

7 色合いは、光源の前を3色のフィルターが通過する間に光源のオンとオフを切り替える頻度によって決まります。カラーホイールとRGBデータは同期されており、人間の目が3原色のいずれか1つの色を知覚する時間の長さに応じて、ミラーがその色を反射する時間の長さが変わります。個々のミラーは20ミリ秒未満でオンまたはオフに傾けられます。これにより、それぞれのミラーで1,670万色を生成できることになります。

バイアス／リセットバス

5 ビデオメモリにビットが書き込まれると、カラーピクセルがオンになり、バスおよび電極の1つに電荷が送られます。その電極に一番近いミラーの端が、ミラーの下にあるランディングパッドのほうに引っ張られて、ミラーが10度傾きます。

ランディングパッド

DLPチップ　スクリーン

赤の周期

青の周期

緑の周期

合成画

有機ELディスプレイの仕組み

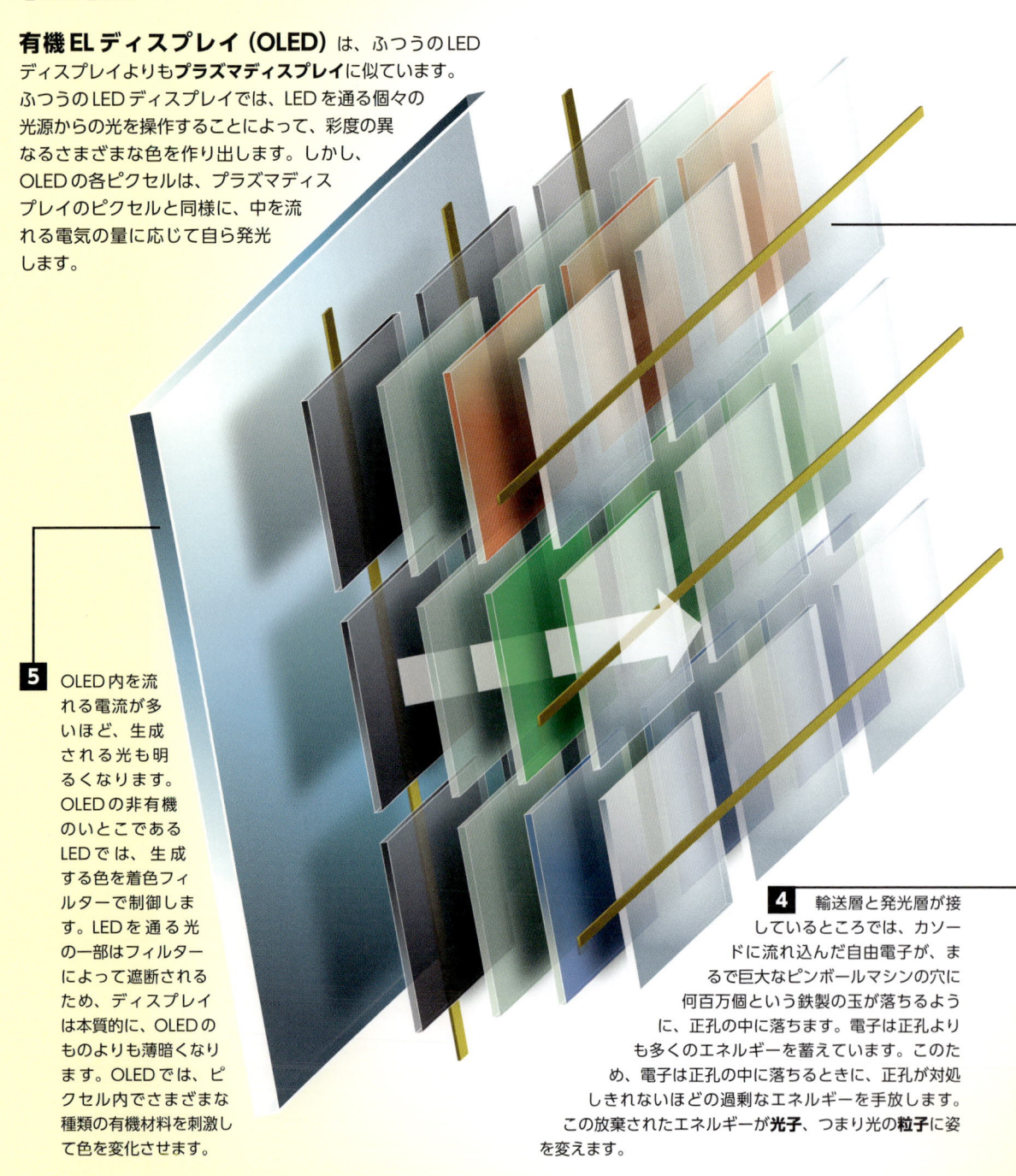

有機ELディスプレイ（OLED） は、ふつうのLEDディスプレイよりも**プラズマディスプレイ**に似ています。ふつうのLEDディスプレイでは、LEDを通る個々の光源からの光を操作することによって、彩度の異なるさまざまな色を作り出します。しかし、OLEDの各ピクセルは、プラズマディスプレイのピクセルと同様に、中を流れる電気の量に応じて自ら発光します。

5 OLED内を流れる電流が多いほど、生成される光も明るくなります。OLEDの非有機のいとこであるLEDでは、生成する色を着色フィルターで制御します。LEDを通る光の一部はフィルターによって遮断されるため、ディスプレイは本質的に、OLEDのものよりも薄暗くなります。OLEDでは、ピクセル内でさまざまな種類の有機材料を刺激して色を変化させます。

4 輸送層と発光層が接しているところでは、カソードに流れ込んだ自由電子が、まるで巨大なピンボールマシンの穴に何百万個という鉄製の玉が落ちるように、正孔の中に落ちます。電子は正孔よりも多くのエネルギーを蓄えています。このため、電子は正孔の中に落ちるときに、正孔が対処しきれないほどの過剰なエネルギーを手放します。この放棄されたエネルギーが**光子**、つまり光の**粒子**に姿を変えます。

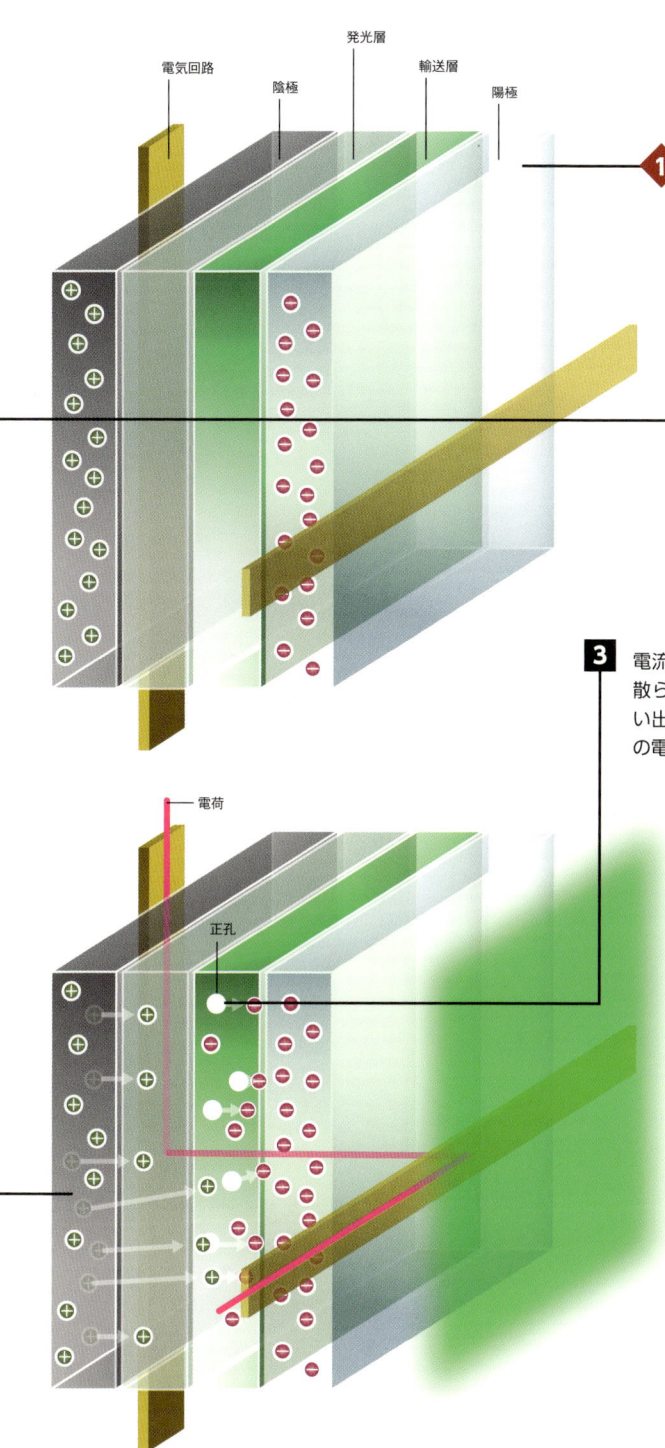

CHAPTER 15　コンピューターが映像を作り出す仕組み

電気回路
陰極
発光層
輸送層
陽極

1 個々のOLEDは、炭素ベースの素材でできた薄膜の中に入っています。この薄膜は、ディスプレイの背面にある正に帯電した金属の**陰極**と、ディスプレイの前面に埋め込まれた負に帯電した透明の**陽極**にサンドイッチ状に挟まれています。薄膜には有機分子の**輸送層**と、有機分子の**発光層**の2つの層があります。

2 目に見えないたくさんの電気回路がディスプレイ内を縦横に走り、数百万個の陰極と陽極をディスプレイのコントローラーに接続しています。コントローラーは大きさが変化する電流を陽極と陰極の各ペアに送ります。電流は陰極から有機薄膜を通って陽極に流れます。

3 電流は薄膜を通過するときに、薄膜の発光層に電子をまき散らします。同時に、陽極は輸送層から電子を電気的に吸い出して、**正孔**を作っています。正孔という言葉は、原子の電子が不足しているときの電荷の不均衡状態を表します。

電荷
正孔

有機にするメリット

液晶ディスプレイと違い、有機ELディスプレイはバックライトが不要なため、消費電力を抑えられます。ディスプレイをバッテリで稼働させている場合、これは特に大きなメリットです。液晶ディスプレイの照射の一部は、本来純粋な黒であるべきピクセルをすり抜けてしまうのでコントラストが損なわれます。また、有機ELディスプレイのほうが厚みが薄く、視野角も広くなります。

有機ELディスプレイは、Samsung Galaxyなどのタブレットやスマートフォンに組み込まれてきました。モバイルデバイスのディスプレイは小さいので、デスクトップモニターの規模の有機ELディスプレイよりも製造コストが低いからです。有機ELディスプレイは軽量薄型でしなやかなので、他の種類のディスプレイでは実現不可能な、たとえば衣類などでの利用が期待できます。Tシャツの模様や色を気ままに変えられたり、映画やコマーシャルを表示するといったこともありえるでしょう。

3D映像が立体感を演出する仕組み

私たちが当たり前に感じている立体視も、自然に生まれたものではありません。赤ん坊は、ウィリアム・ジェームズの言葉どおり、ざわめく途方もない混乱の中に生まれます。何カ月もかけて、赤ん坊の脳は周囲に渦巻く混乱の中から、形状、一貫性、および秩序を見出します。その後脳は、混乱の中から作り上げた脳内にのみ存在する構造物こそ、まさに世の中の姿なのだということを他の器官や脳そのものに納得させます。脳は赤ん坊の左右の目に見えているものが同じではないという、ちょっとした混乱を受け容れなければなりません。

人間の両目は 50〜77mm ぐらい離れています。このため、同じ物体を見ても、左目と右目には少しずつ異なる側面が見えています。経験を通して、脳は 1 つの法則を定めます。より立体的に見える物体は、平らに見える物体よりも近くにあるということです。脳はこの法則に遠近法という名前があることを知った後、残りの人生でそれについて考えることはありません。もっとも、あなたがかつて赤ん坊だった仲間たちと雑談しているときに、3D ディスプレイのことが話題に上れば話は別です。その際に覚えておくことは、奥行きのない 2D の画面で 3D の奥行きを錯覚させる方法はいくつもあるということです。どれも完璧ではありませんが、ある程度満足できるものがいくつかあります。

アナグリフ式立体映像

1 中高年の読者なら、初期の 3D 映画や漫画本で使われていたアナグリフを覚えているかもしれません（時代は 1920 年代にさかのぼります）。個々のフレームやページは、一方が赤、もう一方が青（または緑）でフィルター処理した 2 つの画像を使って作成され、スクリーンに投影されるか紙に印刷されます。

2 2 つの画像は全く同じ場面を示していますが、視点がわずかにずれているために、画像を重ね合わせてもぴったり一致しません。きちんと重なり合わないように 2 つの画像を隔てている距離を視差と呼びます。画像内で手前側にある物体ほど視差は大きくなります。

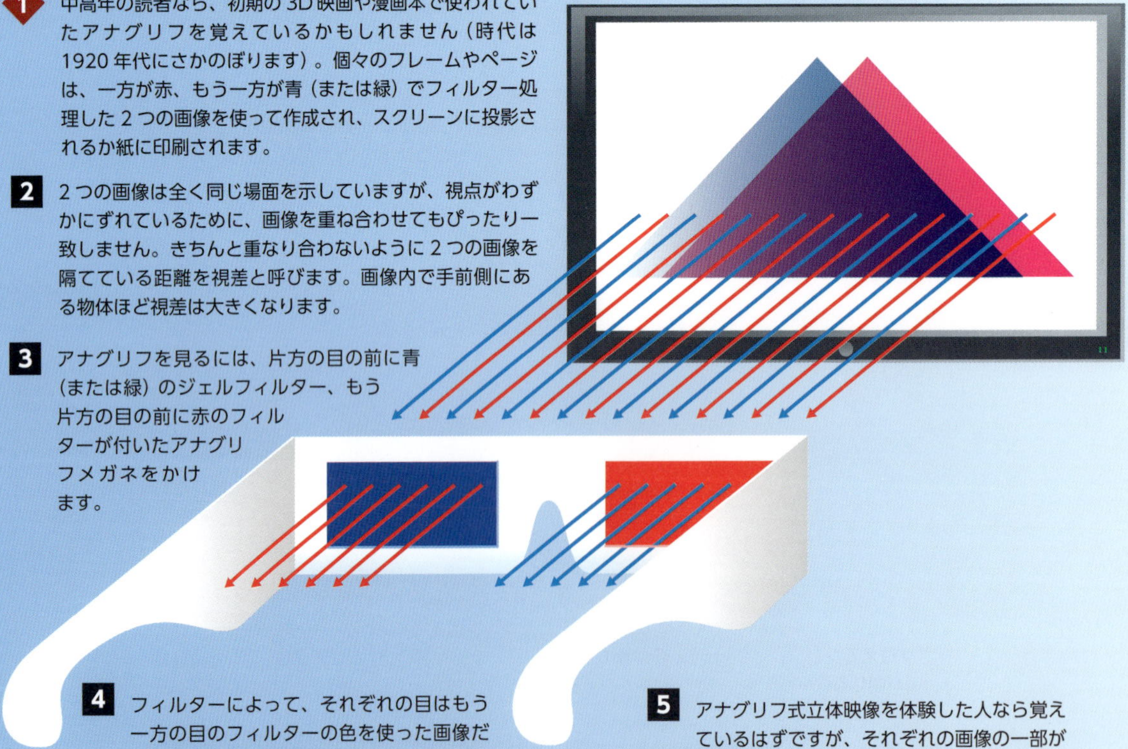

3 アナグリフを見るには、片方の目の前に青（または緑）のジェルフィルター、もう片方の目の前に赤のフィルターが付いたアナグリフメガネをかけます。

4 フィルターによって、それぞれの目はもう一方の目のフィルターの色を使った画像だけを見ることができます。画像融合と呼ばれる処理により、脳は現実の立体空間で物を見ているときとほぼ同じように反応します。脳はすべての視覚的合図の動き、直線、曲線、同じような光景の記憶を計算し、50 ミリ秒ほどで 2 つの画像を合成し、差異を混合して 3 次元の脳内画像を作成します。

5 アナグリフ式立体映像を体験した人なら覚えているはずですが、それぞれの画像の一部が間違ったほうのレンズに漏れてしまうゴーストまたはクロストークと呼ばれる影響のせいで、3D 画像には赤と青の縞があるのがふつうです。

CHAPTER 15　コンピューターが映像を作り出す仕組み　235

現在多くの人におなじみの 3D 体験では、ダサいメガネをかける必要がありますが、赤と緑のアナグリフ仕様ではなく、レンズは無色です（くすんだ灰色のものもあります）。映画や 3D テレビで使われるこのメガネは、赤と緑のメガネと同じ働きをしますが、色の忠実度に優れ、目障りになることがあまりありません。これらの長所は、仕組みは大きく異なるものの同じ方向を目指すアクティブシャッター方式とパターン化位相差フィルム（FPR）方式の 2 種類の 3D メガネにも当てはまります。3D の映画やテレビをたくさん観ている方なら、おそらくそれぞれのメガネを使ったことがあるでしょう。これらのメガネは次のような仕組みで脳に錯覚を与えます。

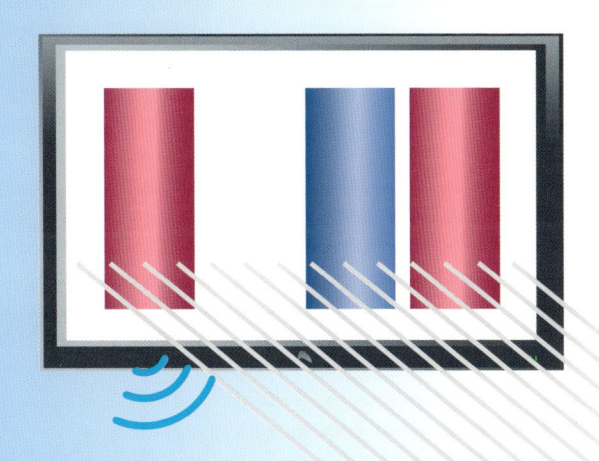

アクティブシャッター方式

1 アクティブシャッター方式のメガネは、映像を毎秒 120 回、つまりふつうの 2D テレビの 2 倍の速度でリフレッシュできるテレビ画面と共に使われます。画面を 1 行おきに走査し、視差によって分けられた場面の画像を交互に表示することで 3D 映像を実現します。

2 Bluetooth 信号でテレビにリンクされた電子メガネには、液晶ディスプレイで使われている技術と同じ、液晶の層を使ったレンズが付いています。メガネのつるに内蔵された回路から左のレンズに信号が送られると、左のレンズを通るすべての光が液晶によって遮断されます。同時に、テレビには右目で見るための映像が表示されます。

3 一瞬の間だけ、両方のレンズが真っ暗になって見えなくなります。これは、両方のレンズを開くと、クロストークによるゴースト映像が発生するためです。左右のレンズを正確なタイミングで切り替えてクロストークを防ぐのは難しいので、両方のレンズが閉じる瞬間が発生します。

4 回路が左目の前の液晶を開くと、同じ場面の視点が異なる映像がテレビに表示されます。テレビは 1 秒間に 120 回ずつ異なる映像を表するので、両目に届く立体映像は 1 秒間に 60 回ずつリフレッシュされ、ふつうのテレビと同じリフレッシュレートになります。

パターン化位相差フィルム(FPR)方式

1 アクティブシャッターメガネを使う3Dテレビと異なり、FPR方式のテレビは左右両目の映像を同時に表示します。代わりに、この方式のテレビでは、ラスター線を巧みに操作して3D映像を作成します。ラスターは、画面を走査してフレームを作成する水平方向のピクセルの線です。このラスターを1行おきに使って、テレビは片方の目に対する映像を表示します。そして残りのラスターを使って、もう片方の目に対する映像を描画します。

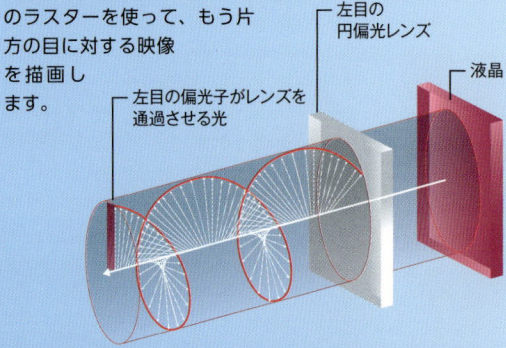

左目の映像　右目の映像

左目の円偏光レンズ
液晶
左目の偏光子がレンズを通過させる光

2 それぞれのラスターからの光はマイクロポラライザーを通ります。これは列になった小さな円偏光子、またはフレネルレンズでできたフィルターです。

円偏光子では、光波は通過する素材によって、それぞれの部分で屈折率、つまり曲がり方が異なるという性質を利用します。

フレネルレンズでは、角度の異なる表面からの光線の反射によって生じる類似の性質を利用します。

3 どちらの方法でも、ディスプレイからの光線を回転させます。マイクロポラライザーは、交互のラスターから出てくる光を、互いに反対の方向に回転させるように設計されており、それぞれを右手、左手と呼びます。

4 光が回転しながらパッシブ偏光メガネに到達すると、左のレンズでは左右どちらか一方向に回転している光が遮断されます。右のレンズではその逆方向に回転している光が遮断されます。これにより、片方の目は一方のラスターから出てくる光だけを見ることになり、もう片方の目はディスプレイの残りのラスターからの光だけを見ることになります。

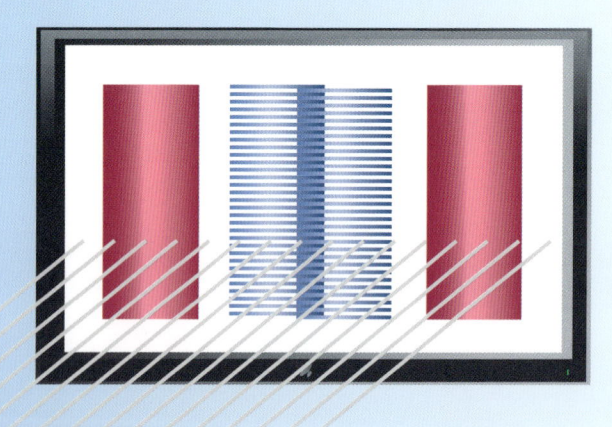

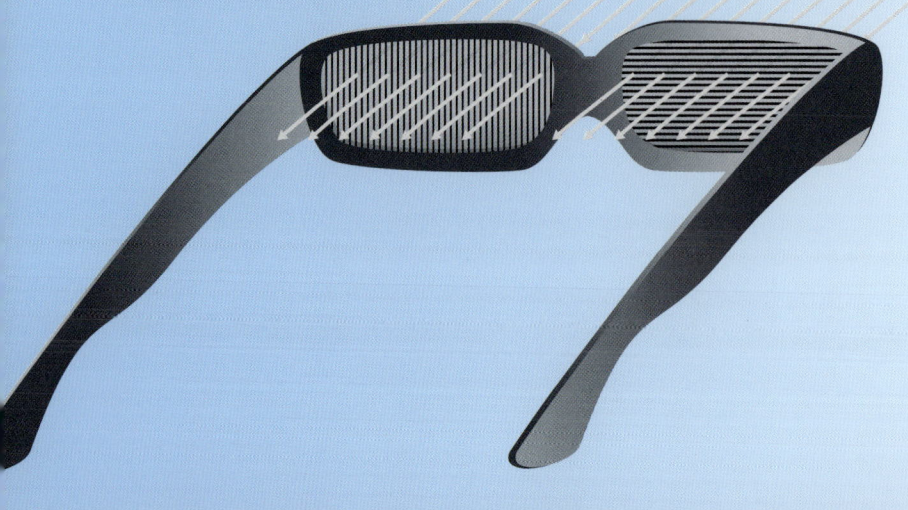

裸眼 3D ディスプレイ

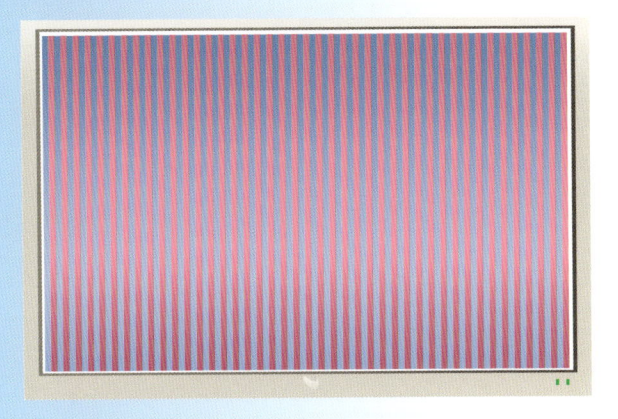

1 裸眼 3D ディスプレイは、ここで紹介する 3D 技術の中で唯一メガネを必要としません。ニンテンドー3DSで使われているようなディスプレイは、FPR方式と同じように、両目に対する映像を同時に描画します。

2 各ラスターからの光は、ディスプレイの前面にあるパララックスバリアと呼ばれる層を通ります。

パララックスバリア

3 このバリアには、1 行おきのピクセルからの光が右または左に向かうように正確に配置された一連のスリットがあります。

4 これにより、右目には 1 行おきの光のみが、左目には残りの行の光のみが見えるようになります。この方式では、映像を見る人の頭がディスプレイの中心に真正面から向き合う位置にある必要があります。このため、映画やテレビ画面のように、さまざまな位置に座った複数の人が同時に見る大型ディスプレイではこの方式が採用されなかったのです。

左目　　　右目

CHAPTER 16 コンピューターが耳を刺激する仕組み

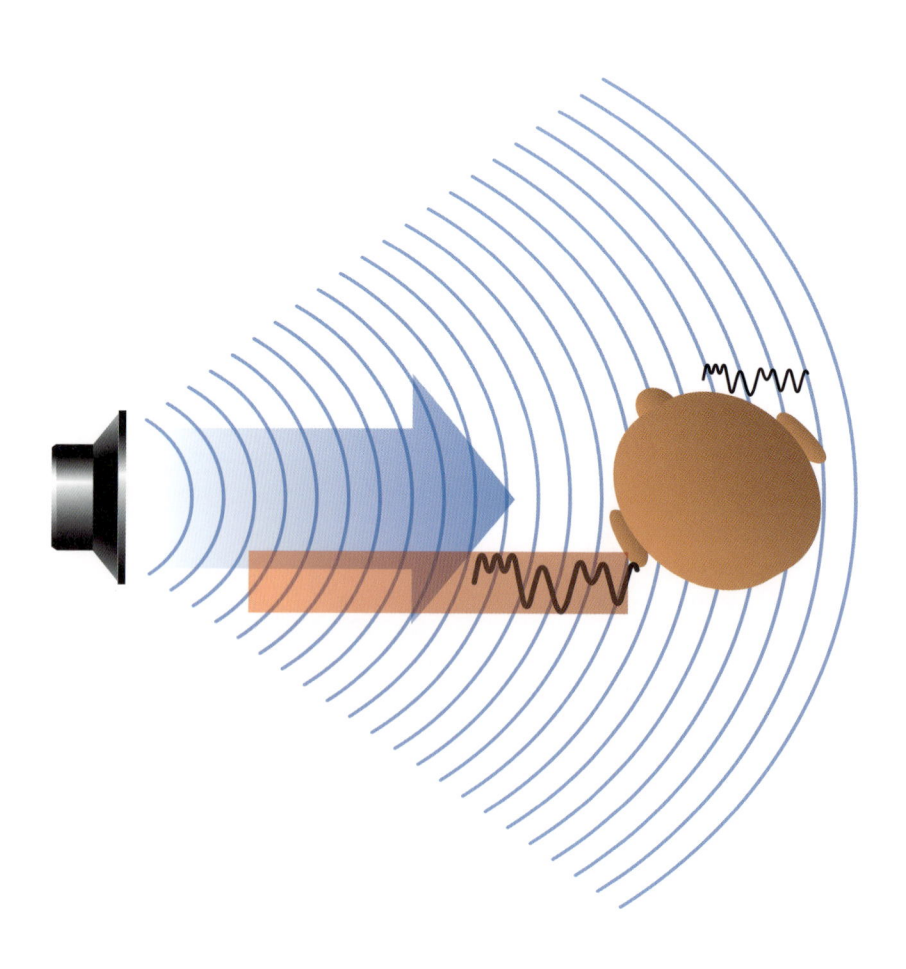

CHAPTER 16 コンピューターが耳を刺激する仕組み

コンピューターオーディオの始まりを進化でたとえると、最も近いのが原生動物です。生存に必要な最小限のことしかできない単細胞生物と同じように、初期のパソコンは単調なビープ音しか出せませんでした。音としてはそれ以上単純になりようがなく、それでもとにかく音でした。

コンピューターの電源を入れたときに、ビープ音が1回しか鳴らなければ、すべて正常の印でした。ビープ音が2回から5回ほど、長短さまざまなパターンで鳴った場合は、何か問題があるという警告でした。その意味を解読するために、がらくたをひっくり返してビープコードの意味が書かれたユーザーマニュアルを探す作業が始まりますが、ユーザーマニュアルが見つかるかどうかはたいして重要ではありませんでした。ビープ音のほとんどの組み合わせは、どれも「マザーボードか電源のどちらかに何か問題がある」という意味だったからです。問題の原因を突き止めるのはユーザー自身で、直るかどうかは運任せでした。

それまでテキストのみだったシステムに、アダプターカードがグラフィックスをもたらした後でさえ、ビープ音は何年にもわたってパソコンオーディオの最先端技術であり続けました。グラフィックスといえばゲームです。感動させる音楽、発砲音や爆発音、そして実際に話すキャラクターたちがゲームを大いに盛り上げます。それなのに、最初にグラフィックスに対応したコンピューターからは、ささやき声さえ聞こえませんでした。あるソフトウェアメーカーが、空飛ぶトースターが撃ち合いをするスクリーンセーバーをリリースしたとき、彼らが編み出した精一杯の発砲音は、フロッピードライブの読み取り/書き込みアームを前後に激しく揺らして、なんとなく機関銃のように聞こえる音を鳴らすというものでした。

サードパーティのカードメーカーがようやく、音をフィルター処理して増幅し、安物のスピーカーに送るオーディオカードを販売し始め、ゲームメーカーはそれを研究し、プログラムに音を追加する方法を考案しました。何もないよりはましでしたが、たいした代物ではありませんでした。

コンピューターにようやくまともな音をもたらしたのは、iPodとMP3録音でした。突如として、聴きたい曲をどれでもCDからパソコンに取り込んだり、友達と交換したり、インターネットからダウンロードしたりできるようになりました。初期のiPodは扱いやすくて便利ではありましたが、最初のiPodに搭載された5GBのドライブには1,000曲しか入りませんでした。もっとも、デイヴ・マシューズやグレイトフル・デッドの全曲集を詰め込もうとしなければ、それで十分に思えたかもしれませんが、MP3で録音された膨大な音楽の世界には、そのすべてを収容できる大容量のドライブが必要でした。これに応えたのがデスクトップパソコンです。

以降、コンピューターオーディオは人気のオーディオになりました。オーディオ品質やストレージ容量が格段に向上したことに加えて、熱心なコレクターにとっては、同じ曲のバリエーションからアーティストジャケット、歌詞に至るまで、すべてを分類し、整理できることもその人気の理由です。

マイクが音を聞き取る仕組み

以前なら、コンピューターに話しかけて回っていたら、周囲の人から心配されたかもしれません。タブレットやスマートフォンがある今は、デバイスに話しかけるのは当たり前で、不可解な配置のキーを叩くよりも自然なことです。タブレットやスマートフォンの耳であるマイクも、デジタル技術で日々進化しています。旧式のマイク（歌手やラジオのアナウンサーを連想するようなタイプ）はデスクトップコンピューターで今も使われていますが、スパイがえくぼの中に隠せるほど小さなマイクへと進化しています。ここではそうしたマイクの仕組みを説明します。

コンデンサーマイク

1 **コンデンサーマイク**では、音波が**キャパシター**にぶつかります（「コンデンサー」はキャパシターの旧称です）。キャパシターは2枚の金属板でできています。金属板の間には、マイク内のバッテリーによって給電され、抵抗器によって安定化されている電荷があります。

2 音波は**ダイアフラム（振動板）**と呼ばれる外側の金属板を押します。この板は薄いので、音波の**山**で内側に曲がり、それによって2枚の板の間の空間が変化します。

3 密封した水のボトルを両側から押しつぶすと内部の圧力が上昇するように、金属板が互いに接近すると、キャパシターの**電圧**（電気の圧力として働く、電荷の密集度）が上がります。

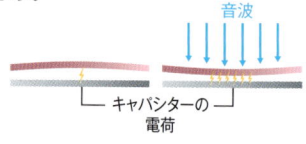

4 音波の**谷**が外側の金属板に到達すると、音波がかける圧力が減少して金属板が元に戻り、体積が膨張するため、**静電容量**（キャパシターが電荷を蓄える能力）が低下します。

5 静電容量を超える電荷は放電され、電流のパルスが発生します。この信号は次に説明するダイナミックマイクの信号よりも強く、音の中の微妙な違いにもより敏感に反応します。

ダイナミックマイク

1 **ダイナミックマイク**に入った音波は、金属のダイアフラム（振動板）にぶつかります。このダイアフラムは、円筒形の強力な**ネオジム**磁石に巻かれた電線コイルに取り付けられています。音波はダイアフラムを前後に揺らして、音と同じ周波数で振動させます。

2 ダイアフラムは電線コイルを前後に揺らします。コイルが磁石の力場を通過するときに、磁気によってコイル内に電流が発生します。

3 コイルの動く方向が変わると、電流の強さと方向も変わり、空気中の音波とそっくりの動きになります。電流はアンプを通ります。アンプは電流で運ばれる音のパターンを変えずに、電流の強さを高めて、スピーカー内で音を出す**コーン**を動かします。

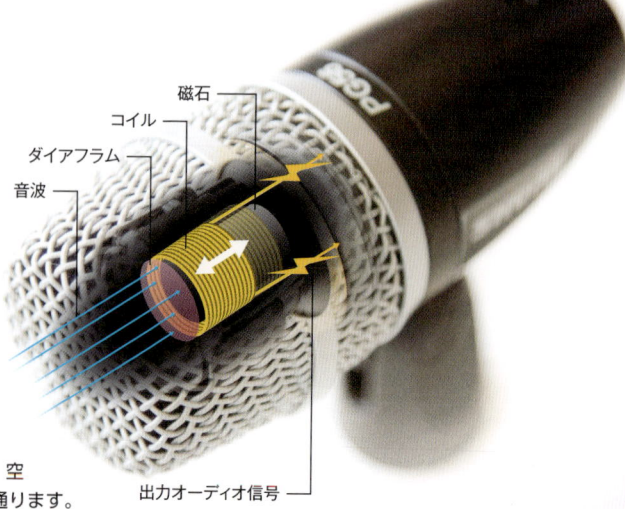

エレクトレットマイク

1 **エレクトレットマイク**はコンデンサーマイクの親戚で、小型、軽量、しかも安価です。また、広い周波数範囲にわたってきわめて高感度で、無指向性です。このため、多くの携帯型デバイスで利用されています。このマイクは、2枚の板の間の静電容量によって動作します。1枚の板はダイアフラムで、**極性を示す**、つまり電荷を持った**エレクトレット**と呼ばれる絶縁体でできています。この板は既に電荷を持っているので、コンデンサーマイクのような電源は必要ありません。

2 ダイアフラムに音圧がかかると、2枚の板に挟まれた隙間の大きさが変化し、それによって静電容量と**バックプレート（背極）**が持つ電荷が変わります。

3 変化する電荷は**接合ゲート電界効果トランジスタ（JFET）**に送られます。マイクから流れ出る**ソース**からの電流は、初めに**空乏領域**を含む長い半導体を通ります。空乏領域（空乏層）と呼ばれるのは、正の電荷を持つ正孔（電子が欠落した場所）がたくさんあることによって電流内の電子が引きつけられ、電流が流れにくくなるためです。

4 正の電荷がJFETにぶつかると正孔の数が増加し、負の電荷を引きつけます。それにより、今度は正の電荷が減少し、正孔の数が減少します。

5 上下する電圧はマイクから回路を通じて流れ出て、携帯電話で送信されたり、レコーダーで録音されたり、スマートフォンの音声認識回路によって解釈されたりします。

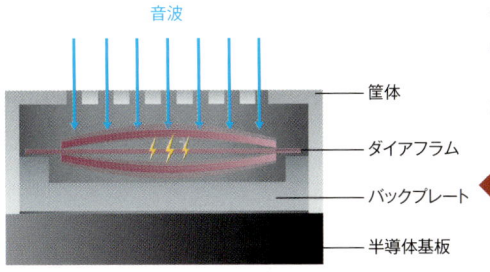

MEMS マイク

MEMS（Micro Electro Mechanical Systems）は、極小の機械装置を組み込んだ半導体チップです。MEMSマイクでは、キャパシターの機構がCMOS（Complementary Metal-Oxide Semiconductor）に内蔵されています。

1 チップ／キャパシターは、音波を受け取るための隙間がある音響金属筐体に収容されています。他のコンデンサーマイクと同様に、音波によってダイアフラムが振動し、ダイアフラムとバックプレートの間にある電位が変化します。

2 静電容量の変化によって発生した信号がMEMSの半導体部分に送られて、アナログデジタル変換器と増幅器によって処理されます。

HD オーディオ電話

マイクが1個しかない携帯電話を繁華街の雑踏で使うと、押し寄せる周囲の雑音にとても太刀打ちできません。そのため、まずはマイクが2個に進化しました。通話用に1個と、ビデオの音声録音用に前面を向いた1個です。現在は、**HDオーディオ技術**を使った3個のマイクがスマートフォンケースの別々の場所に配置され、あらゆる方向からの音を拾えるようになっています。内蔵された専用のプロセッサが、3個のマイクが拾う音をバランスよく調整し、すべての音をアルゴリズムにかけて、無関係で相反する雑音を除去します。

人間の会話音域をより正確に反映するために、マイクはそれぞれ音声スペクトルの別々の周波数を担当することで、拾い上げる周波数の範囲を2倍にします。システムはビットレートも2倍にするので、話したままの声で音声伝送ができるのです。**広帯域適応のマルチレート符号化**を利用すれば、携帯電話通話時のデータの伝送量をさらに増やすことが可能です。通常の音声が300〜3,400Hzの間の狭い範囲で伝送されるのに対して、この方式では音声が50〜7,000Hzの周波数範囲で伝送されます。スマートフォンの機種によっては、この技術に対応していないものもあります。

スピーカーが音を出す仕組み

多くの音響システムでは、装置を組み合わせて、耳で聞き分けられる周波数の範囲を再現しています。最も重要な装置は、多くの人々が間違ってスピーカーと呼んでいる、円錐形のドライバーです（厳密に言うと、スピーカーはドライバーを格納している箱のことです）。

1 アンプからスピーカーケーブルやBluetoothを介してオーディオ信号が送られてきます。この信号は直接ドライバーには向かいません。クロスオーバーフィルターによって（ドライバーごとに1つずつの）同等の電流に分割され、別々の回路を通じて送られます。送られた個々の信号はそれぞれ、電流を部分的に遮断する抵抗器、およびエネルギーを蓄えるコンデンサーとインダクターを通ります。それぞれの信号は、中音域を維持しつつ、高音域、低音域、またはその両方を取り除いて、異なる回路から出てきます。

2 主に高音を伝達することになった信号は、ツイーターと呼ばれる（通常はドーム状か、側面が四角い朝顔のような形の）一番小さいドライバーに向かいます。ツイーターは毎秒40～26,000回振動する音、つまり40～26kHzの音を出します。多くの人の可聴域の上限は20,000Hzです。ヘルツ（Hz）とは、1秒間の振動（発振）数を表す単位です。

3 小さな円錐形の中域ドライバーは、音響スペクトルの中間の領域を担当します（参考までに、ピアノの中央ハでは256Hzの音波が発生します）。スピーカーにドライバーが1個しかない場合、それは中域ドライバーです。このドライバーは両極端の音はうまく処理できませんが、それ以外の音はすべて再現します。

4 最も大きいドライバーがウーファーです。そのデザインと大きさによって、打楽器とベースの音、20～40Hzのあらゆる音、または毎秒20回の振動を精細に生成できます。

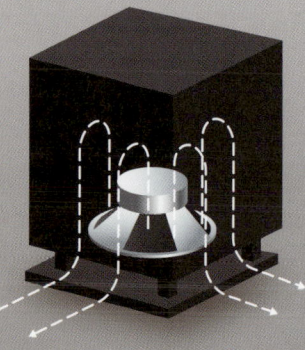

5 音響システムによっては、サブウーファーと呼ばれる巨大なドライバーを含むものがあります。ふつうは単独の筐体の中にあり、独立した電源を備えています。サブウーファーはふつうの人の可聴域の下限（20Hz）よりも低い音を処理します。十分に強い（大きい）低音の波の密な部分（山）が体に当たると、私たちは圧力という形でそれを感じることができます。

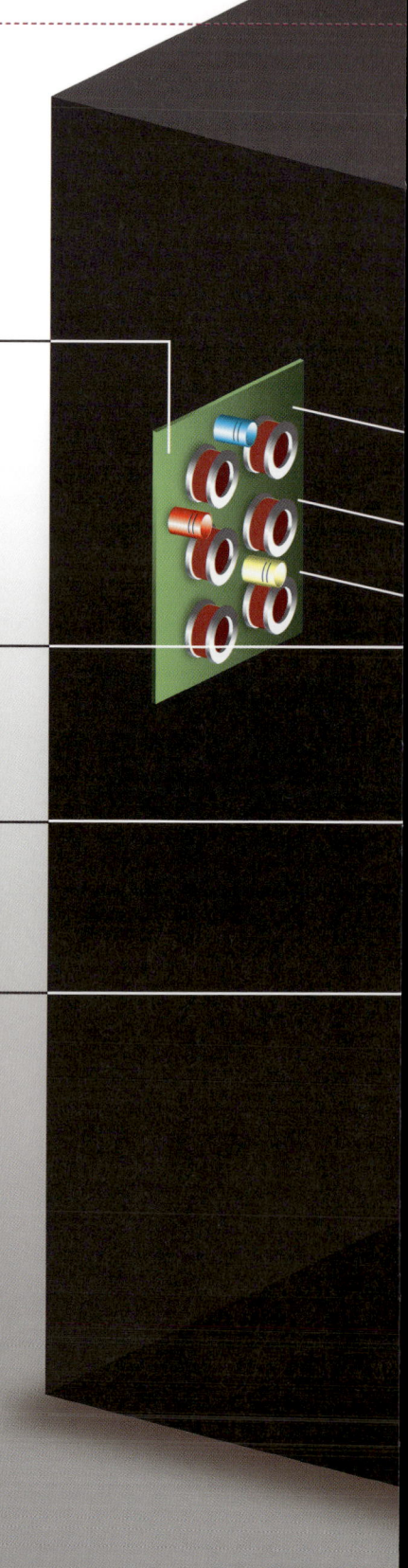

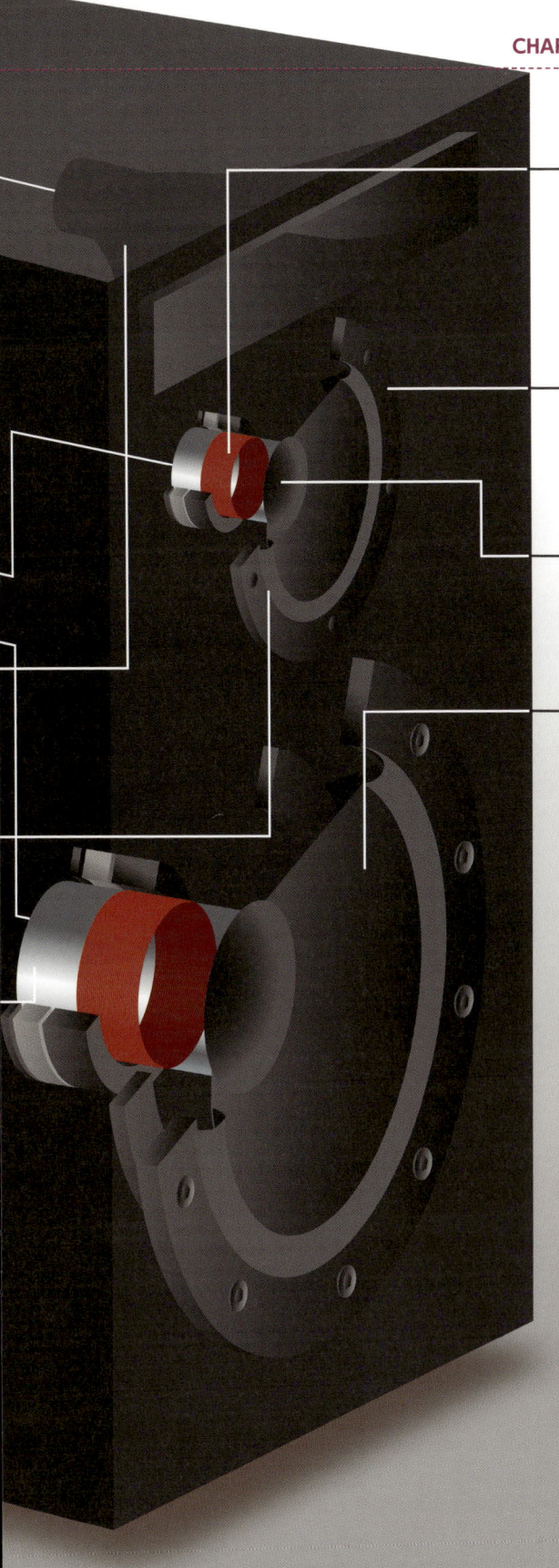

6 オーディオ信号がクロスオーバー回路を出た後、ドライバーはそれぞれフィルター処理されたオーディオ信号に対して同一の処理を行います。電流の形をした個々のオーディオ信号はドライバーに内蔵されたコイルを通ります。コイルは金属のコアに巻き付いていますが、接触はしていません。

7 電流がコイルを流れると磁界が発生し、コイルを流れる電流の周波数の変化に合わせてコアを動かします。

8 コアはドライバーのコーンの中心にあるダイアフラム（振動板）に取り付けられています。

9 コイルの動作によってコアが動き、その動きがコーンを振動させます（ドライバーの前面にグリルのないウーファーでは、コーンの動きを実際に見ることができます）。リアルな音を出すうえで、コーンは最も重要なコンポーネントです。コーンの材質は紙から希土類鉱物まで多様です。コーンは、振動が制御不能になるのを防ぐだけの剛性があり、あまり力を加えずに振動し始めるぐらいの低質量であるのが理想的です。さらに、音が止まり、コーンが振動し続けないように、きちんと減衰される必要もあります。今のところ、音響技師はこの3つの特性をすべて備えるコーンを設計できていません。

マイクはスピーカーになりえるか

スピーカーのドライバーとダイナミックマイクは構造も回路も同じで、互いに合わせ鏡のようになっています。ダイナミックマイクの場合は、音波がダイアフラムを動かし、そのダイアフラムが磁石を前後に動かして、電線コイル内に電流を発生させます。ドライバーの場合は、電流の形をしたオーディオ信号がコイルを流れ、磁界を発生させます。磁界が磁石を前後に動かし、磁石が取り付けられているスピーカーコーンが振動して音が鳴ります。
ここで疑問が浮かびます。ダイナミックマイクにオーディオ信号を逆方向に送れば、マイクはスピーカーとして使えるのでしょうか。
実は、マイクはスピーカーとしても使うことができます。ただし、あまり大きな音は出せません。

デジタルサウンドが耳を錯覚させる仕組み
ドルビーノイズリダクション

1 サウンドトラックの録音時、テープに記録される直前に、**ドルビーノイズリダクション (NR)** が静かな高音域だけをエンコードし、実際より大きい音で録音されるようにします。これはデジタルサウンド処理の本に載っている最も古い手法の1つです。

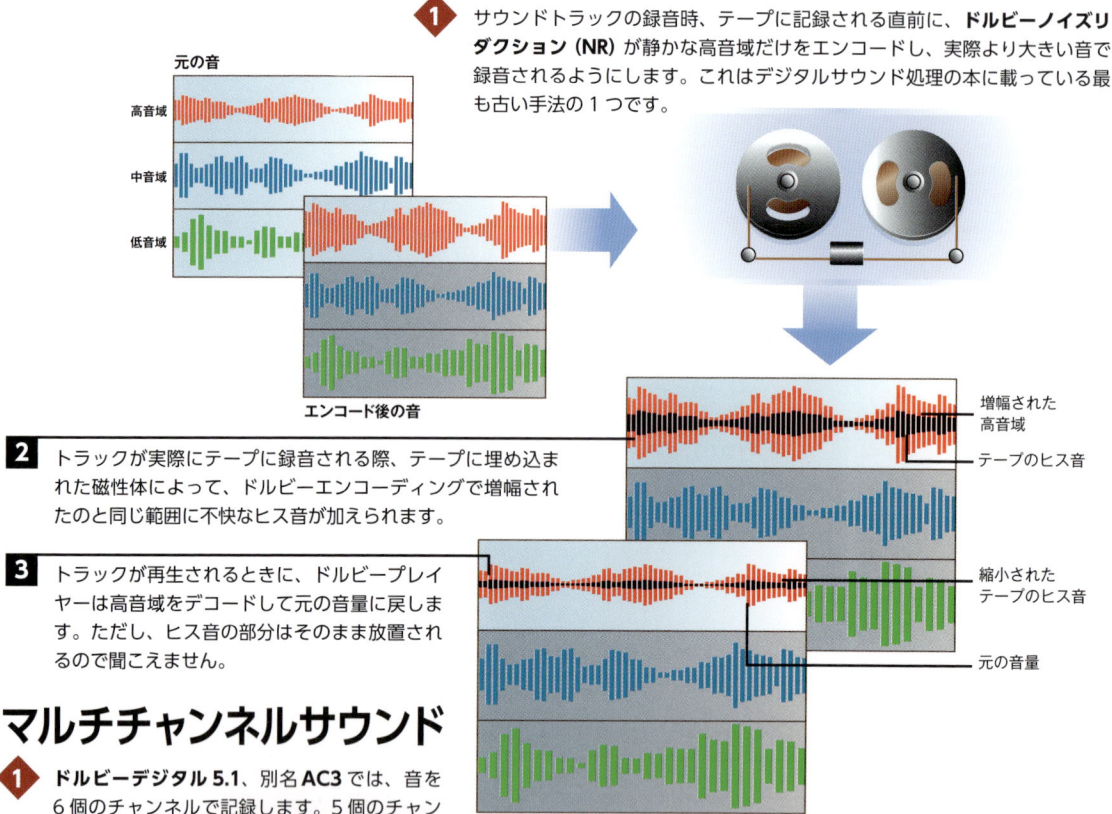

2 トラックが実際にテープに録音される際、テープに埋め込まれた磁性体によって、ドルビーエンコーディングで増幅されたのと同じ範囲に不快なヒス音が加えられます。

3 トラックが再生されるときに、ドルビープレイヤーは高音域をデコードして元の音量に戻します。ただし、ヒス音の部分はそのまま放置されるので聞こえません。

マルチチャンネルサウンド

1 **ドルビーデジタル 5.1**、別名 **AC3** では、音を6個のチャンネルで記録します。5個のチャンネルでは、3〜20,000Hz の同じ範囲の音を記録します。

2 6個目のチャンネル (.1) はもっと狭い範囲を担当します。これは**低域効果音 (LFE)** チャンネルです。3〜120Hz の低音域を記録し、爆発や衝突などの大音響に使います。

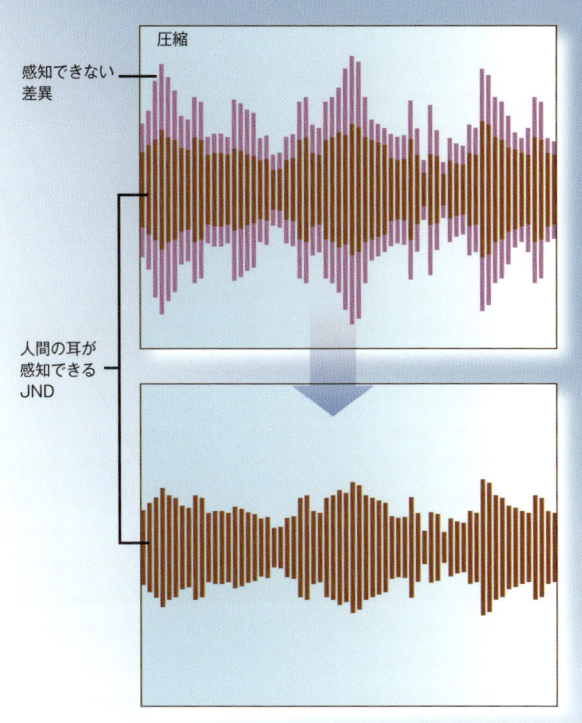

MP3 とデジタルオーディオ圧縮

1 音楽、音響効果、音声などの音の流れには、**丁度可知差異 (JND)** を超えていないため人間の耳では聞き分けられない音量、音高、上音の変化が含まれています。たとえば、音の強さが 2 倍になった場合、耳には音が 25% 大きくなったようにしか聞こえないため、余分の増加分は人間の耳では無駄になります。JND は一定ではありません。任意の 2 音間の JND は、周波数、音量、および変化率によって変わります（カーラジオを快適な音で聴いていたのに、次に車を始動したときには、ラジオがひどく大きな音で聞こえるのはこのためです）。

2 MP3、Windows Media オーディオ、ドルビーNR（ノイズリダクション）、その他の形式のオーディオ圧縮では、JND のみを記録することで、サウンドファイルを元のサイズの 10% にまで縮めます。人間の耳で聞き分けられない差異は無視します。また、甲高い、かすかなチリチリ音のために録音用の帯域幅を無駄遣いすることもありません。これらの音はバスドラムを叩く音でかき消されるからです。

3 5 個のメインチャンネル間で、帯域幅は各チャンネルのニーズに基づいて割り当てられます。センターのチャンネルには通常、より多くのデータが記録されるので、広めの帯域が割り当てられます。ただし、各チャンネルの相対的な帯域幅のニーズが変化すると、最大量のデータと最も重要なデータが正しく記録されるように、チャンネルのサイズが**動的**に再配分されます。

4 ドルビーデジタル 5.1 システムで再生すると、音は 6 個のチャンネルを伝わって個々のスピーカーに分離されます。スピーカーは通常、3 個のフロントスピーカーと左右 2 個のサラウンドスピーカーに分かれています。超低音域専用の 6 個目のチャンネルは、どこに置いてもかまわない無指向性のサブウーファーに送られます。AC3 の録音は、スピーカーが 1 個、2 個、または 4 個しかないシステムでも再生できます。その場合、ドルビーは 6 個のチャンネルからの信号を必要に応じて混合し、そのシステムでできる限りのリアルな音を作り出します。

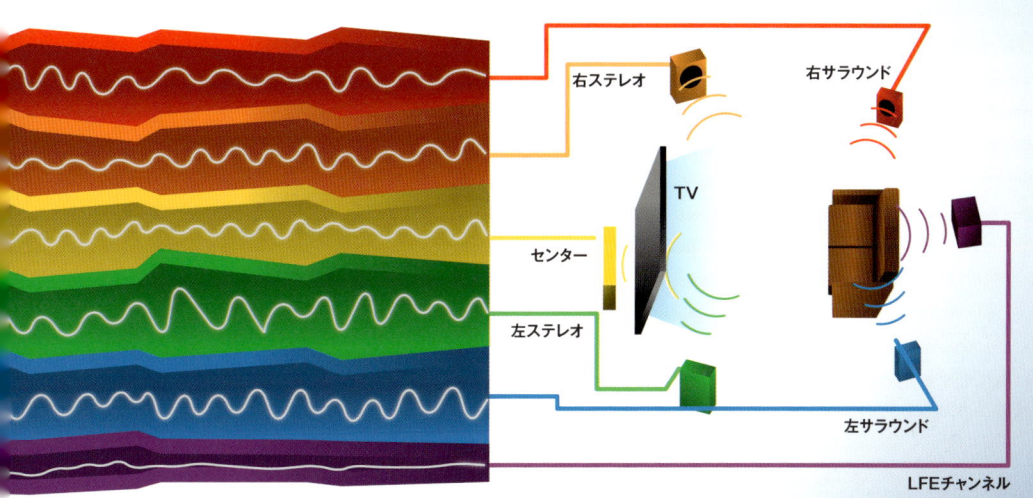

3Dオーディオが臨場感を出す仕組み

1 脳が音源を突き止めるために用いる手がかりの1つは、左右の耳に届く音の聞こえ方の違いです。**両耳間強度差**は、音源に近い耳のほうが音が大きく聞こえることから生じます。**両耳間時間差**は、音がどちらかの耳に先に到達することから生じます。

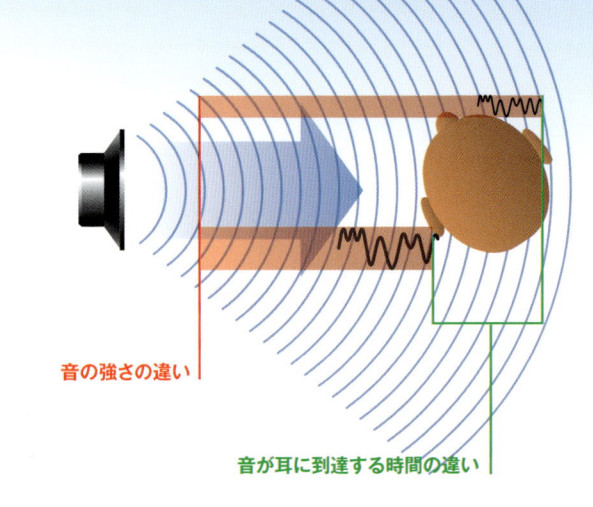

音の強さの違い

音が耳に到達する時間の違い

2 位置の手がかりは、耳に入る音波を**耳介**（外耳の張り出た部分）がどうひずませているかからも得られます。耳介の外郭は、音が耳に当たる角度に応じて、複雑な音のさまざまな要素を多様に反響させたり、弱めたり、強調したりします。

音源スペクトル

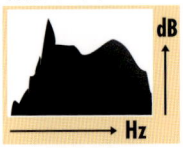

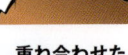

耳介スペクトル

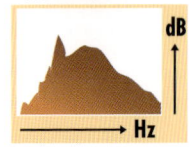

重ね合わせたスペクトル

音と知覚の差異

3 環境上の重要な要素は周囲の表面です。表面は音を反射も吸収もします。**反響**、またはリバーブと呼ばれる反射は、音源の方向の手がかりになるだけでなく、音にリアルさをもたらします。現実の世界で音は、たいていさまざまな表面に当たって反響しているからです。

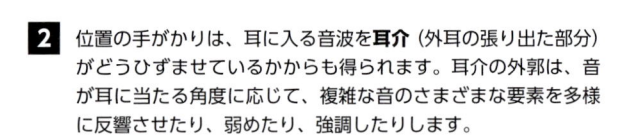

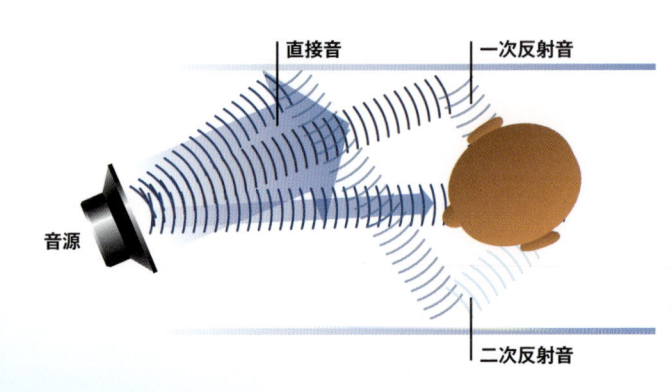

直接音　一次反射音

音源

二次反射音

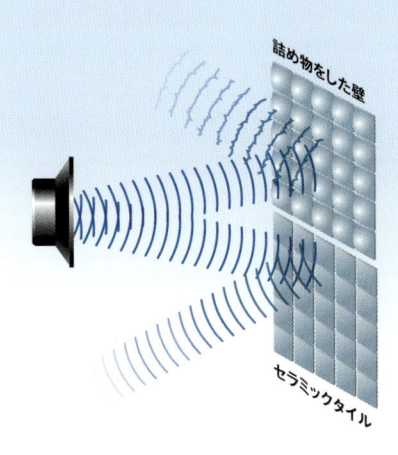

CHAPTER 16　コンピューターが耳を刺激する仕組み　247

4 音が跳ね返る物体の組成も音の特性に影響します。壁に詰め物をした個室と大きなタイル張りの部屋では、反響音の聞こえ方が違います。

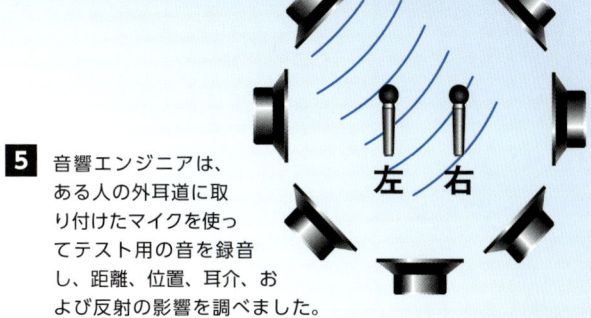

5 音響エンジニアは、ある人の外耳道に取り付けたマイクを使ってテスト用の音を録音し、距離、位置、耳介、および反射の影響を調べました。
その方法として、その人物を中心とする円に沿って音源を移動しながら、元の音と、マイクで録音した知覚された音との違いを記録しました。また、元の音と、さまざまな表面（固い表面、柔らかい表面、滑らかな表面、でこぼこの表面など）で反射した音との間でも同様の比較を行います。

6 元の音の値から、知覚された音の値を引くと、数学的なフィルターが得られます。このフィルターを使って作成したアルゴリズムを、**デジタル信号プロセッサ (DSP)** と共にソフトウェアで使用して、環境音を作成します。作成した環境音をどのような音に適用しても、音が特定の方向から流れてきて、周囲のさまざまな環境に反射しているかのような錯覚を再現できます。

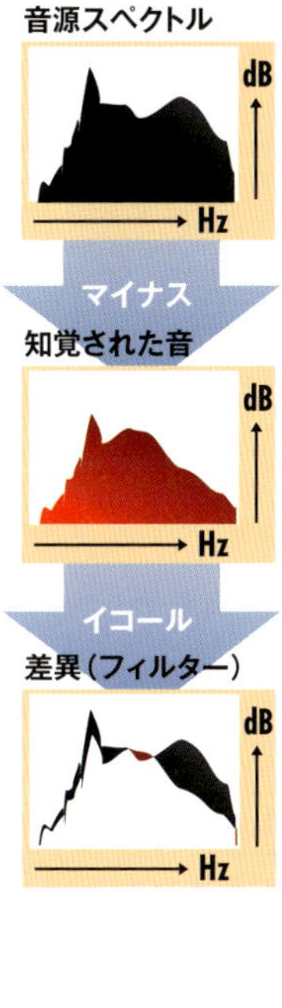

7 たとえば没入型ゲームでは、仮想世界の特定の場所に数学的にマッピングされた音源の周囲に、アルゴリズムによって2つの球体を作り出します。プレイヤーが外側の球に入るまで音は聞こえません。外側の球の中では、音源および周囲の表面に対するプレイヤーの位置が変わると、音量と音の特性も変化します。内側の球は、プレイヤーが音源にどれだけ近づいても音がそれ以上大きくならない空間を表します。内側の球がなければ、プレイヤーが音源の真上にいるとき、音量は無限に大きくなってしまいます。

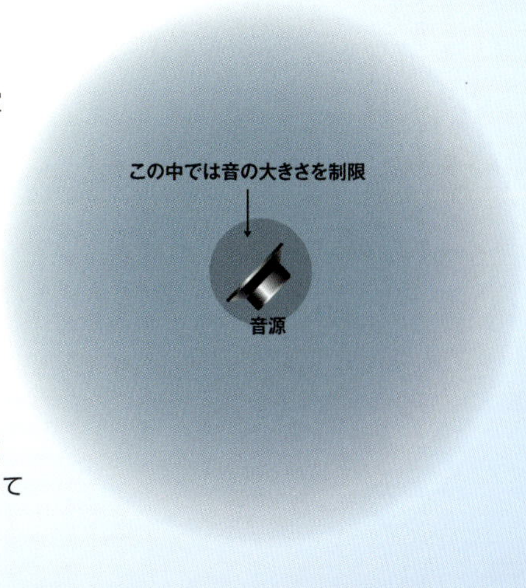

アナログ方式のセルサイズ

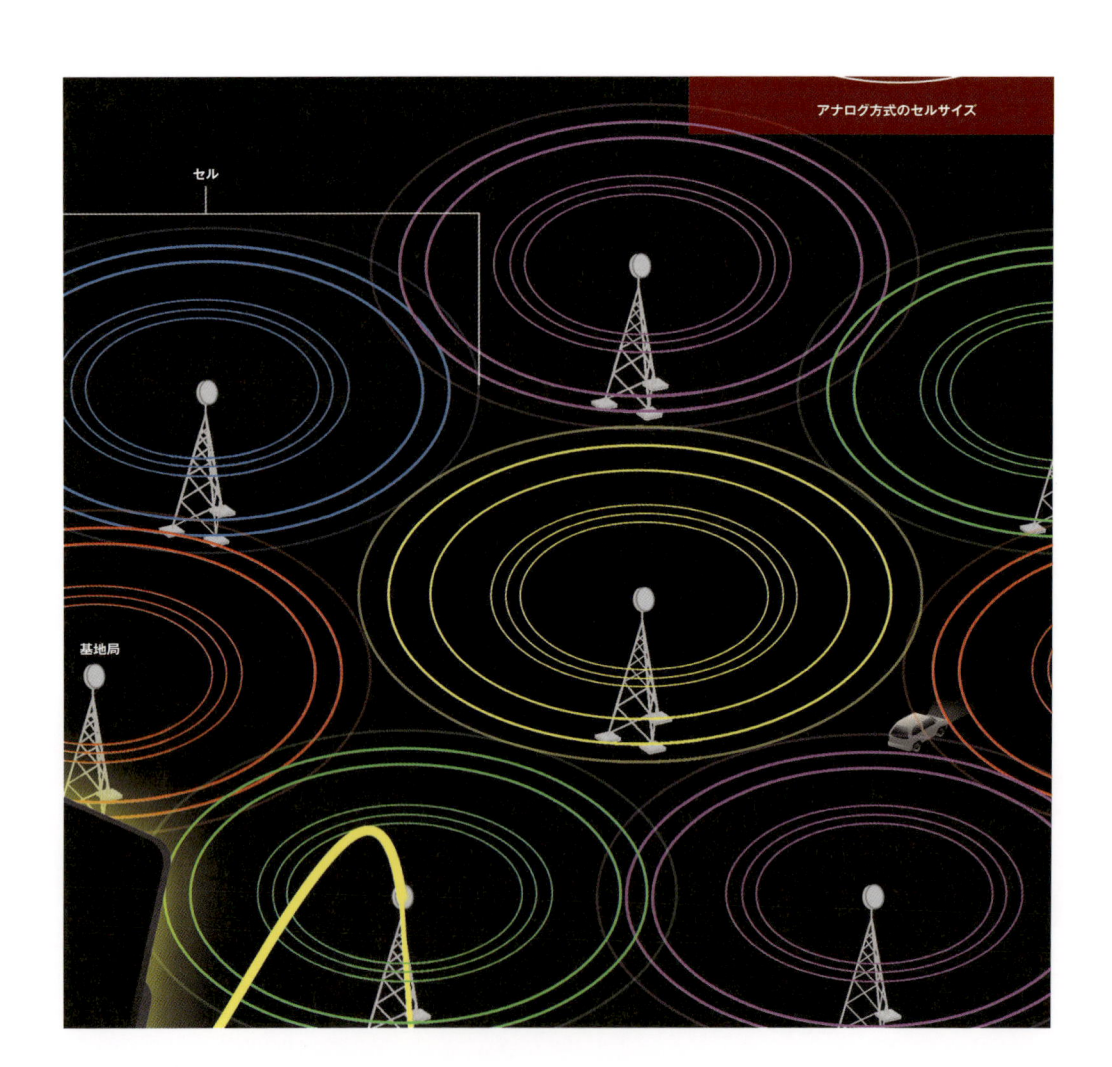

セル

基地局

PART 5

インターネットの誕生と発展

CHAPTERS

CHAPTER 17　ネットワークがコンピューターを結び付ける仕組み　254

CHAPTER 18　インターネットで世界とつながる仕組み　266

CHAPTER 19　すべてを便利にするウェブの仕組み　286

CHAPTER 20　インターネットがコミュニケーションを可能にする仕組み　298

1957 年、東西冷戦のまっただ中にソビエト連邦は世界初の人工衛星、スプートニクの打ち上げに成功しました。当時、それは科学技術の分野で主導権を握るという米国の自信を揺るがすのに十分な事件であり、それに対処すべくアイゼンハワー大統領は国防総省 (DoD) 内に高等研究計画局 (ARPA：Advanced Research Projects Agency) を設立しました。宇宙への一歩を踏み出すこと (そして軍用ミサイルの開発を推進すること) がその目的でしたが、その後その役割は NASA に引き継がれ、ARPA 自体は大学や契約企業の高等研究計画を後援する組織へと改編されました。

1960 年代の終わりごろ、ランド研究所 (RAND Corporation) のポール・バランは、米国国防総省向けに、ソビエトから核攻撃を受けた場合の通信の脆弱性を分析した一連の技術論文を執筆しました。それらの論文中で提案された 2 つのアイデアが、後に、思わぬ影響力を発揮することになります。ポール・バランの主張は「軍事機構のメッセージや制御信号を伝えるネットワークは、システムの一部がミサイルで破壊されても接続が維持できるような冗長性を備えた分散型のネットワークであるべきで、それを実現する最善の方法は、各メッセージを小さなブロックに分解してネットワーク上にばらばらに送信し、ネットワークの一部が正常に動いていないとき、そこを迂回するようにすることだ」というものでした。

当時、分散型の軍用ネットワークはまだ作られていませんでしたが、数年後に ARPA は構成メンバーどうしの間でメッセージやデータをやり取りして互いの研究に活用するための仕組みを探し始め、ARPAnet という分散型ネットワークのアイデアを提案しました。それは各大学の研究センターにあるコンピューターどうしを接続する、インターフェイスメッセージプロセッサ (IMP) と呼ばれるものを基礎に構築されたものです。IMP には、米国国立科学財団 (NSF：National Science Foundation) が開発した TCP/IP と呼ばれる技術も導入されました。この TCP/IP (Transmission Control Protocol/Internet Protocol) というプロトコルでは、メッセージやデータを小さなパケットに分解し、各パケットにアドレス指定情報、エラー訂正コード、および ID を付加して送信することが規定されています。送信元から送られた各パケットは分散型ネットワーク上を伝わって目的地まで届けられ、それを受け取った送信先のコンピューターが誤りをチェックし、各パケットを正しい順番で組み立てて元のメッセージやデータを再現します。1969 年、米国中の大学にあるコンピューターが ARPAnet につなげられました。この新しいネットワークで送信された最初の文字は、UCLA からスタンフォード研究所 (Stanford Research Institute) に向けて送信された「L」でした。

ARPAnet はその後も拡大を続け、1972 年は 23 だった接続ホストサイト数が、1975 年ごろまでには毎月新しいサイトが 1 つずつ増えていくほどに拡大のスピードが上がりました。その一方で、Computer Science Network (CSNET) のような、ARPAnet の廉価版を目指した各種のネットワークが米国中に続々と登場し、1974 年にボブ・カーンとヴィントン・サーフの 2 人の研究者が、異種ネットワーク間で相互に通信できる「ネットワークのネットワーク」というアイデアを提案しました。1982 年ごろまでには、さまざまなネットワークで TCP/IP が通信の標準として採用されるようになり、「インターネット」という用語が使われ始めました。TCP/IP を共通の標準として用いる CSNET と ARPAnet の間にゲートウェイが設けられ、両方のネットワークの間で利用者が相互に通信できるようになったのは、その 1 年後のことです。

インターネットの誕生に至る前兆が現れるわずか 1 年前、世界通信の分野ではこれが画期的な業績と考えられていました。1956 年にケーブル敷設船 CS Monarch が敷設した、英国とニューファンドランドを結ぶ海底ケーブルのサンプルです。写真の真空管は、大西洋を横断する信号の減衰を一定の間隔で補償するためにケーブルに沿って設置されたリピーターの中で使われた部品です。
転載許可：Courtesy of Lucent Laboratories

当時、国立科学財団 (NSF) は、5つのスーパーコンピューターセンターを結ぶ高速 (56Kbps) の基幹回線を構築していましたが、その伝送時間をすべて使うわけではなかったので、各地域のローカルネットワークがこの基幹回線を利用して相互に接続できるようにすることに同意しました。人々の間にまだはっきりとした実感がなかったとしても、この時点でまさにインターネットが誕生したのです。長年、インターネットは大学や防衛企業の専門領域でした。そのため、インターネットが拡大する中で、1991年にNSFがその商業利用に関する制限を撤廃したとき、黎明期からインターネットの管理に関わってきた多くの人々は愕然としました。

世界初のインターネットメッセージ。たぶん、当時はそのことにだれも気づいていなかったかもしれませんが、1969年10月29日にUCLAで手書きの記録として正式に書き留められたものです。

インターネットにだれかが初めて広告を流したとき、それは今ではスパムと呼ばれる行為だったので、それに対するインターネット純粋主義者たちの反応は険悪で、一斉に非難の声を浴びせたものです。しかし、彼らの主張は結局無駄な努力となってしまいました。インターネットの一部として発展したワールドワイドウェブ (WWW：World Wide Web) が、インターネット黎明期のテキストだけの世界から抜け出てグラフィックス、サウンド、ビデオの世界に足を踏み入れ、独自の活躍の場を築いていたからです。小鬼が魔法のびんから抜け出し、通信の世界でささやかに始めた実験が、今日では年率100～200%で成長しています。

この半世紀を振り返ってコンピューター業界を俯瞰したとき、技術の進化の様子がインターネットほど容易にわかる分野は他にないでしょう。コンピューティングの世界のその他の分野の進化は、その起源も古く、顕微鏡スケールでの変異を繰り返し、しかもそれを考え出す技術者たちは技術を生むのは得意でも説明は得意でないからです。しかし、現代の私たちがインターネットに関して直接経験してきたことは、インターネットを開発した当時の専門家たちの目には、まだかすかな気配としてしか感じられませんでした。

1964年、インターネットはまだ計画段階でしたが、同じ場所にあるコンピューターどうしをつなぐネットワークはもう存在していました。1年後、ネットワークは範囲を広げて異なる場所をつなぐようになります。その後の数年間、幼年期のインターネットは科学者と大学の専門領域でした。1969年、最初のオンラインサービスであるCompuServeが開始されましたが、コンピューターを用いて他の場所にいるだれかと通信するという行為が一般に認知されるのは、1981年に最初のモデムが販売されたときでした。最初の300ボー (ボーは搬送波が1秒間に何回変調するかを表す単位) のモデムは恐ろしく遅く、画面に

インターネットのミッシングリンク—インターネットの歴史に埋もれた新聞記事：ある装置をラジオに接続すると、ニュース放送が写真付きで印刷されます。

1文字1文字表示されるメッセージを読み上げていけるほどでした。しかし、当時はそれで十分でした。ともかく会話したり、プログラムをダウンロードしたり、ゲームをしたり、電子メールを送ったりすることがリアルタイムでできたからです。一度インターネットを体験したら、それがない生活などだれも考えられなくなりました。それから現在に至るまで、世界は少しずつ狭くなってきています。

　現在、インターネットは私たちの日常生活の一部となっており、常にだれかと連絡を取り合う、趣味や勉強に役立てる、製品やサービスに関する情報をその場で手に入れる、買い物をする、だれも一人では解けなかった問題を解く、といったことを実現してくれています。私たちはインターネットの成長の過程を現実に体験してきたわけですが、それはアメーバが単細胞生物から魚類や両生類に姿を変え、恐竜や鳥類を経て哺乳類や類人猿が現れ、人類が登場するまでの何百万年にわたる進化の過程を1つのアニメーションで見ているような感覚に近いものでした。

　私たちは、終わりのない生存競争の戦いの中でインターネットの初期の恐竜たちが滅亡し、新たに登場する生物種がウェブの海の小さな魚たちを丸ごと飲み込む光景を目撃してきました。初期のインターネットで重要な役割を果たしたAOL社は姿を消し、インターネットの新しいエンターテイメント部門における超重量級企業であるAOL Time-Warner社になりました。インターネットに昔から関わってきた人を除くと、Netscapeという最初のブラウザーの名前を知っている人はほとんどいないでしょう。かつてはテキストだけだったインターネットが現在は写真、グラフィックデザイン、オーディオ、ビデオに支配されています。最初、ある大学生が同じ寮に住む他の学生に関する情報を覚えておくために作成したプログラムが、今やインターネットの巨大な国ともいえるFacebookになりました。

　私たちが現実に体験し日常的に利用しているにもかかわらず、その巨大さと複雑な技術ゆえにインターネットは依然として謎に包まれています。インターネットの働きが自分の手でつかむことができるようなものであれば、本当はもっと簡単に説明できるでしょう。現実に存在し、重さや大きさがあって触れることができるハードウェアは、インターネットよりも簡単に把握できます。実際に見ながら「この装置はこんな仕掛けだ」と、毎回自信を持って指摘できるからです。ところが、インターネットは1つの実体ではなく、抽象的なシステムであり、人の身体のようなものです。

　システムとしてのインターネットは生命体に似ています。それは新しい「分子」（自らをインターネットに接続したり、予告なくインターネットから離脱したりするパソコンやネットワーク）を取り込みながら成長します。インターネットは束の間の存在です。それを構成する一部の要素（インターネットの基幹回線を形成するスーパーコンピューター）は常にそこに存在します。一方、企業のローカルエリアネットワーク（LAN）、ホームネットワーク、個人のコンピューター、携帯電話網に接続されたスマートフォンなどは、インターネットという身体の個々の臓器に相当します。しかし、それらがどこかに固定的に接続されたままになることはありません。コンピューターやスマートフォンを用い

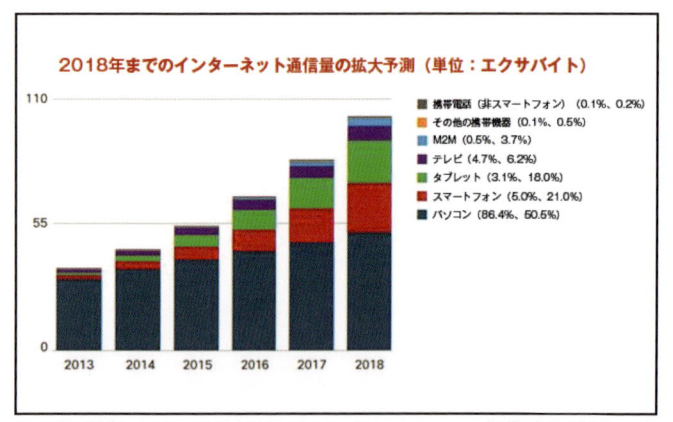

Cisco社の推定によると、2018年までにインターネットのトラフィック（通信量）は131.9エクサバイト/月まで増えます。1エクサバイトは、1,000,000,000,000,000,000バイトです。これは、次のように考えるとよいでしょう。2018年には、それまでに制作されたすべての映画に相当する分量のデータがインターネット全体で3分ごとに伝送されます。1992年の段階で、インターネット全体の通信量は約100GB/日でした。

て、電子メールメッセージを確認する、Twitterに気の利いた言葉を残す、ロレックスもどきの格安品を競り落とす、「World of Warcraft」をプレイするといったアクションを実行するたびに、送受信される情報は固定電話回線、T3ネットワーク、Wi-Fi、人工衛星、携帯電話通信網などを伝わって流れます。今日送信した最初のツイートは、サンディエゴの目的地に届く前にシカゴとフェニックスを経由するかもしれません。次のメッセージはサン・アントニオ、コペンハーゲン、そして人工衛星を経由するかもしれません。こうした事実を知らなくても、サイバースペースの目的地に到達するまで、国内のある地点から海の向こうの別の地点まで複数のネットワークの間を行ったり来たりすることができます。

　さて、インターネットから私たちが入手できるものについて説明するのは簡単です。「あらゆる種類の情報」が答えだからです。物理的な制約がないシステムなので、理論上は、あらゆる場所にあるすべてのコンピューターのすべての情報がインターネットに含まれる可能性があります。今ふうに言えば、本質的には人類が知っている（または知っていると考える）あらゆるものということです。しかし、インターネットはその場限りのシステムなので探求が難しい面もありますし、望んだことがいつも厳密にわかるとは限りません。インターネットには、まだ複数の「標準」が存在し、それを巡ってブラウザー、ウェブデザイナー、ハードウェア開発者の間の対立が解決していません。「これこそインターネットのあるべき真のデザイン」と確信して自ら新たな道を踏み出す人々もいます。そのため、インターネットの世界に足を踏み入れると、自分の力で対処しなければならない場面が少なからず生じます。経験を積む中で、ブラウザーやウェブサイト、そしてウェブの底辺にうごめくスパム、ウイルス、詐欺などに対処するコツや秘訣を習得していくことになります。思いどおりにならなくて腹立たしく感じたり、インターネットそのものが危害を与えることもあるでしょう。しかし、そうした欠点をすべて受け入れても、それに勝る価値がインターネットにはあるのです。

CHAPTER 17 ネットワークがコンピューターを結び付ける仕組み

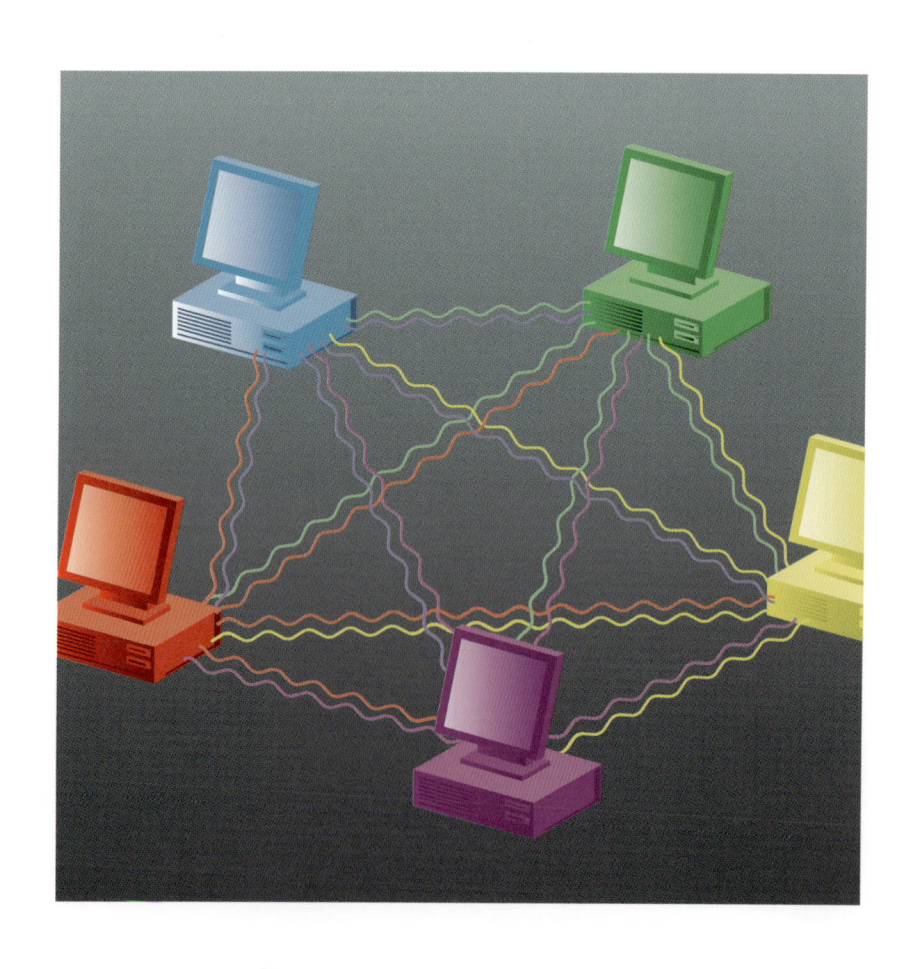

ローカルエリアネットワーク（LAN）は、多くの人々にとって、インターネットへの入り口と位置付けられます。LANはパソコンどうしを物理的に接続するもので、多くの場合、データ共有のためのサーバーやインターネットへのアクセスを提供するサーバーもそこに接続されます。LANを実現するために、ツイストペアケーブル、光ファイバー、銅線の電話線、赤外線、無線信号など、さまざまな接続技術が使われます。

　どの技術もデータをある場所から別の場所へ送信するという意味で目的は同じです。通常、データはメッセージの形でコンピューターから別のコンピューターへと伝えられます。データを問い合わせる、別のパソコンのデータ要求に応答する、ネットワーク上に置かれたプログラムを実行する、インターネットにメッセージを転送するなど、用途に応じてさまざまな形態のメッセージが考えられます。

　そのメッセージで要求されるデータやプログラムがインターネット上にないこともあります。その場合、目的のデータやプログラムはネットワーク上の同僚のパソコンか別のファイルサーバーに保存されているかもしれません。**ファイルサーバー**は、大容量のハードドライブを複数台装備した専用のコンピューターです。それを構成する各ドライブがネットワーク上の特定の個人によって占有されることはありません。ファイルサーバーはネットワークを利用する他のすべてのパソコン（**クライアント**と呼ぶ）にサービスを提供することを専らの目的とし、そのために用意した共通の場所に保存されたデータをクライアントが可能な限り高速に取得できるようにします。同様に、LANをワールドワイドウェブに接続するインターネットサーバーや、LAN内のだれでも印刷に利用できる**プリントサーバー**がネットワーク内に設置されることもあります。

　専用のサーバーを持たないネットワークを**ピアツーピアネットワーク**と呼びます。ピアツーピアネットワークでは、各人のパソコン（またはデバイス）がネットワーク上の他のデバイス（ピア）から見てサーバーの役割を果たすと同時に（サーバーとして動作する他のすべてのピアに対して）クライアントとしても動作します。この種のネットワークを、自宅で利用している人もいるかもしれません。そこにはオフィスのデスクトップパソコンから、ラップトップ、タブレット、スマートフォン、HDDレコーダー、Wi-Fiサーモスタット（温度調節器）まで、さまざまな機器が含められます。

　ネットワークは、そこに接続された各コンピューター（**ノード**）から送られてくるアクセス要求を受け取らなければなりません。また、サービスを提供するために複数の要求を同時に処理する仕組みを備えていなければなりません。あるコンピューターがネットワーク上でサービスを提供するには、1つのノードから別のノードに送信されたメッセージを対象のノードだけが認識し、その他の無防備なパソコンやデバイスにメッセージが表示されないようにする仕組みが必要です。さらに、これを可能な限り高速で実行すると共に、LAN上のすべてのノードに対して可能な限り均等にサービスを提供しなければなりません。LANはインターネットの一部であると同時にインターネットの縮図でもあります。

　この章では、特によく使われるネットワークの種類を見ていきましょう。

コンピューターが相互に接続する仕組み

コンピューターやデバイスは、ネットワークに参加するために、**ネットワークインターフェイス**を使ってローカルネットワークの**基幹回線**（トラフィックの大部分を運ぶネットワークの基幹部分）とつながります。基幹回線（バックボーン）とそこを出入りする個々の接続には、**同軸**ケーブル、**光ファイバー**ケーブル、**ツイストペア**ケーブル、**ラジオ波**、電話線、電力線などが時代の変化と共に使われてきました。中でもツイストペアケーブルとラジオ波が特によく使われています。ネットワークの帯域幅は、コネクタ、回路構成、結線方法、周波数、その他ハードウェアの組み合わせで決まります。

RJ-45 コネクタ
同軸ケーブル

同軸ケーブル

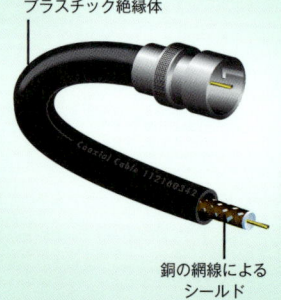

ケーブルテレビで使われるのとよく似た**BNC 同軸ケーブル**を用いてコネクタからデータを送出できます。BNC は「Bayonet Neill-Concelman」の略です。同軸ケーブルは、中心の1本の銅線（芯線）とそれを包むプラスチックおよび銅の網線からなり、この網線が外部からの電気的な妨害をシールドするようになっています。ケーブルの両端には**バイオネットコネクタ**が付いています。ケーブルを接続して固定するには、このコネクタを 90 度回転させる必要があります。

プラスチック絶縁体
銅の網線によるシールド

ツイストペアケーブル

ツイストペアケーブルは、コンピューターをモデムやルーターと物理的に接続するためによく使われます。絶縁被覆付きの導線2本を対（ペア）で撚り合わせたもの4組をプラスチックの被覆で包んだ構造を持ち、各撚り線ペアの単位長さ当たりの撚り合わせ回数がそれぞれ異なるように作られています。これらの撚り合わせが、隣接する撚り線ペアや同じ建物内のモーターその他の電気装置から発せられる電気**ノイズ**を相殺します。

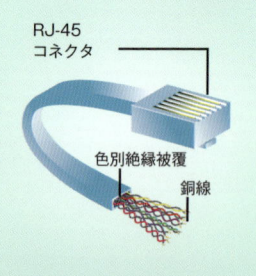

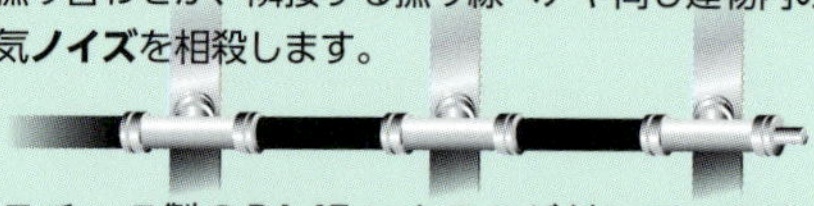

RJ-45 コネクタ
色別絶縁被覆
銅線

ケーブルの両端にはプラスチック製の**RJ-45** コネクタが付いています。これは一般的な RJ-11 電話プラグと似ています。RJ は「Registered Jack」の略です。

ネットワーク上の（有線の）各ノードがそれぞれ別のツイストペアケーブルを持ち、各ケーブルによってそれぞれのノードが中央の**ルーター**または**スイッチ**（**スター型接続**と呼ばれる構成の中心に位置する）に接続されます。これらのすべてのデバイスにより、ネットワークの任意のコンピューターから他の任意のコンピューターに信号を送ることができるようになります。また、どの接続が断たれても他のノードには影響しません。

光ファイバー

インターネットに直接接続するネットワークや速度が特に重要視される LAN では光ファイバーケーブルが使われます。**光ファイバーケーブル**の伝送速度は 10 億 bps で、数万の電話による通話を伝えるだけの容量があります。髪の毛ほどの細さの光ファイバーは、純粋な石英ガラスの芯線を反射層の**クラッド**で覆った2層構造を持ちます。トンネルの内側に鏡を貼り付けたような構造を想像するとよいでしょう。

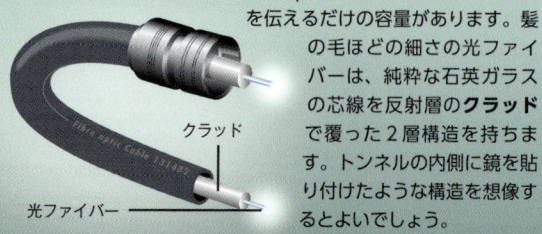

クラッド
光ファイバー

レーザーまたは LED から発せられた光の可変パルスがクラッドで反射しながらケーブル内を伝わることでデータが運ばれます。ケーブルテレビ会社や電話会社は、通常、データセンターから各家庭の近所までを光ファイバーケーブルで接続しています。

無線

最近のネットワークの多くのノードでは、スイッチやルーターへの接続にケーブル接続ではなく、**Wi-Fi 無線**を使用しています。通常、ラップトップ、タブレット、HDD レコーダーなどで、この接続方法が使われます。

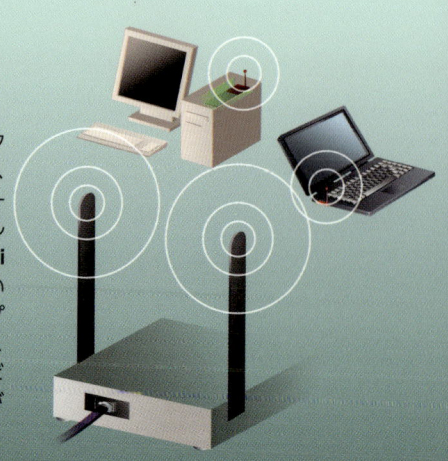

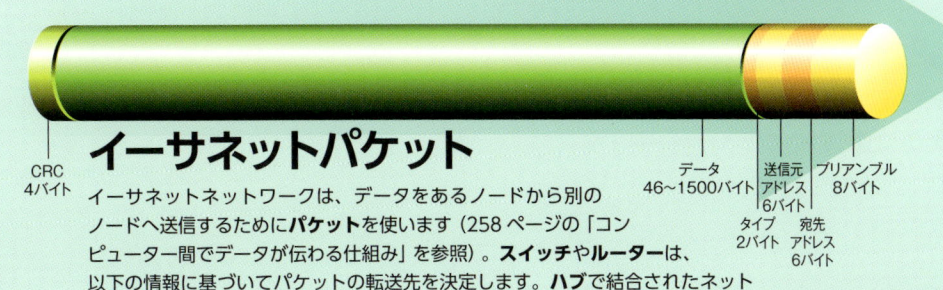

イーサネットパケット

イーサネットネットワークは、データをあるノードから別のノードへ送信するために**パケット**を使います（258 ページの「コンピューター間でデータが伝わる仕組み」を参照）。**スイッチ**や**ルーター**は、以下の情報に基づいてパケットの転送先を決定します。**ハブ**で結合されたネットワークでは、ノードが自分でアドレスデータを確認して、どのパケットを処理し、どのパケットを無視するかを判断します。

- **プリアンブル**—ネットワークのノード間の同期を取る
- **宛先アドレス**—ネットワーク上の特定のコンピューターまたはすべてのコンピューターのアドレス
- **送信元アドレス**—パケットが最初に発せられたコンピューターのアドレス
- **タイプ**—データの形式を定義する
- **データ**—実際の情報
- **CRC**—巡回冗長検査（Cyclical Redundancy Check）。伝送エラーを見つけるために使用する

CRC 4バイト / データ 46〜1500バイト / タイプ 2バイト / 送信元アドレス 6バイト / 宛先アドレス 6バイト / プリアンブル 8バイト

ハブ、ルーター、スイッチ

スター型接続のネットワークは、ハブ、スイッチ、ルーターを「交通巡査」として用いて、データを正しい宛先に転送し、インターネットからの侵入を防ぎます。これらのデバイスはいずれも単純な箱形で、RJ-45 または光ファイバーケーブルを接続するプラグが備わっています。

ハブ

1. ハブは、さまざまなノードから送られてくるデータパケットを受け取り、別のパケットの処理中であれば、パケットを一時的にメモリバッファーに入れます。
2. ハブが受け取った各パケットは、パケットの宛先アドレスとは無関係に他のすべてのノードへ送信されます。ノードは、自分宛て以外のパケットをすべて無視します。最近のネットワークではハブがほとんど使われなくなり、代わりにスイッチを使うことが多くなっています。

スイッチ

1. スイッチの機能はハブと似ています。ただし、スイッチは、そこにつながれたノードに関する情報を持っています。スイッチは、パケットの宛先アドレスを読み取り、その宛先のノードにつながる回線にだけパケットを送出します。
2. パケットの中には、別のコンピューターがオンラインになったことを知らせるパケットのように、宛先アドレスとしてブロードキャスト（一斉送信）を指定して送られてくるものがあります。これは送信元のノードがパケットを他のすべてのノードに見せようとしていることを意味します。この場合、スイッチは送られてきたパケットを複製して送信します。

ルーター

1. ルーターはスイッチと似ています。ただし、ルーターはインターネットへの接続を提供します。また、ネットワーク内のブロードキャストパケットを受け取ることも転送することもしません。ルーターは対応する宛先アドレスがなければ LAN 上のノードにパケットを送りません。ルーターやスイッチの機能の多くは、同じデバイスに組み込まれています。
2. ルーターは、データパケットに一定のルールを適用する役割も果たします。たとえば、LAN のパケットの宛先アドレスが LAN の外部のインターネット上のどこかを指している場合、そのパケットをブロックするというようなルールを適用できます。
3. ルーターは、インターネットから送られてきたパケットの宛先アドレスが LAN 上の特定のノードを指している場合、それをログイン処理に知らせるか、パケットを完全に拒絶することもできます。
4. 宛先アドレスが有効な場合（たとえば、外出先からタブレットで LAN にログオンするケース）、ルーターはパケットがネットワークに入ることを許します。宛先へデータを送信する前にパケットの CRC セグメントをチェックして伝送途中でエラーが発生しなかったか確認するルーターもあります。エラーがあった場合、ルーターは、エラーとなったパケットを破棄し、送信元に同じデータパケットの再送を要求するメッセージを送信します。

コンピューター間でデータが伝わる仕組み

情報をデジタルで送信することは、特に新しい方法ではありません。サミュエル・モールスは、1838年に米国で初の電信メッセージ「A patient waiter is no loser.」（辛抱強く待てば成功間違いなし）を送信するとき、2進表記（ドットとダッシュ）を用いてアルファベットを表現しました。モールス以前にも、たき火から大きな煙と小さな煙を吹き上げる発煙信号で同様のことが行われていました。

それでも、20世紀のかなりの期間にわたって、電話、ラジオ、レコード、テレビなどでデータを遠くに送る標準的な方法としてアナログ信号が使われてきました。しかし、ネットワーキングとインターネットが登場したことで、デジタル方式の通信が再び流行し、テレビ、ラジオ、電話などで使われてきたアナログ信号を代替するまでになりました。これを可能にしたのが、**パケット**と呼ばれるものです。

アナログ方式のデータの仕組み

1 アナログ方式の通信では次の2種類の波が用いられます。

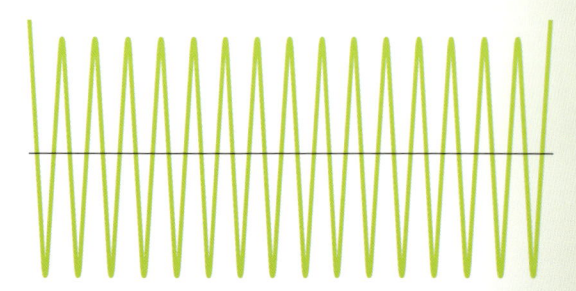

- **搬送波（搬送波信号）**。それ自体が情報を持たない、一定の強力な波です。通常、これには正弦波が用いられます。正弦波は波形、つまり**振幅**（波の大きさ）と**周波数**（最大値から最小値になってまた最大値に戻るまでのサイクルを1秒間に何回繰り返すか）が一定の波です。「104.5MHzにダイヤルを合わせて！」と放送しているFMラジオ局の搬送波は、1秒間に1億450万回振動します。

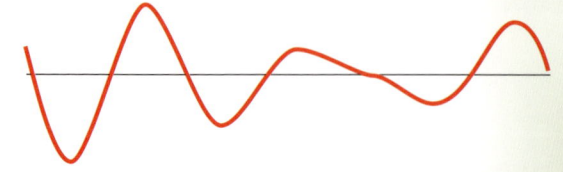

- **情報波**。マイクや、磁気テープ、CD、DVDなどの録音データから生成される波です。搬送波のような長距離をカバーする強度を持ちません。また、搬送波信号と違って不規則であり、その生成プロセス次第で波形が絶えず変化します。

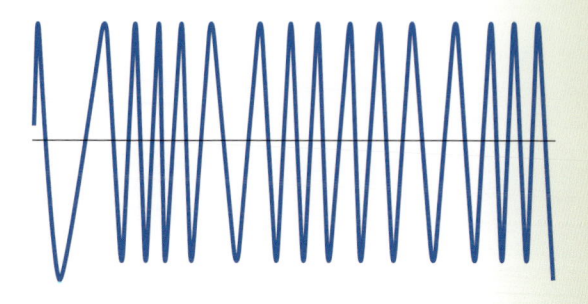

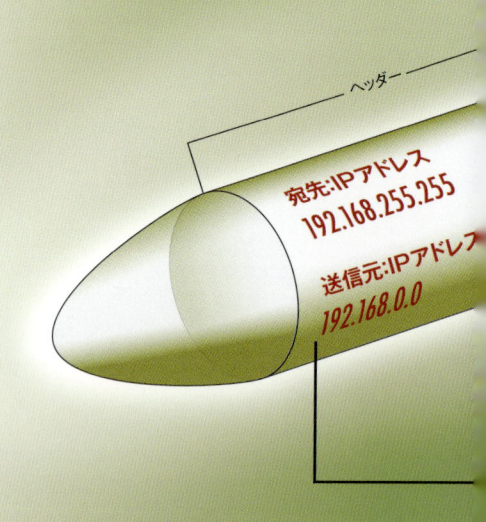

ヘッダー
宛先:IPアドレス 192.168.255.255
送信元:IPアドレス 192.168.0.0

2 情報波を搬送波に重ね合わせると、情報波によって搬送波が変調されます（「変調」は何かを変化させるといった程度の意味です）。情報波は、搬送波の振幅または周波数を変化させることがあります。人間の発話を例に変調について考えてみます。この場合、母音が搬送波に相当します。母音があるから語句を十分遠くまで明確に聞こえるように発音することができます。子音は情報波です。たとえば、子音は母音「ee」を「me」、「we」、「see」などに変化させます。このとき、基底となる音はいずれも「ee」です。変調された信号を（ラジオ、テレビ、アンプ、あるいは人間の耳が）受け取ると、受信側はそこから搬送波信号の既知の値を取り去り、最初の情報波がその後に残されます。

デジタルデータをパケットで伝える仕組み

1 デジタル方式のデータ伝送では、**パケット**が搬送波信号に相当すると考えるとよいでしょう。パケットそのものは情報を持ちません。ただし、別のコンピューター（または同じコンピューター内の構成要素）に送られる実際の情報は、少なくとも比喩的な意味でパケットに取り囲まれます。パケットを使うことには、情報をそのまま束ねるだけでは得られない多くのメリットがあります。パケットを使うと宛先アドレスの指定やエラーの訂正が可能になります。また、ある点から別の点へ情報を伝えるとき複数の経路が使われるようにすることができます。データパケットをどう構成するかは、そこに含めるデータの種類に応じて変化し、その構成を**フレーム**、**セグメント**、**ブロック**などと呼ぶこともあります。ここでは、特によく使われるパケットであるインターネットパケットを説明します。

2 データを送信する側のコンピューターが1つのパケットを生成します。そのパケットは、データを受け取るデバイスが理解する一定の構成に従って作られます。データストリームが、まず一定のバイト数のデータに分解され、一連のパケットが作られます。

3 コンピューターは、各パケットの**ヘッダー**に、パケットの宛先である**IPアドレス**と、送信元のIPアドレスを付加します。

4 コンピューターは、2つの値を含めます。最初の値は、情報をいくつのパケットに分解したかを示します。次の値は、現在のパケットの順番を示すシーケンス番号です。

5 コンピューターは、一定の形式に従って実際のデータ（**ペイロード**）を束ねます。この形式は**TCP/IP (Transmission Control Protocol/Internet Protocol)** で規定されています。各パケットのデータは 1,000〜1,500 バイトです。

6 パケットの**トレーラー**（または**フッター**）には、パケットを受け取ったコンピューターにパケットの終わりを知らせる数ビットの情報が含められます。そこに**巡回冗長検査 (CRC)** の結果が含められることもあります。CRCは、パケット内のすべての「1」の合計です。パケットを受け取ったコンピューターも同じ計算を行い、結果が一致しなければ、送信元にパケットの再送を要求します。

7 コンピューターは、各パケットをインターネットにばらばらに送信します。各パケットは、出発した時点で利用できる最適な経路を通ります。この方式により、ネットワークはトラフィックをできるだけ均等に分散して送信できます。また、トラフィックの重大な停滞が生じても、すべてのパケットが同じ場所で詰まることがなくなります。パケットは必ずしも正しい順番で到着しません。受信側のコンピューターはパケットをバッファーに入れ、送られてくるパケットのシーケンス番号に基づいて元のメッセージを組み立てます。

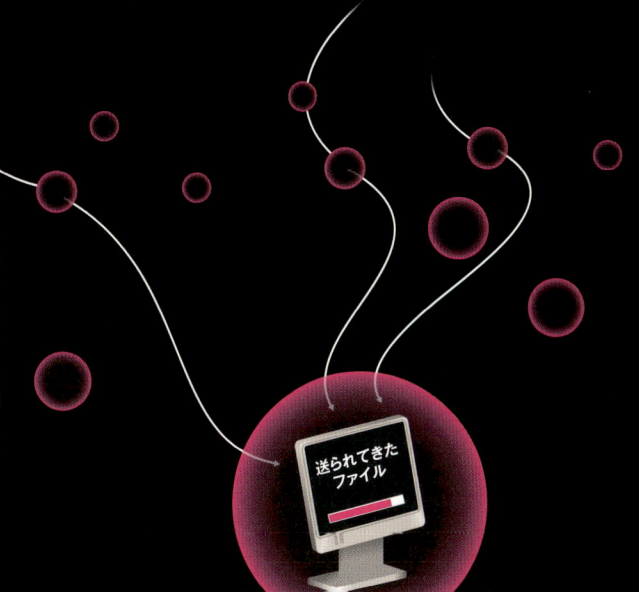

好きな場所からネットワークが使えるWi-Fiの仕組み

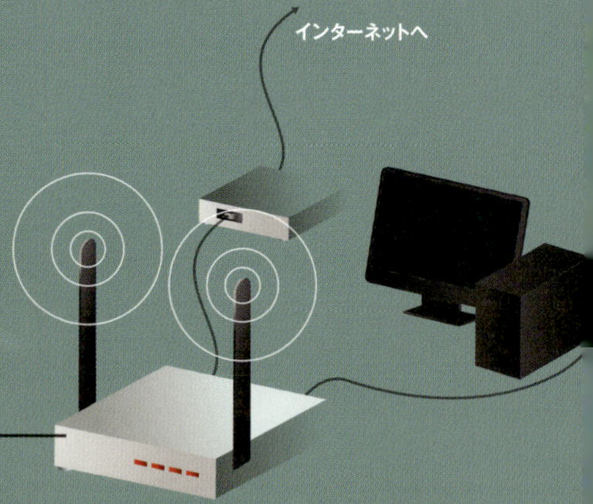

① すべてのWi-Fiネットワークは、**アクセスポイント（AP）** から始まります。APは有線のローカルエリアネットワークに直接接続された（またはインターネットに直接接続された）ネットワークノードです。APは、2.4GHz帯または5GHz帯（あるいはその両方）で動作する無線の送受信機も備えています（最近のWi-Fi規格の違いについては、下の囲み記事を参照）。APの機能がスイッチに組み込まれていることがよくあります。スイッチにはRJ-45イーサネットジャックも備わっているので、ケーブルで近くのノードに接続できます。

インターネットへ

② **ステーション** と呼ばれる無線ノードは、それぞれが同じ帯域で動作する送受信機を備えています。デスクトップパソコンでもマザーボードに無線アンテナが内蔵されていることがありますが、多くの場合は、アンテナを装備した拡張カードを使うかUSBアンテナを接続します。ノートパソコンにも通常、アンテナが内蔵されています。しかし、より高性能なWi-Fi規格を使いたければ、いつでもUSB接続のアンテナに置き換えることができます。タブレットやスマートフォンのような機器では、この方法で内蔵アンテナを置き換えることはできません。

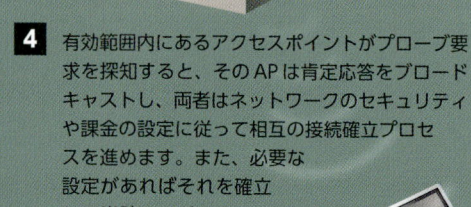

④ 有効範囲内にあるアクセスポイントがプローブ要求を探知すると、そのAPは肯定応答をブロードキャストし、両者はネットワークのセキュリティや課金の設定に従って相互の接続確立プロセスを進めます。また、必要な設定があればそれを確立して当該ノードとネットワークの他の部分との交信を行えるようにします。

プローブ要求

さまざまな規格

現在販売されているWi-Fiには複数の規格が存在し、それらはIEEE（Institute of Electrical and Electronics Engineers）の番号 802.11 で識別されます。当初使われていたのは802.11bと802.11aでしたが、現在は802.11g、802.11n、802.11acが主流となっています。以下に、規格間の相違点を示します。

規格	802.11g	802.11n	802.11ac
有効範囲	約11〜140m	約21〜250m	約21〜250m
速度	6〜54Mbps	7〜150Mbps	87〜866Mbps
周波数	2.4GHz	2.4GHz/5GHz	2.4GHz/5GHz

新しいWi-Fi規格は、古い規格とほぼ互換性があるので、802.11ac デバイスは802.11nまたは802.11gアクセスポイントでも動作します。ただし、その逆は成立しません。

③ たとえば、ノートパソコンをネットワークに接続すると、ノートパソコン自体を識別する **プローブ要求** がブロードキャストされます。このプローブ要求では、**有効範囲** 内に他のWi-Fiが存在するかどうかも確認されます。有効範囲は半径約11〜250mです。これは使用する規格と、周辺の環境によって変化します。

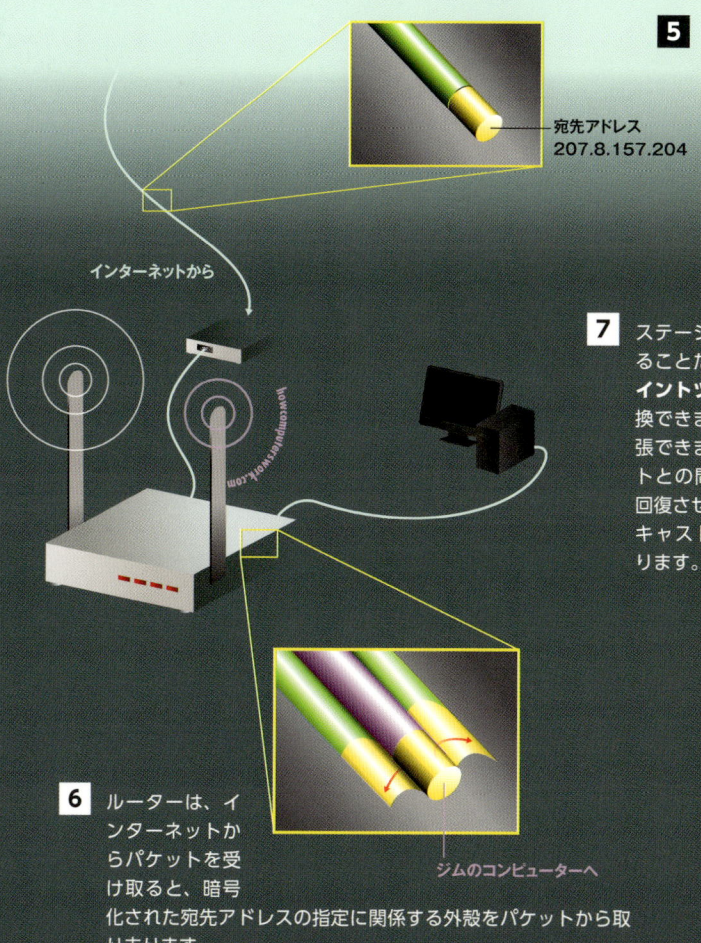

CHAPTER 17 ネットワークがコンピューターを結び付ける仕組み 261

宛先アドレス
207.8.157.204

インターネットから

5 多くのアクセスポイントは、ルーターやスイッチの機能も備えており、インターネットアクセスが複数のステーション（有線と無線の両方）に振り分けられます。インターネットからは、LAN 全体が 207.8.157.204 のような 1 つのインターネットアドレスに見えます。これを **IP（インターネットプロトコル）** アドレスと呼びます。www.howcomputerswork.net のような文字列として見える通常のインターネットアドレスが、コンピューターからはこのように見えるということです。

7 ステーションの機能はアクセスポイントを介して通信することだけではありません。ステーションどうしが、**ポイントツーポイント**で他の力を借りずに相互に情報を交換できます。ネットワークはルーターの領域を超えて拡張できますが、それは拡張ポイントが、アクセスポイントとの間の強度の異なる信号を回復させて、再度ブロードキャストする場合に限ります。

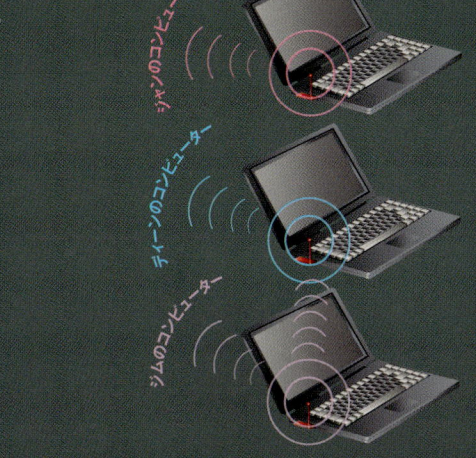

ジムのコンピューターへ

6 ルーターは、インターネットからパケットを受け取ると、暗号化された宛先アドレスの指定に関係する外殻をパケットから取り去ります。
その内側にパケットの実際の受信者（LAN 上のいずれかのステーション）の名前があります。ルーターは、ネットワーク管理者があらかじめ設定した一連のルールとそのアドレスを照合します。もしルールで禁止されていなければ、ルーターはネットワーク内の所定の宛先にパケットを渡します。インターネットへ出ていくメッセージに関しては、ルーターは各パケットを外殻で覆います。それによりパケットの本当の送信元は隠蔽され、ルーターのアドレスが戻りアドレスとして付与されます。

8 Wi-Fi ネットワークが一般に公開されている場所をホットスポットと呼びます。最近は、どこでもホットスポットを見つけることができます。たとえば、コーヒーショップやレストラン、大学やワークキャンパス、空港やホテルなどにあります。有料でインターネットにアクセスできるホットスポットと、無料のホットスポットがあります。

Bluetoothによる接続の仕組み

1 **Bluetooth**（ブルートゥース）という名前は、スカンジナビアを統一したデンマーク王、Harald Bluetooth（ハラルド・ブルートゥース）に由来しています。Bluetoothは、携帯電話、ホームシアター、プリンター、ポータブルコンピューター、ローカルエリアネットワーク、その他の電子機器間の無線による音声およびデータ通信を統一するための標準プロトコルです。このプロトコルでは、すべてのデバイスが共通の短距離無線リンクで接続されます。

2 この規格は**無線モジュール**のマイクロチップに組み込まれており、音声およびデータ信号を約10m（パワーアンプがあれば100m）の範囲で送信できます。これは2.45GHzのISM（**Industry, Science and Medicine**）バンド（Bluetooth以外のデバイスでも使われる）で動作します。

3 Bluetooth プロトコルを統率するのは、各デバイスの**リンクマネージャー (LM)** です。このソフトウェアは、その他の Bluetooth デバイスを識別して、音声またはデータ用のリンクを確立し、データを理論値 1Mbps（現実には 725Kbps）で送受信します。リンクマネージャーは、Bluetooth の動作モードも判断します。

STANDBY

PAGE

INQUIRY

HOLD

PARK

Standby (Sniff) モード： まだ接続を確立していないユニットが設定された時間間隔で定期的にメッセージの有無を確認（リッスン）します。デバイスは休眠状態から立ち上がるたびに、当該ユニットをアドレス指定するための 32 のホッピング周波数を一通りリッスンします。

Page モード： Bluetooth デバイスが別のデバイス（**スレーブ**）へのリンクを初期化して自分を**マスター**にします。マスターは、スレーブを見つけるために、当該デバイスの探索用として定義されている 16 の異なるホッピング周波数で同一のページ信号をブロードキャストします。

Inquiry モード： Page モード（による探索）が失敗するか、マスターが他のどのデバイスを利用できるか知らない場合（たとえば、公設のプリンターや FAX を利用するケース）、マスターは残りのホッピング周波数をすべて使って照会（Inquiry）を送信します。これで受信側のデバイスは自分を識別し、マスターは新たに見つかったいずれかのデバイスに対して、そのデバイスに固有のページ信号を送信します。リンクを確立するまでの最大の遅延時間は約 3 秒です。

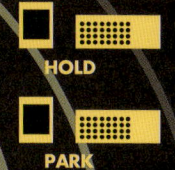

Hold モード： デバイスが休眠状態から定期的に立ち上がってリンクをリッスンし、残りのデバイスと同期を取り、ページ信号の有無を確認します。

Park モード： デバイスは電力を節約するために電源がオフにされますが、他の Bluetooth デバイスによって休眠状態から復帰させることができます。

4 マスターとスレーブの間でリンクが確立された後、Bluetooth は短いデータを間欠的にパケットで送信します。雑音の多い無線周波数の環境でもやっていけるように、マスターおよびスレーブからの無線送信では 79 の異なる周波数をホッピングして個々のデータパケットを送信します。パケットの欠落や文字化けが生じた場合には、この際にエラーの訂正も行われます。

NFCによるスマートデバイスの近接通信

無線やOTA（over-the-air）の高品位テレビに続き、G3、G4 LTE、Wi-Fiや、挙げ句はBluetoothまで出てくると、さすがにもう別の通信方式はないと思われるかもしれません。しかし、これはスマートフォンのニュースで取り上げられた話題の一部に過ぎず、まだ、別の方式があります。**NFC（near field communications）**は、電線を使わない最新の通信方式です。この新方式では、数cmの範囲でのみ良好な通信が可能で、人間どうしの会話よりもずっと近接して、電子機器による対面通信が行われます。

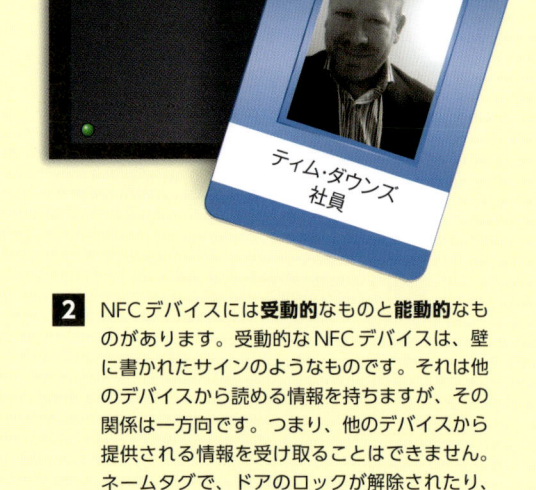

1 電線を使わないほとんどの通信では、情報を送受信するために電波（電磁スペクトルの電子的な側面）が使われます。NFCは磁場を通信に使います。磁場には地球の重力に打ち勝って鉄くぎを拾い集めるほどのパワーがありますが、効果はそれほど遠くまで届きません。「near field（近接場）」と呼ばれるのは、この理由によります。

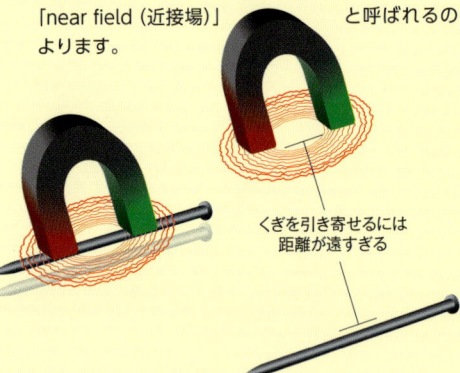

2 NFCデバイスには**受動的**なものと**能動的**なものがあります。受動的なNFCデバイスは、壁に書かれたサインのようなものです。それは他のデバイスから読める情報を持ちますが、その関係は一方向です。つまり、他のデバイスから提供される情報を受け取ることはできません。ネームタグで、ドアのロックが解除されたり、エレベーターが特定の階に停止することを許されたり、現在位置が追跡されたりする状況を想像するとよいでしょう。

3 能動的なNFCデバイスでは、情報の送受信が可能です。それらのデバイスは、別のデバイスが自身のデバイス内の情報を閲覧する権利を付与したり、自身のデバイス内の情報を変更することを許可・拒否できます。スマートフォンを使って、名刺やプレイリストを交換する、クレジットカードの代わりに買い物をする、バスの運賃を支払う、というような状況を想像してください。

CHAPTER 17　ネットワークがコンピューターを結び付ける仕組み　265

4　単発の短い一方向のメッセージと、連続的に続く定期的な対話のどちらを生成するときも、NFC デバイスは**電磁誘導**を利用します。NFC デバイスは極小のコイルに極小の電流を流して、スマートフォンどうしを軽く打ちつけるようなきわめて短い距離しか届かない極小の磁場を別のデバイスに対して生成します。

5　その磁場は情報を受け取る側のデバイスのコイルを横切り、そのデバイスの回路に電気パルスを生成します。このパルスをデコードすると、最初のデバイスが送信した情報が得られます。受動デバイスは、最初のデバイスが生成したエネルギーを利用して、データをデコードまたはエンコードします。能動デバイスは自分のエネルギー源を持ち、自力で磁場を生成します。

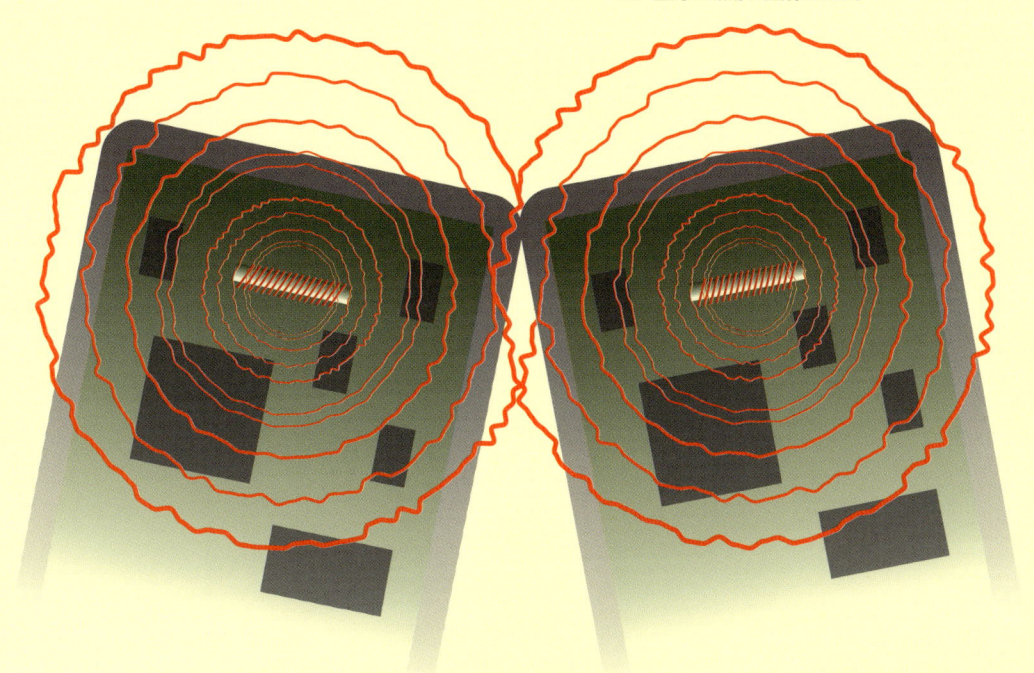

6　NFC は 13.56MHz で動作し、15mA 以下のパワーを消費します。これは約 20cm 離れた場所にデータを送るのに十分なエネルギーです。伝送速度は 106〜848Kbps です。これは会社のトイレのドアのロックを緊急解除するために必要なデータを送るには十分な速度です。500 曲の MP3 ライブラリを渡すにはもう少し時間がかかります。

7　NFC セッションのデータは遠くまで届きませんが、それでも他のデバイスで傍受される可能性があります。そのため、NFC 通信でクレジットカードや銀行の口座番号のような情報を扱う場合には、安全なチャネルを使って情報を暗号化します。ユーザーがウイルス対策ソフトをスマートフォンに追加したり、機密データをパスワードで保護したりすることもできます。

266　PART 5　インターネットの誕生と発展

CHAPTER 18

インターネットで世界とつながる仕組み

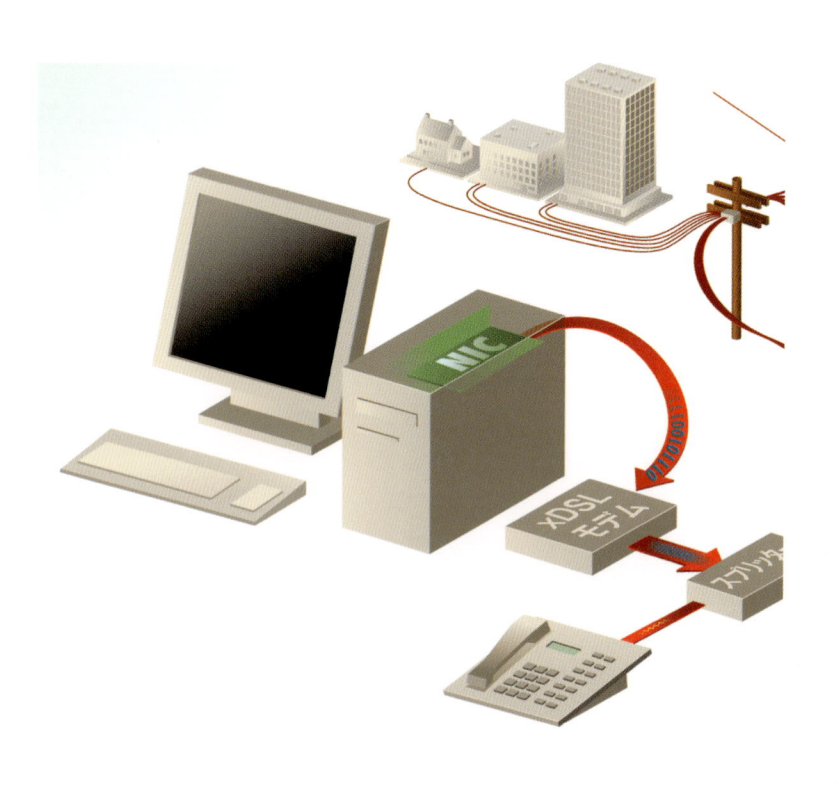

インターネットは人類が木から下りて以来学んできた知識の集大成といっても過言ではありません。インターネットを使えば、事実上あらゆる本、映画、曲をどこかで見つけることができるでしょう。とはいえ、幼稚園時代の初めての友達を含め、これまでに付き合った友人全員とインターネットで連絡が取れるわけでもありません。

　インターネット上でのあらゆる体験は、データを通信事業者の最寄りの加入者局からあなたのコンピューターで受け取ることで可能になります。そのためのネットワーク接続の手段にはいろいろあります。たとえば、2つの代表的なインターネット接続技術である DSL (Digital Subscriber Line) とケーブルテレビ (CATV) で、提供業者はデータ送信の最高速度の違いを喧伝しています。しかし、どんな速度であってもそれらは技術者や販売業者の考える理想値に過ぎません。それは私が 6.5km を 1 分で走れると言うようなものです—実際に走れるのはたった 3m ほどなのに。私が自分の理想とするスペックを発揮できないのは、中学生以来の不摂生がたたった結果です。インターネットプロバイダーにもそれなりの理由があって、現実のブロードバンドは宣伝されているブロードバンドと合致しません。

　理由 1：レイテンシ（待機時間）。レイテンシとは、実質的に仕事をしていないアイドリング時間のことです。直線コースで時速 320km 出せる自動車でもヒューストンからサン・アントニオまでの 320km を 1 時間で走行できるわけではありません。たとえば、一時停止標識があるところや優先道路へ合流するとき、あるいは踏切、赤信号、小学生の横断歩道などでは、エンジンをアイドリングさせてじっとしているしかありません。また、法律上、道路には制限速度があるので、せいぜい時速 112km でしか走行できません。その距離を 2 時間以下で走行したとなると、それはどこかで法律違反をしたことになります。

　インターネットにも、従わねばならない法則があります。中でも根本的なのは光の速度です。光の速度より速く移動するものはありません。それでも、人工衛星経由のインターネット通信は、地上の通信チャネルに入る前までは、ほぼ光速で伝わります。光は真空中を 1,600km 進むのに約 5ms（ミリ秒）かかります。地上の長距離通信では光ファイバーケーブルもよく使われますが、光は光ファイバー中を真空中ほど高速には伝わりません。光ファイバー中では**屈折**（光の波が曲がること）の影響で速度が低下し、データが 1,600km 進むのに約 7.5ms かかります。一般に、衛星通信ではデータパケットごとに 50〜100ms の遅延が生じます。

　理由 2：無線通信の使用。Wi-Fi は有線のイーサネット接続よりもレイテンシが長く、また電波干渉の影響をより強く受けます。

　理由 3：マルウェア。ワームやウイルスがコンピューターネットワークインターフェイスの邪魔をしたり、実行速度を低下させたりします。

　理由 4：アプリケーションの過剰な負荷。インターネットであちこちのサイトを閲覧するとき他のアプリケーションが動いていると、ブラウザーとの間で CPU の競合が生じ、伝送速度が低下します。

　理由 5：ルーターやモデムに対する過剰な負荷。自宅で自分以外にも家族のだれかがインターネットに接続していると、他の通信要求の処理待ちが生じて通信時間が 2 倍以上になることがあります。

　理由 6：天候などによる通信障害。コンピューターから送り出された信号は、目的地に届くまでの間に天候や電気的ノイズの影響を受けます。それでパケットが壊れた場合には、通信に関与しているどちらかのコンピューターがパケットの再送を要求しなければなりません。

　理由 7：トラフィック負荷。インターネット利用者が集中する時間帯には、データトラフィックの渋滞を引き起こすような負荷のピークが生じます。マルチプレイヤーのオンラインゲームや人気のあるウェブサイトのように利用者が集中するサイトに接続する場合は、ある程度の遅延が予想されます。

　以上の理由により、どの時点を取っても理論上の最大通信速度が達成されることはありませんが、それでも現代のブロードバンドにはインターネットの通信効率をひたすら高めてきた驚くべき仕掛けがあります。この章では、その仕掛けをさまざまな側面から考察します。

大容量のデータを伝送する仕組み

1 情報（データ）は、**搬送波**と呼ばれる波に乗って、ある地点から別の地点まで移動します。単純な振動の音波や電磁波が搬送波として利用されます。電磁波には光、熱、ラジオやTV放送、X線など、あらゆる種類の電磁放射が含まれます。

2 一方、言葉、映像、音楽、電子データなどを表す、もっと複雑で弱い波がハードウェアによって生成されます。これらの波は**変調器**によって単調な搬送波と重ね合わされます。その結果、全く新しい**波形**が生じます。この状況は、池で2つの波紋がぶつかり合ったとき、全く新しい波紋がいくつもできるのに似ています。

3 搬送波が1秒間にある地点から別の地点まで伝送するデータの量を、その波形の**帯域幅（伝送容量）**と呼びます。帯域幅はデータ伝送速度を言い表すために使われますが、実際に計量するのは速度ではなく**容量**です。たとえば、2隻の船がサンフランシスコから日本へ向かう状況を考えます。

- 船Aは、3,000トンの貨物を40ノットで運びます。
- 船Bは、速度が半分の20ノットです。
  ただし、積載容量は15,000トンです。つまり、より大きな帯域幅を持ちます。それぞれの船で10万トンの貨物を輸送する場合、船Aはすべての貨物を運ぶのに366日かかります。一方、船Bは、速度が遅くても帯域幅が広い（積載容量が大きい）ので、より短い期間の150日で輸送が完了します。

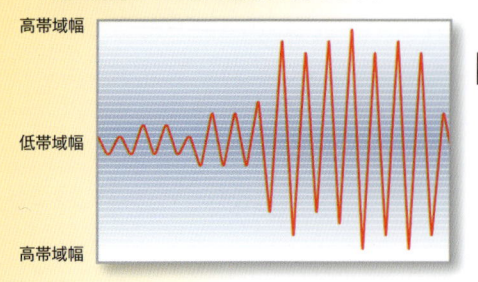

4 パソコンの各部品（プロセッサ、ディスクドライブ、システムバス、ビデオカード）には、それぞれの帯域幅があります。その中で特に帯域幅の小さな部品があると、その部分の**チャネル**がシステムのボトルネックになります。帯域幅の伝送容量を上げるには、以下に示すいくつかの方法があります。

- **データを圧縮する**。zipファイルやMP3形式の音楽ファイルのような圧縮データを用いると、同じ時間内に圧縮前よりも多くの情報を送信できます。

- **周波数を高める**。搬送波の振動の周期ごとにデータを搬送波と結合する新たなチャンスが生じます。そのため、周波数が高い波ほどデータの伝送能力は高くなります。周波数の単位は**ヘルツ (Hz)** で表します。1秒間に1回の周波数が1ヘルツです。

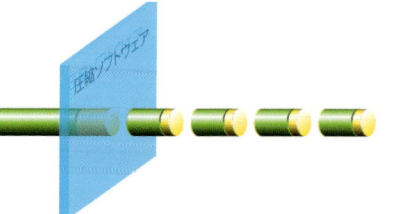

CHAPTER 18　インターネットで世界とつながる仕組み　269

- **送信するデータ量を減らす**。高解像度のカラー画像を送信するだけの帯域幅がない場合、低解像度のモノクロ画像で保存すれば、画像の記録に必要なビット数を減らすことができます。30 フレーム／秒のビデオを送信する余裕がない場合、15 フレームだけを送信します。

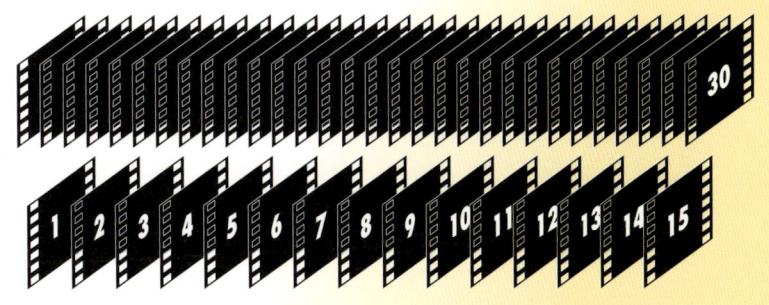

- **データのキャッシュ**。デバイスは、頻繁に繰り返されるデータを複製して**キャッシュ**と呼ばれる特別なメモリプールに保存します。次に同じデータが必要になったとき、データをキャッシュからすぐに取り出すことができます。

- **レイテンシを減らす**。理論上の帯域幅（**スループット**）が達成されることは現実にはほとんどありません。それは伝送されるビットの多くがアドレス指定、データ識別、エラー訂正、その他の必要な管理のために使われ、データそのものを表さないからです。これを総称して**レイテンシ（待機時間）**と呼びます。そのようなビットが多いときは、データ伝送に利用可能な帯域幅の 60％ほどが失われます。より高性能の材料や感度の高い信号検出器を使うことでレイテンシを小さくすることができます。

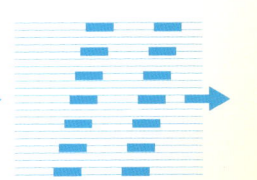

- **多重化**。伝送データを複数の部分に分割し、異なるチャネル（複数の無線周波数など）で同時に送信します。これは何台もレジがあるスーパーと似ています。

- **データのプリフェッチ（先取り）**。デバイスは、次にどのデータを処理するかを経験に基づいて推測し、必要なデータを**プリフェッチ（先取り）**して順番が来るまで処理待ちにします。これは医者が、一度に診ることができるよりも多くの患者を待合室に待たせておく状況と似ています。

5 インターネット接続、特に DSL（Digital Subscriber Line）やケーブルテレビ（CATV）のような高容量回線の**ブロードバンド**で、帯域幅がよく話題になります。何らかのデータを伝送するものには必ず帯域幅があります。右のイラストの各グラフは、データの伝送方式の違いによって帯域幅にどの程度の差が生じるかを示したものです。なお、ここに示した伝送容量では、レイテンシやレイテンシを克服する圧縮のような手法を考慮に入れていません。

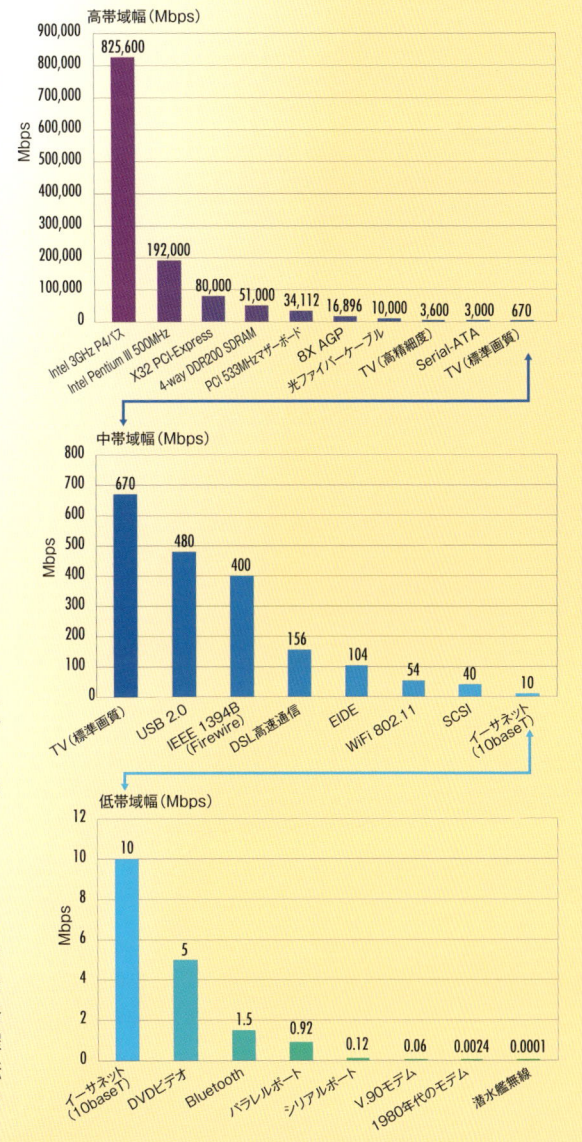

高帯域幅 (Mbps)

種類	Mbps
Intel 3GHz P4バス	825,600
Intel Pentium III 500MHz	192,000
X32 PCI-Express	80,000
4-way DDR200 SDRAM	51,000
PCI 533MHzマザーボード	34,112
8X AGP	16,896
光ファイバーケーブル	10,000
TV（高精細度）	3,600
Serial-ATA	3,000
TV（標準画質）	670

中帯域幅 (Mbps)

種類	Mbps
TV（標準画質）	670
USB 2.0	480
IEEE 1394B (Firewire)	400
DSL高速通信	156
EIDE	104
WiFi 802.11	54
SCSI	40
イーサネット (10baseT)	10

低帯域幅 (Mbps)

種類	Mbps
イーサネット (10baseT)	10
DVDビデオ	5
Bluetooth	1.5
パラレルポート	0.92
シリアルポート	0.12
V.90モデム	0.06
1980年代のモデム	0.0024
潜水艦無線	0.0001

DSLが電話回線を使ってデータを伝送する仕組み

1 **DSL（Digital Subscriber Line：デジタル加入者線）** 伝送方式にはいくつかの形式があり、これを **xDSL** と呼びます。ここで、x は DSL の種類によって異なります。すべての xDSL 接続では、家庭や会社に既に敷設されている電話用の通常の銅線によるツイストペアケーブルが利用されます。ケーブルモデム接続では同じケーブルハブにつながる全員に全員のケーブル信号がブロードキャストされるのに対し、xDSL はポイントツーポイント接続であり、同じサービスを利用する他のユーザーとの間で接続は共有されません。

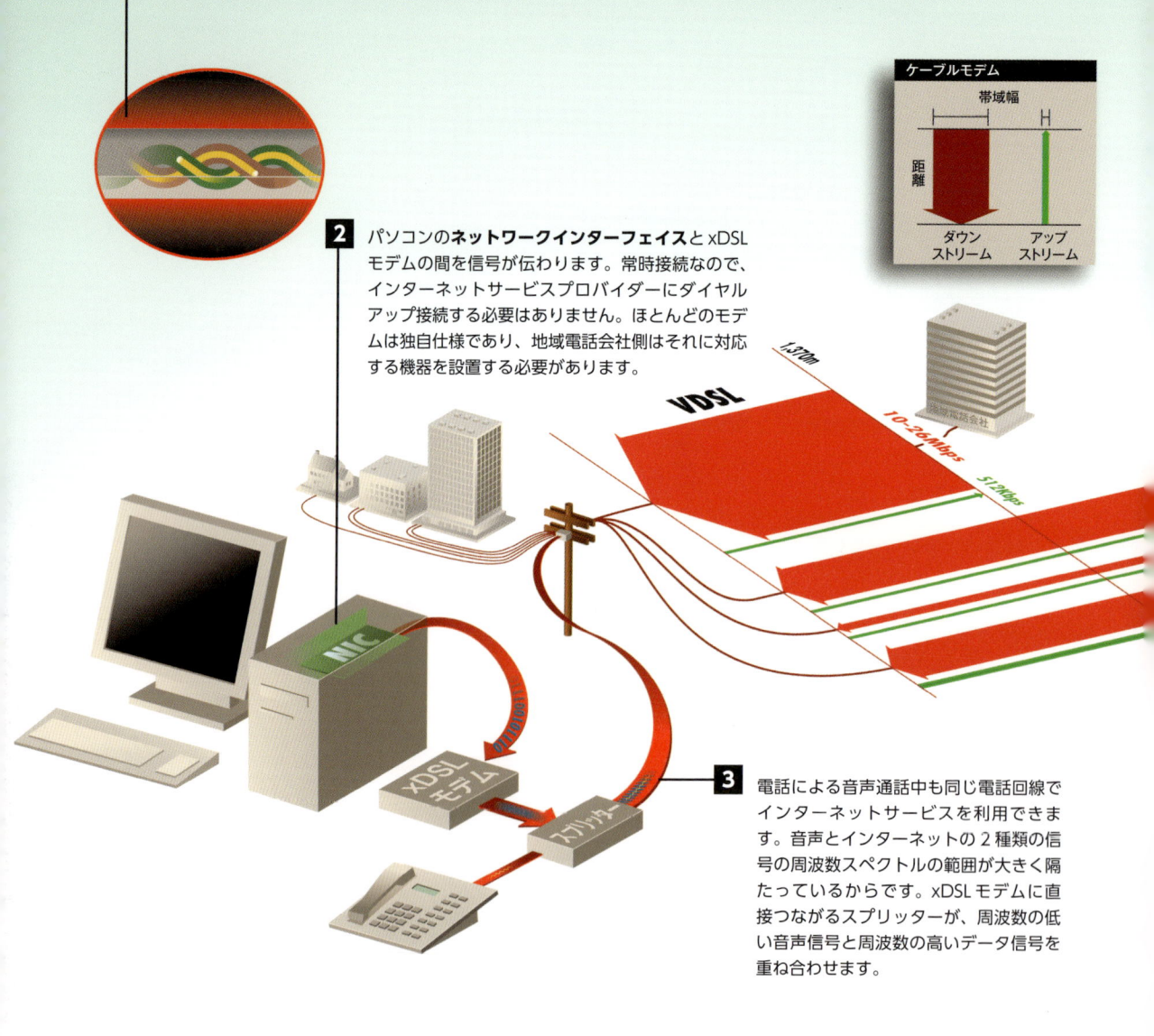

2 パソコンの**ネットワークインターフェイス**と xDSL モデムの間を信号が伝わります。常時接続なので、インターネットサービスプロバイダーにダイヤルアップ接続する必要はありません。ほとんどのモデムは独自仕様であり、地域電話会社側はそれに対応する機器を設置する必要があります。

3 電話による音声通話中も同じ電話回線でインターネットサービスを利用できます。音声とインターネットの 2 種類の信号の周波数スペクトルの範囲が大きく隔たっているからです。xDSL モデムに直接つながるスプリッターが、周波数の低い音声信号と周波数の高いデータ信号を重ね合わせます。

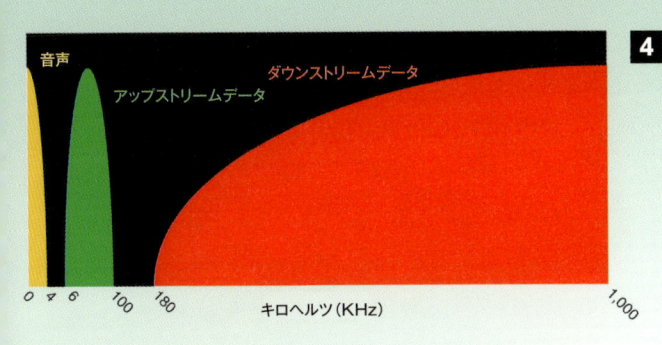

CHAPTER 18 インターネットで世界とつながる仕組み

4 特によく使われる xDSL の形式は **ADSL** です。ここで「A」は **Asymmetric**（非対称）の略で、ダウンストリーム（インターネットからパソコン方向）のデータ伝送にアップストリーム（パソコンからインターネット方向）のデータ伝送よりも多くの帯域幅（伝送容量）を使うことを意味します。このような不均衡が生じるのは、アップストリームのトラフィックが URL のような数語のデータに限られる傾向があるのに対し、ダウンストリームのトラフィックはグラフィックスやマルチメディア、シェアウェアプログラムのダウンロードなど、特に大きな伝送容量を必要とするデータを含むからです。

6 回線の向こう側にあるスプリッターによって音声信号とデータ信号が再び分離され、音声信号は旧来のアナログ電話システム（**POTS : Plain Old Telephone System**）に送られ、コンピューターのデータは高速回線でインターネットへ送られます。

5 伝送速度は、電話回線の品質、使用する機器、パソコンから電話会社の中継局までの距離、使用する xDSL のタイプによって異なります。

ダウンストリームデータは、一般的な DSL では約 8Mbps で伝送されます。これは映画『白鯨』を 6 分で伝送できる速度です。V.90 モデムだと 14 時間かかります。

アップストリームデータの伝送速度は約 640Kbps です。

VDSL（Very high-speed DSL）では、ダウンストリームの伝送速度が約 10〜26Mbps になります。しかし、電話会社の中継局までの距離がたかだか 1,300m 程度の範囲に制限されます。

ADSL では、電話会社の中継局までの距離が最大 5,400m 程度に制限され、伝送速度はダウンストリームが約 6〜8Mbps、アップストリームが 512Kbps です。

G-Lite（**Universal DSL**）では、やはり中継局までの距離が 5,400m 程度に制限され、ダウンストリームは 1.5Mbps、アップストリームは 512Kbps です。また、スプリッターは不要とされ、どの電話回線でも有効な、ある標準モデムを使うことが推奨されています。

RADSL（Rate Adaptive DSL）では、中継局までの距離を最大 6,400m まで取ることができますが、伝送速度はダウンストリームが 600Kbps〜7Mbps、アップストリームが 128Kbps〜1Mbps に制限されます。

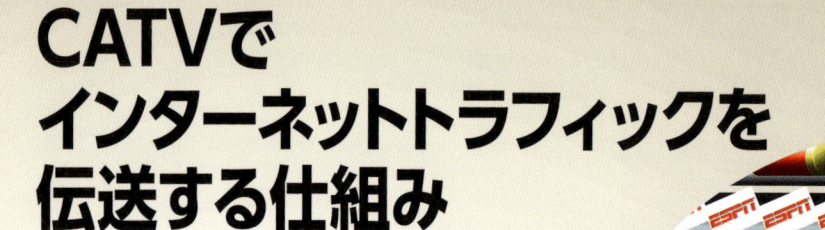

CATVで
インターネットトラフィックを
伝送する仕組み

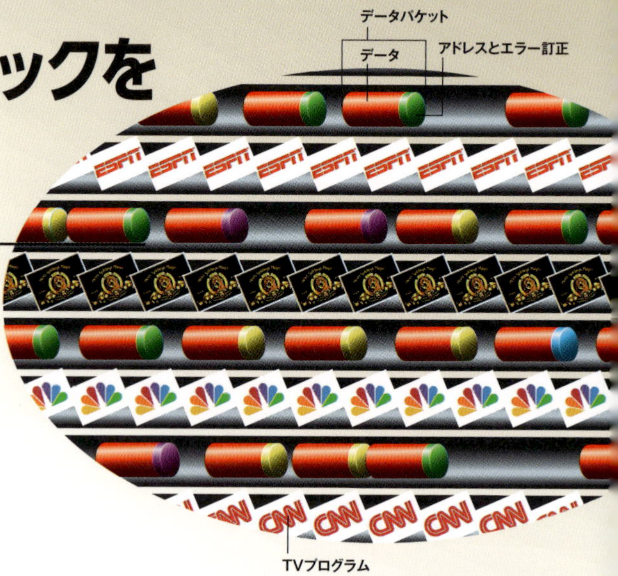

1 コンピューターのデータは、**HFC (Hybrid Fiber Coaxial)** ケーブルでテレビ番組を伝送する110個の6MHz周波数帯の隙間にある周波数を使って送信されます。データは、エラー訂正コードおよびヘッダー（パケットの宛先である加入者のパソコンを識別する）付きの標準**インターネットプロトコル (IP)** パケットとして送信されます。HFCケーブルの光ファイバーによる広い帯域幅（構成に依存する）を利用すると、出費を気にしなければ、最高150Mbpsでデータをダウンロードできます。標準的なサービスは、ダウンロードは10～30Mbps、アップロードは5Mbpsを上限として提供されます。

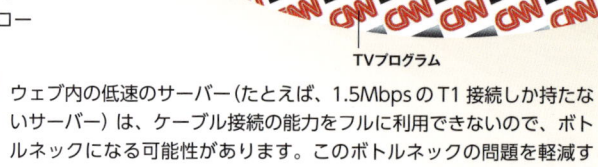

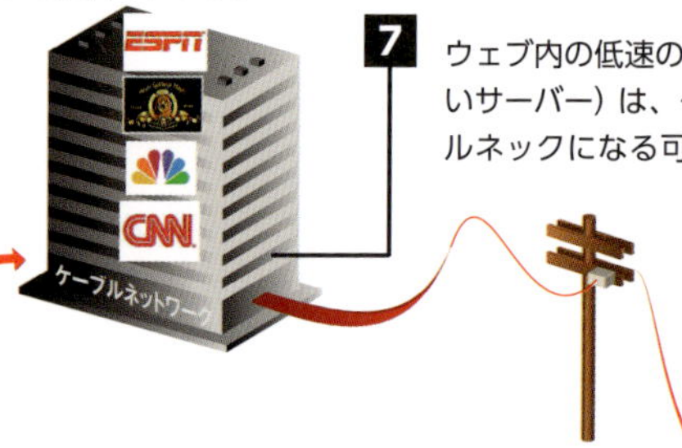

7 ウェブ内の低速のサーバー（たとえば、1.5MbpsのT1接続しか持たないサーバー）は、ケーブル接続の能力をフルに利用できないので、ボトルネックになる可能性があります。このボトルネックの問題を軽減するために、CATV事業者は、有名なウェブページを自社のサーバーにキャッシュ保存する場合があります。これでサイトから利用者のパソコンへのデータ伝送が高速に保たれます。

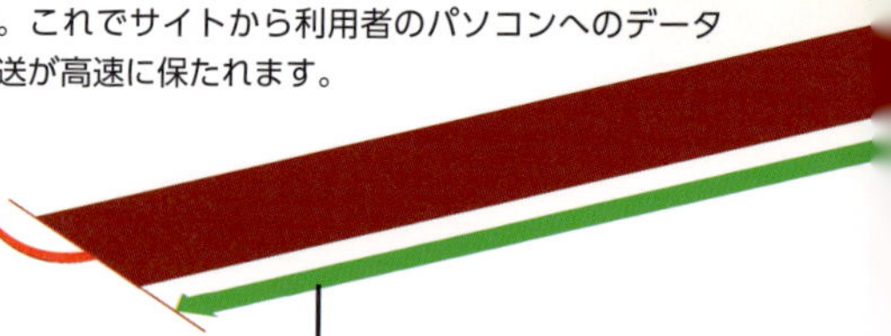

5 **アップストリーム**（パソコンからインターネット方向）へ出て行くデータには伝送用に7個の周波数帯だけが割り当てられ、アップストリームの伝送容量は最高5Mbpsに制限されます。

6 高速の光ファイバーケーブルで個々の配線ハブがケーブルテレビ事業者の専用ネットワークに連結され、そこで電子メールの処理やパソコンデータのインターネットへのルーティング（45Mbps T3接続経由）が行われます。ケーブルネットワークは柔軟にできているので、一部が壊れてもネットワークのまだ動いている部分を経由してデータは流れます。

CHAPTER 18　インターネットで世界とつながる仕組み　273

2 ケーブル（CATV）はブロードキャスト媒体なので、1つの信号が同じ地域のすべての利用者に送信されます。この構成は同じ地域の全員が同時にサービスを頻繁に利用した場合に速度の低下を招く可能性がありますが、たいていのCATV会社は、各利用者の使用量をうまくやりくりしてだれも損をしないようにできます。

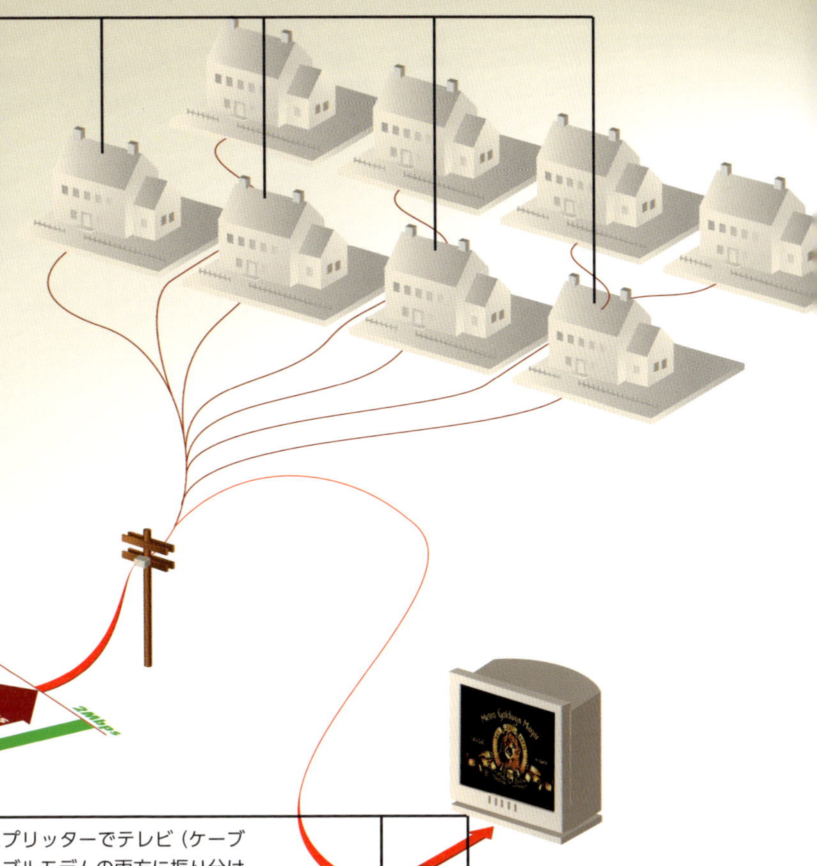

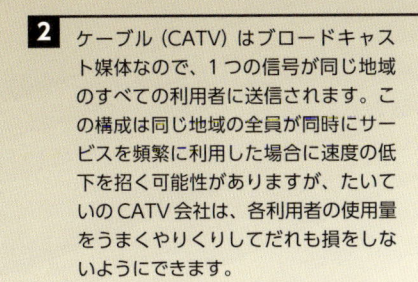

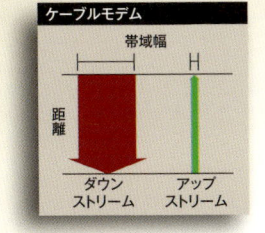

ケーブルモデム
帯域幅
距離
ダウンストリーム　アップストリーム

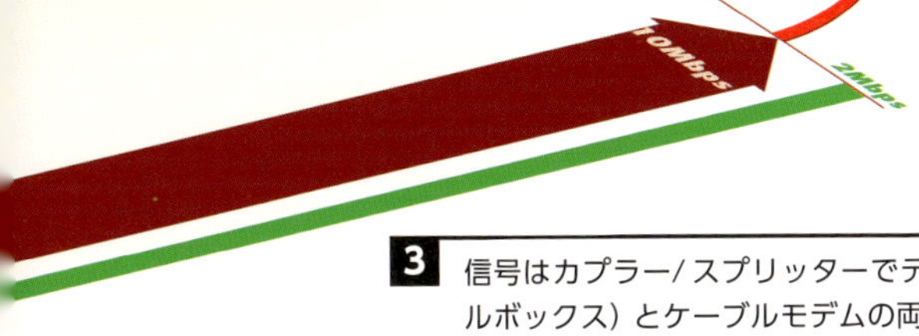

3 信号はカプラー/スプリッターでテレビ（ケーブルボックス）とケーブルモデムの両方に振り分けられ、それぞれのデバイスが必要な情報を同時に利用し、ビデオ信号はテレビへ、インターネットのデータはパソコンへ送られます。

4 各ケーブルモデムは、自分宛てに送られてきたパケット以外はすべて無視します。モデムは自分宛ての一連のパケットを再び組み立てて一貫性のあるデータストリームを生成し、パソコンのネットワークインターフェイスカードへ送ります。

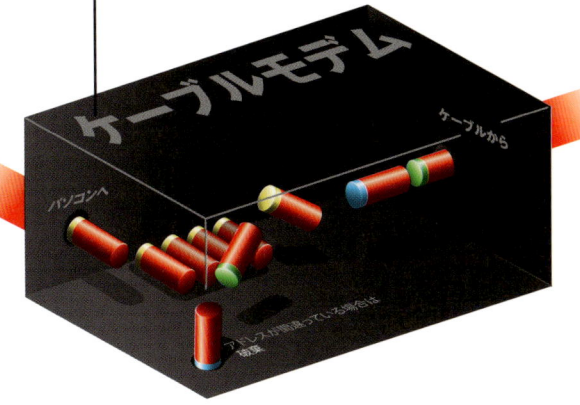

ケーブルモデム
ケーブルから
パソコンへ
アドレスが間違っている場合は破棄

未来を照らす光ファイバーの仕組み

光ファイバーは1930年からありましたが、今や旧来のネットワーク、テレビサービス、そしてインターネットの最前線に大規模な攻勢をかけており、進化というよりも革命的な変化をもたらしつつあります。光ファイバーネットワークは、既に一部の都市で1Gbpsのダウンロード速度を実現しています。実験室レベルでは26Tbps、つまり26,000Gbpsが達成されています。これは光ファイバー1本の伝送容量です。これを12本まとめれば、5,000本の2時間HD動画を1秒で伝送できます。驚くべき速度です。

1 デジタル情報（ビデオ、音楽、テキスト、その他のデータ）が**エンコーダー/変調器**で光信号に変換されます。第二次世界大戦中、信号探照灯の前面シャッターを開閉して船どうしでモールス符号によるメッセージを送信した方式の小型・超高速版とでも考えればよいでしょう。

2 光信号は**送信器（トランスミッター）**によって光ファイバーへ送り込まれます。光ファイバーは、たわめることが可能な非常に純度の高いガラスでできた細い芯線（コア）を**ガラス製の被覆（クラッド）**で包み、その外側を皮膜で保護した構造を持ちます。クラッドのガラスは中心のコアガラスと**屈折率**が異なります。これにより2つのガラスの接合面が細長い円筒状の鏡のようになり、光信号はその鏡面で反射しながら光ファイバー内を伝わっていきます。このプロセスを**全内反射**と呼びます。

6 ふつうに考えると逆に思えますが、シングルモードはマルチモードよりも大きな帯域幅を持ちます。マルチモードファイバー内を通る複数の光信号は、**拡散**と呼ばれる現象によって徐々に広がっていきます。最終的に、周波数の異なる複数の光が相互に干渉して、それぞれの区別がつかなくなります。一方、シングルモードファイバーによる光伝送は途中のエラーの発生が少なく、より遠距離まで届きます。

エンコーダー/変調器
送信器
リピーター

7 光信号は、シングルモードファイバー内を通る場合にも、拡散現象やガラス中の不純物による光の吸収のせいで劣化します。これを**減衰**と呼びます。これを補正するために光ファイバーケーブルの途中に一定間隔で**リピーター**が設置されます。リピーターは光信号にレーザーを放射します。光はレーザーのエネルギーを吸収し、勢いを得た光信号がファイバー内をさらに遠方

CHAPTER 18　インターネットで世界とつながる仕組み　275

保護皮膜

クラッド

光ファイバー

光信号

シングルモード

光信号

マルチモード

5 **マルチモード**ファイバーは、より太いコアを持ち、周波数の異なる複数の光信号を同時に通すことができます。

多芯

3 光ファイバーは、芯線数の違いによって**単芯**タイプと**多芯**タイプに大別されます。多芯タイプは1本の芯線を何本かまとめたコアを持ちます。ケーブル内のファイバーを1本ずつ、それぞれ別の目的地に分岐できます。単芯ファイバーは、さらにシングルモードとマルチモードに分類されます。

4 **シングルモード**ファイバーは、マルチモードよりもずっと細いコア（通常、10μm）を持ち、ファイバー内で反射しながら伝わる光信号を一度に1つだけ通すことができます。

信号

デバイス

復調器

検出器

8 目的地に届いた光信号は**検出器**に捕捉されます。また、マルチモードファイバーでは、光の周波数および偏光面の角度に従って並べ替えられます。

9 **復調器**は、検出器から光信号を受け取り、コンピューター、テレビ、その他の電子機器にデータを送るために光信号を電気パルスに変換します。

コンピューターから電話をかける仕組み

最近の電話はスマート化が進み、それで自宅に電話できることをつい忘れがちです。また、スマートフォン誕生の契機となったデジタル方式の努力の結晶ともいえる**携帯電話**のことも忘れがちです。スマートフォンと携帯電話の無線電話機能は、どちらも同じ技術に支えられています。

1 スマートフォンと携帯電話は、複数の無線信号を同時に扱ういくつかの方式（LTE、4G、3G、CEMA）のどれかを利用します（今は、これらの略号の意味を気にしないでください。次のページで詳しく説明します）。これらの方式はいずれも、**セル**という単位で構成されるシステムを利用します。各セルは1つの**基地局**にある単一の受信機とアンテナがカバーする地域を表します。10km程度の大きさのセルから、ビルのワンフロアのみをカバーするセルまであります。基地局アンテナは、通常、屋根やアンテナ鉄塔の共用スペースに設置されます。

2 各セルがカバーする範囲は互いに重なり合っています。そのため、通話中に別のセルへ移動しても接続は失われません。少なくとも理屈の上ではそうです。1つのシステムが利用できる無線周波数の数には限りがあり、同じ周波数を利用するセルがどうしても現れますが、隣接するセルどうしは同じ周波数を使わないようになっています。同じ周波数を使うと通話が不明瞭になったりエコーがかかったりします。たとえば、あるセルが7つのセルに囲まれている場合、周囲の各セルは中央のセルと同じ周波数では動作できません。

3 携帯電話（またはスマートフォン）の電源を入れると、まず**制御チャネル**上で**システム識別コード（SID）**が確認されます。制御チャネルは基地局と電話の間で音声通話用の周波数をセットアップする（または他のセルへの移動方法を合意する）ために使われる特別な周波数です。

4 それと同時に電話は**登録要求**を送信します。この要求は信号を受信した基地局から**移動電話交換局（MTSO：Mobile Telephone Switch Office）**へ引き渡されます。MTSOは、すべての基地局および従来の有線による**固定電話網**をつなぐ役割を果たします。MTSOは電話の位置情報（電話と通信している基地局によって決まる）に関する記録を保持しており、その電話への着信を受け取ったとき、それを該当する基地局へ回送することができます。

5 電話が、現在使用しているセルの範囲の端のほうへ移動すると、現在のセルの基地局への信号が徐々に弱まります。一方、周囲の各基地局は、（基地局ごとに割り当てられた周波数だけでなく）すべての周波数をずっと監視しています。隣接するセルへの電話信号の強度が、現在のセルで捕捉されている信号よりも大きくなると、2つの基地局はMTSOを介して協調的に動作し、その電話で現在使われている周波数を隣接するセルの周波数範囲へ切り替えます。このプロセスを**ハンドオフ**と呼びます。

携帯電話の進化の歴史

Motorola 社が最初の携帯電話を発表したのは 1983 年です。以来、セル方式の携帯電話技術は目覚ましく進化しました。この 30 年あまりの間に 4 つの世代を経て発展した携帯電話は多くの変種に分化し、結局どの無線通信方式も統一を実現しませんでした。原系となる第 1 世代は、アナログ信号を用いて音声信号を伝送するセル方式の携帯電話でした。第 2 世代 (2G) は、1990 年にセルのデジタル化で始まり、VoIP (Voice over Internet Protocol) 技術がその中核となりました。その後、セル方式による携帯電話サービスは、互換性のない 2 つの方式に分裂しました。1 つは AT&T 社と T-Mobile 社が採用した GSM (Global System for Mobiles) で、もう 1 つは Verizon 社と Sprint 社が採用した CDMA (Code Division Multiple Access) です。

GSM は、**時分割多重アクセス (TDMA：Time Division Multiple Access)** とも呼ばれ、搬送波信号を多数の短いタイムスライスに分割して利用する方式です。この方式では複数の通話が同じ無線周波数のタイムスライスを用いて交代で進行します。タイムスライスによる周波数の循環的な利用が非常に高速に行われるため、セルの各利用者からはそれが 1 つの連続した信号に見えます。

GSM 搬送波信号

CDMA は、**スペクトラム拡散**とも呼ばれ、特定の通話の一部として送信されるデジタルデータの各パケットに一定のコードを割り振る方式です。パケットは、利用可能なすべての周波数に拡散して送信され、電話と基地局はそのすべての周波数を常時監視します。単一の通話に関与する双方の受信機は、その時点で流れているすべての通話データのパケットを捕捉します。そして、パケット内のコードに基づき、同じ通話を構成するパケットを識別し、必要な一連のパケットを再び組み立ててそれぞれ独立した連続信号を生成します。

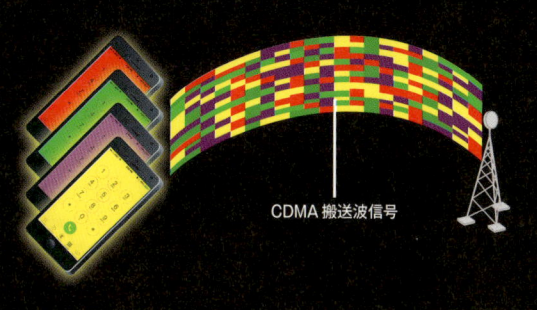

第 3 世代 (3G) と第 4 世代 (4G) は、技術的な発展よりもマーケティング手段の色彩を帯びて登場しました。どちらも際立った技術はなく、前世代の技術を改良または精緻化した範囲にとどまっています。GSM 方式の標準化を推進する団体である 3GPP (Third Generation Partnership Project) が、3G のインターネット帯域幅を一応 144Kbps と定めました。しかし、3G 方式の速度は激しく変動しています。この標準は、CDMA 方式には適用されませんでしたが、Verizon 社と Sprint 社の 3G ネットワークを脅かすまでにはなりませんでした。国際電気通信連合 (ITU：International Telecommunications Union) という標準化推進団体が、いわゆる 4G ネットワーク向けの標準をいくつか提案しましたが、それらの技術要件を通信事業者側は無視しました。4G は主に、CDMA 方式と GSM 方式を採用する通信事業者のマーケティング手段になっています。

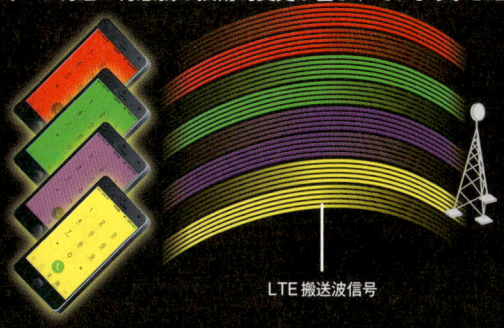

CDMA 搬送波信号

LTE (Long Term Evolution) は 4G の意味でよく使われ、この方式には明確で有意義な技術的変更が含まれています。LTE 方式では、セル内の 5MHz の帯域ごとに最大 200 までのアクティブなクライアント (スマートフォン、タブレット、モバイルホットスポット) を最高速度でサポートできます。LTE は、基地局からデバイスへのダウンリンクで 1 つの無線信号を使い、デバイスから基地局のアンテナへのアップリンクで別の信号を使います。LTE では、**MIMO (Multiple In, Multiple Out)** なるシステムを実現する**直交周波数分割多元接続 (OFDMA：Orthogonal Frequency Division Multiple Access)** という方式が用いられます。専門用語はともかく、これはデバイスが特定のセルに複数の接続路を確立できることを意味します。個々の接続路の速度の総和が信号速度となり、単一の信号に依存しないので、接続路を全体として見たときの安定性が増します。ただし、LTE はデータパケットだけを伝送します。つまり、音声通話を扱う 2G および 3G 技術との連携が、少なくとも 2020 年までは続くことになります。

LTE 搬送波信号

ネットワークどうしが通信する仕組み

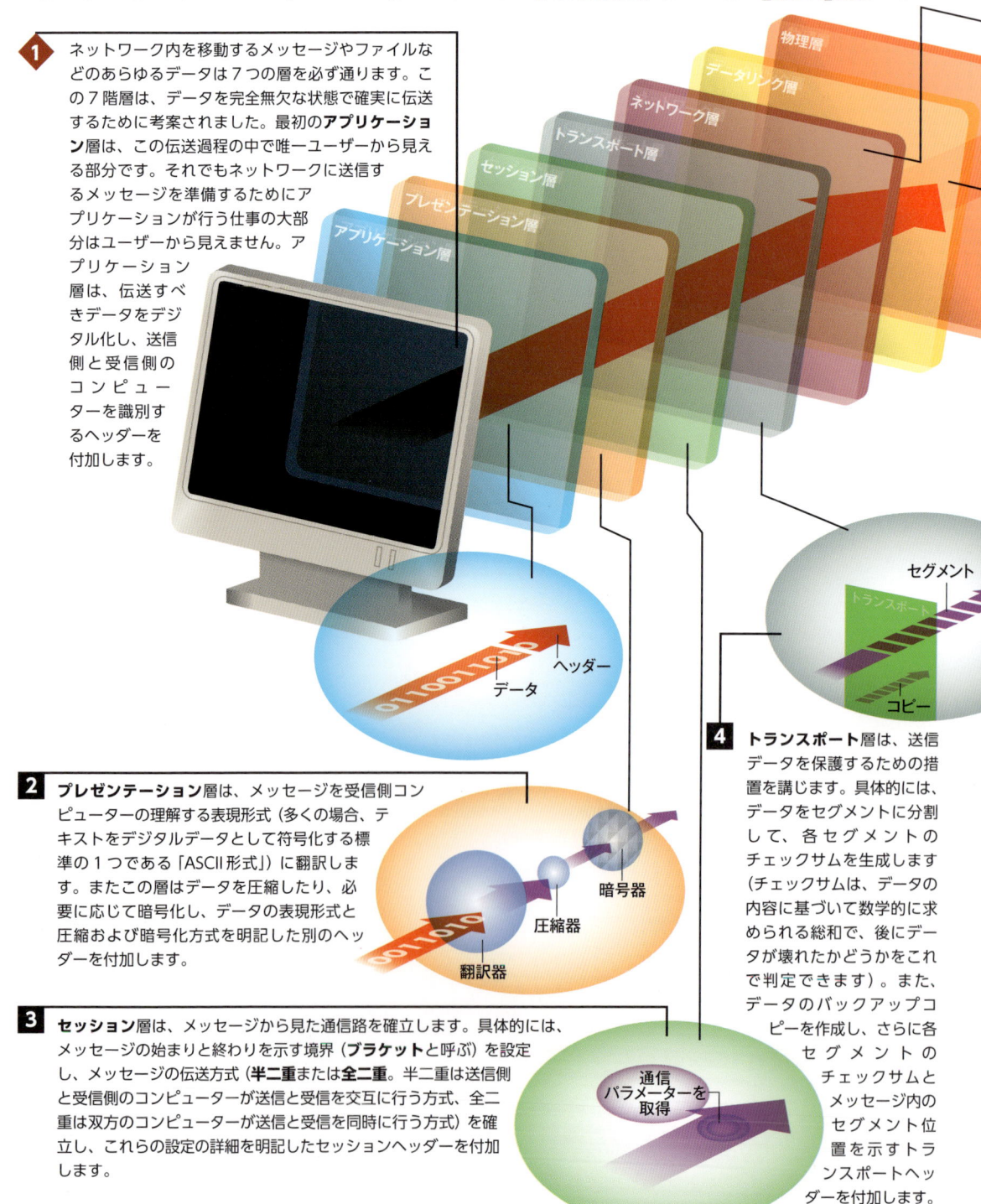

1 ネットワーク内を移動するメッセージやファイルなどのあらゆるデータは7つの層を必ず通ります。この7階層は、データを完全無欠な状態で確実に伝送するために考案されました。最初の**アプリケーショ****ン**層は、この伝送過程の中で唯一ユーザーから見える部分です。それでもネットワークに送信するメッセージを準備するためにアプリケーションが行う仕事の大部分はユーザーから見えません。アプリケーション層は、伝送すべきデータをデジタル化し、送信側と受信側のコンピューターを識別するヘッダーを付加します。

2 **プレゼンテーション**層は、メッセージを受信側コンピューターの理解する表現形式(多くの場合、テキストをデジタルデータとして符号化する標準の1つである「ASCII形式」)に翻訳します。またこの層はデータを圧縮したり、必要に応じて暗号化し、データの表現形式と圧縮および暗号化方式を明記した別のヘッダーを付加します。

3 **セッション**層は、メッセージから見た通信路を確立します。具体的には、メッセージの始まりと終わりを示す境界(**ブラケット**と呼ぶ)を設定し、メッセージの伝送方式(**半二重**または**全二重**。半二重は送信側と受信側のコンピューターが送信と受信を交互に行う方式、全二重は双方のコンピューターが送信と受信を同時に行う方式)を確立し、これらの設定の詳細を明記したセッションヘッダーを付加します。

4 **トランスポート**層は、送信データを保護するための措置を講じます。具体的には、データをセグメントに分割して、各セグメントのチェックサムを生成します(チェックサムは、データの内容に基づいて数学的に求められる総和で、後にデータが壊れたかどうかをこれで判定できます)。また、データのバックアップコピーを作成し、さらに各セグメントのチェックサムとメッセージ内のセグメント位置を示すトランスポートヘッダーを付加します。

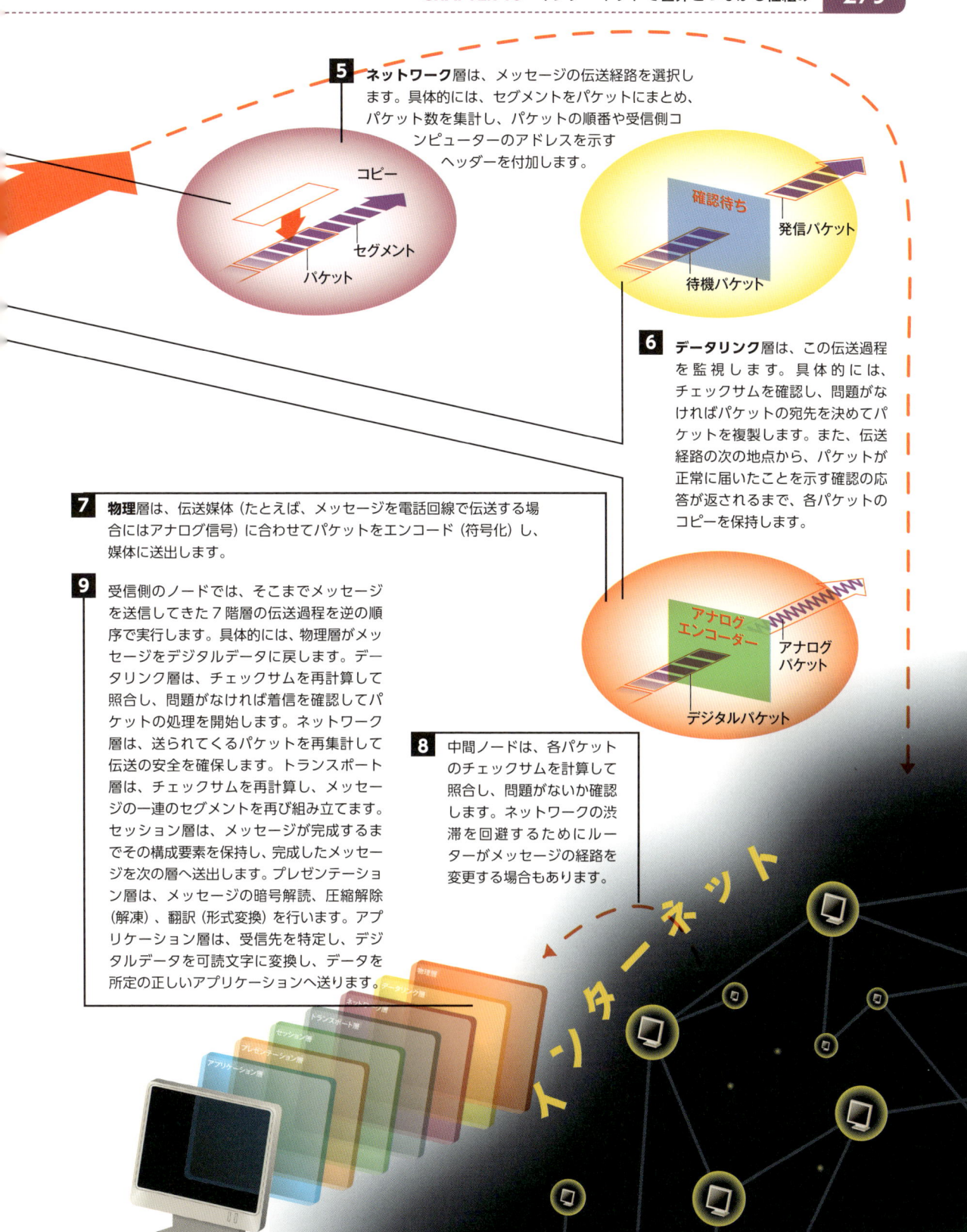

5 **ネットワーク**層は、メッセージの伝送経路を選択します。具体的には、セグメントをパケットにまとめ、パケット数を集計し、パケットの順番や受信側コンピューターのアドレスを示すヘッダーを付加します。

6 **データリンク**層は、この伝送過程を監視します。具体的には、チェックサムを確認し、問題がなければパケットの宛先を決めてパケットを複製します。また、伝送経路の次の地点から、パケットが正常に届いたことを示す確認の応答が返されるまで、各パケットのコピーを保持します。

7 **物理**層は、伝送媒体(たとえば、メッセージを電話回線で伝送する場合にはアナログ信号)に合わせてパケットをエンコード(符号化)し、媒体に送出します。

8 中間ノードは、各パケットのチェックサムを計算して照合し、問題がないか確認します。ネットワークの渋滞を回避するためにルーターがメッセージの経路を変更する場合もあります。

9 受信側のノードでは、そこまでメッセージを送信してきた7階層の伝送過程を逆の順序で実行します。具体的には、物理層がメッセージをデジタルデータに戻します。データリンク層は、チェックサムを再計算して照合し、問題がなければ着信を確認してパケットの処理を開始します。ネットワーク層は、送られてくるパケットを再集計して伝送の安全を確保します。トランスポート層は、チェックサムを再計算し、メッセージの一連のセグメントを再び組み立てます。セッション層は、メッセージが完成するまでその構成要素を保持し、完成したメッセージを次の層へ送出します。プレゼンテーション層は、メッセージの暗号解読、圧縮解除(解凍)、翻訳(形式変換)を行います。アプリケーション層は、受信先を特定し、デジタルデータを可読文字に変換し、データを所定の正しいアプリケーションへ送ります。

情報がインターネットを伝わる仕組み

4 ネットワークの構成は多様で、たとえば、同じ地域の複数のネットワークを1つにまとめたものを中間レベルネットワークと呼びます。処理要求の宛先が同じ中間レベルネットワーク内にある別のシステムなら、ルーターは処理要求をその宛先に直接送信します。これを実現するために、高速電話回線、光ファイバー接続、マイクロ波回線などが使われます。より広域をカバーする**ワイドエリアネットワーク（WAN）**もあります。WANに軌道衛星経由の接続路を組み入れることもあります。

5 処理要求がネットワークからネットワークへと伝わるとき、複数の**プロトコル**を組み合わせたプロトコルセットに従ってパケットが生成されます。パケットにはデータそのものに加えて、処理要求を目的地まで無事に届けるのに必要な宛先やエラー訂正コードなどの情報が含まれています。

3 **ルーター**は、ネットワークどうしをつなぐデバイスです。ルーターは、送られてきた処理要求を調べ、それが向かおうとしているインターネット上の宛先を知ります。そして利用可能な接続路とインターネットの各部分のトラフィックの状況に基づいて、その処理要求を目的の場所へ向かわせる最適な経路を判断します。

2 また、処理要求の宛先のホストのLANは別の回線で別のネットワークともつながっています。それが遠方のネットワークなら、現在のホストのLANからそこへ向かう処理要求はどこかのルーターを経由するかもしれません。

1 一般的にパソコンやその他のデバイスは、インターネットの一部である、どこかの**ローカルエリアネットワーク（LAN）**に参加することでインターネットに接続します。そのネットワークは、イーサネットポートを介してインターネットと直接つながっています。通常、この接続にはケーブルモデムかDSLモデムが使われます。いずれにせよ、何らかの情報ページやマルチメディアを見るにはブラウザーを使って処理要求を送信する必要があり、表示すべき情報はインターネットのどこか別の場所にあるコンピューターに置かれています。

凡例
— 基幹回線
— その他のインターネットネットワーク
--- パケット

ローカルエリアネットワーク
マイクロ波アンテナ

スーパーコンピューター
A サンディエゴ
B コーネル大学（イサカ）
C ピッツバーグ
D イリノイ

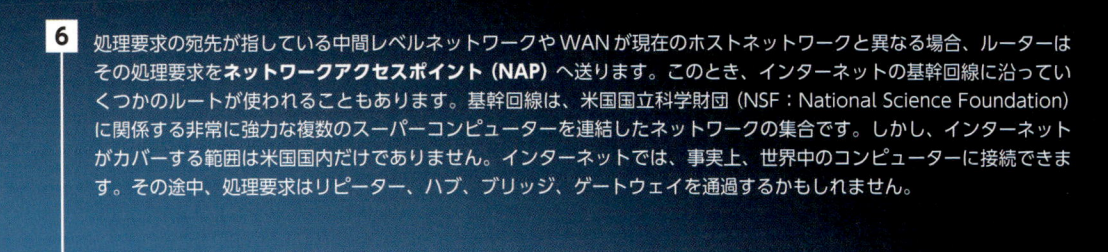

CHAPTER 18 インターネットで世界とつながる仕組み

6 処理要求の宛先が指している中間レベルネットワークやWANが現在のホストネットワークと異なる場合、ルーターはその処理要求を**ネットワークアクセスポイント（NAP）**へ送ります。このとき、インターネットの基幹回線に沿っていくつかのルートが使われることもあります。基幹回線は、米国国立科学財団（NSF：National Science Foundation）に関係する非常に強力な複数のスーパーコンピューターを連結したネットワークの集合です。しかし、インターネットがカバーする範囲は米国国内だけでありません。インターネットでは、事実上、世界中のコンピューターに接続できます。その途中、処理要求はリピーター、ハブ、ブリッジ、ゲートウェイを通過するかもしれません。

リピーターは、送信元のパソコンから遠方まで送られて劣化したデータストリームを増幅して力を回復させます。リピーターによってデータ信号は、より遠方のパソコンまで届くようになります。

ハブは、ネットワークグループを連結し、各ネットワークのパソコンや端末から他のすべてのネットワークに接続できるようにします。

ブリッジは、複数のLANを連結し、ネットワークのデータを別のネットワーク経由でさらに別のLANに伝送できるようにします。

ゲートウェイはブリッジと似ていますが、異種ネットワーク間でのデータ形式の変換も行えます。

7 処理要求が目的地に届くと、パケットからデータ、アドレス、エラー訂正コードが読み出されます。その後、宛先ホストは、プログラムを実行する、送信元のパソコンへデータを送る、インターネットにメッセージを投稿するなど、必要なアクションを実行します。

インターネット上のその他の重要地点

- **E** ニューヨーク州立大学バッファロー校
- **F** OCEANIC：デラウェア大学
- **G** ミネソタスーパーコンピューターセンター
- **H** ブリティッシュ・コロンビア大学
- **I** ワシントン大学情報ナビゲーター
- **J** PORTALS：Portland Area Library Services
- **K** スタンフォード線形加速器センター（SLAC）
- **L** NASAエイムズ研究センター
- **M** Weather Underground、コロラド大学

オンラインサービスが提供される仕組み

1 SpotifyやiHeartRadioのような音楽サービスで曲の再生ボタンをクリックすると、実際には特定のリンクをクリックしたことになり、それを受けてブラウザーは曲の配信元のウェブサーバーと連絡を取ります。

2 サーバーはブラウザーに**メタファイル**と呼ばれる小さなファイルを送ります。メタファイルの情報でブラウザーはサウンドファイル（最初のサーバーと同じ場所になくてもよい）を見つけることができます。パソコンは、その種のオーディオの再生手順も取得します。

3 メタファイルに従ってウェブサーバーは適切な**コーデック（符号器/復号器）**を起動します。コーデックは、デジタル形式の音楽やビデオの変換と圧縮だけを行う小さなプログラムです。これで、デバイスのスピーカーやヘッドホンでメディアを再生するために必要な生の電気信号が生成されます。多数のオーディオコーデックを利用でき、各コーデックは特定のオーディオファイル形式（.mp3、.wav、.flac、.oggなど）でのみ動作します。

7 コーデックはバッファーが一杯になった時点でバッファーの内容をデジタルアナログ変換器に送ってサウンドに変換し、それと同時にサーバーからファイルの残りの部分が送られてきます。このプロセスが延々と続きます。バッファーが空になると、オーディオの再生は数秒間停止し、十分な量のデータが蓄えられると再び開始します。このとき実況音源では、番組の一部分が飛ばされることもあります。

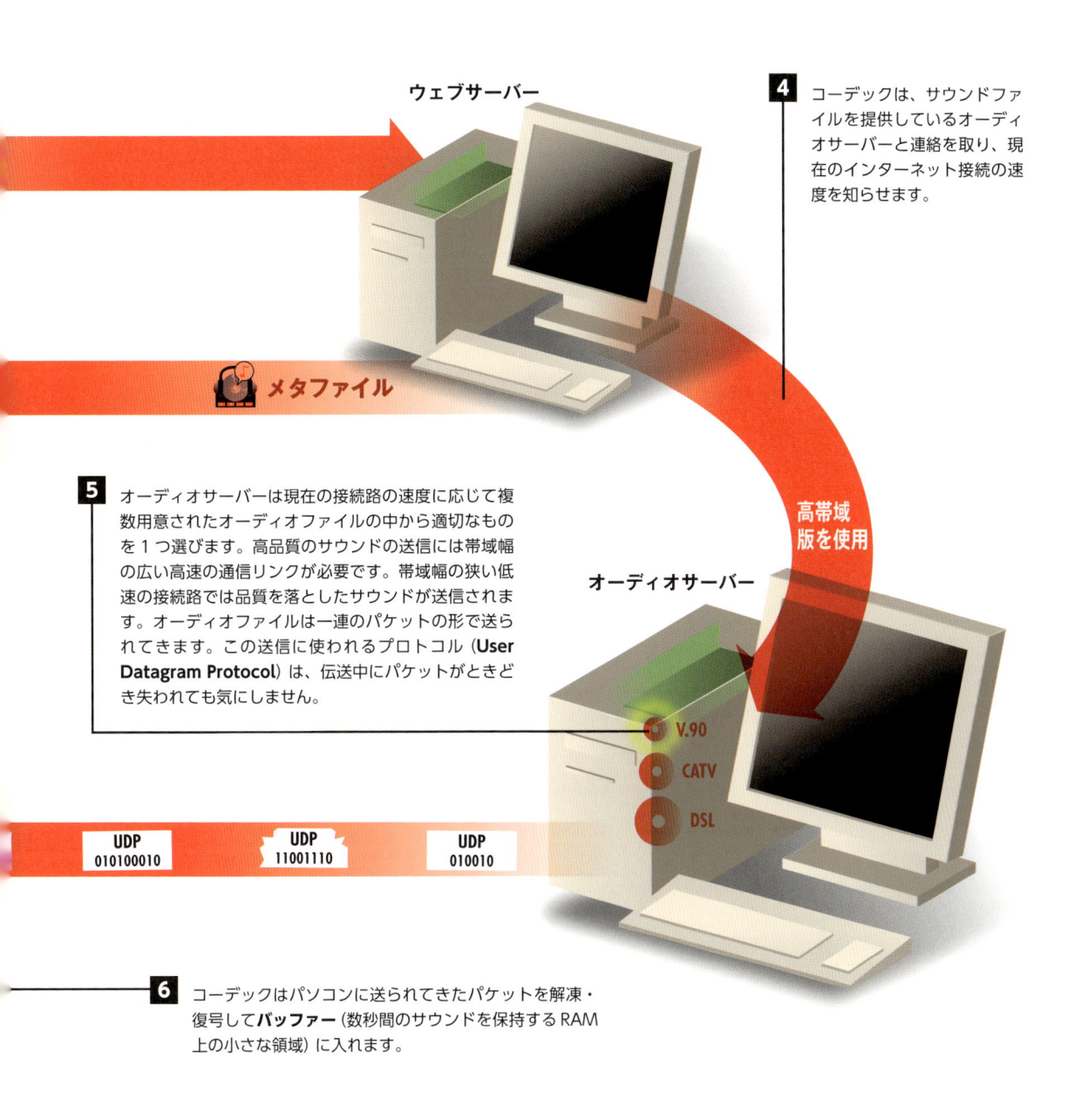

CHAPTER 18　インターネットで世界とつながる仕組み　283

ウェブサーバー

4 コーデックは、サウンドファイルを提供しているオーディオサーバーと連絡を取り、現在のインターネット接続の速度を知らせます。

メタファイル

高帯域版を使用

オーディオサーバー

5 オーディオサーバーは現在の接続路の速度に応じて複数用意されたオーディオファイルの中から適切なものを1つ選びます。高品質のサウンドの送信には帯域幅の広い高速の通信リンクが必要です。帯域幅の狭い低速の接続路では品質を落としたサウンドが送信されます。オーディオファイルは一連のパケットの形で送られてきます。この送信に使われるプロトコル(**User Datagram Protocol**)は、伝送中にパケットがときどき失われても気にしません。

V.90
CATV
DSL

UDP 010100010　UDP 11001110　UDP 010010

6 コーデックはパソコンに送られてきたパケットを解凍・復号して**バッファー**(数秒間のサウンドを保持するRAM上の小さな領域)に入れます。

映画が家庭に配信される仕組み

近ごろ、大量のテレビ番組をだらだらと見ている気がしませんか？ 2017年になるとインターネットで配信されるテレビのトラフィックは現在の 1.4 エクサバイト／月から 8.5 エクサバイト／月に増える見込みです（「エクサ」は、ギガ、テラ、ペタに続く巨大数で、10 の 18 乗を意味します）。カウチポテト族によるトラフィックの大量消費の一方で、Facebook を更新したり当てもなく次々とリンクを辿って何時間も過ごす人々、整形した芸能人探しに余念のない人々によっても帯域幅は消費されます。2017年までに家庭向け光ファイバーが普及し始めるでしょうが、**ストリーミング方式の動画配信**にもまだ技術的な余地があります。ここでは、それを紹介します。

1 ローカル放送以外のすべての動画配信は多数の巨大な通信衛星の 1 つから始まり、濁流のように押し寄せてきます。地上に降りてきた「濁流」は CATV システムの**ヘッドエンド（ハブシステム）**に設置されたパラボラアンテナで捕捉され、その内容が数百のテレビ番組にばらされます。

2 実況放送と録画放送のどちらの番組も**コーデック（符号器／復号器）**で処理されます。コーデックプログラムは動画映像に対する人間の知覚の仕組みを利用して、映像として許容できる範囲でデータ量を削減します。特によく使われるコーデックは **H.264** です。

3 フレーム間圧縮方式では、前後のフレームが比較され、次のフレームに進むとき変化するピクセルだけが伝送されます。カメラが静止しているとき、**キーフレーム（I フレーム）**がいったん背景を確定すると、その後、背景は伝送されません。シーンが変わるかカメラが移動すると背景が変化するのでフレーム全体が再び伝送され、別のキーフレームが作成されます。

4 インターネットリンクの速度が遅いとコーデックでフレームの間引きも行われます。高速の接続路ではより多くのフレームが送られてくるので、動画の動きが滑らかになります。

5 （DirecTV では、衛星から家庭のアンテナに直接動画を配信するので、この図には含まれていません。）ABC 提供の Landline TV が、光ファイバーケーブルまたは衛星経由で地域のヘッドエンドに伝送されます。そこで、テレビ番組は多数の **CMTS（ケーブルモデム伝送システム）**に送られて複製され、そこからさらに複数の光ファイバー接続路を通って数百またはそれ以上の**ストリーミングノード**に送られます（ニューヨーク市には、Time-Warner Cable 社だけでも約 6,000 のストリーミングノードがあります）。

CHAPTER 18 インターネットで世界とつながる仕組み

6 これらのノードは、靴箱くらいの大きさで、一般に多目的配管から吊り下げられます。テレビ信号はそこで複製・増幅され、同軸ケーブルまたは光ファイバーケーブルを通ってインターネットモデム、セットトップボックス、またはスマートテレビに送られます。

ストリーミングノード

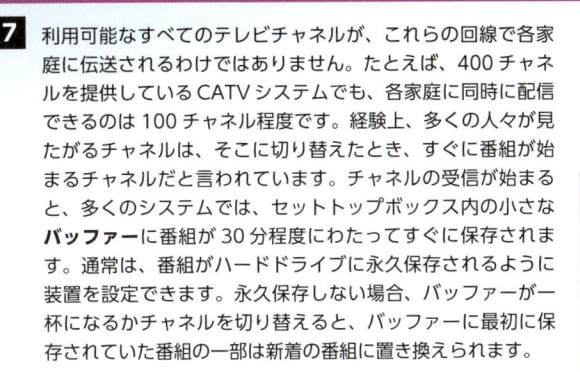

7 利用可能なすべてのテレビチャネルが、これらの回線で各家庭に伝送されるわけではありません。たとえば、400チャネルを提供しているCATVシステムでも、各家庭に同時に配信できるのは100チャネル程度です。経験上、多くの人々が見たがるチャネルは、そこに切り替えたとき、すぐに番組が始まるチャネルだと言われています。チャネルの受信が始まると、多くのシステムでは、セットトップボックス内の小さな**バッファー**に番組が30分程度にわたってすぐに保存されます。通常は、番組がハードドライブに永久保存されるように装置を設定できます。永久保存しない場合、バッファーが一杯になるかチャネルを切り替えると、バッファーに最初に保存されていた番組の一部は新着の番組に置き換えられます。

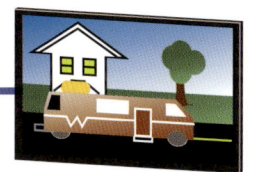

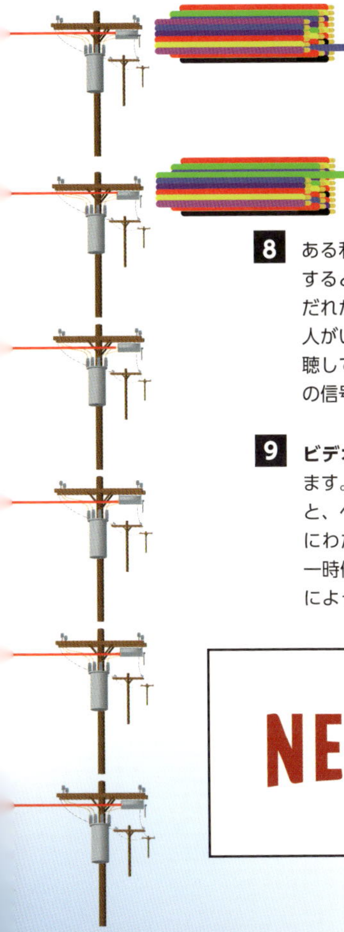

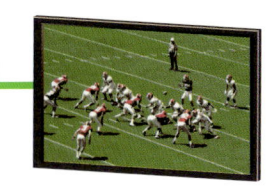

8 ある利用者が他の、あまり人気のない300チャネルのうちの1つを選択すると、CATVシステムは、ケーブル配置の関係を考慮に入れて、近所のだれかが既にそのチャネルを視聴していないか確認します。視聴している人がいる場合は、その信号を複製してその利用者のテレビに送ります。視聴している人がいない場合は、ヘッドエンドまで戻り、そこからチャネルの信号をその利用者のセットトップボックスにだけ送ります。

9 ビデオ・オン・デマンド（**VOD：Video On Demand**）の動作は異なります。VODの番組や映画をNetflixまたはHBO on Demandで選択すると、ヘッドエンドから受信機にビデオの冒頭部分が送られてきます。数分にわたる部分がバッファーに保存された後、ビデオの再生が始まります。一時停止だけでなく早送りと巻戻しもできますが、早送りと巻戻しの場所によってはダウンロードが始まるので、少し待たされる場合があります。

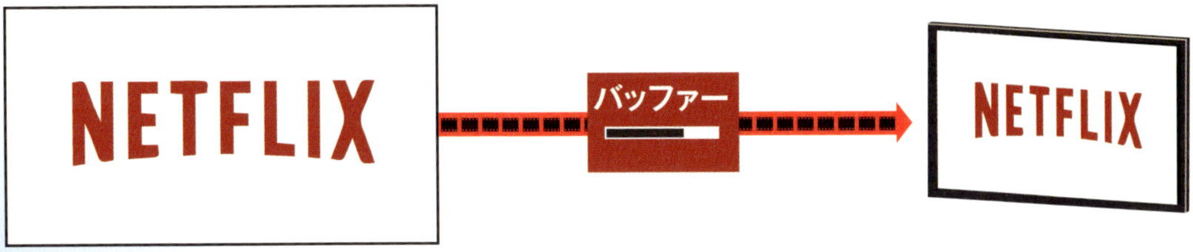

CHAPTER 19
すべてを便利にする ウェブの仕組み

PART 5　インターネットの誕生と発展

CHAPTER 19　すべてを便利にするウェブの仕組み

数年前まで、ワールドワイドウェブは私たちをサイバースペースのどこにでも連れていってはくれましたが、取り回しの悪い乗り物でした。改良の見込みはあっても、それは遠い遠い未来のことだと考えられていました。そして現在、インターネットが何か桁はずれに大きな影響を世界中に及ぼしつつあることをまだだれも本気にしていないようです。

　まあ、当時も今も「遠い未来」がそれほど先のことでないのは同じです。たった数年で、ウェブの末梢に見られたイライラ症状はほぼ解消しました。その一方で、まさにウェブ向きと思われていたいくつかの仕事は大失敗に終わりました。実現したけれど期待した方向とは違っていたものもあります。以前、私はだれもが出版者になれるという未来を念頭に「グーテンベルクの望みをかなえるウェブ」というテーマで拙文を書きました。しかし、「出版」がブログやタンブラーやスナップチャットと呼ばれるものになるとは予想していませんでしたし、それらがこれほど流行るとも思っていませんでした。ウェブデザイナーが「グラフィックス、音楽、アニメーションは使うな」と注意されたのはたいして昔のことでありません。いずれもインターネットを格好良くするものなのに、当時の貧弱なインターネット回線を詰まらせたからです。現在、私たちは、ネットワークリソースのことなど気にしないで、高解像度の写真やFlashアニメーション、さらに4Kストリーミングビデオまで当たり前のように使っています。かつては、ウェブを使った宣伝行為は米国中のインターネット開拓者たちからさげすまれたものです。しかし今日、何か大きな買い物をしようと思ったら、必ずインターネット上にあるカスタマーサポート、セール情報、割引コード、あるいは多くの人々によるカスタマーレビューを参考にします。

　ウェブは、あらゆる物事のやり方を変えつつあり、商業、教育、コミュニケーションの新たな標準を生み出しています。何かにどれだけ価値があるか知りたければ、eBayへ行くことです。そこは、あらゆるものの価値が数件の入札ですぐ決まる究極の自由市場です。現実の値段だけが意味を持ち、経済取引の回りくどい専門用語など知らなくても世界中の人々が「マーク・ラファロのサイン入りハルクハンド」にいくら払うかを知ることができます。

　Googleの存在も忘れてはなりません。「Googleは、何でも知っていて、どこにでも存在するという意味で、神に等しい」と冗談を飛ばす人がいました。宗教上の問題はともかく、Googleは研究・学問分野に影響を与え、世界中のテーブルマジックのネタばらしをしました。まあ、神でないにしても、予言者みたいなものです。

ブラウザーがページを開く仕組み

1 ウェブサイトとはファイル、テキスト、メディアの集合で、インターネット上で一般の人々に公開するためにだれかが作成した実体を指します。ワールドワイドウェブというサイバースペース内でどこかへ移動する方法の1つは**ハイパーリンク**をクリックすることです。ハイパーリンクは、ウェブサイトのアドレスが隠されている、1つの文字列（またはグラフィックス）です。文字列（つまり、テキスト）のハイパーリンクは、通常、下線が引かれ、周囲のテキストと違う色で強調されます。テキストそのものは実際のアドレスでなくてもかまいません。

2 ブラウザーのツールバーのアドレス入力欄にサイトの **URL (Universal Resource Locator)** を直接入力するという方法もあります。たとえば、本書の原著出版社のホームページへ行くには、「http://www.quepublishing.com」と入力します。URLの各部分の意味は、以下に示すとおりです。

http は、ワールドワイドウェブ上の当該サイトが **HTML**（ハイパーテキストマークアップ言語）を用いて実装されたサイトであることを示します。スラッシュ(/)の前のこの部分が **ftp** の場合は、**FTP**（ファイル転送プロトコル）に従うサイトであることを意味します。FTPは主に特定のファイルをダウンロードする手段を提供するために用いられます。

:// は、これより後ろの文字列が実際のURLであることをブラウザーに知らせます。URLは、途中、いくつかのピリオド(.)で区切られます。各ピリオド(.)は、通常「**ドット**」と呼ばれます。

www は、当該サイトがワールドワイドウェブ（World Wide Web）の一部であることを示します。ワールドワイドウェブはインターネットのサブセットです。そこではテキスト、アニメーション、グラフィックス、サウンド、ビデオが利用されます（通常、wwwを入力する必要はありません）。

quepublishing は、**ドメイン名**です。これはドメイン名登録業者（レジストラ）を使って登録した固有の名前です。インターネットの各資源の割り当てを調整している ICANN (Internet Corporation for Assigned Names and Numbers) の監督下でレジストラがドメイン名を登録します。

com は、トップレベルのドメイン名であり、当該サイトを提供する人物または団体の目的を示します。comドメインは本来当該サイトが商業サイトであることを意味しますが、これはだれがどのような目的で登録してもかまいません。その他のトップレベルの名前には **edu**（教育機関）と **gov**（行政機関）、汎用的な名前の **org**（主に非営利組織で使われる）などがあります。米国以外では、トップレベルの名前が国を表すこともあります。たとえば、**jp** は日本（Japan）を意味します。

index.html は、当該サイトの特定の**ページファイル**です。拡張子 html によりブラウザーはページがハイパーテキストマークアップ言語（画面上の体裁を決める簡単なコード）を用いて実装されていることを知ります。

http://www.quepublishing.com/index.html

CHAPTER 19　すべてを便利にするウェブの仕組み　289

4 アドレスは LAN または ISP から最寄りの **DNS（ドメインネームサーバー）** ノードに送られます。DNS は複数のサーバーに分散配置された、協調的に動作する一群のデータベースです。DNS は、URL とは別の種類のアドレスの保管場所の役割を果たします。このアドレスを **IP（Internet Protocol** の略）とも呼びます。URL がテキストで表現されるのに対して、IP アドレスは数字で表現されます。たとえば、www.quepublishing.com の IP は 72.176.209.77 です。2 種類のアドレスを使うのは、コンピューターにとっては数字が便利でも、人間にはふつうのテキストのほうが理解しやすいからです。

モデム

3 パソコン上のブラウザーは、当該サイトのアドレスをネットワークに送信します。これは T1 接続で LAN に送出されるケース（主に事業所）や、モデムでダイヤルアップネットワークに送出されるケースがあります。また、DSL または CATV の回線で**インターネットサービスプロバイダー（ISP）** に接続するケースもあります。

DNS

ルーター

5 DNS は、ブラウザーに当該サイトの IP アドレスを返します。IP アドレスを使用してブラウザーは処理要求をルーター経由で送出します。ルーターは、インターネットトラフィックに関する最新の情報を参考にして処理要求を最もトラフィックの少ない経路に渡します。この経路選択をインターネットの交差点ごとに繰り返すことでトラフィックの渋滞が回避されます。

6 ブラウザーからの処理要求を受け取ったサイトのサーバーは、ヘッダーに記されている送信元アドレスを読み出し、要求を受信したことを知らせる信号を返します。この時点でブラウザーの画面最下部のステータス行のメッセージが変化するので、サーバーと正常に接続したことがわかります。要求そのものはキューに入れられ、それより前の要求がサーバーで処理されるのを待ちます。

プロキシサーバー

7 サーバーが要求を（ページが実際に置かれている）プロキシサーバーに送る場合もあります。また、**ミラーサイト**（親サーバーのファイルを定期的に複製するサーバー）を利用して親のトラフィックの一部を軽減することもあります。

サーバー

ウェブサイト発見。応答を待つ

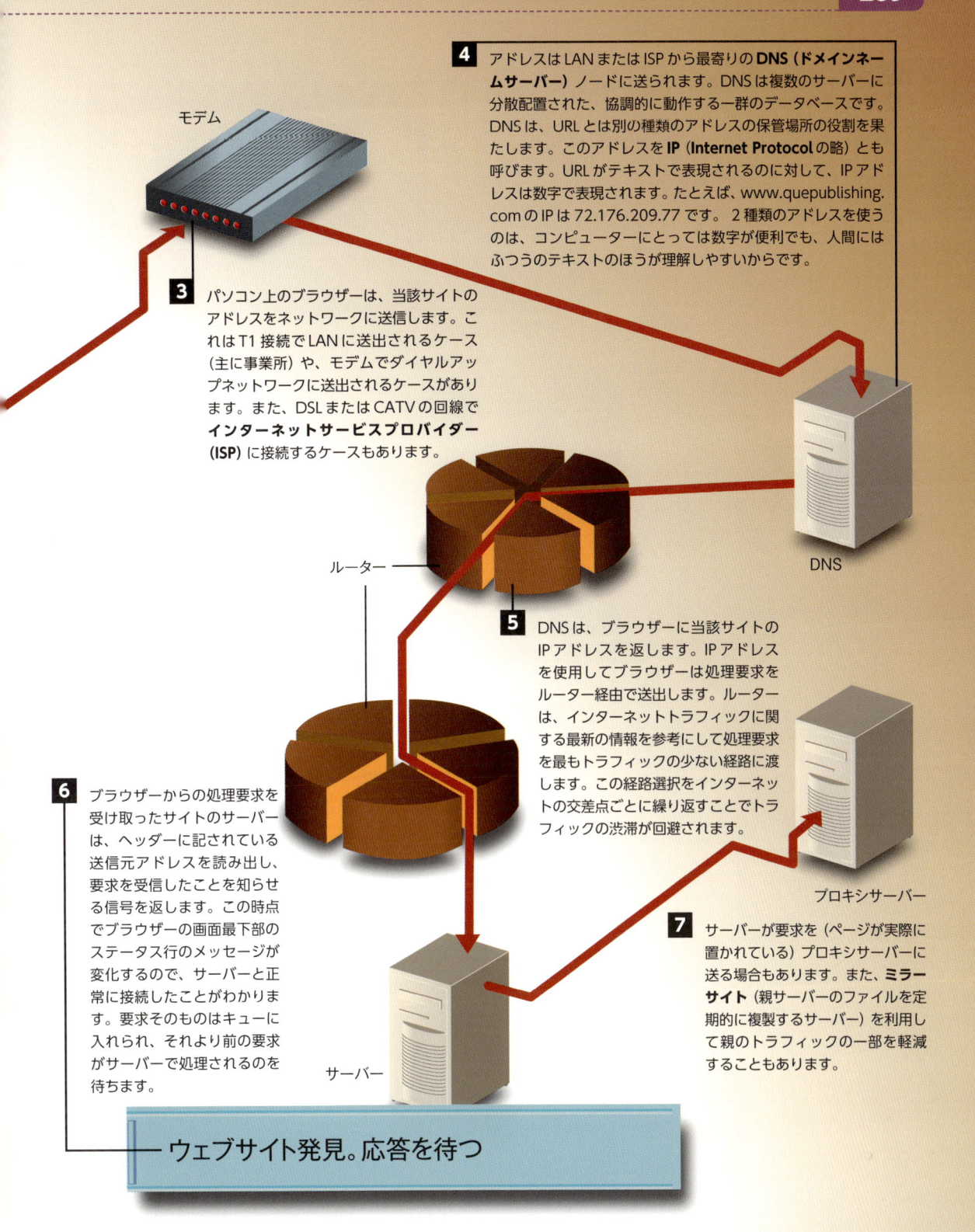

ブラウザーにウェブページが表示される仕組み

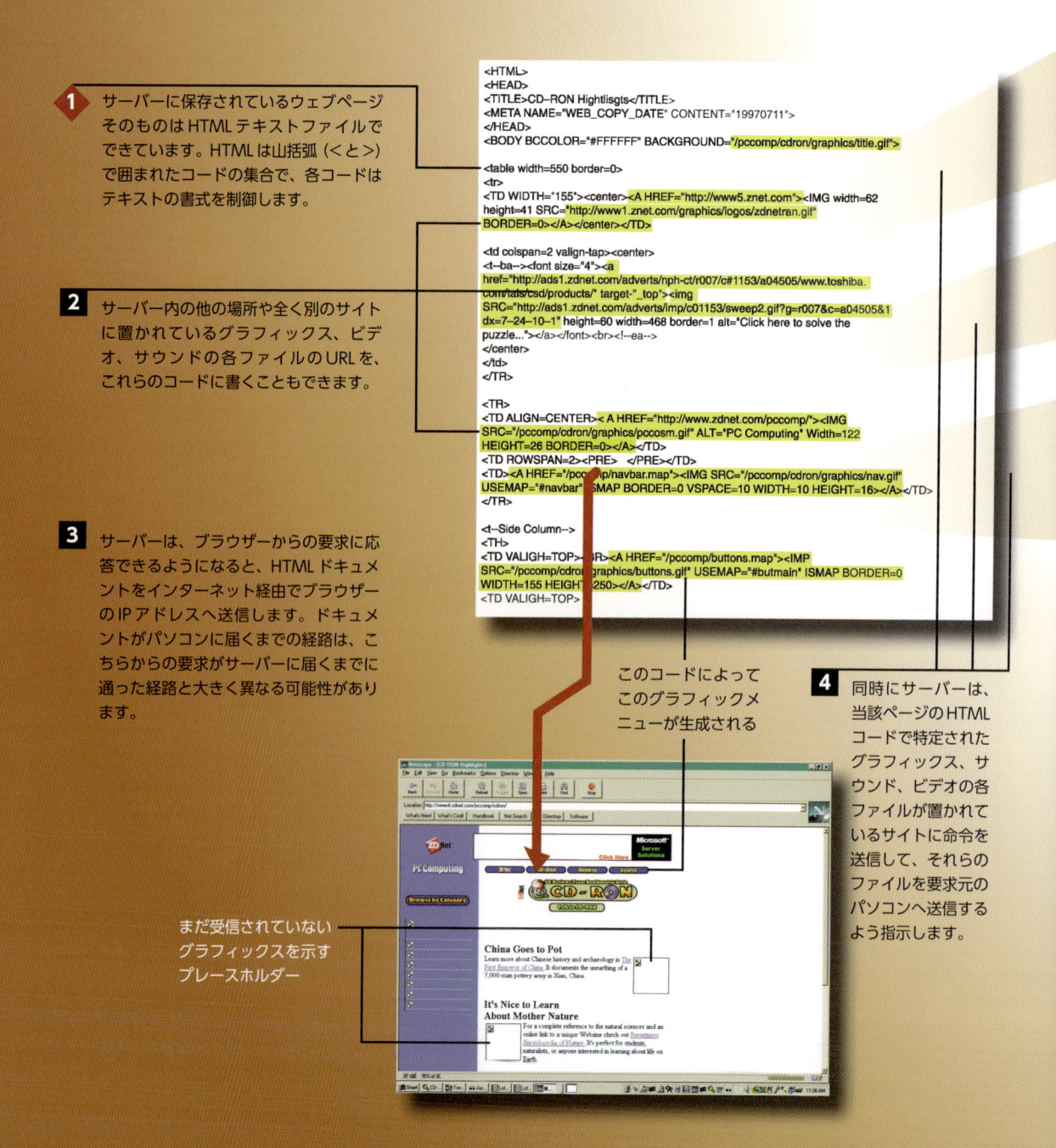

1 サーバーに保存されているウェブページそのものは HTML テキストファイルでできています。HTML は山括弧（＜と＞）で囲まれたコードの集合で、各コードはテキストの書式を制御します。

2 サーバー内の他の場所や全く別のサイトに置かれているグラフィックス、ビデオ、サウンドの各ファイルの URL を、これらのコードに書くこともできます。

3 サーバーは、ブラウザーからの要求に応答できるようになると、HTML ドキュメントをインターネット経由でブラウザーのIPアドレスへ送信します。ドキュメントがパソコンに届くまでの経路は、こちらからの要求がサーバーに届くまでに通った経路と大きく異なる可能性があります。

このコードによってこのグラフィックメニューが生成される

まだ受信されていないグラフィックスを示すプレースホルダー

4 同時にサーバーは、当該ページの HTML コードで特定されたグラフィックス、サウンド、ビデオの各ファイルが置かれているサイトに命令を送信して、それらのファイルを要求元のパソコンへ送信するよう指示します。

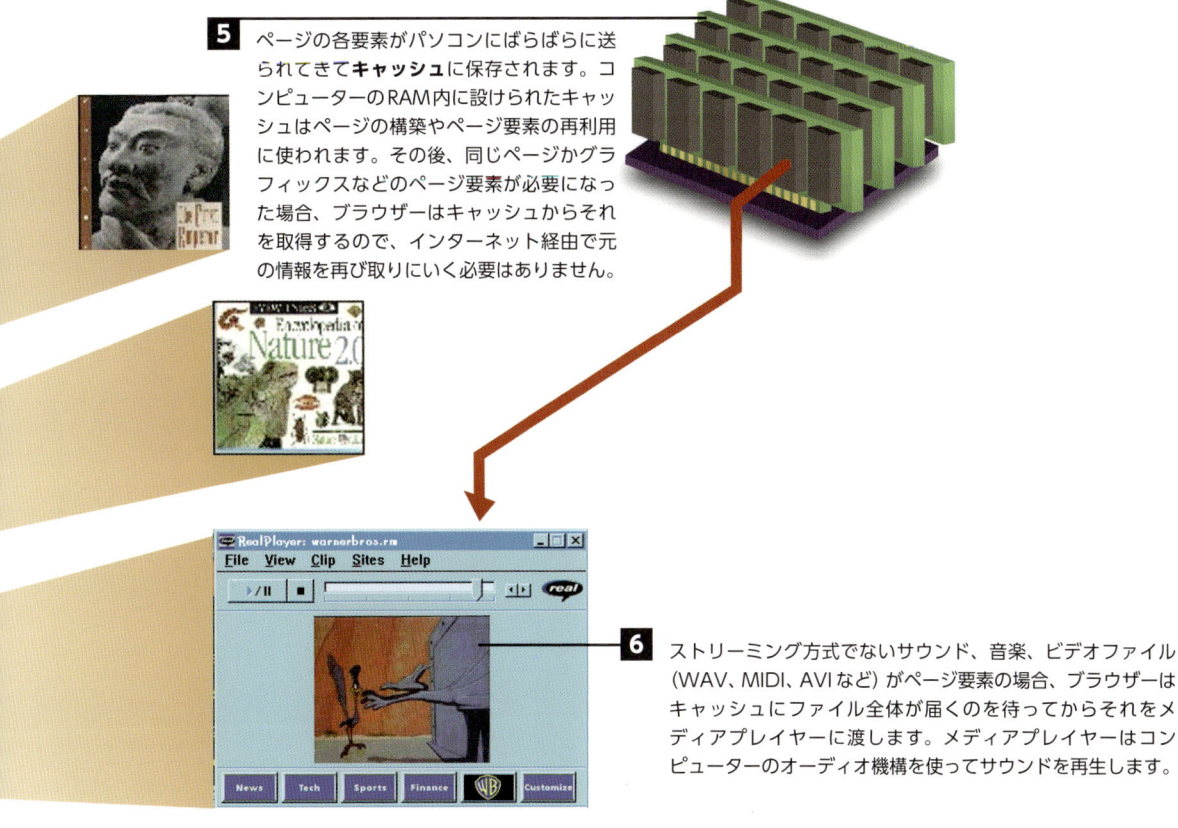

CHAPTER 19　すべてを便利にするウェブの仕組み　291

5 ページの各要素がパソコンにばらばらに送られてきて**キャッシュ**に保存されます。コンピューターのRAM内に設けられたキャッシュはページの構築やページ要素の再利用に使われます。その後、同じページかグラフィックスなどのページ要素が必要になった場合、ブラウザーはキャッシュからそれを取得するので、インターネット経由で元の情報を再び取りにいく必要はありません。

6 ストリーミング方式でないサウンド、音楽、ビデオファイル（WAV、MIDI、AVIなど）がページ要素の場合、ブラウザーはキャッシュにファイル全体が届くのを待ってからそれをメディアプレイヤーに渡します。メディアプレイヤーはコンピューターのオーディオ機構を使ってサウンドを再生します。

7 その間にブラウザーはキャッシュ内の要素を使って画面のウェブページの構築を開始します。このときドキュメント本体のHTMLコードに従って画面上のテキスト、グラフィックス、ビデオの表示位置が決定されます。ウェブページのすべての要素がパソコンに同時に到着するわけではないので、一部の要素は他の要素よりも先に画面に表示されます。通常、簡単に送信できるテキストが最初に表示され、その後に、写真、アニメーションGIF、サウンドおよび音楽、ビデオと続きます。

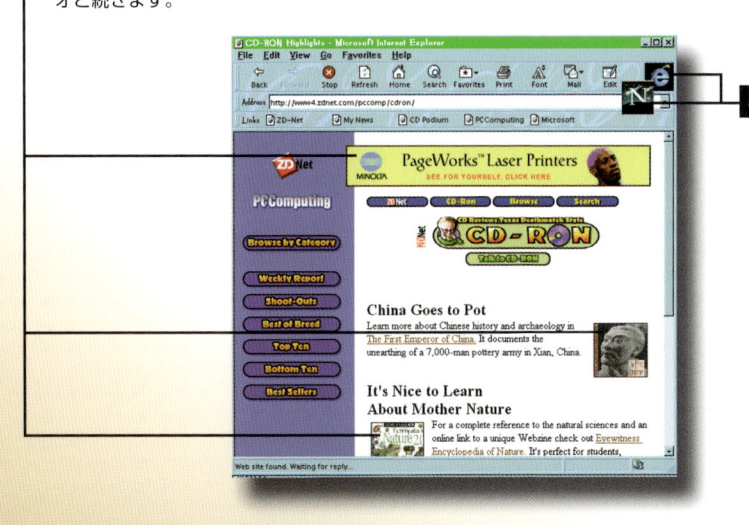

8 Microsoft社やNetscape社の旧タイプのブラウザーは、画面右上隅のアニメーションアイコンでページ要素が現在受信中だとわかるようになっていました。最近のブラウザーは、通常、各タブの小さなアイコンの回転などでコンテンツが処理中であることを知らせるようになっています。いずれにせよ、それらのアイコンの動きが止まれば、ウェブページ全体の受信が完了したことになります。

Cookieで細かいデータを
やり取りする仕組み

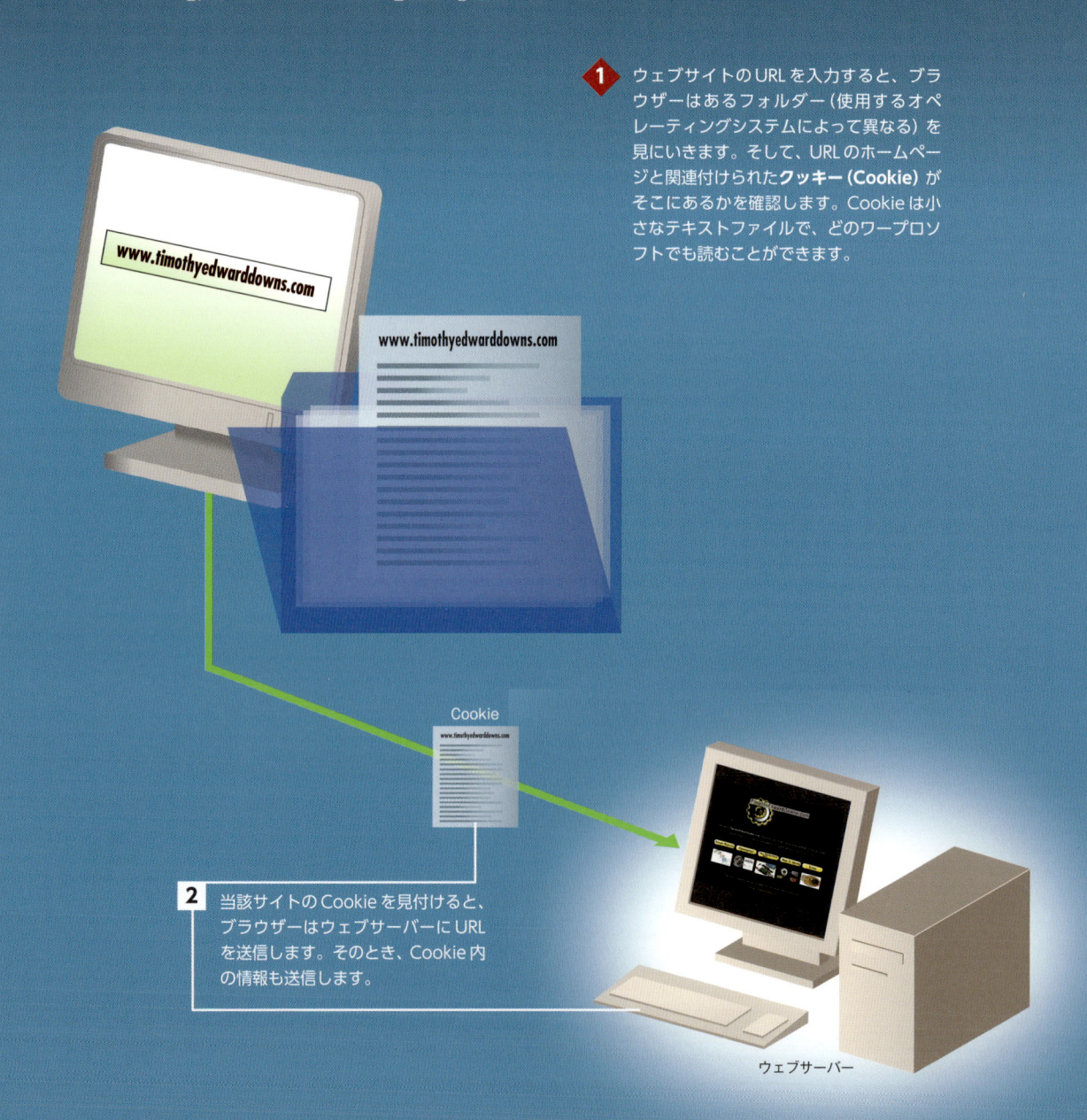

1 ウェブサイトのURLを入力すると、ブラウザーはあるフォルダー（使用するオペレーティングシステムによって異なる）を見にいきます。そして、URLのホームページと関連付けられた**クッキー（Cookie）**がそこにあるかを確認します。Cookieは小さなテキストファイルで、どのワープロソフトでも読むことができます。

2 当該サイトのCookieを見付けると、ブラウザーはウェブサーバーにURLを送信します。そのとき、Cookie内の情報も送信します。

ウェブサーバー

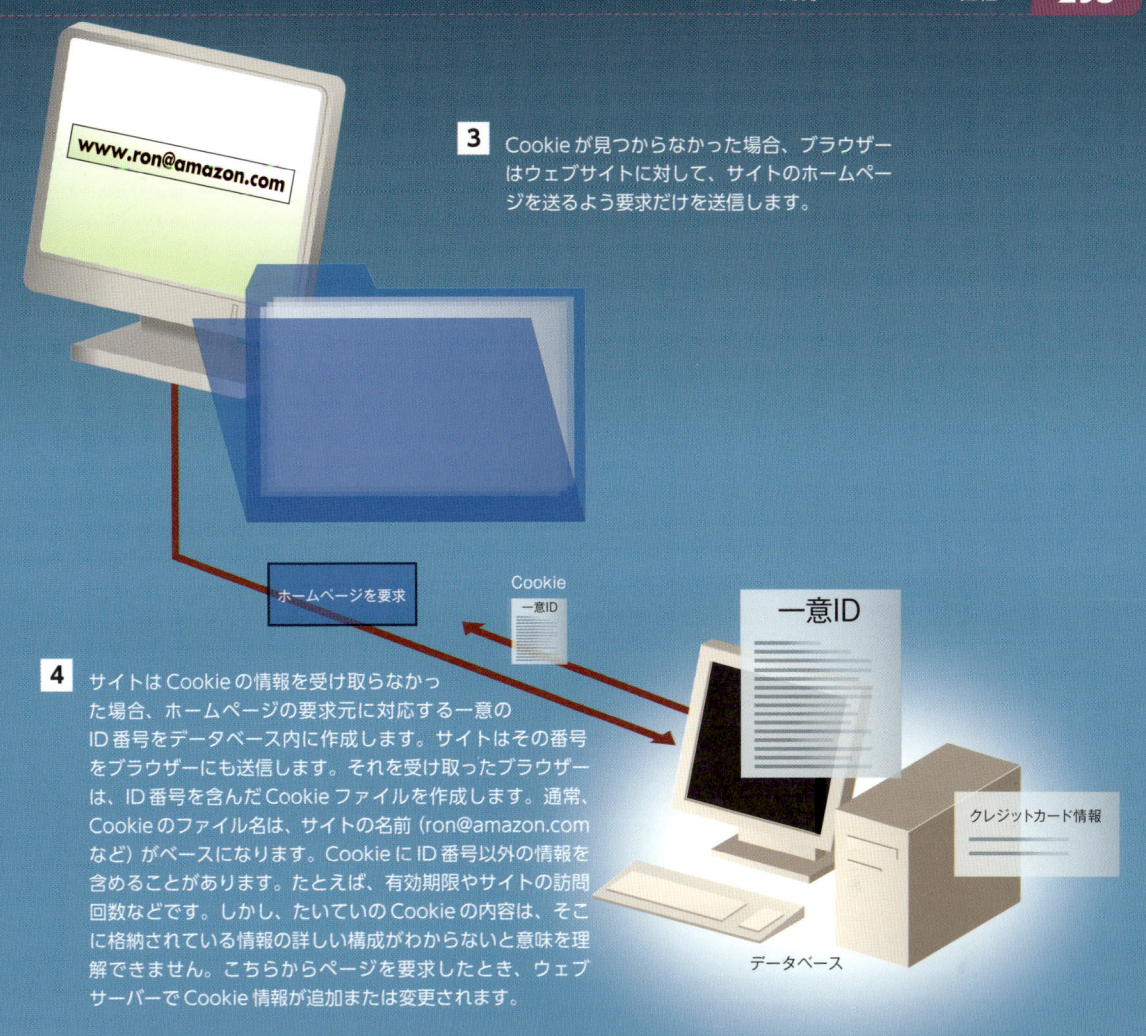

CHAPTER 19　すべてを便利にするウェブの仕組み

3 Cookie が見つからなかった場合、ブラウザーはウェブサイトに対して、サイトのホームページを送るよう要求だけを送信します。

4 サイトは Cookie の情報を受け取らなかった場合、ホームページの要求元に対応する一意の ID 番号をデータベース内に作成します。サイトはその番号をブラウザーにも送信します。それを受け取ったブラウザーは、ID 番号を含んだ Cookie ファイルを作成します。通常、Cookie のファイル名は、サイトの名前 (ron@amazon.com など) がベースになります。Cookie に ID 番号以外の情報を含めることがあります。たとえば、有効期限やサイトの訪問回数などです。しかし、たいていの Cookie の内容は、そこに格納されている情報の詳しい構成がわからないと意味を理解できません。こちらからページを要求したとき、ウェブサーバーで Cookie 情報が追加または変更されます。

5 Cookie に保存されない情報もあります。クレジットカード番号などの保存をサイトに許可することがよくありますが、その種の情報は暗号化してサイト固有のデータベースに保存されます。ウェブサイトを訪問するたびに、サイトは Cookie の ID 番号に基づいて訪問者を識別し、データベース内の情報を使って、フォーム入力やワンクリックショッピングなどを自動で行えるようにします。

Cookie がないとどうなるか
Cookie はただのテキストファイルであって、プログラムではありません。ですから、それがコンピューターのどこか別の場所にある個人情報やドキュメントを探し出すことはできません。本質的に、Cookie には対応するウェブサーバーから Cookie に与えられた情報しかセットできません。それでもプライバシーが気になるならシステムのすべての Cookie を削除することもできますが、その場合、自動ログインやオンラインショッピングの便利機能は無効になり、地域の天気やニュースを表示するページのカスタマイズも効かなくなります。

Googleがあらゆる情報を手に入れる仕組み

1 Googleは、インターネットを常時**クロール**（自動検索）しています。そしてウェブ上で見付けた何百万ものページについて、インデックスを作成します。Googleは、**Googlebot**と呼ぶプログラムも使用します。これはロボットのようなもので、その制御主体であるGoogleとは独立に動作します。Googlebotは、人間がするようにウェブサーバーにページを要求します。たとえば、Amazon.comのサーバーに対して、購入したい本の情報を送信するよう要求します。

インデックスを作成できるテキスト

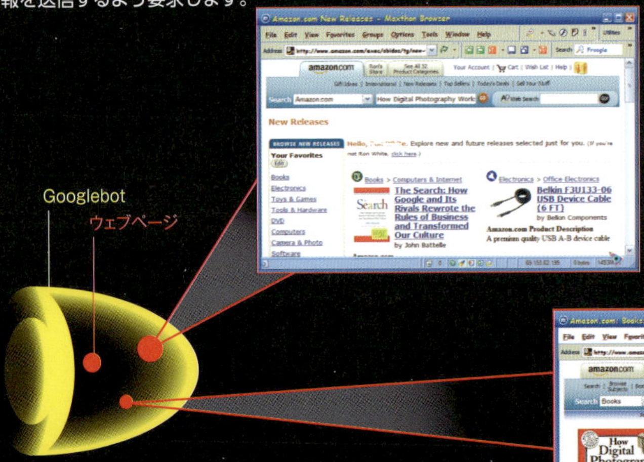

Googlebot
ウェブページ

2 要求したページがダウンロードされると、Googlebotは、そこで見付けたすべてのテキストを抽出し、Googleの**インデックス作成**プログラムへ送信します。

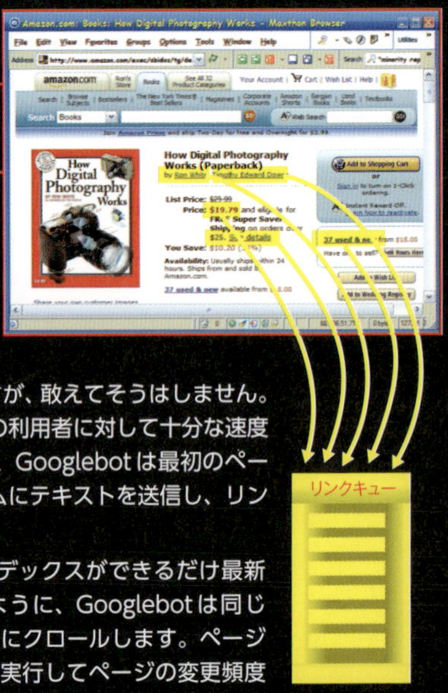

3 次に、Googlebotはページ上のすべてのリンクを探して**キュー**に追加します。ここにリストされたページがその後のクロール（または複製）の対象になります。Googlebotは、単一のプログラムが一度に1つのページを訪問するような単純な構成にはなっていません。Googlebotの大群がウェブ全体を一斉に動き回っている状況を想像するとよいでしょう（Googlebotは1秒間に数千件の要求を出します。もっと高速でクロールすることもできますが、敢えてそうはしません。最高速度を出すと、多くのウェブサーバーに過剰な負荷がかかり、サーバーの利用者に対して十分な速度でページを送信できなくなるからです）。新しいページをクロールするとき、Googlebotは最初のページと同じアクションを繰り返します。すなわち、インデックス作成プログラムにテキストを送信し、リンクを収集します。

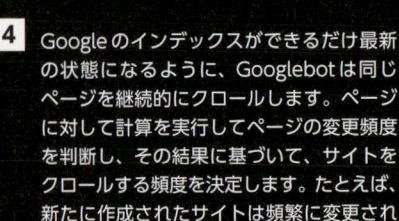

ウェブサーバー

リンクキュー

4 Googleのインデックスができるだけ最新の状態になるように、Googlebotは同じページを継続的にクロールします。ページに対して計算を実行してページの変更頻度を判断し、その結果に基づいて、サイトをクロールする頻度を決定します。たとえば、新たに作成されたサイトは頻繁に変更されるので、当日は絶えずクロールする必要があります。このようなサイトを**フレッシュクロール**と呼びます。Googlebotは、たまにしか変更されない（たとえば、月に1回）サイトもクロールします。

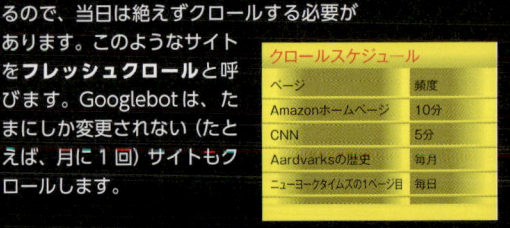

インターネット

クロールスケジュール	
ページ	頻度
Amazonホームページ	10分
CNN	5分
Aardvarksの歴史	毎月
ニューヨークタイムズの1ページ目	毎日

CHAPTER 19　すべてを便利にするウェブの仕組み　295

5 **インデックス作成プログラム**は、受け取ったテキストを自分のデータベースに保存します。インデックスは、検索語のアルファベット順に保存されます。各インデックスエントリの内容は、検索語が現れるページのリストです。インデックス作成プログラムは、よく使われる語についてはインデックスを作成しません。これをストップワードと呼びます。たとえば、the、on、is、or、of、why はストップワードです。また、1 桁の数字、単一の文字、一部の句読文字は保存しません。

6 利用者が入力した検索語は、Google のウェブサーバーへ送信されます。そして、そこから Google のインデックスサーバーへ転送されます。

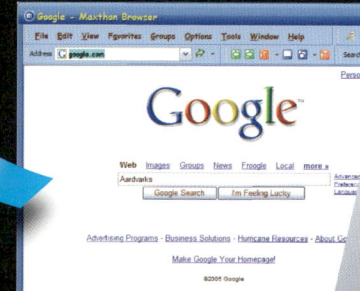

7 Google のインデックスサーバーは、検索語と、それを含む特に関連性の高いドキュメントを照合します。Google がドキュメントへの問い合わせ（クエリ）を照合するために使用する手法は、関連性の高い結果を返す鍵となっています。

8 Google は絶えず進化する何百ものパラメーターを用いてドキュメントの関連性を判断していますが、その中でも特によく知られているのは、ページの訪問回数によるランク付けである **PageRank** です。Google は、利用者の個人的な参照履歴や検索語が見つかったページ上の場所も考慮し、複数の検索語が使われている場合は、それらの検索語がどれだけ近くにあるかも考慮します。人気の高いページからリンクされたページは、人気のないページからリンクされたページよりも高いランクが与えられます。

9 検索結果が確定すると、インデックスサーバーから Google の**ドキュメントサーバー**にクエリが送信され、それらのサーバーに保存されているドキュメントが検索されます。各ドキュメントにはサイトの名前、リンク、各ページの要約であるスニペットが含まれています。ドキュメントサーバーは、そこで得た結果をウェブサーバーに送信し、そこから利用者に結果が返されます。

何でも売るeBayの仕組み

1 eBayにアクセスすると、自動的にeBayのデータセンターの1つに連れていかれます。データセンターは米国全土にあります。eBayのような会社は、各地にデータセンターを持っています。それによって、何百万人もの利用者に常にサービスを提供することが可能になります。

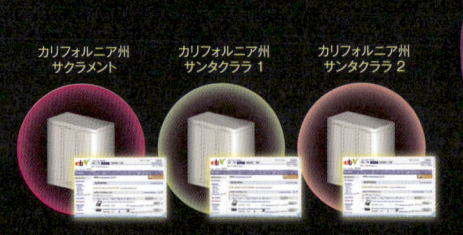

コロラド州デンバー

カリフォルニア州サクラメント
カリフォルニア州サンタクララ1
カリフォルニア州サンタクララ2

2 すべてのデータセンターが相互に情報を交換してミラー関係を維持します。そのため、どのデータセンターに接続しても、同じ情報、オークション、機能が使用できます。センター間はSONET（Synchronous Optical Network）という高速の光ファイバーネットワークで結ばれています。

5 各検索サーバーから検索要求が一群のデータベースサーバーへ送信されます。それらのサーバーでは、Oracle SPARCのハードウェアを使ってOracleデータベースが運用されています。このデータベースがeBayの実質的な本体であり、eBay上で行われるオークションのすべての情報が記録されます。毎日多くのアイテムが販売されるので、データベースでは何万もの個別のカテゴリーが整理される必要があります。これらのカテゴリーのうちの8項目（おもちゃ、衣類、アクセサリー、収集品、スポーツ用品、書籍、映画、音楽）で、毎年10億件以上の販売実績を上げています。電化製品は20億ドルを占めるカテゴリーで、コンピューターの売上は21億ドルです。

8 取引が完了した販売者と購入者には、互いの取引の信用格付けを行うという重要な仕事が残されています。この信用格付けは、利用者が詐欺や踏み倒しにあうリスクを下げるために役立つので、eBayにとって重要な情報となります。

CHAPTER 19　すべてを便利にするウェブの仕組み

HDTVプラズマディスプレイ

3 取引のために eBay にログオンした購入者にはデータセンターにあるウェブサーバーの 1 つが割り当てられます。

4 購入者が eBay の検索ボックスに「**HDTV プラズマディスプレイ**」と入力すると、その検索要求は別の各検索サーバーに分散的に送信されます。各コンピューターが実行するアプリケーションは J2EE（Java）で書かれていて、Oracle 社のハードウェアで動きます。

6 検索結果はオークションのすべてのプラズマディスプレイを表示します。購入者がそのうちの 1 つに入札すると、eBay のオークションソフトウェアは、その入札を他の購入者のそれと比較します。現在の落札額に勝つための最低金額を上回る入札額は一部隠されて、落札に必要な金額のみが表示される場合があります。しかし、後にそれを上回る入札があった場合は、隠されていた部分の金額が使用されて入札者が再び首位に立てるようになっています。

7 入札が同額になった場合に備えて入札のタイミングもデータベースに記録されます。データベース内のフラグによってオークションの終了が示されます。データベースは、落札に関するすべての情報をアプリケーションサーバーへ送信します。その情報はアプリケーションサーバーからウェブサーバーに送信され、そこで掲示されて全員が見ることができます。また、自動的に電子メールが作成され、落札者、競り負けた人、販売者へ送信されます。販売者の販売コストは約 2 ドル＋販売価格の 1.5％です。

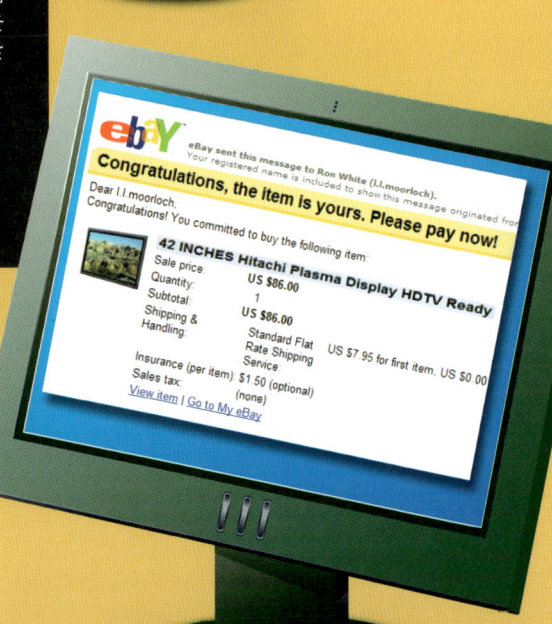

298 PART 5　インターネットの誕生と発展

CHAPTER 20 インターネットがコミュニケーションを可能にする仕組み

CHAPTER 20　インターネットがコミュニケーションを可能にする仕組み

進化は手品師のようなものです。生物の進化について一生かけて学んだとしても、モグラ、アヒル、カンガルーの要素を持つカモノハシの姿を想像できたでしょうか。巨大な恐竜が小さなスズメに進化するとだれが想像できたでしょうか。

　テクノロジーの進化は、それと同様に油断のならないものです。まだインターネットが立ち上がったばかりの閉鎖的なものでしかなかったころ、それはアカデミックな議論や、核攻撃後の軍事関係者間のコミュニケーションにとっての重要な手段になるように見えました。その後も初期のインターネットは、手軽に調べ物をしたり、情報を長期的に保管したり、自宅から通信教育を行ったり、金融情報やツールにすばやくアクセスするといった、地味な役割を担っていくように見えました。

　しかし、今や「ネット」の主な役目はゴシップやジョーク、面白い写真、政治批判を共有したり、レシピを交換したり、あのキュートな男の子が金曜日の夜のパーティに出席するのかを調べる手段となることです。しかし、1980年代にそんなことを想像できたのは、インターネットを使う変わり者の学生だけだったでしょう。ここで下の図をご覧ください。

　この図は、インターネットの毎日の用途を示しています。メッセージが92%、Eメールが76%、ソーシャルネットワークが59%、ツイートが15%です。インターネットの242%が、かつては美容院でパーマをかけている間やビールを飲みながら行われたコミュニケーションの類に使われていることがわかります。

　これは自然淘汰です。Facebook、Twitter、そして多種多様なマニアたちのためのチャットルームなどを思いついた人たちは、それらの簡単なオンラインプログラムが世界で最もよく使われる「最近どう？」と聞く手段になるとは思いもよらなかったでしょう。どんなマーケティングキャンペーンも、たった140文字のやり取り以上の成功を収めることはなかったでしょう。これらがインターネットの主な用途となったのは、それが人類による自然淘汰だからです。それは、一人のコンピューターユーザーが別のだれかと連絡を取りたいという思いによるものです。つまり、みんなそう思っているのです。

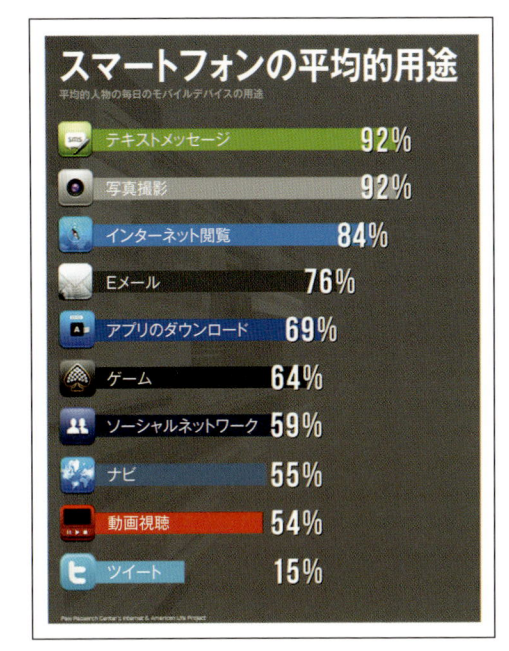

スマートフォンの使用用途
画像提供：Pew Research Centers Internet & American Life Project / Anchor Mobile SMS Marketing

Eメールが従来の郵便をしのぐ仕組み

1 ジェーンはEメールクライアントを使ってボブ宛てのメッセージを作成します。また、会社のウェブサイト用に、MIME、uuencode、またはBINHEXなどの標準アルゴリズムを使用してエンコードした自身の写真も添付します。必要に応じてワープロ文書や集計表、プログラムを添付することも簡単にできます。

2 エンコーディングは、写真のデータをASCII文字に変換します。ASCII文字とは、一般的にコンピューターが書式なしのシンプルなテキストに使用する文字です。Eメールクライアントは、メッセージに添付する前にファイルを圧縮して送信時間を短縮することも可能です。

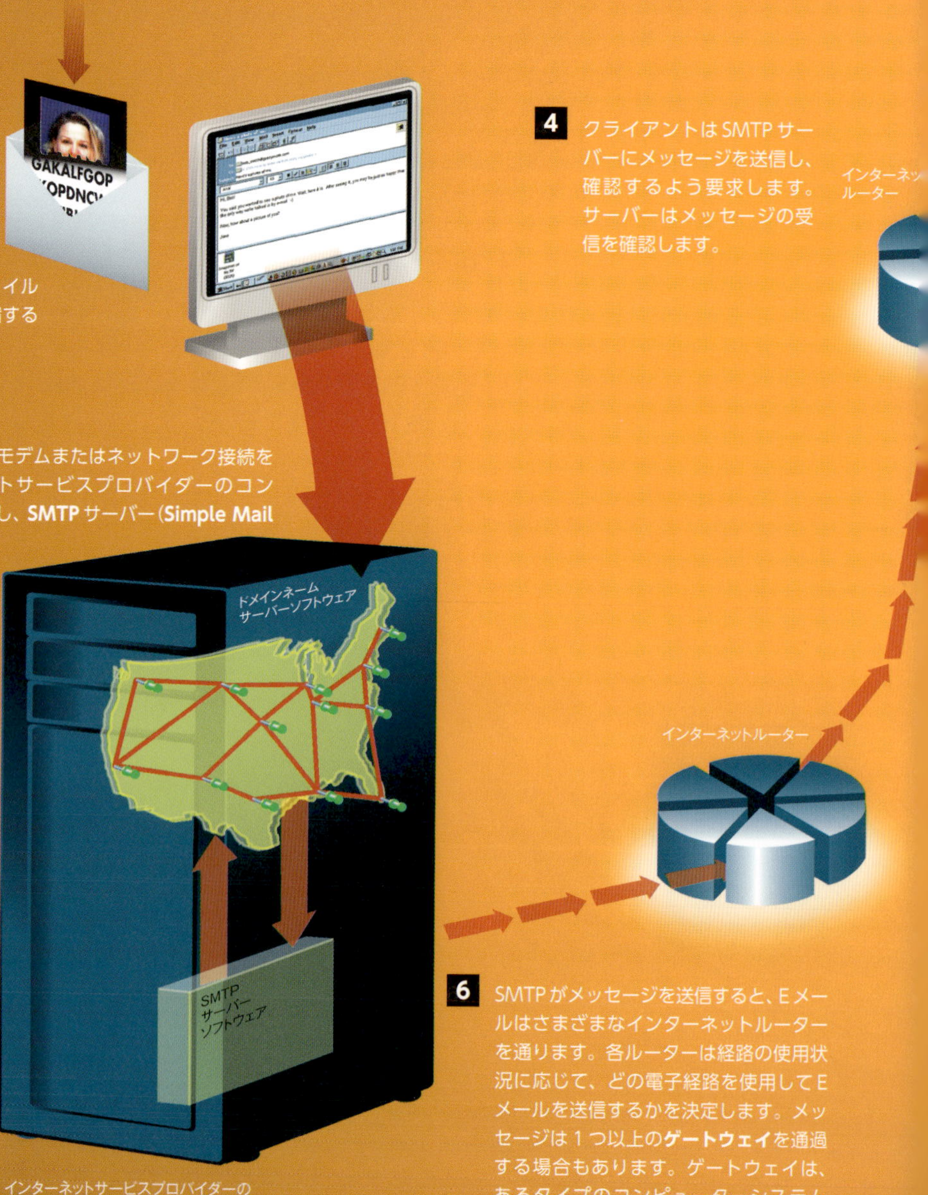

3 Eメールクライアントは、モデムまたはネットワーク接続を経由して、インターネットサービスプロバイダーのコンピューターサーバーに連絡し、**SMTP**サーバー（**Simple Mail Transfer Protocol**）と呼ばれるソフトウェアに接続します。サーバーは、連絡を確認し、クライアントは特定のアドレスに送るメッセージがあることをサーバーに伝えます。それを受けてSMTPは、「今すぐ送信せよ」または「ビジー状態。後で送信せよ」のいずれかの反応を返します。

4 クライアントはSMTPサーバーにメッセージを送信し、確認するよう要求します。サーバーはメッセージの受信を確認します。

5 SMTPサーバーは別のソフトウェア（**ドメインネームサーバー**）に、インターネット経由でのメッセージのルーティング方法を尋ねます。ドメインネームサーバーはドメイン名（アドレス中の＠マーク以下の部分）を調べて、受取人のメールサーバーを特定します。ドメインネームサーバーは、SMTPにメッセージ送信の最適な経路を教えます。

6 SMTPがメッセージを送信すると、Eメールはさまざまなインターネットルーターを通ります。各ルーターは経路の使用状況に応じて、どの電子経路を使用してEメールを送信するかを決定します。メッセージは1つ以上の**ゲートウェイ**を通過する場合もあります。ゲートウェイは、あるタイプのコンピューターシステム（Windows、Unix、Macなど）のデータを、次の通過地点である別のコンピューターシステムのタイプに変換します。

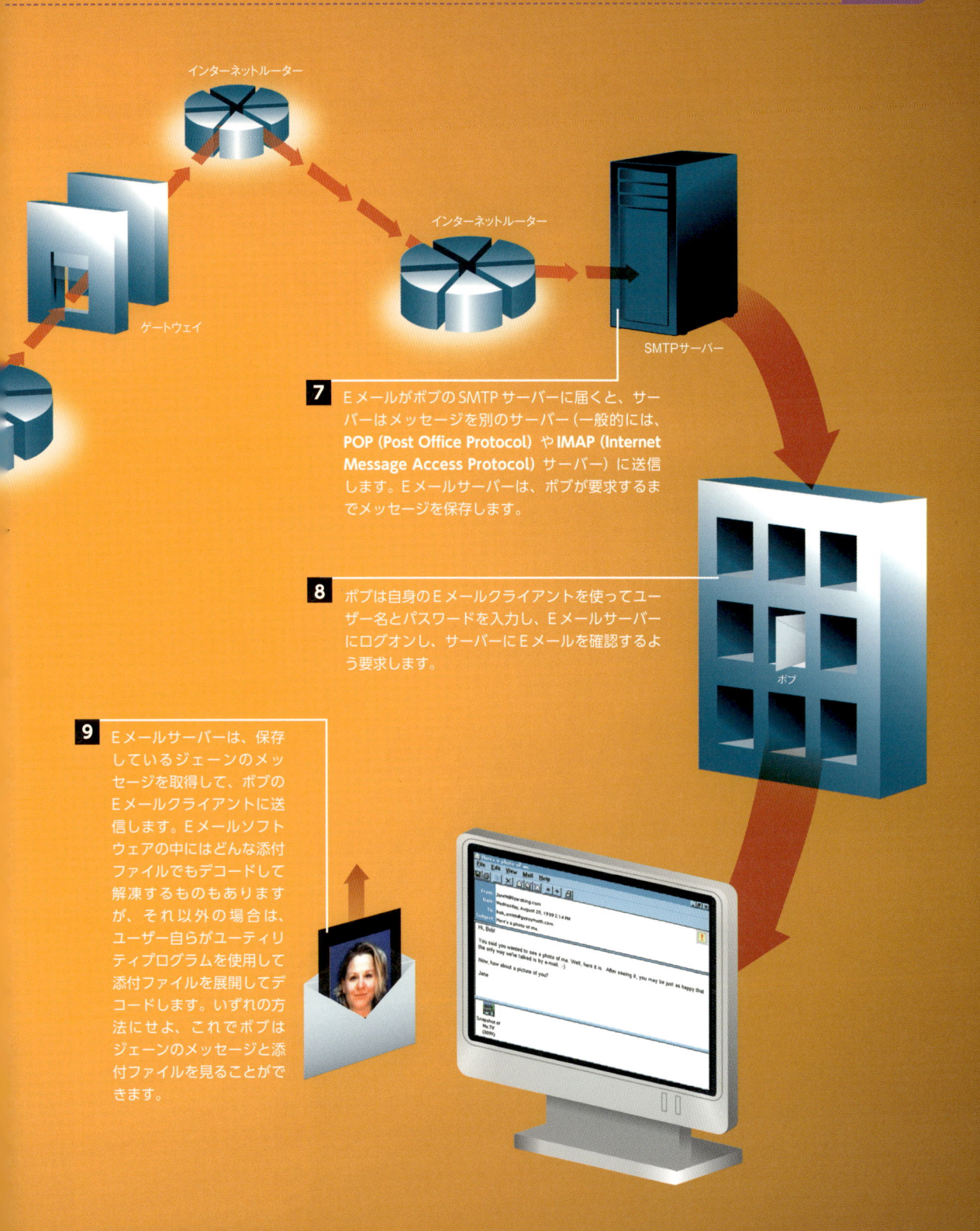

CHAPTER 20 インターネットがコミュニケーションを可能にする仕組み

7 EメールがボブのSMTPサーバーに届くと、サーバーはメッセージを別のサーバー（一般的には、**POP (Post Office Protocol)** や **IMAP (Internet Message Access Protocol)** サーバー）に送信します。Eメールサーバーは、ボブが要求するまでメッセージを保存します。

8 ボブは自身のEメールクライアントを使ってユーザー名とパスワードを入力し、Eメールサーバーにログオンし、サーバーにEメールを確認するよう要求します。

9 Eメールサーバーは、保存しているジェーンのメッセージを取得して、ボブのEメールクライアントに送信します。Eメールソフトウェアの中にはどんな添付ファイルでもデコードして解凍するものもありますが、それ以外の場合は、ユーザー自らがユーティリティプログラムを使用して添付ファイルを展開してデコードします。いずれの方法にせよ、これでボブはジェーンのメッセージと添付ファイルを見ることができます。

Facebookがあなたの猫を大人気にする仕組み

Facebook はご存じでしょう。 ハーバード大学の寮生が友人や知り合いに近況を伝える手段として 2004 年に使い始めたツールです。それ以来、Facebook は時間の経過と共に進化する技術の一例となっています。今や、毎月 13 億以上のユーザーが、他のどのインターネットアプリよりも、Facebook にアクセスしています。そこでは 30 分ごとに 105 テラバイトのデータが読み込まれます。「世界規模のパーティ」や「同士の集まり」のホストの役割を担う Facebook は、6,200 万行のコードでできた巨大なプログラムを使用しています。そのプログラムは名前、職業、住所、雇用者、友人、ブランド名、クライアント、同僚、学校、お気に入り、リンク、交際ステータスを絶え間なくシャッフルしてつなぎ合わせることで、だれとだれがどのようにつながっているかの世界最大のデータベースを作成しています。

正確に数えた人はいなくても、Facebook が可愛い猫の写真に占拠されていることはみんな知っているでしょう。あなたのペット「タビー」の写真が何百万もの人々に閲覧されることを可能にする仕組みをお教えします。

1 Facebook にサインアップすると、生活の一部をそのデータベースとシェアできるようになります。たとえば、通った学校、職場、結婚相手、連絡先リストにいる友達、好きな映画や音楽などです。これらの情報を提供しなくても、Facebook はあなたの名前、そしておそらくサインアップ時の位置情報を記憶します。まず、検索ボックスに友人の名前を入れて、Facebook を使っているかチェックすることでしょう。Facebook は検索した友人の名前も記憶します。

2 検索結果に大学時代のルームメイトの名前が出ると、あなたは Facebook の **友達リクエスト** を送ります。

3 ルームメイトがどう返事をしようと、Facebook はそのルームメイトの Facebook 上の友達リストをあなたに送り、そのうちの何人かと友達になるよう提案します。あなたに関する事実 (それはたとえば、ウィリー・ネルソンのファンであることやレモンパイの愛好家であること) を利用して友達になる可能性のある人を探すことは、終わりなきプロセスです。新しい友達によって、その友達の友達だけでなく、その友達の友達の友達にまで辿り着くことができます。そして気づけば一度も会ったことのない人たちと友達になっているのです。

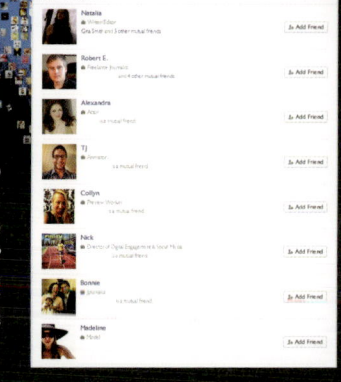

CHAPTER 20　インターネットがコミュニケーションを可能にする仕組み

4 だれも見たことのないほど可愛い猫の写真を投稿するには、**タイムライン**を使います。そこでは、投稿された写真とあなたのコメントが友達または選択した任意の少数グループに広がります。Facebookは猫の写真を見られるユーザーを制限することもできます。またFacebookは、**Cassandra**というプログラムコードを使って**ソーシャルグラフ**（5,000万人のウェブページとそれら全ユーザーの人間関係を示した地球地図）を作成します。Cassandraはあなたの友達のレコードを参照して、猫の写真を投稿したことがあるのはだれか、ペット用品を扱う企業と関係があるのはだれか、他の猫の写真で**いいね**をクリックしたり**コメント**を残したのはだれか、ミュージカル『キャッツ』の公演について投稿したのはだれかを調べます。

5 あなたの猫の写真は、毎月アップロードされる30億枚の写真の1枚として、Facebookの**Haystack**というシステムによって処理されます。このシステムは、アップロード済みの2,400億枚以上の写真をそれぞれ4つの解像度で記録します。この貯蔵庫から、Haystackは毎秒120万枚の写真を送り出します。

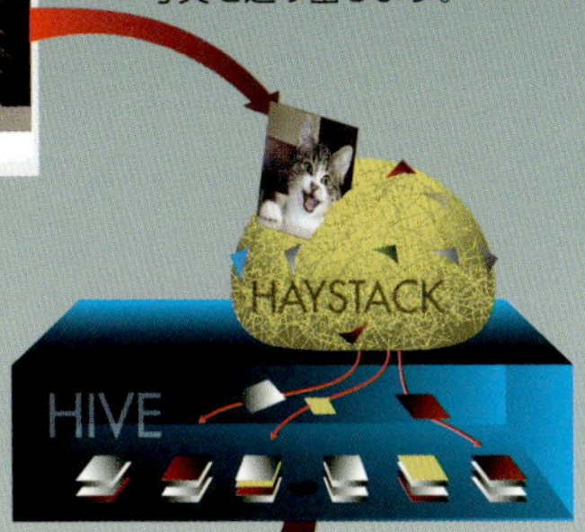

6 あなたの写真は250億の情報の1つでもあり、それには毎日付けられる45億個の「いいね」や、コメントやステータスアップデートなど、シェアされた47億5,000万のアイテムが含まれます。**Hive**というデータ処理プロセスは**MapReduce**というアルゴリズムを使用して、大量のデータを分割して別々のコンピューターで同時に処理し、これらの情報を整理した1つのデータベースを作成します。この技術は、たった2～3時間で1ペタバイトのデータを処理します。データベースの複製は、アメリカとスウェーデンの沿岸にある推定6万台を超えるサーバーに送られます。

7 あなたの友達がFacebookにログインすると、**Big Pipe**と呼ばれるウェブページを提供するシステムが、先ほどの整理された情報を使用して**pagelet**（各ページのセクション）を作成します。**カバー写真**、いいね、**チャットウィンドウ**、その他のページのセクションが同時に読み出され、（どこか一部のデータが壊れていようと）すべてが揃った状態の、完全なページを提供します。

8 選択した友達のニュースフィードには、あなたが投稿した可愛い猫の写真が表示されます。友達の何人かがその投稿のシェアボタンをクリックすると一連のプロセスが繰り返され、その写真はその友達の友達に送信され、またその友達にシェアされるという連鎖反応を引き起こします。その猫がまぎれもなく可愛ければ、その写真は急速に広がり、人気者としての人生を歩み出します。

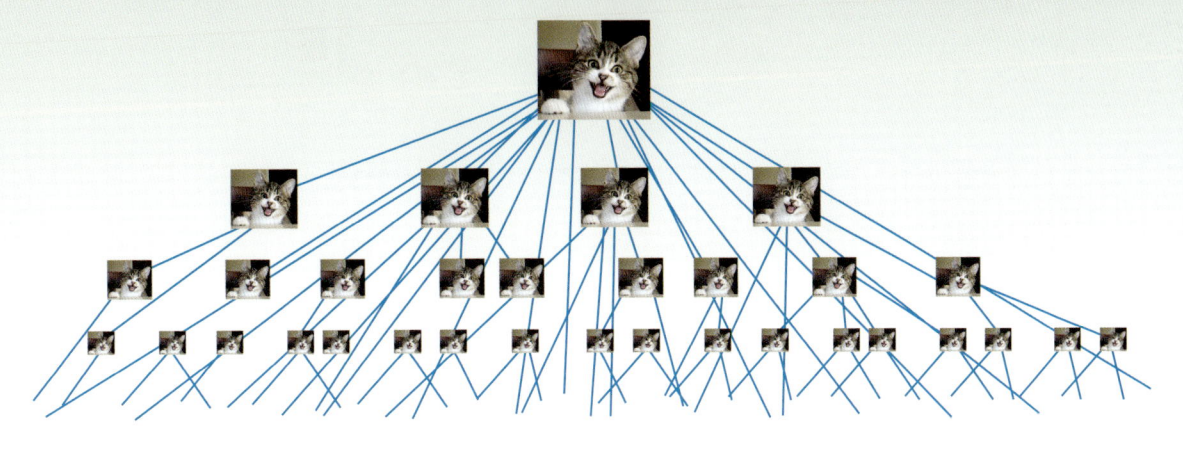

Twitterがコミュニケーションを変える仕組み

だれかがインターネットはつまらないというとき、よくやり玉に挙げられるのはTwitterです。Twitterのメッセージは140字に制限されていて、いわばデジタル版の俳句のようなものです。しかし、140字で何か重要なことを語れるのでしょうか？

ホスニー・ムバラク大統領に対抗して立ち上がり、銃ではなくスマートフォンを振りかざしたエジプト人に聞いてみるとよいでしょう。TwitterとFacebookによって、革命家どうしによるリアルタイムのコミュニケーションが実現し、情報が他国に発信されて、ムバラク大統領が退陣に追い込まれました。

あるいは、毎年恒例のボストンマラソンのゴール直前に発生した爆破の容疑者ににじり寄るボストン市警察の様子を目の当たりにした男性の一連のツイートを読んだ多くの人々に聞いてみるとよいでしょう。そのとき、テレビでは何も伝えることができませんでした。

革命家と一般人ジャーナリストにとってのNo.1ツールが機能する仕組みを説明します。

1 Twitterはコンピューターのキーボードからでも、携帯電話からでも操作できますが、元々は携帯電話に便乗して始まりました。たとえばあなたが電話で話していなくても、電話はやり取りを続けています。**電話は制御通信路**というデータの流れを利用して**携帯電話の中継塔**と通信しているのです。通信路は、ネットワーク接続に利用する無数のセルのアンテナに対する、携帯電話の位置を記録する役割を果たします。だれかがあなたに電話をすると、中継塔は通信路を使用してあなたの携帯電話に着信音を鳴らすように伝え、その携帯電話の音声通信路の周波数のペアを割り当てます。

アンテナ

制御通信路

SMS

マルチポートファイバーターミナル

基地局

FTTT（ターミナルへのファイバー）

2 制御通信路は、スマートフォン以前から使われていてTwitterの元となった**SMS（スモールメッセージシステム）**メッセージも扱っています。このシステムは、帯域幅のごく狭い部分あるいは未使用の部分を利用する方法として考案されており、名前の「スモール」はアルファベットで160字分を意味しています。中国語の場合は最大70字です（実際はまだ多少の余裕がありますが、余剰部分は日時の記録や相手の電話番号や発信元の番号などの数字の処理に使用されます）。

3 TwitterはSMSを利用するよう意図的に設計されています。より長いメッセージに対応可能なプロトコルもありますが、携帯電話会社によるサポートが手薄なため採用しなかったのです。一方SMSは元からすべての携帯電話会社によってサポートされています。

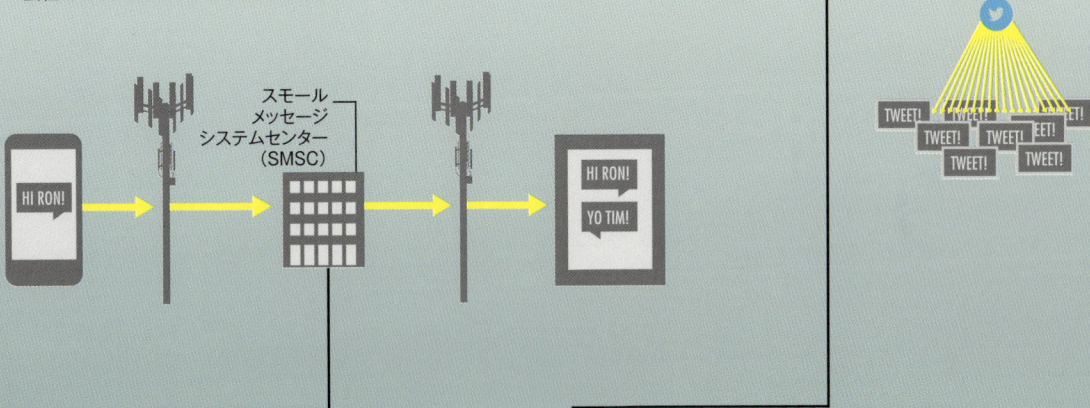

4 友人があなたにテキストメッセージを送信すると、そのメッセージはその友人の携帯電話から中継塔に、そして中継塔から**スモールメッセージシステムセンター（SMSC）**に移動します。そこでは、あなたの携帯電話と一番接続の良いセル（中継塔から電波の届く範囲）を決定し、メッセージをそのセルの中継塔に送り、そこからあなたの携帯電話にメッセージが送られます。あなたの返信は同じ経路を逆方向に辿ります。

5 携帯電話からTwitterに投稿されたテキストメッセージは、ツイートを**信号中継局（STP）**に送信する**モバイルスイッチングセンター**に寄り道しつつ、ほぼ同様の経路を辿ります。メッセージはSTPからSMSCに送信され、そこからテキストがTwitterのウェブサイトに送られます。Twitterはそのメッセージを、同じ経路を逆方向に辿ってあなたのネットワーク内の人々に送り返します。ツイート数は毎分10,000〜15,000に上ります。

インターネットによるファイル共有の仕組み

1 ファイル共有プログラムのユーザーは、いくつかあるファイル共有サーバーの1つにログオンします（多くのファイル共有プログラムはセントラルサーバーを持ちませんが、その場合、ここでいう「サーバー」とは複数のユーザーコンピューターに接続する仮想サーバーであると考えてください）。クライアントソフトウェアは、ユーザーの**ライブラリ**に含まれるファイルリストをサーバーに送ります。これにより、他のユーザーは検索やダウンロードができるようになります。ライブラリには、MP3の歌からMicrosoft Wordの文書、プログラムファイルなど、多様なファイルが含まれます。

2 サーバーはそのリストを、他のユーザーが検索できるデータベースに書き込みます。サーバーは数百人のユーザーのためのライブラリ一覧を作りますが、この一覧に含まれるライブラリの各ファイルは、各ユーザーのコンピューターに残ったままの状態です。

3 別のクライアントは検索語を入力します。検索語としてファイルのメタデータを入れることもできます。たとえばバンド名や映画監督、またそのファイルに関連していそうな言葉です。

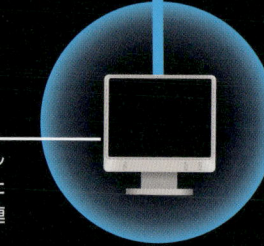

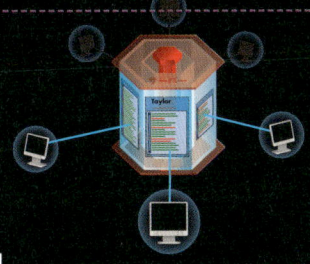

CHAPTER 20 インターネットがコミュニケーションを可能にする仕組み 307

4 クライアントはサーバーに記録されているライブラリをすべて調べ、検索条件の一部に一致するタイトルをすべて表示します。結果にはファイル名、インターネット接続の種別、ファイルを入手可能にしているクライアントの**インターネットプロトコル (IP)** アドレス、およびその他の雑多な情報が含まれます。

5 ユーザーは、入手したい1つ以上のファイルを選択します。すると、クライアントソフトウェアは、IPアドレスを使用して他のクライアントにメッセージを送ります。このメッセージでは曲のダウンロードの許可を求めます。これを受け入れると、リモートクライアントがサーバーになり、問い合わせ元のコンピューターにファイルを送ります。

MP3ファイル要求

6 あるユーザーがファイルをダウンロードすると同時に、他のユーザーはそのユーザーのハードドライブにある曲を検索してダウンロードします。インターネット接続を交互に共有することで、同時に複数のアップロードとダウンロードが実行できます。

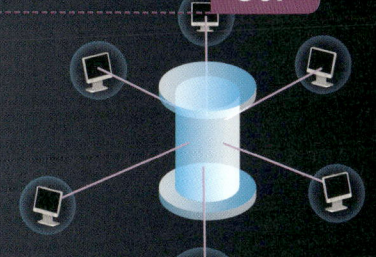

インターネットの**従来の構造**は**サーバー集中型**でした。データやプログラムは、中央に位置する(比較的少数しかない) サーバーや**ホスト**に保存されます。パソコン(**クライアント**)のすべてのデータ要求は、いずれか1つのサーバーに送られます。ホストはクライアントへの応答もすべて管理します。

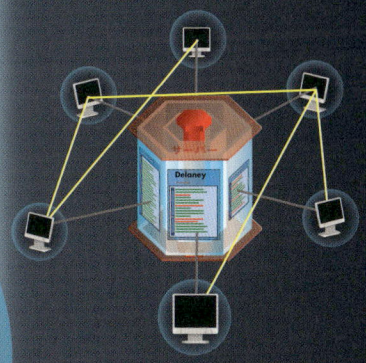

分散構造では、データやプログラムはやや冗長に分散されます。各コンピューターは、ホストソフトウェアのプロトコルを使用して他のクライアントと直接通信し、データの伝送方向の問い合わせにのみサーバーを使用します。パソコンはホストになると同時にクライアントにもなれるのです。

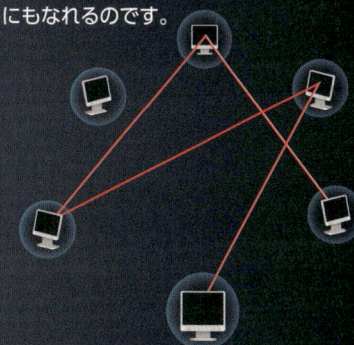

ピアツーピア構造では、クライアントパソコンにファイルを提供するセントラルホストサーバーはありません。その代わりに、ソフトウェアはホストであると同時にクライアントにもなります。検索はよりランダムで遅くなり、検索結果が減ることもあります。ただしこの構造は、不可能ではないものの、違法なファイル共有の取り締まりを困難にします。

BitTorrentがコンテンツを拡散する仕組み

最近のコンピューターの目的は、無料の映画、曲、ソフトウェアを世界中の大学生に提供することであるかのように思うことは多いです。すべての始まりであったファイル共有スキーム Napster には重大な欠陥がありました。映画会社は、『アイーダ』から『ディープ・スロート』に至るあらゆる映画を、貪欲なダウンローダーの前にバイキング料理のように並べたコンピューターを簡単に見つけ出しました。これによりファイルトレーダーは、新しく**ピアツーピア**（P2P）コンピューティングの領域に足を踏み入れることになりました。P2P では、数百万のコンピューターユーザーにデータを配信し、著作権のあるデータの共有の責任を問いにくくします（ただし不可能ではありません）。最もポピュラーな **P2P** の手口である BitTorrent プロトコルは、全インターネットトラフィックの約 11% を占めると推定されています。そして、すべては一粒の種（シード）から始まるのです。

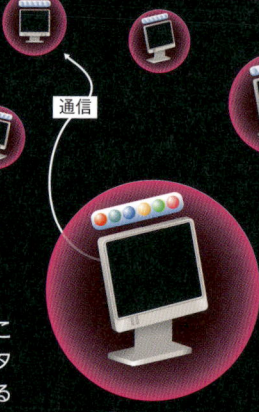

トラッカー

通信

初期シーダー

1 **初期シーダー**（ファイルを配布する人）が BitTorrent **クライアントソフトウェア**を使用し、ビデオや曲、本、ソフトウェアなどのファイルをインターネットに配置します。シーダーのクライアントは、**トラッカー**（ピアの状況を管理するサーバー）のように、開いている**ポート**を経由して **.torrent** と呼ばれる小さなテキストファイルをパソコンに送信します。この .torrent は、新しいファイルがダウンロード可能になったことを伝えます。.torrent は、ファイルの場所を示す URL、ファイル名とそのサイズ、分割したファイルの個々のサイズを保持していて、インターネットの至る場所にまき散らされます。**トラッカーレス**版の BitTorrent では、シーダーのパソコンがトラッカーになることもあります。

2 この図ではファイルは着色された円の列として表現されています。Napster 時代のファイル交換とは異なり、ファイル全体は単一のソースからはダウンロードされません。代わりに、ダウンローダーはファイルを塊（円）で受け取ります。これらの塊は**シード**と呼ばれ、その位置は他のトラッカーに送られます。こうすることで、ファイル断片の場所の記録を蓄えます。

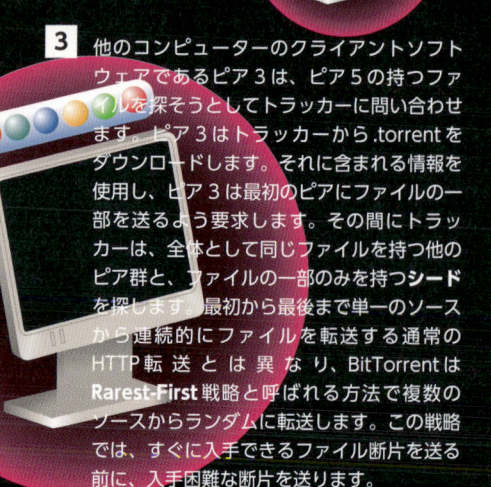

通信

3 他のコンピューターのクライアントソフトウェアであるピア 3 は、ピア 5 の持つファイルを探そうとしてトラッカーに問い合わせます。ピア 3 はトラッカーから .torrent をダウンロードします。それに含まれる情報を使用し、ピア 3 は最初のピアにファイルの一部を送るよう要求します。その間にトラッカーは、全体として同じファイルを持つ他のピア群と、ファイルの一部のみを持つ**シード**を探します。最初から最後まで単一のソースから連続的にファイルを転送する通常の HTTP 転送とは異なり、BitTorrent は **Rarest-First** 戦略と呼ばれる方法で複数のソースからランダムに転送します。この戦略では、すぐに入手できるファイル断片を送る前に、入手困難な断片を送ります。

CHAPTER 20　インターネットがコミュニケーションを可能にする仕組み

4 要求とファイルのビットをやり取りするピアとトラッカーの領域全体は**スウォーム**と呼ばれます。右の図（BitTorrentクライアントであるAzureusが提供）は、1つのスウォーム内の何百万というメンバー間のping時間を示しています。すべて同時に参加していて、「ケビン・ベーコンの法則（six degrees of Kevin Bacon）」で結合しています。トラッカーは**リーチャー**を探し、スウォームを監視します。リーチャーとは、自分が持つファイルのシードを提供せずに、ファイルのダウンロードだけを行う人のことです。トラッカーが使うクライアントソフトウェアは、リーチャーへ送るビットの通信速度を低下させることができます。また、スウォームに貢献しているシーダーへの報酬として、ダウンロード速度を上昇させることもできます。

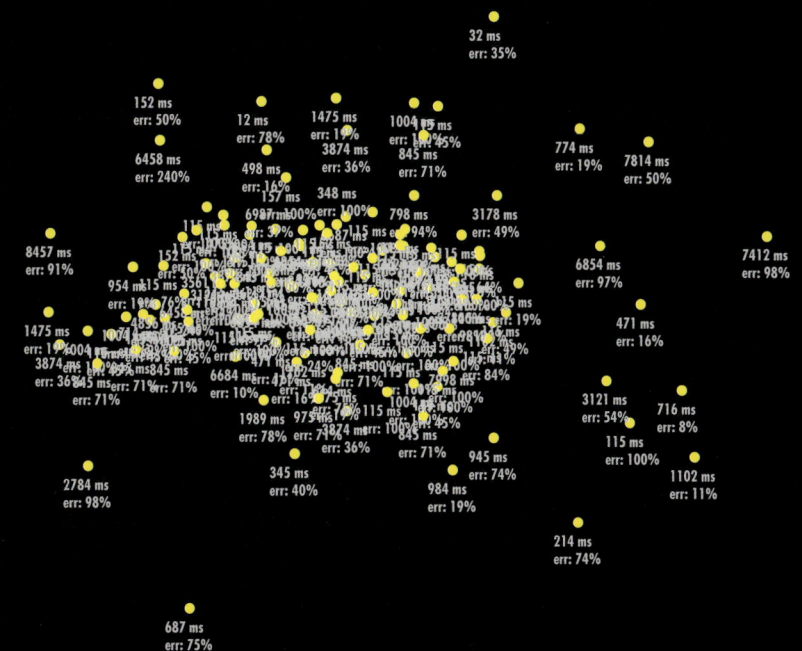

5 下の図は、BitTorrentの1つのスウォーム内において、あるユーザーと他のユーザーとの関係を示しています。中央のユーザーを取り囲む各円は、このユーザーとファイル断片をやり取りするユーザーを表します。黄色い線は、中央のユーザーのダウンロード通信です。データはこの線に沿って進みます。その速度は実際のアップロード速度やダウンロード速度に比例します。灰色がかった円は、通信が非常に遅く、時間の無駄になるため**相手にしていない**コンピューターです。中央の円グラフは、ユーザーの受信状況の進捗を表します。この図の例では約75%です。

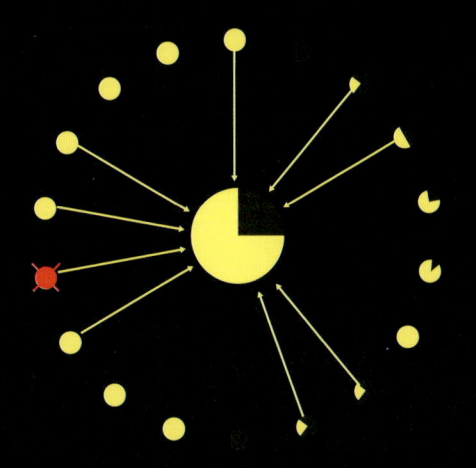

楽しくてもそれは合法？

ファイル共有やBitTorrentは正当な目的にも使用できますが、肝心なのは著作権で保護されたファイルを権利を有さずにダウンロードすると法に触れるということです。BitTorrentは違法な転送を一瞬で行います。そのため、サーバーが常に稼働し、ハードドライブが違法ダウンロードコンテンツで溢れかえっていたNapster全盛期に比べ、だれが関与しているのかが特定しにくくなっています。トラッカーレス版のトラッカーの導入により、現行犯で取り押さえることはさらに難しくなりました。しかし、不可能ではありません。違法な取引に関与するBitTorrentのサイトとユーザーは、追跡され、訴えられ、時として刑務所に送られることもあります。さて質問です。あなたは自分がツイてると思いますか？　本当ですか？

クラウドが世界を取り囲む仕組み

「空を見て！鳥だ！飛行機だ！…」いいえ、あれは事業計画、ビーチで撮った家族写真、履歴書、デイブ・マシューズのライブの海賊版全集といったデータです。すべて、クラウドコンピューティングと呼ばれる技術によってクラウド上に置かれています。もちろん実際にファイルが空にばら撒かれているわけではありません。多くのネットワークコンピューターで構成されるストレージシステムの中に、安全かつ確実に保存されています。データは断片的にコンピューターからコンピューター、国から国へと、保存するたびに異なるコンピューターへと移動しますが、すべてのデータはクラウドにあります。

これではデータを見失ってしまいそうですね。しかし、その逆もいえます。クラウドストレージはデジタルデータをしまっておくには最も確実な方法です。ファイルをクラウドに保存すれば、オフィス、自宅、ビーチなど、どこにいても問題ないからです。適切なアプリケーションをインストールし、正しいユーザー名とパスワードを入力すれば、クラウドにアップしたすべてのデータに即座にアクセスできます。

1 クラウドストレージは2つの要素から構成されます。その1つは**フロントエンド**で、パソコンを使うコンピューターユーザーです。**クライアント**とも呼ばれます。クライアントがファイルを保存したり開いたりすると、その要求は**バックエンド**に渡されます。これは、インターネットのクラウドを作り上げる精緻なシステムです。クライアントのファイルはクラウドに保存されているので、ファイルを取得する際、オフィスにいる必要も、自分のコンピューターを持っている必要もありません。正しいユーザー名とパスワードさえあれば、他のコンピューターやタブレット、スマートフォンなどからファイルを取得し、DropboxやGoogle Drive、OneDriveといったサービスにより、他の人々とそのファイルを共有できます。

2 クライアントの要求は、まず**セントラルサーバー**に送られます。これは、何百何千のクライアントから伝達されるすべてのトラフィックの管理責任を担うコンピューターです。クライアントからの全要求を適切に処理するため、セントラルサーバーは**プロトコル**と呼ばれる一連のルールに従います。プロトコルは、クライアントの要求に欠落や矛盾、実行不能な点がないことを保証するために書かれたものです。

3 要求がセントラルサーバーの検査をパスすると、サーバーは**ミドルウェア**と呼ばれるソフトウェアを使用します。ミドルウェアは、クライアントと多数のファイルサーバーとの中間に位置し、クライアントが作成したものの一時的な貯蔵庫の役割を担うことから、そのように呼ばれます。各クライアントには十分な容量のストレージスペースを即座に用意しなくてはなりませんが、クライアントごとに専用のサーバーを用意するのは難しく、良い考えとはいえません。一方ミドルウェアを利用すると、クライアントが専用のシングルクライアントサーバーへの直接パスを持つかのように、ストレージシステムを振る舞わせることができます。

4 同時にミドルウェアは、クラウドを構成する多くの強力なコンピューター群をトリックにかけます。このコンピューター群は**サーバーファーム**とも呼ばれ、保存されたファイルがここに格納されます。多くのサーバーは容量を使い切らずに稼働しているため、セントラルサーバーは空のストレージスペースやアイドル状態のプロセッサ時間を利用して**仮想コンピューター**を作ります。各仮想コンピューターは、ファームの唯一のコンピューターであるかのように振る舞います。難しいタイミングの巧妙な調整により、各仮想コンピューターは情報を送受信し、他の仮想サーバーが停止している間はサーバーのハードドライブにもアクセスできます。

CHAPTER 20 インターネットがコミュニケーションを可能にする仕組み

6 大災害に備えて、ファイルの一部は複数のサーバーに分散されることがあります。これにより、ファイルが完全に失われる可能性が低くなります。これは米軍におけるインターネットの元来の目的の1つでした。核戦争においてコンピューターセンターが破壊された場合に備え、情報の冗長性が必要とされたのです。このシステムは、反乱者間の確実な情報配信方法としても知られています。冗長性がなければ、抑圧的な政府によって検閲されてしまうからです。

仮想コンピューター

サーバーファーム

現在地

暗号化

5 セントラルサーバーは、クライアントからのファイルの保存要求を受信すると、まずファイルを**暗号化**することがあります。これは、サーバーファームから機密情報を盗むために侵入してくるハッカーを抑止するためです。次にセントラルサーバーは、1つ以上のファームにある、数百台のサーバー間のトラフィック記録とストレージ使用量を調べます（Google はサーバーを10万台保有すると推測されています）。信頼できるクラウドは、クライアントのすべてのファイルを格納するのに必要となる台数の2倍のサーバーを保有しています。そのようなクラウドでは、サーバーの故障に備えて、すべてのデータを1つ以上の場所および1つ以上の物理的な位置に保存します。サーバーの台数を2倍にし、コピー（時にはファイルの元のバージョンのコピーも含む）をとっておくことは、**冗長性**と呼ばれます。

セントラルサーバー

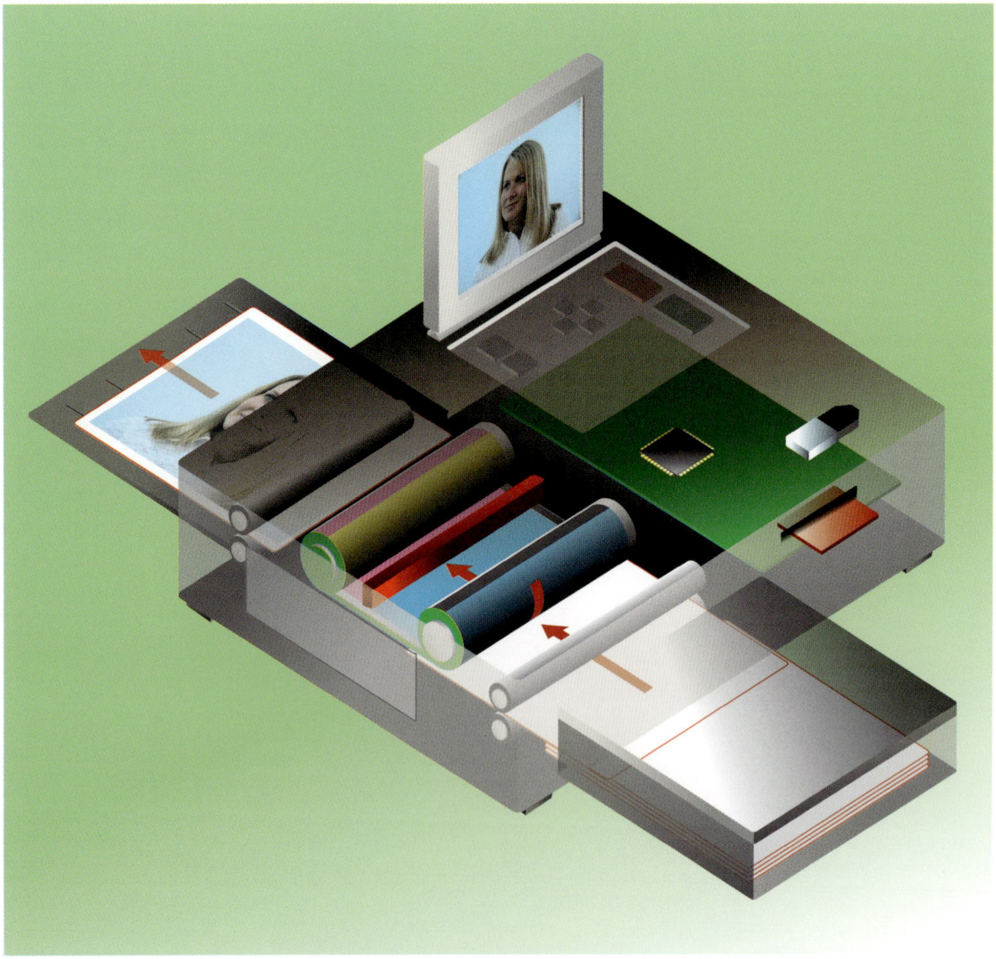

PART 6

プリンターがデータを形にする仕組み

CHAPTERS

CHAPTER 21　モノクロ印刷の仕組み　316

CHAPTER 22　グーテンベルクの想像を超える印刷技術　324

> 印刷技術は、言葉を千倍にも増やす魔法の力によって、その黎明期から今日に至るまで
> 世界に絶大な影響を及ぼしてきた。
>
> **—ヘルムート・プレッサー**

パソコンが登場したばかりのころ、それが私たちの生活様式を根底から覆す存在になるほどの革命だと人々がまだ気づいていなかった時代、データがすべてコンピューター化されればいずれ「ペーパーレスオフィス」が実現すると言い出す人が現れました。コンピューターを使い始めてから 2 世紀目に入りましたが、カラフルなグラフなどを含む企業の予算計画書やら個人の年賀状やらを印刷するのに必要な紙を製造するために、かつてないほどの樹木が伐採されています。さらに、単に印刷部数が増えただけでなく、実用的な 3 次元の物体を印刷するプリンターが登場したことで、印刷技術は 3 次元の広がりを持つに至りました。今のところ **3D プリンター** は、資金が豊富な研究所や金に糸目を付けない愛好家のもののように見えますが、インクジェットやレーザープリンターのように一般家庭でごく当たり前に使われる日も遠くありません。それらはあらゆるものに変化をもたらすでしょう。

　印刷の終焉を予言した人は重要な事実を見落としていました。恐らく、タイプライター時代のオフィスでの紙の使われ方が念頭にあったのでしょう。当時、紙に印刷できるのは、使いやすくてもぱっとしないクーリエ体の黒い文字と数字だけでした。確かに、そのような見た目の悪いメモや手紙の類だけなら電子メールに置き換えてもかまわないと考えたのは無理もありません。しかし、ソフトウェアと印刷技術が進歩して、当時の IBM 社の最高級タイプライター Selectric でも到底作り出せなかったような、図形入りでカラーの報告書、ニューズレター、グラフ、予算計画書、年賀状などを、短時間で手軽に作れるようになるとはだれも予想していませんでした。

　印刷技術の進歩は、まず速度と手軽さに現れました。タイプライター時代は、単純なタイプミスを修正液で消すかペンで直すかしていましたが、現在はプリンターが高速化したので、間違いを画面上で修正して気軽に印刷し直すことができます。次の大きな進歩はグラフィックスに現れました。荒削りながらもドットマトリックスプリンターで折れ線グラフを印刷できるソフトウェアが登場したことで、文字のみの文書の時代は終わりました。現在はオフィスの標準的なプリンターで、線画から写真まで、見えるものなら何でも印刷できます。

　この状況には思わぬ落とし穴もあります。私たちはコンピューターが間違いを自動的に直してくれる能力を信頼しきっているので、プリンターから高速できれいに出力されたコピーに間違いがあっても、完璧なものに見えてしまいます。実際、紙面の見た目が整えられてきれいに印刷されていると、ありえないほど簡単な入力ミスに気づかなかったりします。

　コンピューターで印刷するようになったことで、活字書体とその装飾の可能性は一気に広がりました。以前は、語句を強調する方法は下線しかありませんでした。現在は、太字、斜体、二重下線、細面の文字、黒い極太文字、スモールキャピタル、反転、白抜き、ドロップキャップなどで文字を修飾できます。単にこれらが可能という話ではなく、実際、同じ文書の中でそのすべてを使うこともあります。いろいろ使ってみたくなりますよね？　ともかく面倒なタイピング作業が、楽しいレーザー印刷に変化したのです。

現在、無料のデジタルフォントが数千はあります。100年前はせいぜい数十といったところでしょう。昔の印刷業者は金属活字の書体一式を鋳造するために高価な鋳型を用意しなければならなかったので、ふつうは2～3種類の書体しか使えませんでした。今では、特別な費用をかけなくても、映画『バイオハザード』シリーズのポスターにあるような派手なフォントを個人の文書で使うことも、上品ぶって名刺をきれいな手書き風のフォントで印刷することもできます。

　コンピューターでの印刷は、間もなくカラー化しました。最初は贅沢品でしたが、カラープリンターの品質と速度が向上すると共にコストも低下しました。今では1万円程度のプリンターでも文書のコピーや写真のスキャンができ、修正した写真を高品質の写真用紙に印刷してアルバムや写真立てに飾ることができます。

　紙がオフィスからなくなることはありませんでした。それどころか、全く新しい展開が開けたわけです。辛うじて文字らしきものを印刷するだけだった低級プリンターも、今やコンピューターシステムに欠かせない構成機器の1つとなりました。3Dプリンターが登場したおかげで、この流れがすぐに変わるようにも見えません。どちらかといえば、プリンターは私たちの家庭や日常生活の中でもっと大きな役割を担うことになるでしょう。

CHAPTER 21 モノクロ印刷の仕組み

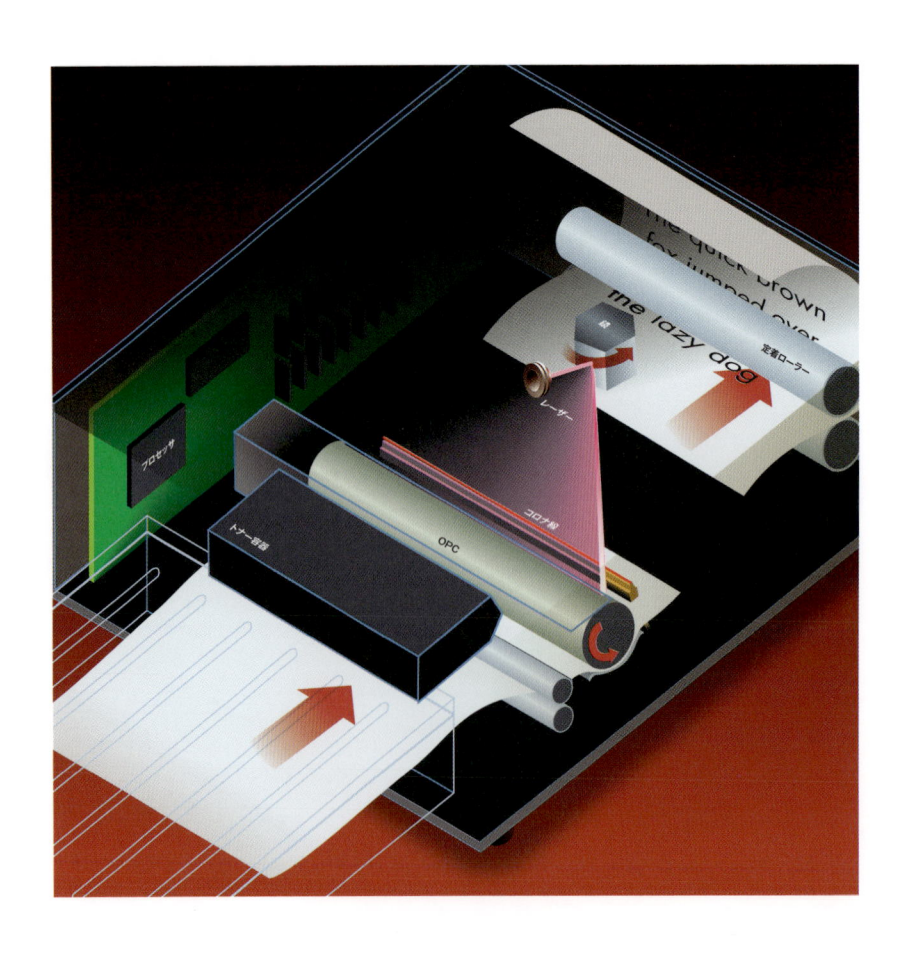

PART 6　プリンターがデータを形にする仕組み

コンピューターによる最近の 2 次元（2D）印刷はすべてドットマトリックスを基本としています。バレエのような複雑な動線に沿って印刷が進行するレーザープリンターも、カラードットを用紙に噴出するインクジェットプリンターも、ドットを生成するだけ、という点では同じです。どのような種類の紙面であっても、結局はただのドットの集まりなのです。

　印刷ドットの生成方法は違っても、ドットを出力する位置は共通の方式で決められる必要があります。最もよく用いられる方式は、ビットマップフォントとアウトラインフォントです。ビットマップフォントは、サイズとウェイト（書体の太さ）が最初から決まっています。アウトラインフォントは、その場で拡大・縮小したり、太字や下線のような特別な属性を付与したりすることができます。どちらの方式も必要とされる出力の種類によって一長一短があります。

　ビットマップによる画像は、コンピューター上にあるグーテンベルクの活字のようなものです。一般にビットマップは文字の印刷に限って用いられ、使うフォントの種類が少なければ印刷ページを高速に生成できます。しかし、印刷ページにビットマップ文字以外の図形も含まれている場合には、図形を生成するためにソフトウェアからプリンターが理解できる命令を送信しなければなりません。

　アウトラインフォント（ベクターフォント）は、ページ上のあらゆるもの（文字も含む）を図形として扱うAdobe PostScriptやMicrosoft TrueTypeなどのページ記述言語で用いられます。ソフトウェアが扱うテキストやグラフィックスが、プリンターのページ記述言語が使う一連のコマンドに変換され、そのコマンドで印刷ページ上の各ドットの位置が決定されます。ページ記述言語がドットマトリックスプリンターより遅いということは、もはやありません。アウトラインフォントは、いろいろな属性や特殊効果付きのさまざまなサイズの活字を生成でき、より美しい印刷ページを作成できます。これはコンピューターを用いた印刷方式の1つの到達点ともいえます。

プリンターがビットマップフォントを利用する仕組み

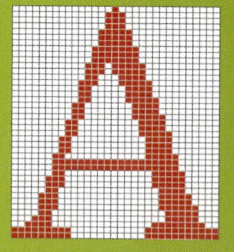

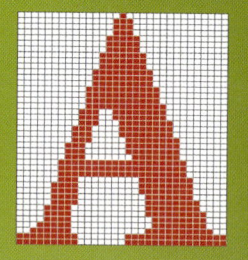

36 ポイント（標準）　　　36 ポイント（太字）　　　30 ポイント（標準）

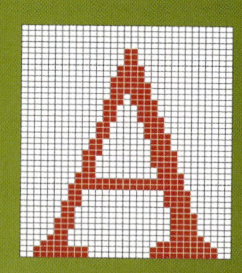

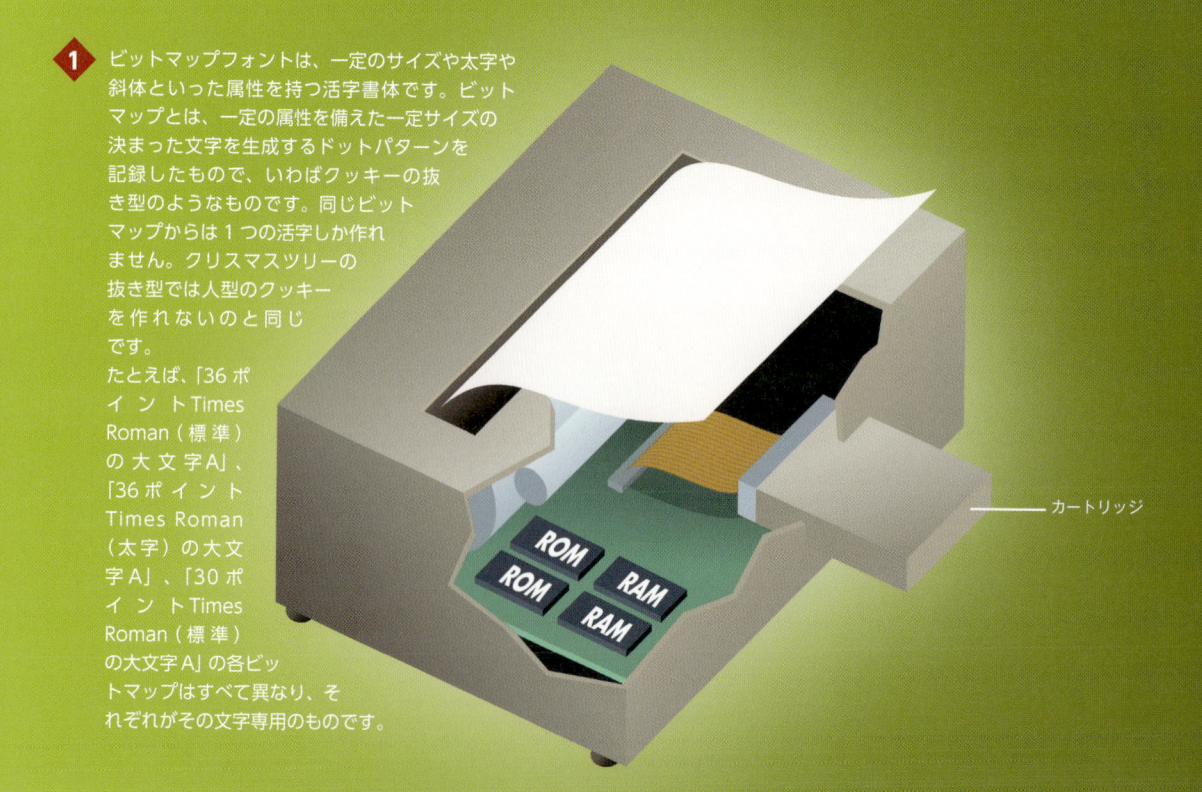

1 ビットマップフォントは、一定のサイズや太字や斜体といった属性を持つ活字書体です。ビットマップとは、一定の属性を備えた一定サイズの決まった文字を生成するドットパターンを記録したもので、いわばクッキーの抜き型のようなものです。同じビットマップからは 1 つの活字しか作れません。クリスマスツリーの抜き型では人型のクッキーを作れないのと同じです。
たとえば、「36 ポイント Times Roman（標準）の大文字A」、「36 ポイント Times Roman（太字）の大文字A」、「30 ポイント Times Roman（標準）の大文字A」の各ビットマップはすべて異なり、それぞれがその文字専用のものです。

カートリッジ

2 ほとんどのプリンターは、2〜3 種類の標準と太字のビットマップフォント（通常、書体は Courier と Line Printer）を ROM に内蔵しています。また、多くのプリンターは RAM を搭載し、そこにコンピューターから他のフォントのビットマップが送られてくるようになっています。一部のレーザープリンターでは、脱着式のカートリッジでビットマップフォントを追加できます。

CHAPTER 21　モノクロ印刷の仕組み

3 ビットマップフォントを使用するプリンターにOSまたはアプリケーションから印刷コマンドが送られると、まずプリンターのメモリ内のどのビットマップテーブルを使えばよいかがパソコンからプリンターに指示されます。

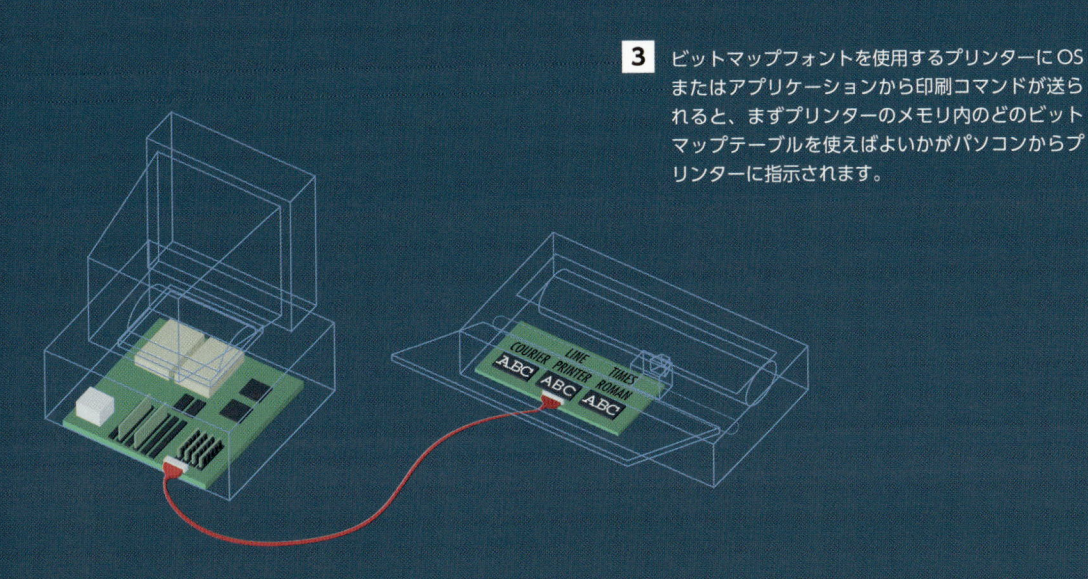

4 次に、印刷すべき文字や句読点、印字ヘッドや用紙の移動（タブ、復帰、改行など）ごとに、パソコンからASCIIコードが送られてきます。その各ASCIIコードの16進数がビットマップテーブル内の値と照合されます（基数10の10進数に対して、16進数は基数16、つまり各桁が1、2、3、4、5、6、7、8、9、0、A、B、C、D、E、Fのいずれかの値を取り得る数です）。たとえば、16進数41（10進65）がプリンターに送られてくると、プリンターのプロセッサは41hをテーブル内で探し、それに対応するドットパターンが大文字Aを生成することを知ります（文字の書体、サイズ、属性も同じテーブルに入っています）。

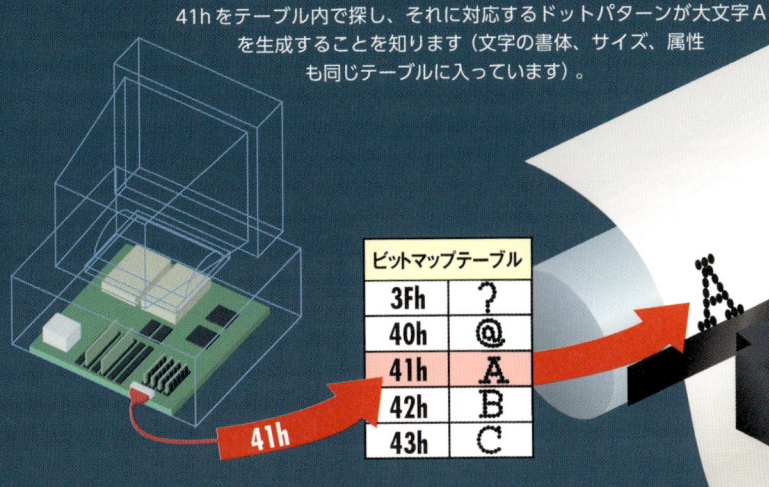

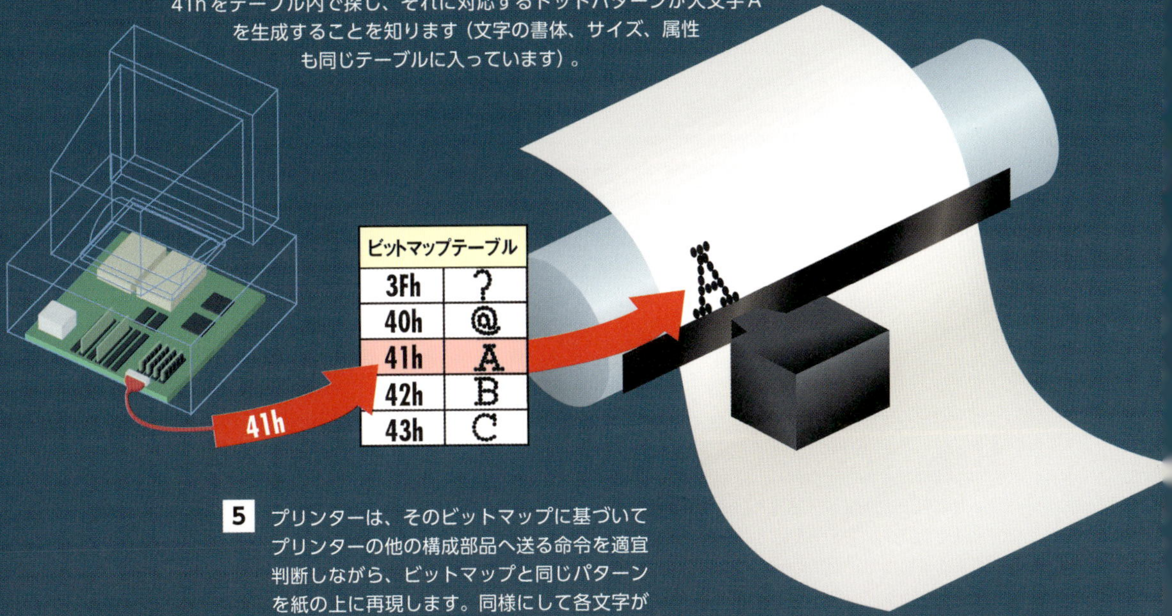

5 プリンターは、そのビットマップに基づいてプリンターの他の構成部品に送る命令を適宜判断しながら、ビットマップと同じパターンを紙の上に再現します。同様にして各文字が次々とプリンターへ送られてきます。

プリンターがアウトラインフォントを利用する仕組み

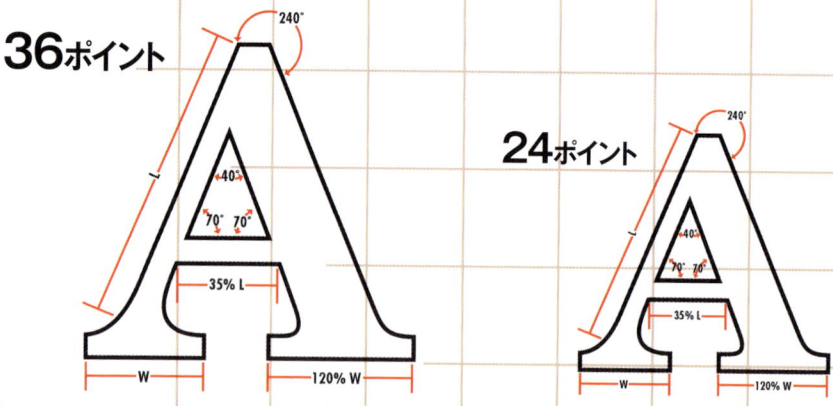

36ポイント

24ポイント

1 アウトラインフォントは、ビットマップフォントと違って、活字書体のサイズや属性が固定されていません。実際のフォントは、同じ書体の個々の文字や句読点を数学的に記述したもので構成されます。これをアウトラインフォントと呼ぶのは、たとえば「36ポイント Times Roman の大文字 A」のアウトライン（輪郭）と「24ポイント Times Roman の大文字 A」のアウトラインの比率が同じだからです。

2 一部のプリンターは、ページ記述言語（多くは PostScript か、Hewlett-Packard 社の Printer Command Language）を**ファームウェア**、すなわちマイクロチップ内のコンピュータープログラムとして最初から搭載しています。ページ記述言語は、パソコンのソフトウェアから送られてきたアウトラインフォントのコマンドを、用紙上のドットの位置を制御するためのプリンターへの命令に変換します。ページ記述言語を搭載していないプリンターでは、プリンターのドライバーがプリンター固有の言語のコマンドをプリンターに必要な操作命令に変換します。

3 アウトラインフォントを使用するアプリケーションで印刷コマンドを実行すると、アプリケーションから一連のコマンドが送られてきます。ページ記述言語は、コマンドを一群のアルゴリズム（数式）に従って解釈します。特定の書体の文字を構成する線分や円弧が、これらのアルゴリズムで記述されています。一部の書体ではアルゴリズムにヒント情報が含まれています。ヒント情報とは、活字を極端に大きくするか小さくしたとき、アウトラインの細部に加える特別な修正です。

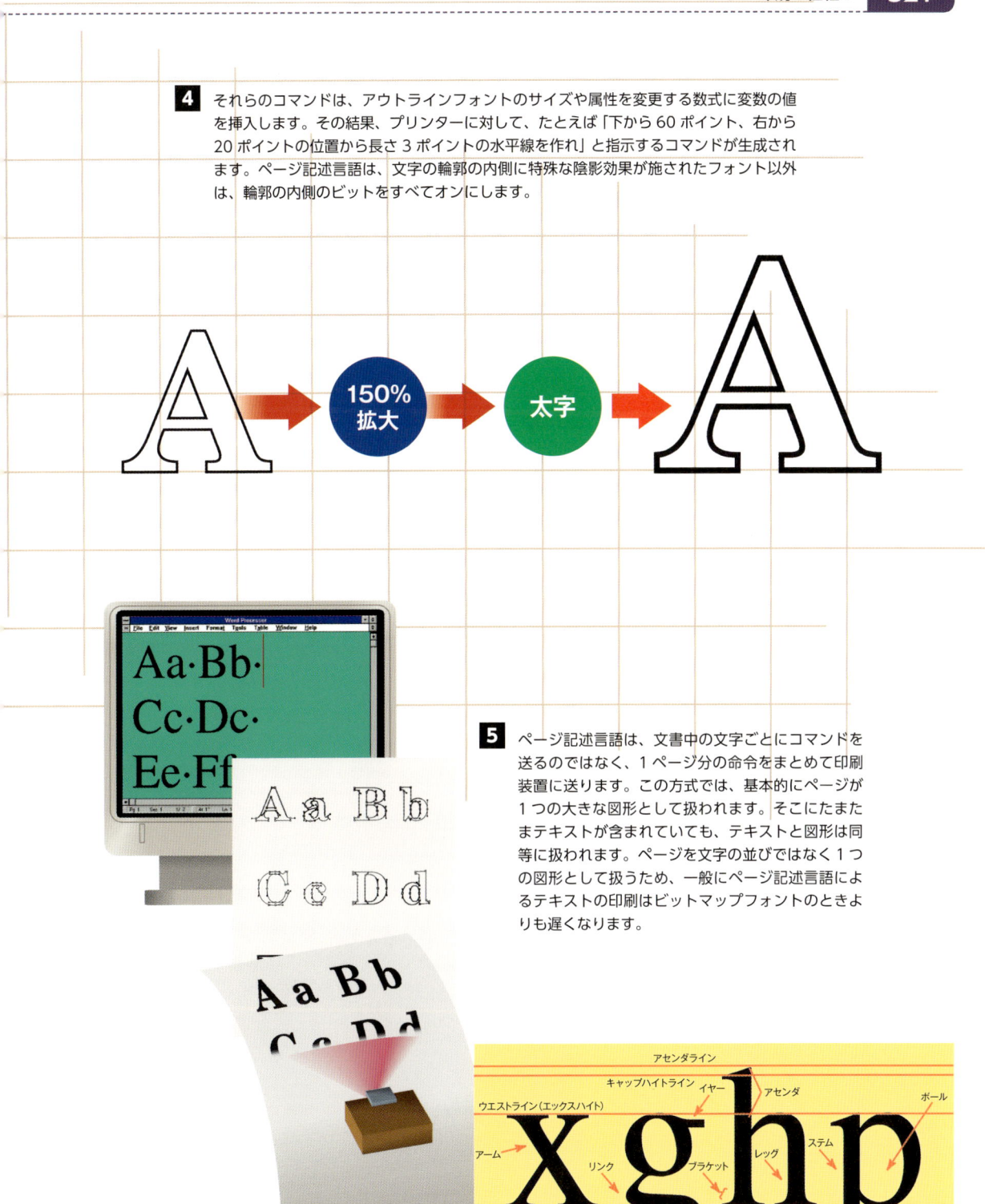

4 それらのコマンドは、アウトラインフォントのサイズや属性を変更する数式に変数の値を挿入します。その結果、プリンターに対して、たとえば「下から60ポイント、右から20ポイントの位置から長さ3ポイントの水平線を作れ」と指示するコマンドが生成されます。ページ記述言語は、文字の輪郭の内側に特殊な陰影効果が施されたフォント以外は、輪郭の内側のビットをすべてオンにします。

5 ページ記述言語は、文書中の文字ごとにコマンドを送るのではなく、1ページ分の命令をまとめて印刷装置に送ります。この方式では、基本的にページが1つの大きな図形として扱われます。そこにたまたまテキストが含まれていても、テキストと図形は同等に扱われます。ページを文字の並びではなく1つの図形として扱うため、一般にページ記述言語によるテキストの印刷はビットマップフォントのときよりも遅くなります。

光で印刷する仕組み

2 プリンターのプロセッサからの命令によって、レーザー光線が高速に ON/OFF されます。

1 パソコンの OS とソフトウェアからレーザープリンターのプロセッサに対して、印刷用トナーの各ドットを用紙のどの位置に転写するかを決める信号が送られます。この信号は、単純な ASCII コードか、ページ記述言語のコマンドのどちらかです。

帯電極性による印字方式の違い

ここで説明した内容は、文中に出てくる電荷の極性をすべて反対にしても同様に成立します。ここで紹介した方式は、キヤノンの印刷エンジンを採用したほとんどのプリンター (Hewlett-Packard 社の機種など) に当てはまり、レーザープリンターの標準方式となっています。これを**ライトブラック方式**と呼びます。レーザー光線が作り出すドラム表面のドットパターンが黒で出力されるからです。しかし、これと違う方式で動作するレーザープリンターが存在し、印刷結果もかなり違います。それはリコーの印刷エンジンが採用している、**ライトホワイト**という方式です。この方式では、レーザー光線の当たった部分がトナーと同じ極性で帯電し、光の当たっていない部分にトナーが吸着します。一般にライトホワイト方式は印刷結果が深みのある黒になり、ライトブラック方式は細かい部分の印刷に優れています。

9 回転するドラムの表面は、コロナ線と呼ばれる細いワイヤーの近くを通過します。これをコロナ線と呼ぶのは、このワイヤーを通る電流によって周囲にプラスの電荷を持つ環状の静電場 (コロナ) が作られるからです。コロナによって OPC ドラムの表面全体が元のマイナスの帯電状態に戻され、レーザー光線でドラム表面に次のページを描画できるようになります。

CHAPTER 21 モノクロ印刷の仕組み

3 回転する鏡によってレーザー光線は反らされ、光線の経路は **OPC（有機感光体）** という円筒の表面に沿った水平線になります。OPC は単に **ドラム** とも呼ばれます。ON/OFF されるレーザー光線の組み合わせと、光線の経路の動きによって、ドラムの表面に沿って多数の小さな光の点が照射されます。OPC ドラムの横幅 1 本分の照射が終わるとドラムが少しだけ（通常 300 分の 1〜600 分の 1 インチ）回転し、再びレーザー光線が次の 1 本分のドットの線を照射します。レーザー光線の代わりに、横方向に何段か並べた小さな LED（発光ダイオード）を使うプリンターもあります。この方式だと可動部品が少なくて済みます。

4 別の一群のローラーによって印刷エンジンの一部である **定着ユニット** に用紙が供給されます。そこで熱と圧力を加えられたトナーは、トナーの成分であるワックスの溶融・圧着によって用紙に定着します。レーザープリンターから出てきたばかりの用紙が暖かいのは定着ユニットの熱のせいです。プリンターのペーパートレインから排出される用紙は、通常、印刷面が下向きになるので、排紙トレイに正しい順番で積み重ねられます。

5 光の点がドラムに照射された部分では、ドラムの表面にある、通常は酸化亜鉛などの物質でできているマイナスに帯電したフィルムの電荷が変化し、ドットが用紙と同じ極性の電荷を持つようになります。この例では、光が当たった部分の極性がマイナスからプラスに変化するものと仮定します。プラスの電荷を持つ部分が、用紙上で最終的に黒く印刷されるドットを表します（前ページ「帯電極性による印字方式の違い」のライトホワイトプリンターの説明を参照）。ドラムの表面でレーザー光線が当たらなかった部分はマイナスに帯電したままで、その部分は用紙上では印刷されず白くなります。

6 ドラムの回転の途中で、OPC は **トナー** と呼ばれる黒い粉末の入った容器と接触します。この例で、トナーはマイナスに帯電しており、レーザー光線がドラム表面に作り出す電荷とは反対の極性を持ちます。極性が反対の粒子は互いに引き寄せ合うので、トナーはレーザー光線の作り出したドラム表面の帯電ドットパターンに吸着します。

7 ドラムはそのまま回転を続け、ペーパートレインを通って供給されてきた用紙と圧着します。用紙の電荷はレーザー光線の作り出したドラムの電荷と極性が同じですが、用紙の電荷のほうが強いので、トナーはドラムから剥離して用紙に吸着します。

8 ドラムが回転を始めると同時にギアとローラーによる機構が用紙を **ペーパートレイン** と呼ばれる搬送路に沿って印刷エンジンに供給します。ペーパートレインを通り抜ける途中で用紙は帯電線の上を通過し、用紙は静電気を帯びます。

CHAPTER 22 グーテンベルクの想像を超える印刷技術

マゼンタの層　　シアンの層　　ブラックの層

イエローと
マゼンタ

イエローとマゼンタと
シアン

イエローとマゼンタと
シアンとブラック

グーテンベルクの活版印刷技術を用いた印刷機では、金属製の文字を手作業で並べる必要がありました。活字は鉛、錫、アンチモンの合金でできていて、片側に印刷される文字の鏡像が付いていました。それらの活字は、鋳造面を上に向けて箱に1つ1つ並べられ、単語の鏡像を1行分並べ終わると、植字工は次の行に取り掛かりました。1ページ分の活字が組み上がると、活字を枠に固定してインクを塗布し、紙や羊皮紙に圧着してインクを写しました。

このようなやり方で聖書を印刷するのは悠長な話と思われるかもしれませんが、当時の人々にしてみれば、ヨーロッパ中に知識や情報を広める革命的な出来事だったのです。グーテンベルクの印刷機を巡るもう1つの驚くべき事実は、もっと優れた印刷機械が考案されるまでに500年かかったことです。19世紀の終わりごろ、マーク・トウェインは小説やエッセーで得たすべての稼ぎを、組版作業を自動化するさまざまな機械に注ぎ込みましたが、結局うまくいきませんでした。

より優れたものが登場するまでになぜ500年もかかったのでしょう？ それは、グーテンベルクの印刷機は、進化の過程で見れば、足が生え始めて陸地に上がることを決意した最初の魚のようなものだったからです。その後、何百万年もの間、移動手段として足が使われ、動物が別の移動手段を獲得するには、翼が生えるのを待たねばなりませんでした。その後も、歩くことは何世紀もすたれていません。

ケースに稼動活字が装填され、印刷に利用される。

レーザー、インクジェット、3Dプリンターが発明されるまでには、抜本的な進化上のブレイクスルーが必要でした。他方、自動車は馬車から徐々に進化した機械であり、革新的な発明ではありませんでした。州をつなぐ高速自動車道は、道路の進化における最高段階ではありますが、人が踏み固めた初期の道からの抜本的なブレイクスルーはありませんでした。

コンピューティングは飛躍的な前進の1つでした。コンピューターやトランジスタの重要な点は、それらが誕生した当初に持っていた能力ではありません。それらの重要性は、他の発明に至る道を開いた点にあります。ビデオやオーディオのストリーミング、位相幾何学を応用した天気予報、「ビッグデータ」による人、自然、社会の深層分析、これらはそれ以前に全く存在しなかったものです。500年にわたって、より優れた印刷方法をだれも思い付かなかったのは、技術というものは何世紀もかけて少しずつ進化しながら、あるとき突然、だれも想像しないことが起こる、そういった性質のものだからです。コンピューティングを開発した人には宇宙船の設計、言語学習、資金管理、寿命の予測のことなど念頭になかったでしょう。1944年当時、「画像を中国へ数秒で送信しながら英語を中国語に翻訳できるような装置を開発する予定だ」といったら、変人扱いされたでしょう（というか、紛れもなく変人です）。今日の私たちが当たり前に思うことも1944年当時の正気な人々には、その片鱗すら見えなかったからです。

ここで重要なのは、今現在、私たちがグーテンベルクと同じ立場にあることです。まさに今、私たちは強力で現実に役立つ技術が、個人として、また社会の一員としての私たちのあり方を急速に変革する様子を目の当たりにしています。今から500年の間に何が登場するか想像できますか？ もちろんそれは不可能です。次の500年の間に私たちは根源的な進化の壁をいくつも乗り越えることになるでしょう。しかし、今現在、私たちはこれといったアイデアを持ち合わせていません。それはちょうどグーテンベルクが、光で文字を印刷するプリンターや、プラスチックで作られたプリンター、そしてこの章に出てくる過去には想像できなかったようなプリンターを思い付かなかったのと同じことです。

望むらくは、次にやってくる進化上のブレイクスルーが、コンピューターのように広く行き渡り、何千年か後の人類が平和、正義、健康、繁栄に満たされたまともな社会を築く力を与えてくれるものであれば良いのですが。今はまだありませんが、やがて活版印刷技術に比肩し得る小さな技術が姿を現し、その技術に導かれて私たちは崇高で最高のアイデアを実体化することになるでしょう。

プリンターが色を表現する仕組み

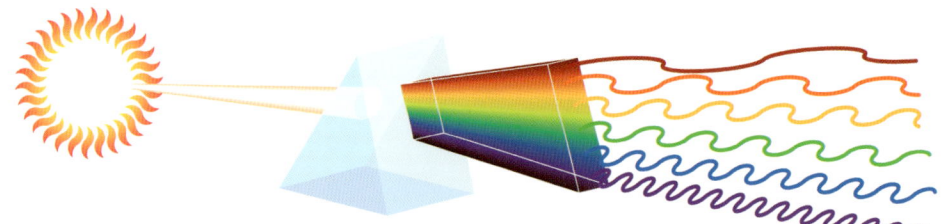

1 すべての色はさまざまな光の組み合わせからなっています。プリズムに白色光を通して、スペクトルに分解すると、そこに含まれているすべての波長を目にできます。スペクトルでは色は連続的に混ざり合っていますが、カラー印刷に必要なのは2、3の色調のみです。これらの原色を足し引きしたり、混ぜ合わせることで、原理的にはスペクトル中のあらゆる色を再現できます。

2 **加色法**はテレビやパソコンのモニター、映画などで使われています。赤、緑、青の三原色をさまざまな強さで放射して足し合わせることで、白やその他のすべての色が表現できます。色を足し合わせるたびに、目に見える色の数も増えていきます。赤、緑、青のすべてを最大限の強さで足し合わせると、白が現れます。

3 **減色法**は、光が放出される加色法とは対照的に、顔料から反射する光で色を表現します。色を足し合わせるたびに白色光のスペクトル中の色合いは吸収され（減じられ）ます。

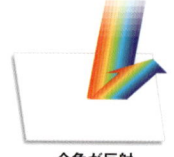

全色が反射 ／ どの色も反射せず ／ 赤だけが反射 ／ 赤と青が反射

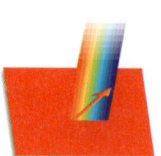

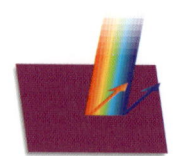

4 カラー印刷にはシアン（青緑）、マゼンタ（赤紫）、イエロー、ブラック（黒）の4つの顔料が使用され、この仕組みを **CMYK** といいます（Kはブラックのことです）。格安品のインクジェットプリンターでは同量のマゼンタとイエローとシアンを混ぜ合わせてブラックを作ることで、ブラックインクのプリントヘッドの分のコストを抑えています。しかし、こうして作られたブラックは濃さが足りないので、家庭用プリンターでも高性能のものは、ブラックインク用のプリントヘッドが備わっています。

イエローの層 ／ マゼンタの層 ／ シアンの層 ／ ブラックの層

イエローのみ ／ イエローとマゼンタ ／ イエローとマゼンタとシアン ／ イエローとマゼンタとシアンとブラック

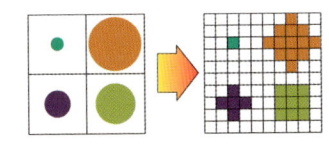

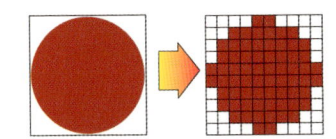

CHAPTER 22 グーテンベルクの想像を超える印刷技術

5 すべてのカラープリンターは、極小のドットで表される 4 色のインクを使って紙面にさまざまな色を表現します。明るい色はインクを付けずに紙の地の白を使って表現されます。昇華型などのプリンターでは、ドットの大きさを調節し、写真のように滑らかな色調を生成できます。しかし、ほとんどのプリンターでは、ある色がどれほど必要かにかかわらず、基本的に同じ大きさのドットが使われます。最も一般的なカラープリンターでは 300dpi、つまり1インチあたり 300 ほどのドットが使用され、ページあたりのドットの総数は 800 万個にもおよびます。多くのプリンターではおおよそ 700dpi まで表現でき、最大 1,440dpi を表現できるものもあります。

300 dpi 720 dpi 1440 dpi

ディザリング

6 三原色を重ねてできる 8 色以外の色を表現するには、プリンターは異なる色のドットをさまざまに組み合わせます。たとえば、深紫を作るには、マゼンタのドット 1 つと、シアンのドット 2 つを組み合わせます。その際、それぞれの色のインクを重ねて印刷するのではなく、ドットの位置をほんの少しずらします。この方式を**ディザリング**と呼びます。人間の目は個々のドットを混ぜ合わせるため、ドットによって生じる**ジャギー**と呼ばれる輪郭のギザギザは見えなくなり、意図した色合いに見せることができます。ディザリングは 1,700 万近くもの色を生成できます。

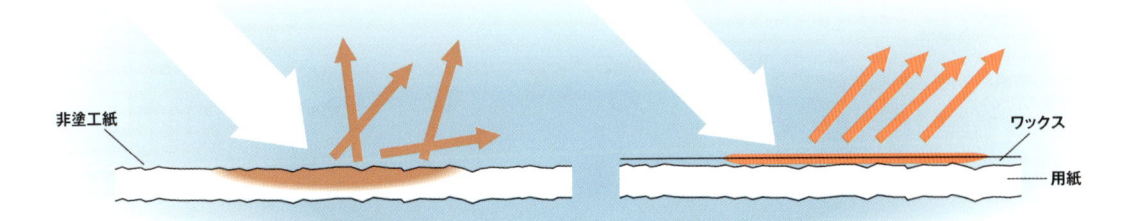

非塗工紙　　　　　　　　　　　　　　　　　　　　　　　　　ワックス
　　　　　　　　　　　　　　　　　　　　　　　　　　　　　　用紙

7 カラー印刷に使用する用紙の種類は印刷物の品質に影響します。オフィスでのモノクロ印刷によく用いられる非塗工紙は、ざらざらとした表面で光が散乱しやすいために出力は暗くなり、インクを吸収しやすいので画像はやぼやけてしまいます。

ニスやワックスで塗工された用紙は、非塗工紙よりインクが均等に乗るため、乾くと表面は滑らかになり、光を多く反射します。またコーティングがインクの吸収を防ぐため、より鮮明に画像を表現できます。

インクジェットプリンターが
画像を表現する仕組み

1 インクが充填されたカートリッジはインクジェットのプリントヘッドに取りつけられ、その下を通る用紙の印刷面を左右に往復します。

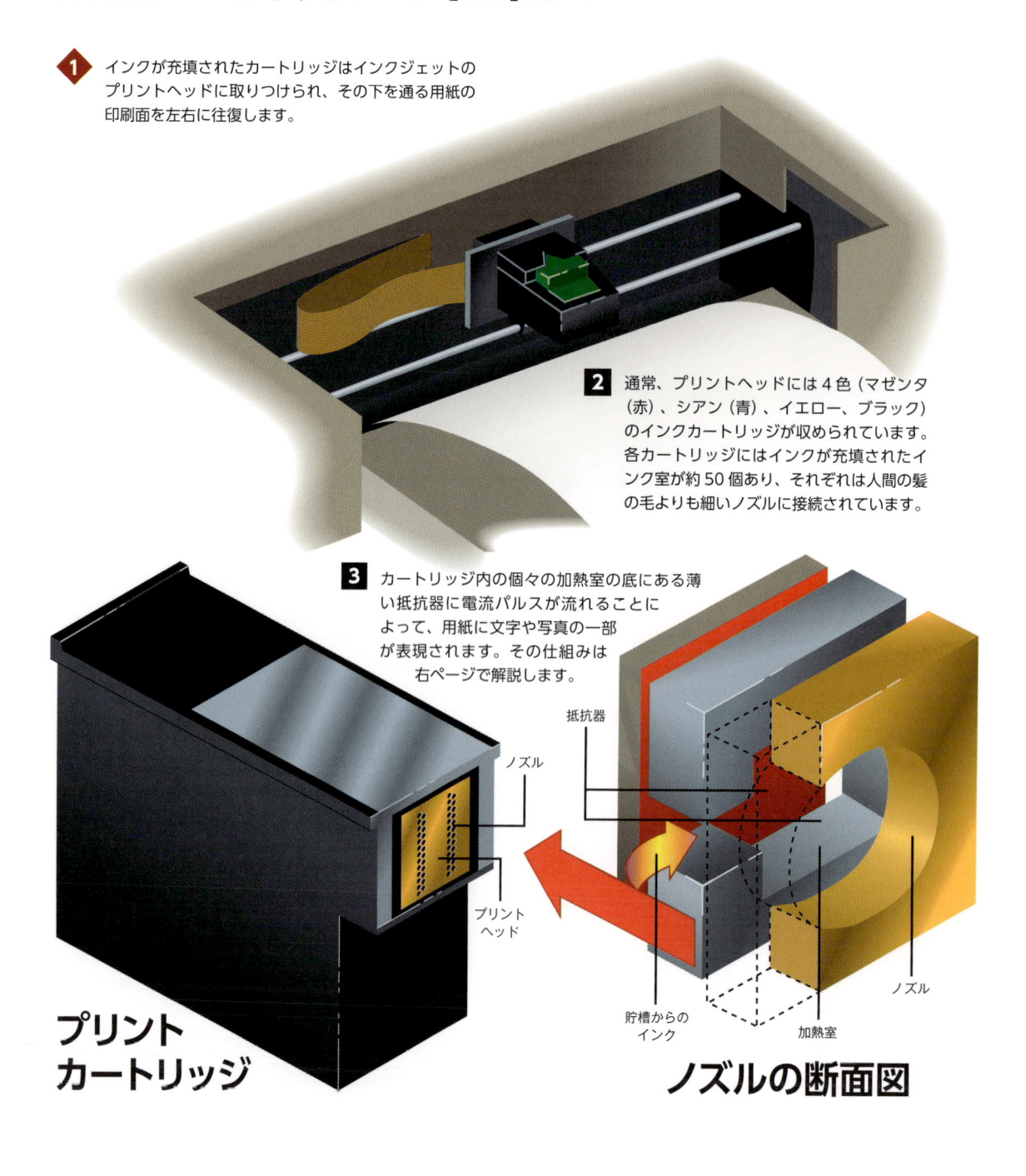

2 通常、プリントヘッドには4色（マゼンタ（赤）、シアン（青）、イエロー、ブラック）のインクカートリッジが収められています。各カートリッジにはインクが充填されたインク室が約50個あり、それぞれは人間の髪の毛よりも細いノズルに接続されています。

3 カートリッジ内の個々の加熱室の底にある薄い抵抗器に電流パルスが流れることによって、用紙に文字や写真の一部が表現されます。その仕組みは右ページで解説します。

抵抗器
ノズル
プリントヘッド
貯槽からのインク
加熱室
ノズル

プリントカートリッジ

ノズルの断面図

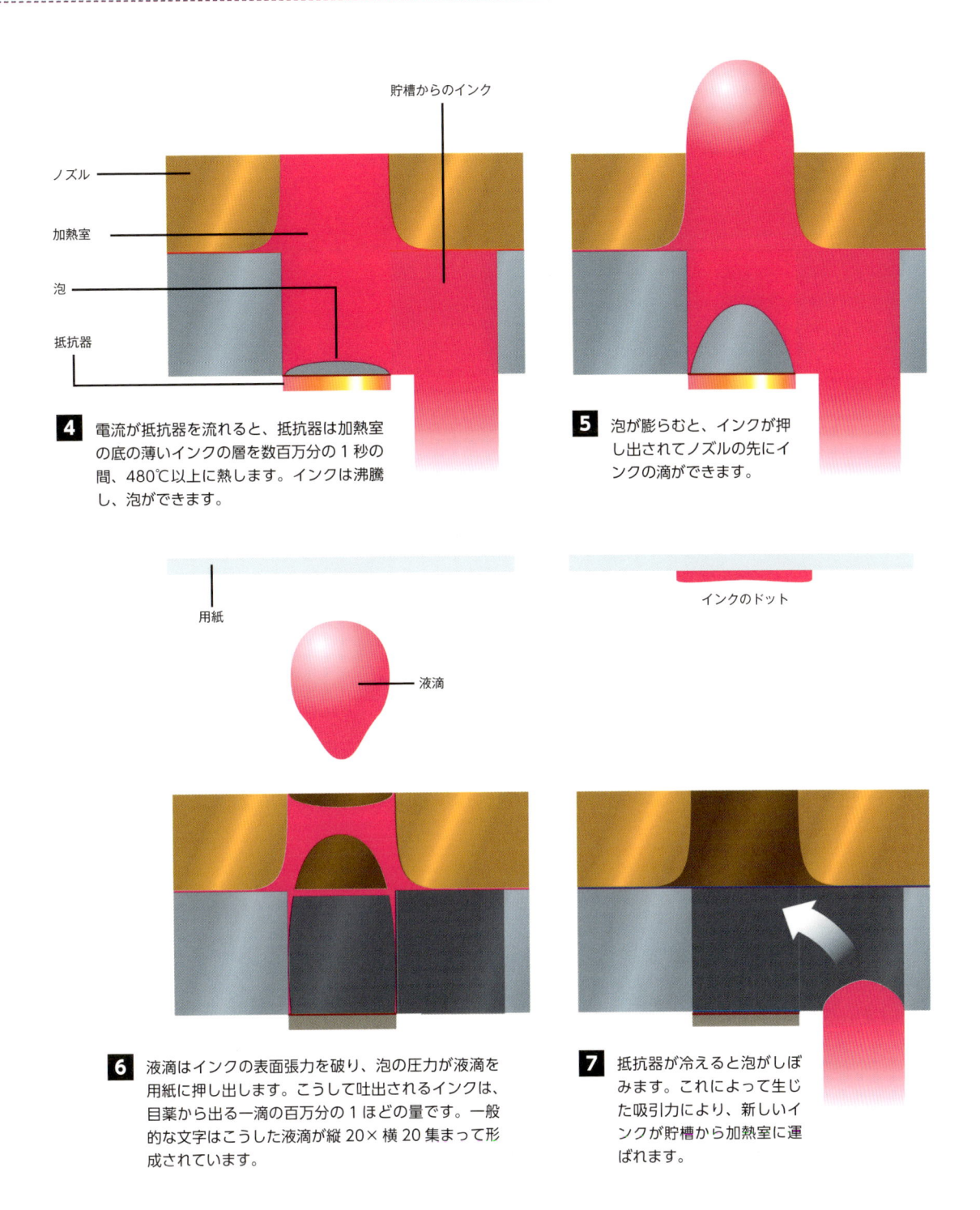

CHAPTER 22　グーテンベルクの想像を超える印刷技術

貯槽からのインク

ノズル
加熱室
泡
抵抗器

4 電流が抵抗器を流れると、抵抗器は加熱室の底の薄いインクの層を数百万分の1秒の間、480℃以上に熱します。インクは沸騰し、泡ができます。

5 泡が膨らむと、インクが押し出されてノズルの先にインクの滴ができます。

用紙

液滴

インクのドット

6 液滴はインクの表面張力を破り、泡の圧力が液滴を用紙に押し出します。こうして吐出されるインクは、目薬から出る一滴の百万分の1ほどの量です。一般的な文字はこうした液滴が縦20×横20集まって形成されています。

7 抵抗器が冷えると泡がしぼみます。これによって生じた吸引力により、新しいインクが貯槽から加熱室に運ばれます。

プリンターが写真を印刷する仕組み

顔料インク

1 通常、高品位印刷には、より多くの色のインクが使用されます。一般的なブラック、シアン、マゼンタ、イエローに加えて、明るい赤、明るい青、グレー、緑です。フォトプリンターは、**染料**または**顔料**から色が生成されたインクを使います。染料インクはゆっくり乾燥し、光や空気中の汚染物質にさらされると色が薄くなりますが、広い**色域**（インクが作り出す色合いの範囲）を持ちます。顔料インクは染料をベースにしており、染料インクと同じような明るさがありますが、光や環境の影響をより受けにくいインクです。

2 数千の**圧電ノズル**を備えたフォトプリンターは、インクジェットノズルに比べてインクの滴の大きさがコントロールしやすくなっています。各ノズルの背面の壁は**圧電素子**（電気が通ると伸縮する結晶物質）でできています。壁が曲がることにより、新たなインクがノズルに吸い込まれます。

3 ノズルへの電流の流れが止まると圧電素子は元の位置に戻り、インクの滴をノズルの外に押し出します。

4 圧電素子を通して送られる電流の量の変化によって、ノズルの背面の壁の曲がり具合が変化します。これにより、ノズルから吸い込まれたり押し出されたりするインクの量が決まります。ノズルから吐出される液滴はわずか2ピコリットルです。

セラミックコート紙

写真用紙

品質を良くして画像を長持ちさせるために、フォトプリンターはプリンターのインクの種類に合わせて作られた特殊用紙を使います。**多孔性のセラミックコート紙**はインクをすばやく吸収しますが、セラミックコーティングによって染料は光や気体にさらされた状態になります。**膨潤性の合成樹脂コート紙**は、インクが紙の繊維に染み込むときに染料や顔料の粒子をカプセルに包んで守ります。

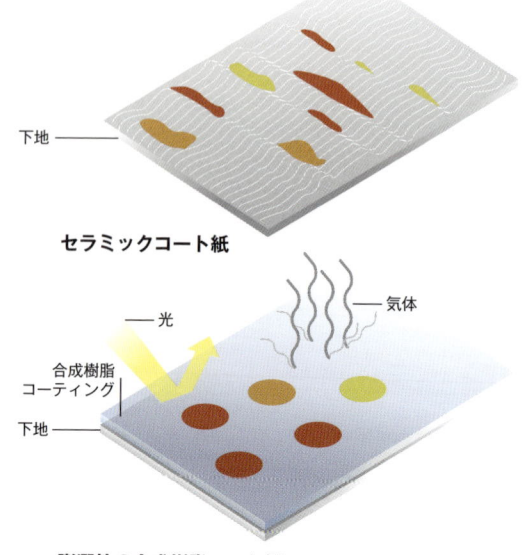

膨潤性の合成樹脂コート紙

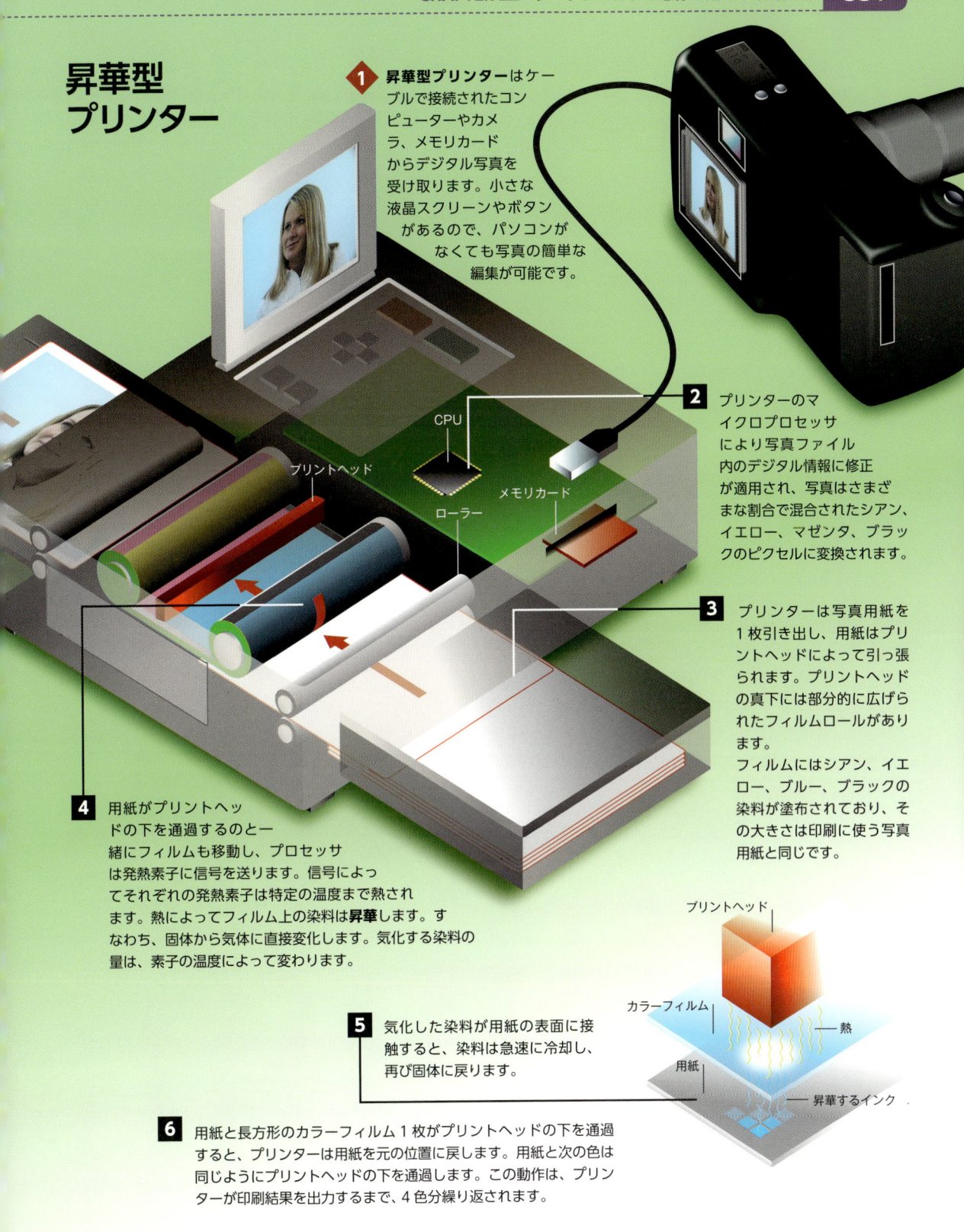

CHAPTER 22　グーテンベルクの想像を超える印刷技術　　331

昇華型プリンター

1 **昇華型プリンター**はケーブルで接続されたコンピューターやカメラ、メモリカードからデジタル写真を受け取ります。小さな液晶スクリーンやボタンがあるので、パソコンがなくても写真の簡単な編集が可能です。

2 プリンターのマイクロプロセッサにより写真ファイル内のデジタル情報に修正が適用され、写真はさまざまな割合で混合されたシアン、イエロー、マゼンタ、ブラックのピクセルに変換されます。

3 プリンターは写真用紙を1枚引き出し、用紙はプリントヘッドによって引っ張られます。プリントヘッドの真下には部分的に広げられたフィルムロールがあります。
フィルムにはシアン、イエロー、ブルー、ブラックの染料が塗布されており、その大きさは印刷に使う写真用紙と同じです。

4 用紙がプリントヘッドの下を通過するのと一緒にフィルムも移動し、プロセッサは発熱素子に信号を送ります。信号によってそれぞれの発熱素子は特定の温度まで熱されます。熱によってフィルム上の染料は**昇華**します。すなわち、固体から気体に直接変化します。気化する染料の量は、素子の温度によって変わります。

5 気化した染料が用紙の表面に接触すると、染料は急速に冷却し、再び固体に戻ります。

6 用紙と長方形のカラーフィルム1枚がプリントヘッドの下を通過すると、プリンターは用紙を元の位置に戻します。用紙と次の色は同じようにプリントヘッドの下を通過します。この動作は、プリンターが印刷結果を出力するまで、4色分繰り返されます。

レーザープリンターが色を作る仕組み

1 昔のモノクロプリンターと同じように、カラーレーザープリンターは、まず、レーザービームを高速でON/OFFさせて回転する感光ドラム（またはベルト）上に印刷されるページのイメージを作成します。ドラムに光が照射されると、ドラムは帯電します。ドラムが完全に4回転する間に、レーザーが印刷に必要な4色（ブラック、マゼンタ（赤）、シアン（青）、イエロー）それぞれのドットパターンを描きます。

2 ドラムは回転しながらトナー粉末が入ったカートリッジと接触します。カートリッジは、ブラック、マゼンタ、シアン、イエローの4つのトナーに分かれています。これと異なるタンデム方式のプリンターの構造については、右ページのイラストをご覧ください。

3 レーザーによって帯電したドラムが回転するごとに、異なる色が拾い上げられ、2次転写ベルトに移されます。

2次転写ベルト

ペーパートレイン

CHAPTER 22　グーテンベルクの想像を超える印刷技術

タンデム方式

カートリッジ

タンデム方式のカラーレーザープリンターには、4色それぞれのレーザーと感光ドラムがあります。すべての色は、単ドラム式（ロータリー方式）のカラーレーザープリンターが必要とする4回転ではなく、1回転で2次転写ベルトに移ります。

定着ローラーがトナーを
用紙に定着させる

4 すべての色がベルトに乗ると、ペーパートレインは1枚の用紙をトレイから取り出し、転写ベルトの下を通過させます。ローラーはベルトに用紙を押しつけ、一度ですべての色を用紙に付着させます。

固体インクカラープリンターの仕組み

1 固体インクカラープリンターは、室温で固体になるインクを用いたプリンターです。たとえば、Tektronix Phaser 350 は、普通紙に毎分 6 ページの速度で印刷します。プリンターで使われる 4 つの色ごとにワックス状のブロックを装填するようになっています。各ブロックを装填する挿入口は、誤って別の色を装填しないように形状がそれぞれ異なっています。

インク供給

2 それぞれの色が必要になると、4 つの加熱ユニットで溶融された各色のインクがプリントヘッド内の貯槽に別々に溜められます。

3 インクが送られるプリントヘッドは、Phaser 350 の場合、各色に対応する縦一列の 4 ノズルを一組とする 88 列で構成されています。プリントヘッドの横方向の長さは印刷ページの横幅と同じで、プリントヘッドを水平方向に 2 分の 1 インチの幅で 1 回前後させるだけで 1 行分のすべてのドットが生成されます。

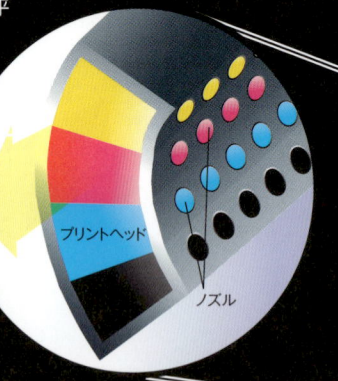

加熱ユニット

溶融インク貯槽

4 各ノズルは **圧電コントローラー** で駆動します。コントローラーは、各ノズルのインク室の背壁を流れる電流を変化させます。背壁は **圧電素子**（電気が通ると伸縮する結晶物質）でできています。

プリントヘッド

ノズル

圧電

給紙機構

5 背壁が後方へ膨らむと貯槽からインクが吸い込まれ、さらにノズルの口のインクも後ろへ戻ります。背壁がさらに曲がると吸い込まれるインクの量が増えるので、コントローラーはインク量をドットごとに変化させることができます。

6 電流が変化して背壁が内側へ曲がると、シリコンオイルでコーティングされたオフセットドラムへインク滴が勢いよく射出されます。インクを液体に保つため、ドラムは少し温められています。

CHAPTER 22 グーテンベルクの想像を超える印刷技術 335

冷却ローラー

加圧ローラー

オフセットドラム

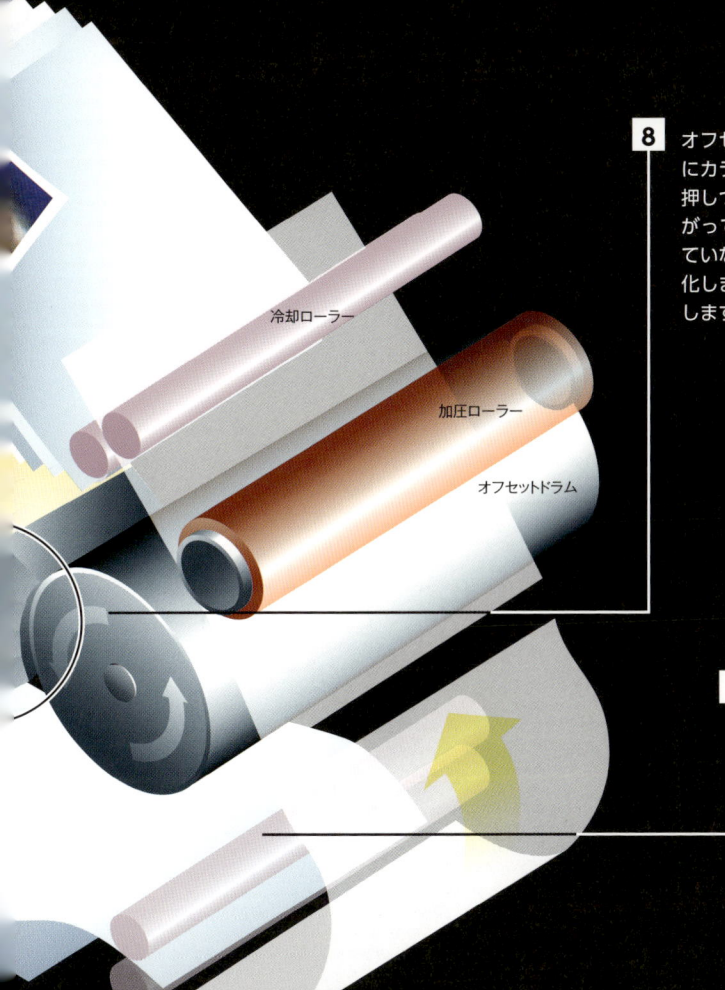

8 オフセットドラムが回転し、インクが用紙と接触すると、用紙にカラードットが付着します。加圧ローラーがインクを用紙に押しつけて定着させます。これがないとインクが用紙表面に広がって画像がにじむことになります。用紙が 2 つの加熱されていないローラーの間を通ると、インクはすぐに乾いて再び固化します。用紙 1 枚にインクを転写するのにドラムは 28 回転します。

7 給紙機構から用紙がオフセットドラムと、ドラムに密着した加圧ローラーの間へ送り込まれます。

3Dプリンターの仕組み

古いジョーク： ある男が馬像を作る彫刻家に言った。「君の作品はまるで生きているようだ。どうやったんだ？」彫刻家はこう答えた。「簡単なことさ。大きな岩の塊から始めて、馬らしくないところを少しずつ削っていくんだ」

何世紀にもわたって、私たちは多くの物をこの話のやり方で作ってきました。金属、石、材木などのブロックから始めて、削ったり磨いたり彫ったりしながら必要な形に仕上げていくのです。これらの手法はいずれも**引き算的なプロセス**です。しかし、今後は**足し算的な製造手法**が増える傾向にあります。これを一般に、**3D印刷**と呼びます。

3D印刷には多くのバリエーションがありますが、いずれも足し算的なプロセスです。何らかの材料―液体、粉末、あるいは粒状のプラスチックや金属―を、3Dプリンターが作ろうとしている物のサイズや形になるまで付け足していきます。最終的に完成した物体は、実際に手で持つことができます。また、入手困難な部品の代わりに使う、彫刻として陳列する、アクセサリーとして身に付ける、人工骨として使うといったことが可能です。

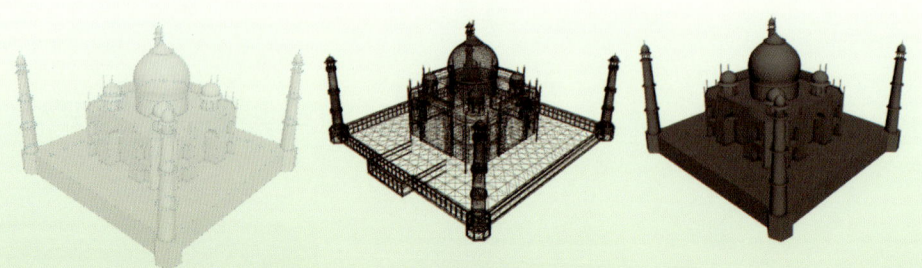

1 すべての3Dプリンターに共通するのは、作業を開始する最初の段階で**CAD（コンピューター支援設計）**を用いて物体の大きさと形状を数学的に記述することです。作業はX軸（横幅）、Y軸（高さ）、Z軸（奥行き）で表現される3次元空間の点から始まります。3つ以上の面が交差する位置に点はあり、物体はそれらの点が集まったものです。

2 CADは一部の点と点の間を線分で結んで物体の**ワイヤーフレーム**モデルを作ります。もし物体が頂点と交点だけからなるとするなら、物体はそのように見えるでしょう。ワイヤーフレームモデルでは、曲面は小さな三角の平面が無数に集まって作られています。三角形は3次元の物体を構成できる、最も単純で使いやすい図形です。三角形が小さくなるほど、デザインはよりリアルに見えます。

3 コンピューターで三角形の各面を塗りつぶせば、物体を人が認識できるようになります。私たちには、物体のうち塗りつぶされた面だけが見えます。それ以外の面は不透明な面に隠れて見えません。ただし、ソフトウェアで画像を傾けたり、回転させたり、反転させたりすれば、すべての角度から物体を見ることができます。

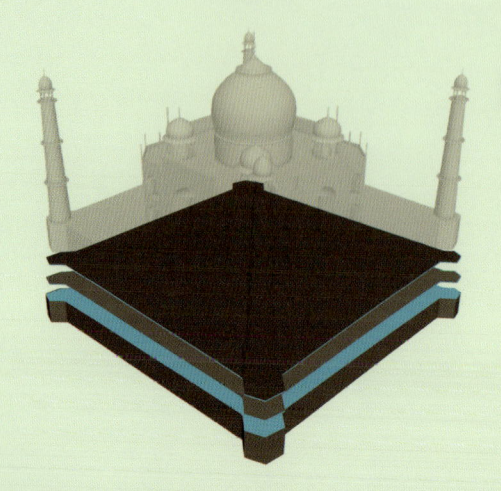

4 3D印刷のために、CADソフトは物体のデザインを水平に輪切りにして、通常、厚さ0.15〜0.5mmの断面図を生成します。物体のデザインは、さまざまな3Dプリンターが対応している**STL形式のファイル**で保存されます。無料のSTLファイルをインターネットで手に入れることもできます。マニアの中には、ゲーム用デバイスであるKinectを使って実際の物体をスキャンし、収集したデータを3Dプリンターで印刷して物体を**再現**する人もいます。ともかく、実際の印刷手法はいろいろあります。

インクジェット方式の 3D 印刷

1. **インクジェット方式の 3D 印刷**は、インクジェットを使ったことがある人にはおなじみの方法です。基本的な原理は同じです。ただし、液体インクを使う代わりに、石こうや樹脂の粉末が入った 3D 印刷カートリッジを使います。ジェット機構が生成面を横切りながら粉末をスプレーします。
2. 新たにスプレーされた物質は紫外線の照射によって直ちに固化し、下層の物質と接着します。強度を増すために、層にワックスやポリマーが添加されることもあります。
3. 複数の容器を備えたカートリッジで色付きの粉末を使うことにより、フルカラーの物体を作ることもできます。物体に空洞を作りたいときは、カートリッジに一時的な構造材となる物質を入れておき、物体が完成した後にその物質を化学処理して溶かします。

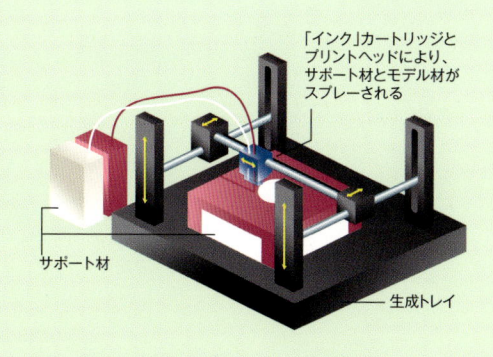

「インク」カートリッジとプリントヘッドにより、サポート材とモデル材がスプレーされる

サポート材

生成トレイ

ステレオリソグラフィ方式

1. **ステレオリソグラフィ方式**のプリンターは暗室に設置され、液体ポリマーの入った容器中でプラットフォームが液面の直下（通常、0.2mm）に来るように配置されます。
2. **デジタル光プロセッサ**がプラットフォームの上にある液体に焦点を合わせてエッジの効いた強い光のパターンを描きます。この光のパターンは、印刷する物体の第 1 層の形状に対応します。
3. 光を照射されたポリマーは、光のパターンの形で固化します。
4. プリンターのプラットフォームが 1 層分だけ下方へ移動し、再び光がポリマーの次の層を固化して、最初の層と接着させます。容器の液体がなくなるまで、このプロセスが繰り返され、最終的に固体モデルが完成します。

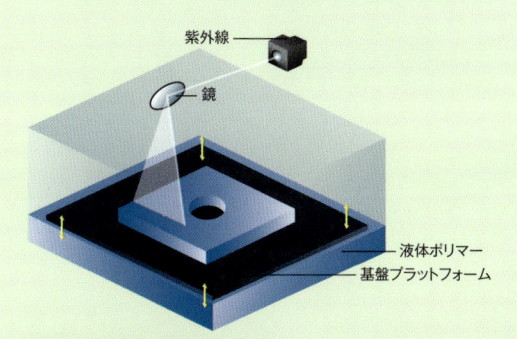

紫外線
鏡
液体ポリマー
基盤プラットフォーム

粉末積層方式

1. キャンディやチタンなどのいろいろな物質を扱う**粉末積層方式**は熱のビームで粉末状の成形対象物質を**焼結・融合**して薄い層を作ります。ステレオリソグラフィ方式と同様、次の層の成長スペースを空けるためにプラットフォーム位置が 1 層分ずつ下げられます。
2. **選択的焼結方式**は、レーザーを用いて粉末（通常、セラミックまたはプラスチック）を溶融せずに結合します。粉末を焼結するときレーザーは各粉末粒子の原子の結合を切って隣接する粉末粒子の原子と混合するのに必要なだけの熱を供給します。
3. **電子ビーム溶融方式**は、真空中で金属粉末を処理します。電子ビームが粉末を溶融し、層が形成されていきます。その結果、高密度で強度が高く、空隙のない物体が作られます。

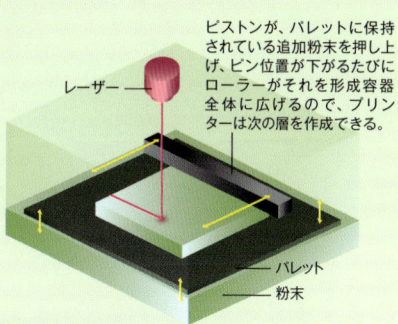

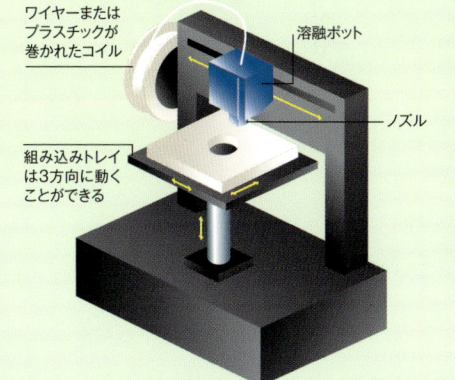

ピストンが、パレットに保持されている追加粉末を押し上げ、ピン位置が下がるたびにローラーがそれを形成容器全体に広げるので、プリンターは次の層を作成できる。

レーザー
パレット
粉末

溶融ポリマー堆積方式

ワイヤーまたはプラスチックが巻かれたコイル
溶融ポット
ノズル
組み込みトレイは 3 方向に動くことができる

1. プリンターがコイルからプラスチックやセラミックやフィラメントを摘出ノズルに供給します。ノズルでフィラメントは約 260℃ まで加熱され溶融します。
2. コンピューターによって制御される**ステッパまたはサーボモーター**は、ノズルを水平および垂直方向へ非常に正確に動かすことができます。ノズルを流れる溶融物質の ON/OFF もコンピューターからの指示で行われます。
3. 押し出された物質はノズルを出るとすぐに固化し、物体の 1 つの層を形成します。このときノズルはその層の形成に必要なパターンで動きます。宝石類のように微細なものから家具の製作に適した厚みのあるものまで、物質の排出サイズを変化させることができます。1 層の成形が完了すると、プリンターは前の層の上に新しい物質を堆積させて物体の次の部分を作ります。

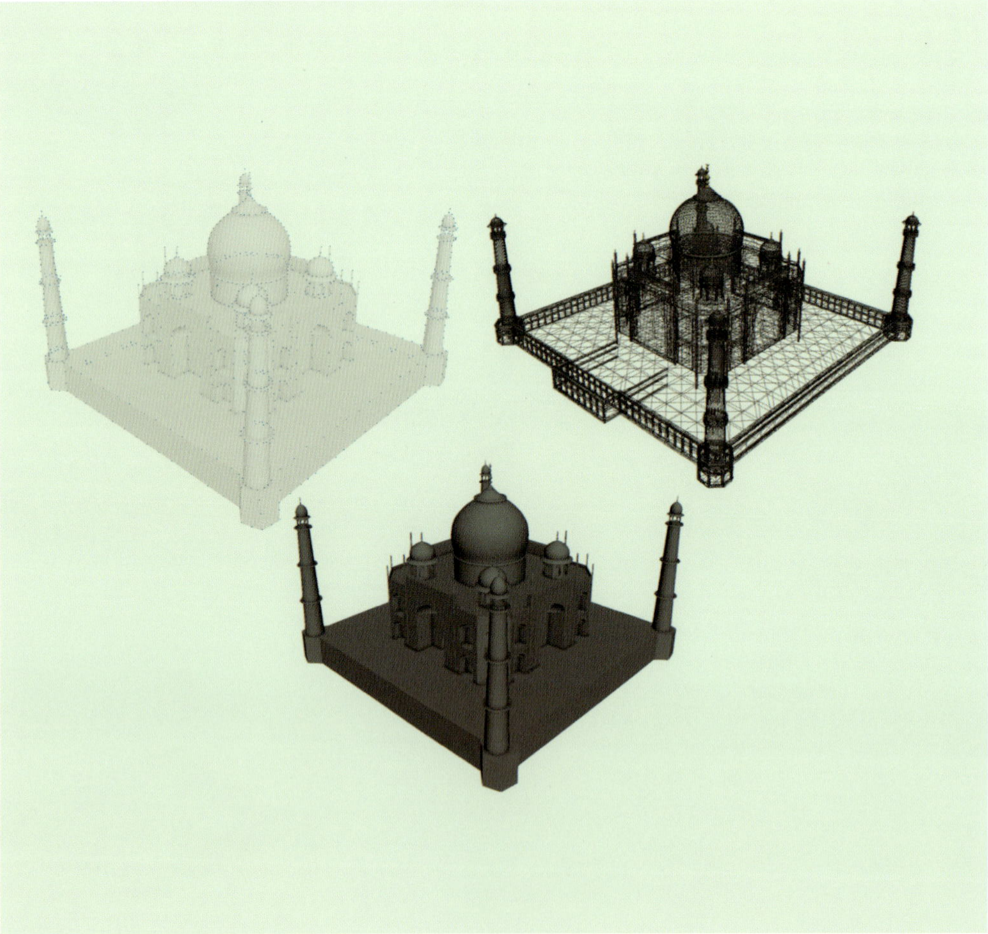

PART 7

今後の展望

> 将来、コンピューターの重さはわずか1.5トンになるだろう。
>
> —Popular Mechanics誌

1967年のことです。IBM社がフロッピーディスクを発明し、プログラミング言語Pascalが初めて使われ、ビデオゲームのPongが開発された年です。MIT（マサチューセッツ工科大学）のマービン・ミンスキー教授が「一世代のうちに（中略）人工知能の作成にかかわる問題はおおむね解決するだろう」と述べました。映画館では、『卒業』が上映されていました。若き日のダスティン・ホフマンが、世の中に居場所が見つからない、大学を卒業したての青年を演じていました。彼の両親が開いたパーティーで、来客の一人がホフマンを脇に呼び寄せて、成功のためのヒントを一言だけ彼に与えます。「プラスチックだ」と。

「一言だけ言っておきたいことがある。一言で済む。プラスチックだ。」

プラスチックはその後急速に普及しました。47年後の今、大人たちは社会に出ようとする若者に何と耳打ちするでしょう？　私にはいくつか心当たりがあります。後で教えてあげましょう。ただし、それらはコンピューティングの過去の進化から未来を類推したものに過ぎません。そしてもちろん、未来を予測できることはめったにありません。予測について私が常に感じている唯一の真実は、後から振り返ればだれも予測しなかったことが起きているということです。高くておしゃれなコーヒーショップが至るところにできること、新品のデザイナージーンズが、ひざに穴の空いた状態で売られること、ざくろマティーニ。

いったいだれが予測できたでしょう。

さて、運命がとても気まぐれだという警告はしましたので、これから成功のための言葉をお教えしましょう。最初は…

量子

量子物理学という言葉は聞いたことがあると思いますが、理解はしていないでしょう。みんなそうです。だからこそ、これほど将来への期待がかかっているのです。また、量子の活動の場が物質と時間を形作るきわめて小さな世界であることも理由の1つです。「最初から参加することで有利な立場を占めよう」というわけです。

　無限の可能性を示唆する量子物理学のもう1つの側面は、たとえ量子物理学の仕組みを十分に理解していなくても、コンピューターやその他のテクノロジーを問題なく使えるということです。原子レベルでは何も確信できないということは原子の基本ですが、よくわかっていないことの1つです。これはあまりに基本的なことなので、**不確定性原理**という名前が付いています。意味はだいたい以下のとおりです。ある原子の電子の位置とその移動速度を同時に知ることはできません。電子を観測するには、何らかの力、通常は電磁波を電子に当てて、得られる結果を確認する以外にありません。しかし、量子の世界で粒子に何かを当てると、どのみち粒子を軽く押すことになり、粒子は同じ位置にとどまらないか、移動速度も変わってしまいます。

量子力学では、電子はどこにでもあり得ると考えます。予想通り原子核の周囲をふらつき回っているかもしれず、土星の衛星タイタンの地下深くに埋め込まれているかもしれません。私たちにできるのは、電子がどこかにある**確率**を計算することだけです。（タイタンにある確率は最も低いと思われますが、私は数学者ではありません。）マイクロチップでは、電子の気まぐれな性質を利用してデータを格納します。トランジスタ内の電荷が変わると、通常は通り抜けられる可能性の低い壁の向こう側に、一部の電子が辿り着く確率が

D-Wave の量子コンピューターの中身をのぞいても、その仕組みに関する手がかりはほとんど得られない。

上がります。どうやって辿り着くかはだれも言いませんが、辿り着くことはほぼ間違いありません。電荷を取り除くと、電子が再び壁を通り抜けて元の場所に戻る確率は急激に低下します。たとえ電源をオフにしても電子は捕らわれているので、フラッシュメモリとして利用できます。

コンピューターで利用される可能性のある量子のもう1つの性質が、**量子もつれ**、つまりアインシュタインが"遠隔怪作用"と呼んだものです。アインシュタインの疑念をよそに、科学者たちは、2つの電子がもつれ合うと（その方法はさまざまですが）、たとえ何光年離れていても瞬時に互いの状態に影響を与えることを実証しました。1つの電子が時計方向に、もう1つの電子が反時計方向に回転している場合、最初の電子の回転を反時計方向に変えると、2番目の電子は自ら反転して時計方向に回転するようになります。

この怪作用は瞬時に起きるので、電気や光で別の場所に情報を送信するためにかかる時間が不要になります。怪作用を利用した通信は既に PC で実演されています。量子もつれは、電波が最初に発見されたときと同じ段階にあります。電波がテレビ、衛星通信、携帯電話、レーダー、それに車庫の自動開閉装置に進化するにはしばらく時間がかかりました。若き卒業生の方、量子もつれに手を出すなら今のうちです。

量子もつれは、量子の聖杯である**量子コンピューター**で役割を果たしています。量子コンピューターでは、1か0のどちらかの値を持つ通常のビットは使われません。代わりに使われるのが**キュービット（量子ビット）**です。キュービットでは1、0、または1と0を重ね合わせた状態を表すことで、1、0、およびその間のすべての値を同時に表すことができます。コンピューターのキュービットの数が増えるにつれて、重ね合わせた状態の値の数は指数的に増加します。この性質を利用して、解読できないコードを即座に作成したり、複雑な問題を解決したりできます。しかし、キュービットの課題は、その値が何かを調べることにあります。キュービットを直接観測すると、事実上それらはビットになり、大量の潜在的データが失われます。

研究者たちは、量子もつれを量子の状態を読み取るためのツールと見なしています。一方が他方の状態を反映するようにキュービットをもつれ合わせることで、キュービットの特殊な状態を壊すことなく、遠隔地のキュービットの状態を観測してコンピューターのキュービットの値を調べることが可能になります。これを読んで頭痛がするのはあなた一人ではありません。

　執筆時点では、この量子コンピューティングの仕組みがうまくいくかどうかについては全くわかりません。しかし、D-Wave Systemsという会社が、2015年までに量子コンピューターの実用化を計画しています。社外で時間をかけてコンピューターをテストした人間がいないため、この計画については懐疑的な声がいくつも上がっています。その一方でだれもが、いつかだれかが実際に動く量子コンピューターを考案すると信じています。

量子ドット

量子ドットは、ケイ素やセレン化カドミウムなどの半導体物質に原子やイオンの光線を照射し、物質の100～1,000個の原子を叩いて数nmの幅を持つ1つの結晶にすることによって作成されます。

　レーザー、あるいは紫外線や青色光（どちらもスペクトルの他の色調より多くのエネルギーを伝達します）が量子ドットにぶつかると、光の光子がドットの素材を活性化し、素材は余分なエネルギーを二次光として放出します。ここで鍵になるのは、ドットが必ずしも吸収した光の色をそのまま放出するとは限らないことです。ドットの大きさによって放出するエネルギー量が決まり、それによって色が決まります。最も大きい量子ドットは最も長い波長を作り出し、赤い光を放出します。最も小さいドットは最も短い波長を作り出し、青い光を放出します。その間の大きさのドットはスペクトルの他の色を放出します。

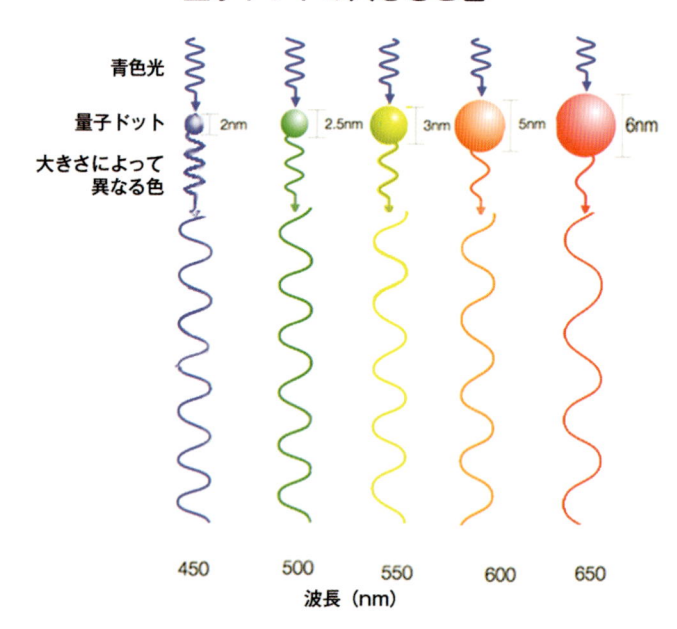

　量子ドットの発展における初期段階の時点で、その功績と可能性がはっきり見えてきています。ビデオディスプレイでは、量子ドットによって色域（ディスプレイで生成できる色の範囲）が40～50%拡大します。同時に、消費電力は15～20%減少するため、スマートフォンとタブレットのバッテリ寿命が延びます。Amazon社のKindle Fire HDX 7は量子ドットを採用した初のタブレットとして、同じようなサイズのタブレットに搭載されたApple社のRetinaディスプレイの鼻を明かしています。

左側のモニターは量子ドットで活性化されて色域が拡大している。

これは始まりに過ぎません。量子ドットの初期の研究では、それらがトランジスタに取って代わる可能性が示唆されています。また、量子コンピューターでは現在、原子より小さい粒子を扱うことを想定しており、量子ドットはより扱いやすい媒体になる可能性があります。

コンピューティングの領域を超えて視野を広げると、量子ドットはいつかあなたの命を救うかもしれません。医療画像では**コロイド状**（溶液）の量子ドットが使われ始めています。量子ドットは液状で使用できるので、染料になります。癌など、特定の細胞を標的とするタンパク質と組み合わせると、文字どおり患部組織や悪性組織が照らし出されます。下の写真は人間の赤血球を示しており、特定の膜タンパク質が量子ドットで標的化されて色を付けられています。この例では、マラリア原虫の細胞核を示す紫色の数が、マラリア発症の進行と共に増加しています。

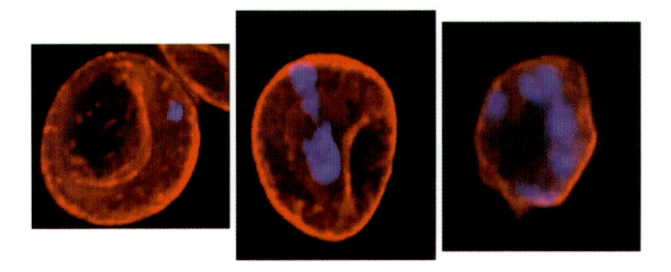

ディープラーニング

数年前なら、このようなリストには人工知能（AI）が含まれていたでしょう。今日、AIは気の利いたSFのネタになりつつありますが、科学的には十分に実現されているとはいえないでしょう。AIの多くの試みでは、コンピューターが複雑な状況下で個別に従うべき複雑なルールをいくつも作成する必要がありました。

なぜいずれも成功しなかったのでしょうか。まず、あなたの知性がどのように育まれてきたかを考えてみてください。あなたは話すこと、歩くこと、ボールを投げること、ダンスをすること、冗談を聞いて笑うことを覚えました。どれも外部の世界との対話を伴う知的スキルです。しかし、あなたはだれかにやり方を教わってこれらのスキルを身に付けたわけではありません（そうですね、少なくとも最近の学生にとってダンスは例外かもしれません）。私たちの知識やスキルの多くは、同化によってもたらされたものです。乳児や幼児のころ、私たちは両親が立てる音を聞き、のどを鳴らしたり「ババババー」のような声を出して同じことをしようとしました。やがて私たちの脳はパターンを認識し、特定の人、物、行為に対応する特定の言葉を使うようになります。私たちが話し方の基本を理解するまでには2年ほどかかりますが、これはきわめて自然に行われます。他者との円滑な意思疎通には、脳による言語の取得が不可欠だからです。

現在、一部のコンピューター科学者はルールベースのプログラムを捨てて、**ディープラーニング**と呼ばれる分野に進出しています。ディープラーニングでは、コンピューター自身に学ばせます。まあ、だいたいそのようなことです。コンピューターは、ある程度の指導と修正を受けます。しかし、基本的にディープラーニングで使用するのは、大量のプロセッサと、プロセッサに送り込む膨大な量のデータです。この組み合わせですぐに思い浮かぶのが、その両方を大量に抱えているGoogle社です。実際、Google社はディープラーニングの最先端にいます。

Google社のディープラーニング技術によって、人間の顔と猫の顔を適度に一般化した画像と判定されたもの。

　ディープラーニングの基本的な考え方は、何十億ものコンピューター接続に、大脳皮質の何十億ものニューロンと同じような働きをさせるというものです。Google社では16,000のプロセッサコアを用意し、無作為に選んだYouTubeビデオから1,000万件の画像を3日間にわたってシステムに見せました。Google社とそのYouTubeサービスを使い慣れた方なら、無作為に選んだ画像の多くは猫のはずだということをご存じでしょう。研究者たちは、猫の画像にラベルを付けたり、猫の概念を定義するようなことは何もしませんでした。にもかかわらず、この人工ニューロンは外部からの誘導をほとんど受けずに、猫だけでなく花や人の顔や体の形を認識できるようになりました。それらの画像を22,000のカテゴリーの1つに関連付けたところ（2種類のエイの違いなど微妙な処理が必要なものもありましたが）、その精度は15.8%でした。大したことがないように思えるかもしれませんが、以前の最先端のシステムに比べると70%の向上でした。また、22,000のカテゴリーを1,000に減らしたところ、精度は50%を超えました。Google社では既に、このシステムを速度認識の改良に役立ててきました。

　よろしい。それでもまだこのシステムでラスベガスのブラックジャックテーブルに挑む気にはならないでしょう。まだまだやるべきことがあります。しかし、それは良いことです。今ならまだこの新しい技術に関与する時間があるということだからです。

グラフェン

鉛筆から「鉛」を取り出したとします。（実際は炭素の一種のグラファイト[黒鉛]であることはご存じですね？）　次に、それを押しつぶして、分子1個分の厚さになるまでピザ生地のように伸ばしたとします。できあがったのがグラフェンです。おそらく、プラスチック以降、最も注目されている物質です。

　グラファイトとグラフェンの違いはこうです。炭素の原子がすべてグラファイトに束ねられると、電子は跳ね回っているため、原子自体が一種の集合的質量を持ちます。しかし、原子を薄いシートに伸ばすと、電子はまるで、粒子がほぼ光速で空間を動き回っていて質量ゼロであるかのように振る舞います。この性質が、2つの物質を全く異なるものにしています。

グラフェンは、拾い上げて手に持つことができる影のようなものです。銅に比べて電気伝導率が35%優れています。ケイ素内より電子が1,000倍よく移動します。他のどの物質よりも熱をうまく伝えます。長さの最大20%の伸縮性がありますが、堅さはダイアモンドを上回ります。完全に不浸透性で、ヘリウムの原子でさえくぐり抜けることができません。

いずれも素晴らしい可能性を示唆しています。ただ、その用途に関する特許は主に中国と米国で8,000件を超えているにもかかわらず、成果を上げたものはほとんどありません。ポーランドのあるメーカーでは、申し込みがあればだれにでもサンプルを提供しています。その中のだれかが市場向きの用途を考案し、グラフェンをさらに購入してくれると期待してのことです。グラフェンを見た人はだれもが、これは「何かに役立つ」驚嘆すべき物質だと認めます。若き卒業生にうってつけの分野であるように思えます。

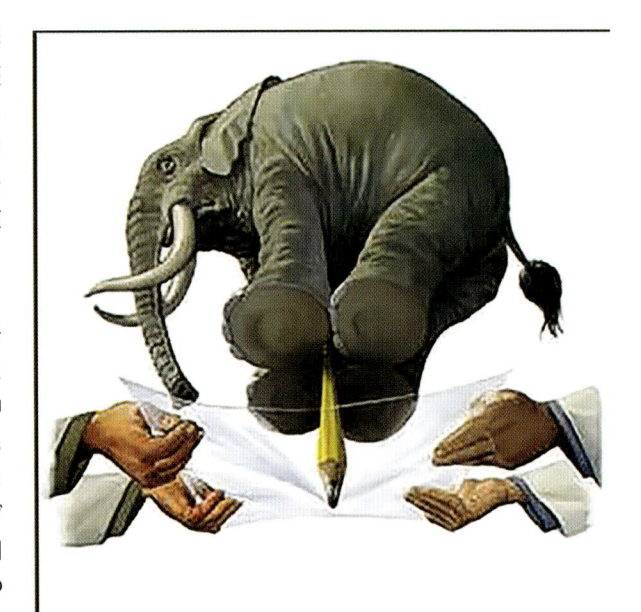

グラフェンは鋼鉄の200倍の強度があるといわれている。ある研究者によると、食品包装用ラップの厚さのシートで、そのシートの上に立てられた鉛筆の上でバランスを取る象を支えることができる。（画像提供：Extreme Tech）

3D印刷

これまでのところ、3D印刷のほとんどの用途は、芸術、宝飾品、それに食器洗い機の予備部品やペッツ（PEZ）キャンディ用のオリジナルの容器などに限られてきました。医療分野では、より目覚ましい応用が進んでおり、3Dプリンターで皮膚が生成されるようになっています。3Dプリンターが大型化すれば、家や高級車を印刷する方法を見つける人も出てくるでしょう。

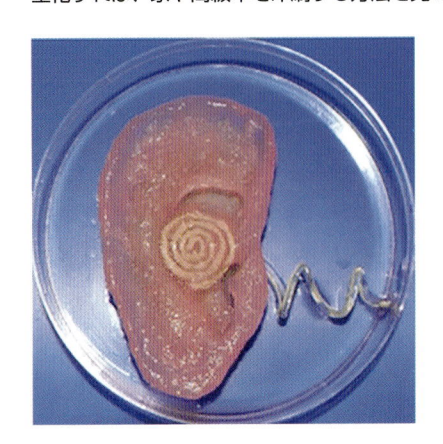

考えてみてください。グーテンベルクが活版印刷を発明したときに、カラー印刷、日刊紙、教育、版画、ロックコンサートのポスター、バンパーステッカー、薄板状のキッチンの床などの副産物を想像したでしょうか。これは冒頭で述べたことの絶好の例です。つまり、何を予測しようと、結果はだれも想像しなかったものになる可能性が高いということです。それでもかまわないと思うなら、Amazonの3Dプリンター売り場を見に行って作業に取りかかりましょう。

左の写真の耳は、子牛の細胞でできたゲルを使って3Dプリンターで作成されました。生体組織は銀ナノ粒子で覆われていて、人間が通常聞こえる範囲を超えた音を拾うことができます。

索引

記号・数字

「0」のビット 22
16 進数 87
「1」のビット 22
24 ビットのグラフィックス 87
2G（第 2 世代）.. 277
2 重にアンチエイリアス処理されたグラフィックス 183
2 進表記 19
2 点間の一対一接続 51
3D 234, 336
　　アクティブシャッター方式 235
　　アナグリフ式立体映像 234
　　パターン化位相差フィルム（FPR）方式 236
　　メガネ 235
　　裸眼 3D ディスプレイ 237
3D 印刷 337, 345
3D オーディオ 246
3D 世界 98, 100
3D プリンター 314, 336, 345
3G（第 3 世代）.. 277
4G（第 4 世代）.. 277
μ-law コーデック 145

A

AC3 244
Ad-Aware SE 111
ADC（アナログデジタル変換器）
　　ダイヤルアップモデム 145
ADSL 271
AGP（Accelerated Graphics Port）............. 50
American National Standards Institute 75
Android 63
AND（論理積）ゲート 35
ANSI 75
AOL Time-Warner 社 252
AOT（事前コンパイラ）............................... 71

Apple 62
　　iPhone 152
AP（アクセスポイント）............................ 260
ARM アーキテクチャ 41
ARM のプロセッサ 129
ARPA（Advanced Research Projects Agency）........ 250
ARPAnet 250
ATIP（Absolute Timing In Pregroove）...................... 166

B

Big Pipe 303
BIOS（マザーボード）................................... 47
BIOS（basic input/output system）.......... 133, 136
BitTorrent 308
Blu-ray 165
Bluetooth 135, 262
BNC 同軸ケーブル 256

C

CAD（コンピューター支援設計）.............. 336
Cassandra 303
CCD（Charged Coupled Device）.................... 195, 217
CDMA 277
CD（コンパクトディスク）........................ 165
　　色素層 167
　　ストライプ 167
Chameleon 169
CISC（Complex Instruction Set Computing）..... 40
CMOS（Complementary Metal Oxide Semiconductor）.......... 195
CMOS チップ 133
CMOS フォトダイオード配列..................... 217
CMTS（ケーブルモデム伝送システム）............ 284
CompuServe 251
Cookie 292
Corning 209
CP/M 129

CPU（中央処理装置） 30, 43
    デスクトップCPU 40
    モバイルCPU 41
CPUソケット 46
CRC（巡回冗長検査） 259
CRT（Cathode-Ray Tube） 140
    ドットピッチ 141
CSNET（Computer Science Network） 250
CMYK 326

D

DAC（デジタルアナログ変換器） 17, 140
    ダイヤルアップモデム 145
dBASE II 59
DDR（ダブルデータレート） 25
Digital Subscriber Line 270
DLP（Digital Light Processing） 230
DLPディスプレイ 230
DNS（ドメインネームサーバー） 289
DOS 61, 62
DRAM（ダイナミックランダムアクセスメモリ） 162
DSL（デジタル加入者線） 270
DSP（デジタルシグナルプロセッサ） 135
DUALSHOCK 210
DVD 165

E

eBay 296
EPD（電子ペーパー） 174
Eメール
    SMTP 300

F

Facebook 302
FTP（ファイル転送プロトコル） 288

G

G-Lite 271
Google 203, 287, 294

Google Glass 63, 178
    PageRank 295
    ドキュメントサーバー 295
    フレッシュクロール 294
Gorilla Glass 209
GPS（Global Positioning System） 206
GPU（グラフィックスプロセッシングユニット） 99
GSM（Global System for Mobiles） 277

H

H.264 284
HDMIポート 170
HDオーディオ技術 241
    HDオーディオ電話 241
HFC 272
    HFCケーブル 272
Hive 303
Holdモード（Bluetooth） 263
HTMLウイルス 114
http 288

I

IBMパソコン 128
if...then... ステートメント 67
IMAP 301
IMP（インターフェイスメッセージプロセッサ） 250
Inquiryモード（Bluetooth） 263
iPhone 152
iPod 172
iPod nano 173
iPod shuffle 173
iPod touch 173
IPアドレス 259, 261, 289
IPパケット 272
ISP（インターネットサービスプロバイダー） 289
Iフレーム 284

J

Jailbreak（脱獄） 190
Java 66, 70

JFET（接合ゲート電界効果トランジスタ） 241
JND 245
JPEG 2000 89

K

Kindle 174

L

LAN（ローカルエリアネットワーク） 255, 280
LCD
 プラズマ vs. 液晶 228
LM（リンクマネージャー） 263
Lotus 1-2-3 ....58, 60
LTE（Long Term Evolution） 277
LZ 適応型辞書ベースのアルゴリズム 160

M

MapReduce 303
MEMS マイク 241
MHz 34
Microsoft
 DOS 61, 62
 Windows 63
Microsoft Word 77
 書式設定 77
MIME ウイルス 114
MIMO（Multiple In, Multiple Out） 277
MMORPG（MMO） 104
Motorola 277
MP3 245

N

NAND 型フラッシュメモリ 162
Netscape 252
NFC 264
NOT（否定）論理ゲート 34
NPC（ノンプレイヤーキャラクター） 105
NSF（国立科学財団） 251
n 型シリコン 216

n 型半導体 189
N 層 217

O

OCR 222
OFDMA（直交周波数分割多元接続） 277
OLED ディスプレイ 233
OPC（有機感光体） 323
OR（論理和）ゲート 34
OS の進化 62

P

pagelet 303
PageRank 295
Page モード（Bluetooth） 263
Park モード（Bluetooth） 263
PCI-E 51
PCI-Express（PCI-E） 50
PCI（Peripheral Components Interconnect） 50
PC（プレイヤーキャラクター） 104
PMR（垂直磁気記録） 158
POP 301
POTS 271
p 型シリコン 216
p 型半導体 189
P 層 216

Q

QR コード 221

R

RADSL 271
RAM（ランダムアクセスメモリ） 131, 133
RISC（Reduced Instruction Set Computing） 41
RJ-45 コネクタ（ツイストペアケーブル） 256
RLE（Run-length エンコード） 88
ROM Manager 191
root 化 191
Run-length エンコード（RLE） 88

S

SATA コネクタ 47
Scissor レンダリング 182
SD スロット 170
SMR (瓦記録) 159
SMSC (スモールメッセージシステムセンター) 305
SMS (スモールメッセージシステム) 305
SMTP 300
Sniff モード (Bluetooth) 263
Spammerwocky 123
Spybot Search and Destroy 111
SSD (ソリッドステートドライブ) 162, 170
Standby モード (Bluetooth) 263
STL 形式のファイル 336
STP (信号中継局) 305
SVGA (Super Video Graphics Array) アダプター ... 140

T

TCP/IP (Transmission Control Protocol/Internet
　Protocol) 250, 259
TDMA (時分割多重アクセス) 277
TFT (Thin-Film Transistor) 174
True Color 87
Twitter 304

U

Universal DSL 271
URL (Universal Resource Locator) 288
　　　Cookie 292
USB 156
USB3 (ユニバーサルシリアルバス 3) 156
USB 接続 135
USB デバッグモード 191
USB ポート 133, 170
User Datagram Protocol 283

V

VBS.Hard.A@mm ウイルス 115
VDSL (Very high-speed DSL) 271

VisiCalc 58
VOD (ビデオ・オン・デマンド) 285
VoIP (Voice over Internet Protocol) 277

W

WAN 280
While コマンド 68
Wi-Fi 256, 267
Wii リモコン 211
Willow Glass 209
Windows 63
WordPerfect 60
World of Warcraft 104
World Wide Web (WWW) 251

X

xDSL 270
XOR (排他的論理和) ゲート 35

Z

zip 圧縮 160
Z ソート法 99
Z バッファ法 99

あ

アーティファクト 89
アイコン 62
アイソパイプ 209
アウトラインフォント 317, 320
アクションボタン 210
アクセスポイント (AP) 260
アクセス待ち時間 162
アクティブコンテンツ 114
アクティブシャッター方式 235
アクティブマトリクステクノロジー 174
アセンブリ言語 66
圧縮 88
　　　デジタルオーディオ圧縮 245

圧縮（ファイル）
　　可逆圧縮 160
圧電コントローラー 334
圧電ノズル 330
アップストリームデータ
　　DSL 271
アドベンチャーゲーム 97
アドレス 26
アドレス線 22, 229
アドレスバス 46
アドレスレジスタ 33
アナグリフ式立体映像 234
アナログ 16
アナログスティック 210
アナログデジタル変換器（ADC） 16, 217, 219
　　ダイヤルアップモデム 145
アナログ方式（通信） 258
アナログローカルループ 144
油（コンピューターの冷却） 189
アプリ 75, 94
アプリケーション 61
　　キラーアプリケーション 57
アプリケーション層 278
アプリケーションの過剰な負荷 267
あふれた部分 114
アルゴリズム 124
アルファブレンディング 100
アンクル 155
暗号化（クラウド） 311
暗号化ソフトウェア 124

い

イーサネットネットワーク 257
イーサネットパケット 257
イーサネットポート 170
イオン注入機 20
位置検出パターン 221
位置情報 206
一次コイル 14
イベント監視 112
イメージセンサー 16, 193
　　CCD（Charged Coupled Device） 195
　　CMOS（Complementary Metal Oxide Semiconductor） 195
色
　　DLP（Digital Light Processing） 230
　　True Color 87
陰極 233
インクジェットプリンター 328
インクジェット方式の3D印刷 337
印刷 314, 317
　　アウトラインフォント 320
　　レーザープリンター 322
印刷機 325
印刷ピン 143
インターネット 251, 252, 280
　　ISP 289
　　サーバー集中型 307
　　ファイル共有 306
　　分散構造 307
インターネットサービスプロバイダー 145
インターネット接続
　　DSL 270
　　帯域幅 268
　　搬送波 268
インターネットプロトコル（IP）パケット 272
インタープリター 63, 65
インタープリター型言語 70
インデックス 78, 294
インデックステーブル 71
インパクトプリンター 142
隠面消去 99
インライン書式設定 76

う

ウイルス 112, 114
　　イベント監視 112
　　偽装 113
　　電子メール 114
　　発症 113
　　複製 112
　　ヘッダー 112
ウイルス対策 116

ウイルス対策ソフト	116
ファイアウォール	118
ウェーブレット	89

ウェブサイト

Cookie	292
eBay	296
Google	294
URL	288
ドメイン名	288
ページファイル	288
ミラーサイト	289

ウェブページ

表示	290

え

エアブラシ	93
衛星	206
液晶ディスプレイ（LCD）	226
偏光フィルター	226
液晶プロジェクター	230
エクスプロイト	190
エレクトレットマイク	241
エンコーダーチップ	210
円偏光子	236

お

覆い焼き	92
大型コンピューター	56
オークション	296

オーディオ

3D オーディオ	246
JND	245
MP3	245
デジタルオーディオ圧縮	245
ドルビーデジタル 5.1	244
ドルビーノイズリダクション（NR）	244
マルチチャンネルサウンド	244
オーディオポート	133
オートフォーカス	196
オーバークロック	184
オーム	15

奥行き付与	100

音

3D オーディオ	246
ドルビーデジタル 5.1	244
ドルビーノイズリダクション（NR）	244
ビープ音	239
マルチチャンネルサウンド	244
オプション	62
オフセット	70, 78
オプティマイザー	73
オペレーティングシステム（OS）	38, 56, 61
音楽	282
音声コイル	215
オンラインサービス	282

か

カーネル	66
回線雑音	145
解像度	140
回転子	14
外部バス	46
回路基板	138
回路内の配線	27
可逆圧縮	160
拡張	51
拡張スロット	133
拡張バス	46
拡張ポイント（Wi-Fi）	261
加色法	326
数	86

画像

圧縮	88
写真編集ソフト	92
仮想ピクセル	87
画像編集ソフト	90
加速度センサー	153
iPhone	153
Wii リモコン	211
カバー写真（Facebook）	303
ガベージページ	163
可変抵抗器	15
カメラ	170

カメラ (Google Glass) 179
画面 140
    CRT 140
    フィールド 141
カラー印刷
    CMYK 326
    加色法 326
    固体インクカラープリンター 334
    ジャギー 327
    ディザリング 327
カラープリンター
    レーザープリンター 332
瓦記録 (SMR) 159
簡易編集モード 93
がんぎ車 155
顔料インク 330

き

キーバイト 88
キーフレーム 284
キーボード 136, 170
キーボードポート 133
機械語 65
幾何学 99
気化冷却 187
基幹回線 256
基準ピクセル 89
偽装 113
基板 162
キャッシュ 291
キャパシター 240
キャプチャーボタン (Google Glass) 179
キャンプ 105
キュービット 341
共振振動数 184
    固有共振振動数 184
強制対流 186
キラーアプリケーション 57
金属酸化膜層 26

く

クアッドコアプロセッサ 38
空乏領域 241
グーローシェーディング 102
クッキー 138
屈折 267
クライアント 255
クラウド 63, 310
クラッカー 107
クラッド 256
グラデーションツール 93
グラフィカルユーザーインターフェイス (GUI) 62
グラフィックスプロセッシングユニット (GPU) 99
グラフェン 344
クレプシドラ 155
クロスバースイッチ 51
クロック
    オーバークロック 184
    クロックサイクル 32, 41
    クロックスピード 34

け

経験値 105
蛍光体 141
警告 119
携帯電話 277
ゲート 34
    AND ゲート 35
    NOT ゲート 34
    OR ゲート 34
    XOR ゲート 35
ゲートウェイ 281
    SMTP 300
ケーブル
    HFC 272
    ツイストペアケーブル 256
    同軸ケーブル 256
    光ファイバーケーブル 256
ケーブルモデム
    HFC ケーブル 272
    IP パケット 272

ゲーム
　ゲームパッド 210
　ビデオカード 182
ゲームコントローラー
　Wii リモコン 211
　ゲームパッド 210
　フォースフィードバック機能付き
　　ジョイスティック 212
言語 65
　Java 66
　アセンブリ言語 66
　高水準の言語 66, 70
　スクリプト 70
　ソフトウェアの構成 66
　低水準の機械語 70
　プログラミング言語 65
原稿送り装置 219
原子核 12
検出器 165
減色法 326

こ

降圧トランス（降圧器） 14
公開鍵 124
光学式ディスクドライブ 166
光学式ドライブ 132
光学式マウス 134
光源 98
光子 216, 229, 232
公衆交換電話網（PSTN） 145
高水準の言語 66, 70
広帯域適応のマルチレート符号化 241
構文解析 73
構文木 73
交流（AC） 13, 14, 150
コーデック（符号器/復号器） 282, 284
コード 220
　チェック数字 220
　マトリックスコード 221
コードジェネレーター 73
コードトークン 72
コーン 240

固体インクカラープリンター 334
骨伝導トランスデューサー接続 179
固定子の磁石 14
固定長フィールドのレコード 78
固有共振振動数 185
コロイド状 343
コロナ 208
コロナ線 322
コンデンサー 15, 23, 44, 151
コンデンサーマイク 240
コントロールゲート 26, 162
コンパイラ 65
　実行時（Just-In-Time）コンパイラ 71
コンパクトカメラ 198
コンパクトディスク（CD） 165
コンパクトフラッシュ 27
コンピューター 150
　電話 276
コンピューター（Google Glass） 179
コンピューターの冷却
　油 189

さ

サーキットトレース 45
サーバー集中型 307
サーバーファーム（クラウド） 310
サイクル 162
サウスブリッジ 48
サウンドカード 133
サファイア 209
サブルーチン呼び出し 71
三角形分割 98
算術論理演算ユニット（ALU） 32, 37
サンプリングレート 17

し

シード（BitTorrent） 308
シェアウェア 59
シェーダー 102, 183
シェーディング 102
ジェスチャー 152

ジオメトリエンジン	98, 182	書式設定	76
紫外線の光子	229	Microsoft Word	77
式	58	署名（シグニチャ）	86
磁気	12	シリアル接続	147
固定子の磁石	14	シリアル通信	146
色素層	167	シリアルポート	146
識別子テーブル	72	シリコン	13, 216
磁気偏向ヨーク	140	シリコンチップ	38
字句解析	72	進化	62, 128
シグネチャスキャナー	116	ララ・クロフト	101
自己キャパシタンス方式の画面	153	シングルモードファイバー	275
時差調整用の待ち行列	39	信号中継局（STP）	305
事前コンパイラ（AOT）	71	振動	214
事前調査	108	振幅変調（AM）	10
実行可能ファイル	72	信頼チェーン	190
実行コア	38	親和性	39

す

実行時（Just-In-Time）コンパイラ	71
自動再計算	85
自動露出	198
磁場	13
シャープツール	93
ジャギー	327
写真	
写真編集ソフト	92
写真用紙	330
復元	92
シャドウマスク	141
ジャンプ先	71
ジャンプ実行ユニット（JEU）	36
充電式バッテリ（Google Glass）	179
摺動子	15
周波数	9
周波数変調（FM）	10
修復ブラシ	92
主キー	82
出力コンデンサー	151
巡回冗長検査（CRC）	50, 259
昇華	331
昇華型プリンター	331
常設オブジェクト	95
情報波	
アナログ方式	258

水晶発振器	184
垂直磁気記録（PMR）	158
スイッチ	
イーサネットネットワーク	257
ネットワーク	257
スイッチ（ツイストペアケーブル）	256
水冷式パソコン	188
数字	
アナログ	16
デジタル	16
数式	84
数値	90
スーパータイル	182
スキャナー	
OCR	222
アナログデジタル変換器（ADC）	219
原稿送り装置	219
フラットベッド	218
スキャンコード	
キーボード	136
スクリプト	70
スクリプトキディ	107
スクロールホイール	135
スター型接続	256

スタイル 76
スタックメモリ 114
ステーション（Wi-Fi）.. 260
ステートフルインスペクション 119
ステッピングモーター 138
ステルス型ウイルス 113
ステレオリソグラフィ方式 337
ストライプ 167
ストリーミング 284
   ストリーミングノード 284
ストローブ信号 148
スパイウェア 110
スパイダー 120
スパッタリング 159
スパム 120
スパム対策ソフトウェア 122
スパム発信者
   公的な情報源 120
スピーカー 170, 242
スピーカー（Google Glass）............................ 179
スプートニク 250
スペクトラム拡散 277
スポット測光 199
スマートフォン 63, 176
   位置 206
   振動 214
スマートメディア 27
スモールメッセージシステム（SMS）............ 305
スモールメッセージシステムセンター（SMSC）............ 305
スレッド化 38

せ

正孔 233
制御信号 46
制御通信路 304
制御ユニット 32
整数トークン 72
生成ポイント 105
製造 20
静電気 12
静電容量 240
   静電容量キー 137

静電容量方式のタッチスクリーン 208
性能 17
セキュリティ
   スパム対策ソフトウェア 122
   素数 124
   デジタル署名 125
セキュリティログ 119
絶縁体 13
接合ゲート電界効果トランジスタ（JFET）..... 241
セッション層 278
絶滅 128
全加算器 19, 35
穿孔カード 55
センサーバー 211
選択ツール 92
セントラルサーバー（クラウド）................... 310
全二重 278
潜熱 187

そ

相互キャパシタンス方式の画面..................... 153
送信器 274
ソース 26, 162
ゾーンビット記録 158
素数 124
ソフトウェア 54, 57
   シェアウェア 59
   フリーウェア 59
ソフトウェアの構成 66
ソリッドステートドライブ（SSD）............... 162

た

ターゲット 159
ダイ 38, 163
ダイアフラム 240
帯域幅 268
   搬送波 268
   容量 268
ダイナミックマイク 240
ダイナミックランダムアクセスメモリ（DRAM）.......... 162
ダイヤルアップモデム 144

ダウンストリームデータ 271
多孔性のセラミックコート紙 330
足し算的な製造手法 336
多重化 269
多芯ファイバー 275
脱進機 155
タッチスクリーン 208
タッチパッド 170
タッチパッド (Google Glass) 179
縦波 8
谷 (音波) 240
端子 15
単純機械 4
単芯ファイバー 275
タンデム方式 333
単弓類 128

ち

チェック数字 220
地図 67, 68
チップセット 47
チャットウィンドウ (Facebook) 303
チャネル結合 51
超常磁性限界 159
調節 15
頂点 98
　頂点シェーダー 103
　頂点シェーディング 103
直流 (DC) 14, 150

つ

ツイストペアケーブル 256
通信 170
爪 155

て

低域効果音 (LFE) チャンネル 244
ディープラーニング 343, 344
抵抗 13
抵抗器 15, 44

ディザリング 327
低水準の機械語 70
ディスプレイスメント (変位) 103
ディスプレイドライバー 77
定着ユニット 323
逓倍器 185
ディレクトリ 121
　ディレクトリ獲得攻撃 121
　ディレクトリ攻撃 121
データ 75
データ線 22
データ伝送
　DSL 271
　POTS 271
　モデム 273
データのプリフェッチ 269
データバス 46
データベース
　インデックス 78
　固定長フィールドのレコード 78
　テーブル 82
　バイナリツリー 81
　リレーショナルデータベース 82
　レコード構造 78
データベースマネージャー 95
データリンク層 279
テープドライブ 132
テーブル 82
適応型 160
適者生存 128
テキスト 76
　アウトラインフォント 317, 321
　インライン書式設定 76
　スタイル 76
　ベクターフォント 317
テキストマッピング 76
テクスチャマップのピクセル 102
テクセル 100, 102
デコードユニット 40
デジタル 16
デジタルオーディオ圧縮 245
デジタルカメラ 193
　イメージセンサー 193

オートフォーカス 196
　　コンパクトカメラ 198
　　自動露出 198
　　スポット測光 199
　　光 194
　　フォーカスロック 199
　　フルフレーム 198
　　プレッシャープレート 193
　　ホワイトバランス 193
デジタル光プロセッサ 337
デジタルシグナルプロセッサ (DSP) 135
デジタル情報 274
デジタル署名 125
デジタル電子計算機 55
デジタル方式 (通信) 259
デスクトップCPU 40
テッセレーション 98
電圧 13, 240
電荷 13
電気 4, 12
　　オーム 15
　　交流 13, 14
　　静電気 12
　　調節 15
電気泳動方式 174
電源 150
　　コンピューター 150
電源アダプター 170
電源ボックス 14
電源ユニット (PSU) 132, 150
電子インク 174
電磁気 12
電子雲 12
電磁スペクトル 4, 9, 12
電磁波 9
電子ペーパー (EPD) 174
電磁妨害 (EMI) 150
電子マネー 59
電子メール 114
　　ウイルス 114
電磁誘導 265
伝導 186
点描法 100

添付ファイルウイルス 114
電流 13
電話 276

と

統一商品コード (UPC) 220
投機的実行 36
同軸ケーブル 256
導電性 12
トークン 71, 72
ドキュメントサーバー 295
ドットピッチ 141
ドットマトリックスプリンター 142
トナー 323
ドメインネームサーバー 300
ドメイン名 288
トラッカー (BitTorrent) 308
トラフィック負荷 267
ドラム (レーザープリンター) 323
トランジスタ 19, 151
　　NOTゲート 34
　　スイッチ 20, 34
トランスポート層 278
トリガーボタン 210
トリックラー 111
トリム 163
トリリニアフィルタリング 102
ドルビーデジタル 5.1 244
ドルビーノイズリダクション (NR) 244
ドレイン 26, 162
トレーラー (パケット) 259
トロイダルコイル 15
トロイの木馬 109
トンネル障壁 162

な

内蔵ディスプレイ 170
内部バス 46
ナノプロセッサ 40
波 8
　　周波数 9

縦波 8
電磁波 9
入力信号 11
波長 9
搬送波 11
マイクロ波 11
横波 8
ラジオ波 11
力学的な波 9

に

二次コイル 14
入力コンデンサー 151
入力信号 11

ね

ネオジム 240
ネットワーク 278
　LAN 280
　WAN 280
　アプリケーション層 278
　スイッチ 257
　セッション層 278
　データリンク層 279
　トランスポート層 278
　ネットワーク層 279
　ハブ 257
　物理層 279
　プレゼンテーション層 278
　ルーター 257
ネットワークアクセスポイント (NAP) 281
ネットワークインターフェイス 270
ネットワーク層 279
ネットワークポート 133

の

ノースブリッジ 48
ノード (LAN) 255
ノード (構文木) 73
ノンプレイヤーキャラクター(NPC) 105

は

バーコード 220
パーサー 73
パース 66
パースペクティブ補正 100
パーティクルシェーダー 103
ハード接点キー 137
ハードディスクドライブ 133
バイオネットコネクタ 256
倍振動数 185
バイト 24
バイトコード 71
バイナリツリー 81
ハイパースレッディング 38
ハイパーリンク 288
バイリニアフィルタリング ... 102
波形 268
パケット 118, 258
パケット (イーサネットネットワーク) 257
パケットフィルタリング 118
バス
　PCI-E 51
　PCI-Express (PCI-E) 50
　アドレスバス 46
　外部バス 46
　拡張バス 46
　データバス 46
　内部バス 46
　フロントサイドバス 48, 185
　マザーボード 46
バスインターフェイスユニット (BIU) 37
パソコン
　電源 150
パターン 152
パターン化位相差フィルム (FPR) 方式 236
波長 9
ハッカー 107
バックチャネル 111
バックドア 109
バックプレート (背極) 241
発光層 233
発散物 208

ハッシュ値 125
発症 113
バッテリ 47, 170
　　マザーボード 47
発電機 12, 14
バッファー 114, 142, 283
バナー 108
幅の広いフラットなドライブケーブル 133
ハブ 281
　　イーサネットネットワーク 257
　　ネットワーク 257
ハブシステム 284
ハプティクス 214
ハフマンスレッディング 71
パラレル通信 148
パラレルポート 148
パルス符号変調（PCM） 145
パルス変調 11
半加算器 19, 35
番号 220
搬送波 11, 268
　　アナログ方式 258
搬送波信号 258
バンディング 89
半導体 13
半二重 278

ひ

ピアツーピア構造 307
ピアツーピアネットワーク 255
ヒートシンク 151, 186
ヒートパイプ 187
ビープ音 239
光 194
光起電力セル 216
光ファイバー 256, 274
引き算的なプロセス 336
ピクセル
　　アドレス線 229
　　仮想ピクセル 87
　　基準ピクセル 89
　　表示線 229

ピクセレーション 100
ビジー信号 149
ビット 19
ピット 164
ビットアドレス 26
ビットセンサー 26
ビットパターンメディア 159
ビットマップ 100
　　印刷 317
ビットマップテーブル 142
ビットマップフォント 318
ビデオ・オン・デマンド（VOD） 285
ビデオカード 133, 182
　　2重にアンチエイリアス処理された
　　　グラフィックス 183
ビデオポート 133
非導電性の物質 13
秘密鍵 124
ヒューリスティック方式の検出プログラム 116
表計算ソフト 57, 84
　　自動再計算 85
表示（ブラウザー） 290
表示線 229
品目番号 220

ふ

ファームウェア 190, 320
ファイアウォール 118
　　ルール 118
ファイル
　　圧縮 160
　　不可逆圧縮 161
ファイル共有 306
ファイルサーバー 255
ファウラー-ノルドハイムトンネル現象 27
ファン 133
フィールド 141
ブール論理 19, 67
フォーカシングコイル 164
フォーカスロック 199
フォースフィードバック 210

フォースフィードバック機能付き
　　ジョイスティック 212
フォームファクター 46
フォギング 100
フォトエッチング 20
フォトサイト 216
フォトセル 216
フォトダイオード 16
フォトレジスト 20
フォント
　　アウトラインフォント 317, 320
　　ビットマップテーブル 142
　　ベクターフォント 317
不確定性原理 340
不可逆圧縮 161
復元 92
複製 112
　　複製ツール 93
　　レイヤー 93
復調器 275
フッター（パケット） 259
物理エンジン 182
物理層 279
浮遊ゲート 162
フュージョンドローブプロセス 209
プライバシーポリシー 110
ブラウザー
　　FTP 288
　　http 288
　　URL 288
　　ドメイン名 288
　　ハイパーリンク 288
　　ページファイル 288
　　ミラーサイト 289
ブラウン管（CRT） 15
ブラケット 278
プラズマ 229
プラズマ vs. 液晶 228
プラズマディスプレイ 228
ブラックリスト 122
フラッシュドライブ 27
フラッシュメモリ 26
フラット型ヒートパイプ 187
フラットベッド 218
フリーウェア 59
ブリッジ 281
プリンター
　　3Dプリンター 314, 336
　　印刷ピン 143
　　インパクトプリンター 142
　　ドットマトリックスプリンター 142
　　バッファー 142
　　ビットマップテーブル 142
プリントカートリッジ 328
ブルートゥース 262
フルフレーム 198
プレイヤーキャラクター（PC） 104
プレイヤーキラー（PK） 105
フレーム間圧縮方式 284
フレームバッファー 183
プレーン 163
プレゼンテーション層 278
プレッシャープレート 193
フレッシュクロール 294
フローチャート 67
フローティングゲート 26, 162
ブロードバンド 269
プローブ要求（Wi-Fi） 260
プログラミング言語 65, 66, 70
プログラムカウンターレジスタ 33
プロジェクター（Google Glass） 178
プロセッサ 19
　　クアッドコアプロセッサ 38
　　マルチコアプロセッサ 38
ブロック 27, 163
フロッピードライブ 138
フロントエンド（クラウド） 310
フロントサイドバス 48, 185
フロントパネルコネクタ 47
分岐 37, 67
分岐先バッファー（BTB） 37
分散構造 307
粉末積層方式 337

へ

ベイジアンフィルター ... 123
ペイロード（パケット）... 259
ページファイル ... 288
ペーパートレイン ... 323
ベクターフォント ... 317
ヘッダー ... 112
ヘッダー（パケット）... 259
ヘッドエンド ... 284
ヘッドバンド（Google Glass）... 178
ヘッドホンジャック ... 170
ベル研究所 ... 20
ペルチェ冷却 ... 189
変圧器 ... 14, 151
  降圧トランス（降圧器）... 14
変更 ... 78
偏光フィルター ... 226
偏心回転質量モーター（ERM）... 215
変数 ... 66, 70
変数トークン ... 72
変調 ... 11

ほ

方向キー ... 210
膨潤性の合成樹脂コート紙 ... 330
放電 ... 15
放熱グリス ... 186
ポート ... 46, 118, 146
  シリアルポート ... 146
  マザーボード ... 46
ポート 80 ディスプレイ ... 47
ホットスポット（Wi-Fi）... 261
ポテンショメーター ... 210
ポリゴン ... 98
ホワイトバランス ... 193
ホワイトリスト ... 123

ま

マーカー
  テキストマッピング ... 76

マイク ... 170

  MEMS マイク ... 241
  エレクトレットマイク ... 241
  コンデンサーマイク ... 240
  スピーカー ... 242
  ダイナミックマイク ... 240
マイクロカプセル ... 174
マイクロコード ... 37, 40
マイクロチップ ... 20, 45
マイクロ波 ... 11
マイクロプロセッサ ... 32, 133
  製造 ... 20
マイクロポラライザー ... 236
マウス ... 134
マウスポート ... 133
巻き数 ... 14
マザーボード ... 43, 46
  サウスブリッジ ... 48
  チップセット ... 47
  ノースブリッジ ... 48
  バッテリ ... 47
  ポート ... 46
マトリックスコード ... 221
マルウェア ... 110, 267
マルチコアプロセッサ ... 38, 40
マルチスレッド化 ... 38
マルチタスク処理 ... 152
マルチタッチ機能 ... 208
マルチチャンネルサウンド ... 244
マルチビットサンプリング ... 17
マルチモードファイバー ... 275

み

ミップマッピング ... 100
ミドルウェア（クラウド）... 310
ミラーサイト ... 289

む

無線 ... 256
無線モジュール ... 262

め

- 命令ポインター ... 71
- メインフレーム ... 56
- メガネ ... 235
- メタファイル ... 282
- メッセージダイジェスト ... 125
- メモリ常駐型ウイルス ... 113
- メモリ常駐型のウイルス対策ソフト ... 117
- メモリスティック ... 27
- メモリデータレジスタ ... 33

も

- モールス信号 ... 10
- モデム ... 133, 273
- モニター
  - CRT ... 140
  - DLPディスプレイ ... 230
  - 液晶ディスプレイ ... 226
  - 液晶プロジェクター ... 230
  - 解像度 ... 140
  - 蛍光体 ... 141
  - シャドウマスク ... 141
  - フィールド ... 141
  - プラズマ ... 229
  - プラズマディスプレイ ... 228
  - ラスタースキャン ... 141
  - リフレッシュ ... 141
  - リフレッシュレート ... 140
- モバイルCPU ... 41
- モバイル機器 ... 94
- モバイルスイッチングセンター ... 305

や

- 焼き込み ... 92
- 山 (音波) ... 240

ゆ

- 有機ELディスプレイ (OLED) ... 232
- 誘電体 ... 162

- 輸送層 ... 233

よ

- 陽極 ... 233
- 溶融ポリマー堆積方式 ... 337
- 容量 ... 268
- 横波 ... 8
- 読み取り/書き込みヘッド ... 138
- 予約語 ... 72

ら

- ライトブラック方式 ... 322
- ライトホワイト方式 ... 322
- 裸眼3Dディスプレイ ... 237
- ラジエータ ... 188
- ラジオ波 ... 11
- ラスター化 ... 182
- ラスタースキャン ... 141
- ラッダイト ... 55
- ラップトップ ... 170
  - 電子ペーパーとラップトップ ... 174
- ララ・クロフト ... 101
- ランダムアクセスメモリ (RAM) ... 131
- ランド ... 164
- ランド研究所 ... 250

り

- リアルタイムクロック ... 133
- リーチャー (BitTorrent) ... 309
- 力学的な波 ... 8
- リザーバー ... 188
- リニア共振アクチュエーター (LRA) ... 215
- リピーター ... 281
- リブ (隔壁) ... 228
- リフレッシュ ... 141
- リフレッシュレート ... 140
- 量子 ... 340
- 量子コンピューター ... 341
- 量子ドット ... 342
- 量子もつれ ... 341

リレーショナルデータベース 82
リンクマネージャー(LM) 263

る

累算レジスタ 33
ルーター 280
　　イーサネットネットワーク 257
　　ネットワーク 257
ルーター(ツイストペアケーブル) 256
ルール 118

れ

冷却 186
　　強制対流 186
　　水冷式パソコン 188
　　潜熱 187
　　ヒートシンク 186
　　ヒートパイプ 187
　　ペルチェ冷却 189
レイテンシ 267, 269
レイトレーシング 102
レイヤー 93
レーザープリンター 322, 332
　　OPC 323
　　定着ユニット 323
　　トナー 323
　　ドラム 323
　　ペーパートレイン 323
レオスタット 15
レクサー 72
レコード
　　変更 78
レコード構造 78
レジスタ 32, 66, 71
レベル補正（ヒストグラム） 92
レンダリング 182
レンダリングエンジン 99

ろ

ローカルエリアネットワーク（LAN） 255, 280
ロスレス圧縮 160
論理ゲート 19

わ

ワードアドレス 26
ワイドエリアネットワーク（WAN） 280
ワイヤーフレーム 101

本書のサポートページ
http://isbn.sbcr.jp/84291/
本書をお読みいただいたご感想を上記URLからお寄せください。 本書に関するサポート情報やお問い合わせ受付フォームも掲載しておりますので、あわせてご利用ください。

翻訳
渡部 有希、小川 真帆、加島 聖也、増子 萌、肥田 恒光、田村 幸彦

技術監修協力
辻 秀典

日本版編集
友保 健太

ビジュアル版
コンピューター&テクノロジー解体新書

2015年 9月28日　初版第1刷発行
2017年12月 8日　初版第11刷発行

著　者　ロン・ホワイト
訳　者　トップスタジオ
発行者　小川 淳
発行所　SBクリエイティブ株式会社
　　　　〒106-0032　東京都港区六本木2-4-5
　　　　http://www.sbcr.jp/
印　刷　株式会社シナノ

制　作　トップスタジオ
装　幀　細山田 光宣＋相馬 敬徳

落丁本、乱丁本は小社営業部(03-5549-1201)にてお取り替えいたします。
定価はカバーに記載されております。

Printed in Japan　　　　　　　　　　　　ISBN978-4-7973-8429-1